경제 속의 담론(談論)을 찾아서

경제 속의 담론(談論)을 찾아서

발　행 | 2023년 12월 06일
저　자 | 김용수
펴낸이 | 한건희
펴낸곳 | 주식회사 부크크
출판사등록 | 2014.07.15.(제2014-16호)
주　소 | 서울특별시 금천구 가산디지털1로 119 SK트윈타워 A동 305호
전　화 | (02) 1670-8316
이메일 | info@bookk.co.kr

ISBN | 979-11-410-5773-2

www.bookk.co.kr

경제 속의 담론(談論)을 찾아서

김용수 지음

이 책 쓰면서

경제(經濟)란 사람이 생활을 함에 있어서 필요로 하는 재화나 용역을 생산, 분배, 소비하는 모든 활동이다.

경제는 인간의 공동생활을 위한 물적 기초가 되는 재화와 용역을 생산・분배・소비하는 활동과 그것을 통해 형성되는 사회관계의 총체를 가리키는 경제용어이다. 생산에서는 생산력이 핵심 요소인데, 생산수단의 질에 의해 좌우된다. 분배에서는 생산물을 누가 소유하느냐가 핵심 요소로, 보통 생산수단의 소유자가 생산물의 소유자가 되며 이에 따라 생산관계가 결정된다. 사회관계의 총체는 생산력과 생산관계의 형태에 따라 변화하는데 이 두 요소가 결합된 방식을 생산양식이라 한다. 생산양식에 따라 생산・분배・소비하는 활동의 양상이 달라지며 경제생활의 방식도 달라지게 된다.

지난 1992년 8월 24일 한국과 중국이 수교를 맺은지 올해로 30주년이 됐다. 지난 30년간 양국은 서로가 서로를 돕는 우호 관계에서 2016년 사드(THAAD・고고도미사일 방어체계) 배치와 중국 내 혐한(嫌韓) 정서로 인한 냉각기를 거쳐 오늘날에 이르렀다. 향후 한중 관계는 또 어떤 국면을 맞을까. 미중 간의 갈등과 세계적으로 보호주의 장벽이 높아진 변화의 상황 속에서 두 나라는 어떻게 미래를 향한 관계를 구축해 가야 할까.

담론(談論)은 일반적으로 말로 하는 언어에서는 한 마디의 말보다 큰 일련의 말들을 가리키고, 글로 쓰는 언어에서는 한 문장보다 큰 일련의 문장들을 가리키는 언어학적 용어이다. 특정한 시점에서 인간의 언어행위를 규제하는 모든 관계를 포괄한다. 세계에 대한 인간의 관계는 언어를 통해 재현되기 때문에 포괄적인 의미의 담론은 인간의 모든 언어행위와 이로 인해 이루어지는 모든 관계를 휩싸서 하나로 묶는다.

담론(談論)에는 언어적 표현으로서의 담론과 언어유희에 함축되어 있는 현실 재현으로서의 담론으로 크게 구분할 수 있다. 전통적 담론이 인간관계의 언어적 표현에 관심을 가지고 진리를 구성하는 언어규칙을 서술하는 과정이다. 즉 언어를 통해 매개되는 진리의 형성과정을 지칭한다. 이런 맥락에서 담론은 개별적 경험사실을 비교, 반성, 추상하여 일반적 진리에 도달하는 합리적인 과정과 절차를 말한다. 반면 포스트모던적(postmodernism) 담론은 진리를 진리로서 가능하게 하는 권력관계, 즉 지식과 권력의 상관관계를 구성하는 언어규칙을 뜻한다.

오늘날 담론(discourse)이라는 용어는 말하기나 글쓰기에서 정격(正格) 표현이라고 할 수 있는 전통적 의미와는 그 뜻이 다른 다양한 의미를 지니게 되었다.

현재 담론은 언어를 통해 표현되는 인간의 모든 관계와 동시에 이를 분석할 수 있는 개념적 도구로 사용되고 있다. 지성계의 지각변동을 일으킨 포스트모더니즘(postmodernism)과 더불어 가장 빈번하게 사용되고 있는 개념 중의 하나이다.

소통 수단의 발전에도 불구하고 소통의 위기가 심화되는 이유는 무엇일까? 오늘날 소통의 중요성은 점점 강조되고 있지만, 소통의 문제는 오히려 더 심각해진다는 사실은 일종의 아이러니가 아닐 수 없다. 이 소통의 문제를 해결하기 위해 필자가 도움을 받고자 하는 이론은 하버마스의 담론윤리이다. 하버마스(Jurgen Habermas)의 담론윤리는 공론장(公論場)에서 의사결정과 형성을 위해 담론에 참여하는 모든 이들이 지켜야 할 보편적 기준이다.

최근 일본 경제는 내·외부 요인에 의한 국가경쟁력 저하로 낮은 성장률을 보인다. 반면 한국은 일본보다 높은 성장률을 보이며 뒤쫓고 있다. 하지만 일본의 연구개발비(R&D) 투자액은 미국과 중국에 이어 세계 3위다. 특히 소재·부품 분야의 국제 경쟁력은 여전히 우수하다. 한국의 대일 적자 중 큰 부분을 차지하는 것도 여기에 있다. 일본 소재와 부품에 대한 의존도는 여전히 우리 경제를 위협하는 수준이다. 2019년 7월, 아베 정권의 반도체·디스플레이 핵심 소재에 대한 수출규제 강화는 이런 우려가 현실이 될 수 있다는 것을 보여준 사건이었다. 규제 강화의 배경에 대해서는 여러 가지 분석이 있으나, 목적은 한국의 주력산업인 반도체·디스플레이 산업 공급망에서 일본의 지위를 이용하여 한국 정부에 압박을 주고자 함이 분명했다. 즉 한국 경제에 일본이 미치는 영향력을 과시하기 위함이었다. 이런 상황에서 한국 경제는 일본을 넘어설 수 있을까?

한국 경제가 일본을 넘어서려면 우선 핵심 소재·부품의 대일 의존도를 낮추는 게 핵심이다. 일본이 우리 주력산업의 공급망을 흔들기 위해 위협했으나 3년이 지난 지금까지도 피해 없이 지낼 수 있는 것은 그만큼 우리가 해당 분야의 의존도를 낮추는 맞대응에 성공했기 때문이다. 다음으로 대일 우호 협력관계를 잘 활용해야 할 필요가 있다. 한국과 일본은 산업구조상 다차원적으로 상호 큰 영향을 주고 있어, 단절할 수 없는 관계가 됐다. 오랜 기간 형성된 공급망을 억지로 단절하고 바꾸려 하는 것은 오히려 우리 경쟁력에 악영향을 미칠 수도 있다. 따라서 일본과의 적절한 협력관계는 한국 경제가 궁극적으로 일본을 넘어 더 큰 성장을 하는 데 도움이 될 것이다.

2024년 한국의 경제 전망은 현재의 경제 동향과 정책에 따라 달라질 수 있다. 그러나 일반적으로 예측할 수 있는 몇 가지 측면을 살펴볼 수 있다.

첫째, 산업 구조 변화: 4차 산업혁명에 따라 IT, 바이오, 로봇 등 첨단 산업 분야의 성장이 예상된다. 기존 제조업보다 서비스업 등 서비스 중심의 산업이 더욱 발전할 것으로 예상된다.

둘째, 글로벌 경제 환경 변화: 미국과 중국을 비롯한 주요 경제국과의 무역 긴장이 여전히 지속될 수 있으며, 이에 따른 불확실성이 경제 전망에 영향을 줄 수 있다. 또한, 코로나19 팬데믹의 영향으로 글로벌 경제 회복 속도가 예상보다 더 느릴 수도 있다.

셋째, 정부 정책: 정부의 경제 정책에 따라 경제 전망이 크게 달라질 수 있다. 현재 정부의 주요 정책 중 하나는 그린 뉴딜로, 친환경 에너지와 환경 중심의 산업을 육성하는 것이다. 이러한 정책은 신재생 에너지와 친환경 기술 분야 등 새로운 비즈니스 기회를 창출할 수 있다.

마지막으로, 인구 구조 변화: 고령화가 더욱 심화될 것으로 예상되며, 이에 따른 경제적, 사회적 영향이 있을 수 있다. 예를 들어, 의료, 복지, 노인 관련 서비스 등 분야에서 수요가 증가할 것으로 예상된다.

이러한 측면들을 고려하면, 2024년 한국의 경제는 첨단 산업 성장과 미래 지향적인 정부 정책에 따라 안정적인 성장을 이룰 수 있다고 예상된다. 그러나 글로벌 경제 환경이 여전히 불확실하므로, 외부 요인에 대한 대비와 내부 경제 구조 조정이 중요할 것으로 생각된다.

이 책에서는 공론장(公論場)으로 역사·철학·정치·교육·경제 모두 이해관계가 표출될 수 있는 직접민주주의(直接民主主義)의 가능성을 열어놓았다. 그리고 이런 직접민주주의가 만인의 참여가 가능한 소통의 조건에서 갈등과 충돌을 넘어 심의민주주의(審議民主主義)에 이르기 위해서는 가치와 공감을 함께 고려한 소통 원칙이 필요하다.

2023년 12월

海東 김용수 씀

차례

초원의 빛(Splendor in the Grass)

윌리엄 워즈워스(William Wordsworth)

What though the radiance which was once so bright
Be now for ever taken from my sight,
한때 그처럼 찬란했던 광채가
이제 내 눈앞에서 영원히 사라졌다 한들 어떠랴

Though nothing can bring back the hour
Of splendor in the grass, of glory in the flower
초원의 빛, 꽃의 영광어린 시간을
그 어떤 것도 되불러올 수 없다 한들 어떠랴

We will grieve not, rather find
Strength in what remains behind;
우리는 슬퍼하지 않으리, 오히려
뒤에 남은 것에서 힘을 찾으리라

In the primal sympathy
Which having been must ever be;
지금까지 있었고 앞으로도 영원히 있을
본원적인 공감에서

In the soothing thoughts that spring
Out of human suffering;
인간의 고통으로부터 솟아나
마음을 달래주는 생각에서

In the faith that looks through death,
In years that bring the philosophic mind.
죽음 너머를 보는 신앙에서
그리고 지혜로운 정신을 가져다주는 세월에서

https://blog.daum.net/sang7981?page=2(2021. 4. 15)

Ⅰ. 들어가는 글

6·1 지방선거에서 국민의힘의 압승으로 윤석열 대통령은 집권 초 국정운영 동력을 확보했다. 대통령실은 이에 2024년 4월 총선까지 약 2년 정도의 시간을 국정운영의 골든타임으로 보고, 경제 살리기와 개혁과제를 이행하겠다는 의지를 분명히 했다.

윤 대통령은 지방선거 결과가 확정된 2일 오전 입장문을 통해 향후 국정운영에 있어 방점을 '경제' 와 '민생' 에 찍겠다는 뜻을 밝혔다. 윤 대통령은 "이번 선거 결과는 경제를 살리고 민생을 더 잘 챙기라는 국민의 뜻으로 받아들이고 있다" 며 "서민들의 삶이 너무 어렵다. 경제 활력을 되살리는 것이 가장 시급한 과제" 라고 밝혔다. 그러면서 "윤석열 정부는 첫째도 경제, 둘째도 경제, 셋째도 경제라는 자세로 민생 안정에 모든 힘을 쏟겠다" 고 강조했다. 약 240자 분량의 짧은 입장문이었지만 '경제' 를 다섯 차례 언급했다.

대통령실 "민생 회복에 주력... 웃을 때 아니다"

윤 대통령이 '경제' 에 방점을 찍은 것은 녹록지 않은 대내외 경제 환경이 정부의 발목을 잡을 수 있다고 판단했기 때문이다. 최근 고유가와 고환율, 고금리 등으로 국민들의 체감물가가 크게 오른 것은 역대 정권의 초기 상황과 비교할 때 윤석열 정부 입장에선 불리한 상황이다. 대통령실 고위관계자는 "국민들이 집권 여당에게 힘을 몰아줬는데도 경제 살리기나 민생 회복이라는 기대에 어긋난다면 곧바로 화살이 우리에게 돌아올 것"이라며 "두려움을 느껴야지 웃을 때가 아니다" 고 했다.

경제 살리기를 위한 이행방안으로는 '규제 개혁' 을 첫손에 꼽고 있다. 이를 통해 민간 주도 성장을 이뤄 성장과 민생 안정의 선순환을 꾀하겠다는 게 윤 대통령의 구상이다. 대통령실 관계자는 "규제 개혁은 기업뿐 아니라 민생 안정에도 도움이 되는 우선 과제" 라고 설명했다. 정부는 규제 개혁 전담기구를 설치해 행성 지도와 같이 법령과 관계없는 규제를 없애는 작업을 진행하고 있다.

이에 연금·노동·교육분야 개혁에 속도가 붙을 것으로 보인다. 윤 대통령은 지난달 16일 국회 시정연설에서 "우리가 직면한 나라 안팎의 위기와 도전은 우리가 미루어 놓은 개혁을 완성하지 않고서는 극복하기 어렵다" 며 3대 개혁 과제(연금·노동·교육 개혁)를 화두로 제시했다. 윤 대통령이 이날 고졸 인재 채용엑

스포에서 "창의적인 교육이 공교육에서 충분히 이뤄질 수 있도록 교육 혁신에 역량을 모으겠다" 며 교육개혁 의지를 밝힌 것도 같은 맥락으로 풀이된다.

경제 및 규제 개혁을 위한 드라이브에도 여소야대 정국하에서는 거대 야당의 협조가 필수인 만큼 더불어민주당과의 '협치' 는 당면 과제다. 다른 대통령실 고위 관계자는 "집권 여당인 국민의힘에 표를 몰아준 건 야당과 잘 협력해서 국정을 안정적으로 해달라는 요구" 라며 "승리에 취하거나 정파적 이슈가 생기면 협치가 꼬일 수 있는 점을 조심해야 한다" 고 했다.[1]

우리는 80년대 이후 연 10퍼센트의 높은 경제 성장률을 기록하고 있다. 영국 OO대 건축사학 교수인 지은이는 디자인이 사회적 관념의 표현이며 디자인 규범은 사회의 경제적, 사회적 조건에 따라 만들어진다는 독특한 관점 견지한다.

한국에서도 점차 경제 투표가 늘어나고 있다. 유럽 국가들은 각국의 경제권을 하나로 통합하여 강대국의 경제적 위협을 견제하자고 맹약하였다. 올해 경제 부처의 업무 내용은 한마디로 총수요 억제를 통한 물가의 안정이다.

최근 한국 경제는 내수와 수출이 모두 부진한 전형적인 불황 국면에 위치하고 있다.

한국 경제의 성장세가 2024년에는 잠재성장률 수준으로 복귀할 것으로 기대되나 장기 저성장 진입 가능성이 높아지고 있는 만큼 이러한 우려를 조기에 차단할 수 있는 정책 대안을 마련하고 적극 추진할 필요가 있다.

첫째, 본격적인 경기 회복세 전환을 위한 적절한 정책 노력이 필요함과 동시에 이 과정에서 장기 저성장에 대한 우려 불식을 위해 경제 펀더멘털(Fundamental)도 강화할 수 있도록 해야 한다.

둘째, 2024년에도 대외 리스크(risk)의 국내 전이 차단을 위한 지속적인 노력이 필요하고 이를 통해 국내 통화 및 금융 시장의 안정성을 유지해야 한다.

셋째, 한국 경제의 성장 엔진이자 선순환 고리 형성의 출발점인 수출은 기저효과가 크게 작용할 가능성이 높은 만큼 실익 강화를 위한 적극적인 정책 노력이 필요하다.

넷째, 내수 회복 촉진을 위해 적극적이고 강도 높은 투자 진작책을 추진하는 한편 신기술 및 신산업 부문에 대한 합리적이고 미래 지향적인 규제 완화 및 제도의 선진화 노력 등을 통해 국내 투자 활성화를 꾀해야 한다.

다섯째, 국제원자재 가격의 재불안 우려가 커지고 있어 원자재의 안정적인 수급 환경 조성, 공급체계 전반에 있어서의 비용전이 시기 분산 등을 통해 실물은 물론 금융 부문에 이르기까지 우려되는 악영향을 최소화해야 한다.[2]

1. 세계경제에 드리운 스태그플레이션 공포 B

경제(經濟, economy)는 사람이 생활을 함에 있어서 필요로 하는 재화나 용역을 생산, 분배, 소비하는 모든 활동이다. 즉 재화(goods)와 용역(services)을 생산, 분배하고 소비하는 인간의 행위를 기반으로 하는 사회 현상이다. 이를 분석하는 학문을 경제학이라고 한다.

본래 코이네 그리스어(헬라어) 단어 '오이코노미아(Oikonomia; ο ἰ κ ο ν ο μί α)' 에서 유래하였다. 이는 '오이코스(oikos, 집)' 와 '노미아(nomia, 관리)' 의 합성어로서, '가계' , '살림살이' 를 뜻했다.

스태그플레이션(Stagflation)은 침체(stagnation)와 폭등(inflation)의 합성어이다. 경제가 침체되는 상황에서 물가가 상승하는 상태를 의미하며 그 특징상 자본주의 시장경제에서의 최대 경계 사태이기도 하다. 주 원인은 환율 혹은 유가의 대규모 변동으로 1970년대 오일 쇼크 당시 한국도 어마어마한 스태그플레이션을 겪었으며, 코로나19 이후 미국을 제외한 대부분의 나라들이 겪고 있는 현상이다.

가. 스태그플레이션 공포를 가늠해보자

최근 세계 경제의 화두는 단연 경기 둔화와 물가상승이 동반하는 스태그플레이션 공포(StagflationFear)다. 세계은행은 이미 이번주 올해 세계 경제성장률 전망치를 올초의 4.1%에서 2.9%로 크게 낮췄다. OECD 또한 전망치를 4.5%에서 3.0%로 떨어뜨렸다. 반면 OECD 회원국들의 올해 평균 물가상승률 전망치는 애초의 4.4%에서 그 두배인 8.8%로 격상시켰다. 실로 경제학 교과서에 케이스 스터디쯤으로나 실릴만한 국면이 눈 앞에 있는 셈이다. 이를 역사적으로 조망해보자면 1970년대 한국이 치렀던 국제경제 환경의 어려움을 떠올려보면 된다. 당시 경제적 흥기를 구가하던 한국 경제였지만 국제유가발 물가상승 광풍으로 겪은 국민경제의 어려움은 이루말할 수 없는 수준이었음을 상기할 수 있을 것이다.

그 원인은 다들 짐작하다시피 코로나 팬데믹이 야기한 글로벌 공급망의 붕괴, 초강도로 밀어붙이는 중국의 봉쇄정책, 그리고 러시아의 침략전쟁에 따른 에너지 및 곡물 시장의 격변 및 국제정세의 불안 등을 꼽을 수 있겠다. 해상 및 육상 운송료는 2019년 12월31일을 100으로 기준했을 때 현재 스팟기준으로 640에 달한다.

비용 측면의 인플레이션 요인은 임금소득의 급격한 상승에도 있다. 미국의 경우 코로나19이전 시기에 비해 임금소득의 성장세가 무래 2.1배에 달한다.

결과적으로 2010년대 10년 시기 평균 물가상승률이 각각 2.7%, 1.7%선에서 움직였던 영국과 미국 경제는 5%와 3%선을 넘을 것으로 기대되어 이전 시기와 비교하였을 때 약 두배 가까운 물가상승세가 전망된다.

나. 스테그플레이션 공포에 이른 저성장의 공포

문제는 스태그플레이션 공포에 이어 찾아올 이른바 R의 공포(Recessionfear), 즉 저성장의 공포다. 즉, 주요국의 금리인상과 긴축재정에 따른 시장정서의 위축으로 전 세계적인 투자 약화가 결국 저성장을 야기할 것이라는 관측인데, 다소 비관적으로 보자면 다음 10년 시기 글로벌 경제는 이러한 저성장과에 맞선 힘든 싸움을 전개할 공산이 커 보인다. 물론 글로벌 경제는 이와 유사한 국면을 이미 체험한 바 있다. 1976년 발발한 2차 오일쇼크다. 다만 엔데믹 시기 글로벌 경제가 마주할 경기 침체 속도는 당시 2차 오일쇼크 대비 약 두배쯤 가속된 것으로 보면 된다.

그렇다면 전형적인 소규모 개방 경제국가인 우리 한국경제는 어떤가? OECD는 이미 한국의 경제성장률 전망치를 기존 3%에서 2.7%로 하향조정한 반면 물가상승률 전망치는 2.1%에서 4.8%로 높게 조정했다. 이번 주 공개된 한국은행 통계에 따르면 지난 1분기 한국 경제는 0.6%성장하는데 그쳤다. 특히 내수 경기의 큰 비중을 차지하는 건설투자 부문의 경우 건설자재 가격 상승의 영향을 본격적으로 받기 시작한 것으로 해석되는 부진이 본격화된 점은 시사하는 바가 크다.

종합하자면 1분기 성장률에 대한 민간소비, 건설투자, 설비투자의 기여도가 각각 -0.2%포인트, -0.6%포인트, -0.3%포인트로 나타나 소비와 투자가 사실상 한국경제의 성장세를 끌어내렸다는 말이다. 향후 통화긴축과 상품가격 폭등에 따른 곡물 및 에너지가 인상에 따라 한국을 포함한 각국의 저소득층이 겪을 고난은 더욱 가중될 것이고, 다수의 신흥국은 2차 오일쇼크 이후 1980년대에 치렀던 다량의 국가부도 사태와 같은 부채 위기에 몰릴 수도 있겠다.

다만 위기 속에서 한 가지 희망의 빛을 보자면 1분기 순수출이 성장률을 1.7%포인트 끌어올린 통계에 나타났듯 한국경제의 수출동력은 여전히 견고한 것으로 보인다는 점이다. 세계 경제의 연달은 공포의 시기를 극복하기 위해 주요 경제권을 포함한 각국 정부가 글로벌 무역 장벽을 낮추고 경제활력 진작에 나설 것이란 전망이 우리에게는 기회요인인 셈이다.[3]

2. 목전의 급박한 '경제위기 태풍', 전방위적 총력 대응을

우리 경제는 고물가·고금리·고환율이라는 3고(高)의 '트리플(Triple) 상승'에 속수무책으로 한꺼번에 내몰리면서 사면초가(四面楚歌)의 형국으로 빠져들었다. 무엇보다도 물가가 가파르게 오르고 있다.

그야말로 천정부지를 넘어 지붕 위를 걷다 못해 하늘 위를 나를 듯 매섭게 치솟고 있어 장을 보기 겁난다는 말이 온몸으로 느껴진다. 금리 상승으로 이자 부담이 늘어난데다 물가 상승까지 겹쳐 서민층의 삶은 갈수록 팍팍해지고 있다. 그야말로 목전에 급박한 '경제위기 태풍'이 몰아닥치고 있다.

통계청이 지난 6월 3일 발표한 '2022년 5월 소비자물가동향'을 살펴보면 지난달인 5월 소비자물가지수는 107.56(2020=100)으로 전월 대비 0.7% 상승하였고, 전년 동월 대비 5.4% 상승했다. 5.4%의 물가 상승은 글로벌 금융위기 직전인 2008년 8월의 5.6% 상승 이후 무려 13년 9개월 만에 가장 높은 수준이다.

지난 2월까지 4개월 연속 3%대를 기록했던 물가 상승률은 3월부터 두 달간 4%대로 올라선 뒤 곧바로 5%대 중반으로 급등하는 등 가파른 오름세를 보였다. 평상시에는 상상하기 힘든 매우 높은 오름세다. 특히 체감물가를 보여주는 생활물가지수는 6.7%까지 올랐다. 생활물가지수는 체감물가를 설명하기 위해 전체 작성대상 458개 품목 중 구입 빈도가 잦고 지출 비중이 높아 소비자들이 가격 변동을 민감하게 느끼는 144개 품목으로 작성한 지수를 말한다.

이처럼 가파르게 치솟는 물가 급등을 주도한 것은 주로 석유류와 농·축·수산물, 외식비 등이다. 휘발유·경유가 각각 27%·45.8% 급등하고, 돼지고기·수입쇠고기도 각각 20.7%·27.9%나 올랐으며, 밀가루도 26%나 올랐다. 무엇보다도 전기·가스·수도는 2010년 1월 통계를 집계한 이래 9.6%로 최고 상승률을 보였다. 문제는 이런 고공행진의 물가 오름세가 상당 기간 이어질 가능성이 크다는 점이다. 특히, 6·7월의 소비자물가 상승률을 한국은행은 5%대로 예상했고, 현대경제연구원은 6% 이상 오를 수도 있다고 전망했다.

최근 물가 상승은 정부의 통제권 밖에 있는 외부적 충격 요인 탓이 큰 것이 사실이다. 러시아의 우크라이나 침공으로 인한 전쟁이 장기화하고, 이상기후 등의 여파로 국제유가와 원자재, 곡물 가격이 내려가기가 쉽지 않을 뿐만 아니라 글로벌 공급망도 빠른 속도로 복구되기 어려워 한국 경제가 스스로 해결책을 찾기 어렵다는 측면에서 문제의 심각성을 더한다. 여기에다 코로나19 방역 조처가 해제되면서 그동안 억눌렸던 소비 회복도 당분간 지속될 전망이다. 설상가상으로 지난 4월 생산, 소비, 투자는 2년 2개월 만에 '트리플 감소'를 기록했다.

게다가 세계은행(WB)과 경제협력개발기구(OECD)가 내놓은 올해 수정 경제전망치는 한결같이 잿빛 일색이다. 성장은 바닥인 줄 알았는데 그것도 모자라 지하를 파고 내려가고, 살인적 물가는 천정인 줄 알았는데 오히려 옥상을 뚫고 올라간다는 예상들이 나오면서다. 세계은행(WB)은 올 세계 경제 성장률 전망치를 지난 1월의 4.1%에서 1.2%포인트 하향한 2.9%로 조정했다. 불과 5개월 만이다. 그뿐만 아니라 내년 성장률은 1.5%로 떨어지고 당분간 제로(0)% 성장까지 나올 수 있다고 봤다. 심지어는 1970년대 스태그플레이션(Stagflation: 경기 침체 속 물가 상승) 위험까지 경고했다.

더욱 비관적인 건 경제협력개발기구(OECD)가 올해 회원국의 평균 물가 상승률을 4.4%포인트나 높인 8.8%로 전망을 수정한 가운데 한국의 올해 물가 상승률을 4.8%로 전망했다. 회원국의 평균 물가 상승률 8.8%에 못 미치는 건 다행스럽지만 결코 안도해선 안 된다. 오히려 2.7%포인트나 올린 점에 주목해야 한다. 한국은 자가 주거 관련 항목들이 빠진 특수한 물가이기 때문이다. 이점을 고려하면 거의 2배 가까이는 높게 봐야 옳은 전망이다. 결과적으로 올해 실질적인 물가 상승률이 족히 7~8%를 상회한다는 얘기가 아닐 수 없다.

이와 같은 살인적 급등 물가를 잡기 위해선 일반적으로 과잉 유동성을 걷어내기 위해 금리를 올릴 수밖에 없다. 하지만 이는 경기에 부정적인 영향을 미친다. 경기가 회복되지 못한 상태에서 금리 인상은 자칫 경기를 둔화시킬 수 있기 때문이다. 당연히 고물가는 가계의 실질소득을 감소시켜 서민들의 생활고를 가중시킬 것이 불을 보듯 뻔하다. 이런 가운데 한국은행 금융통화위원회는 지난 5월 26일 열린 통화정책방향결정회의에서 기준금리를 연 1.50%에서 0.25%포인트 인상한 1.75%로 결정했다.

이러다가는 고물가와 경기침체가 동시에 발생하는 스태그플레이션(Stagflation)이나 고물가 속에 경기가 둔화하는 슬로플레이션(Slowflation)이 현실화할 가능성이 커지고, 서민 살림살이는 더 어려워진다는 얘기다. 정부는 물가 대응과 경제성장이라는 반대 방향으로 달리는 두 마리 토끼를 동시에 잡아야만 하는 힘든 상황에 내몰리고 있다. 그야말로 난제 중의 난제를 풀어야 할 지혜가 필요한 대목이다. 눈치만 살피고 좌고우면(左顧右眄)하다가 실기(失期)한다면 고물가 상황에서 경기까지 추락하는 'S공포' 만 앞당기는 치둔(癡鈍)의 우(愚)를 범할 수도 있다.

미국 경제도 JP모건(JPMorgan) 회장이 "경제 허리케인이 다가오고 있다." 라고 경고할 만큼 위기감이 고조되고 있다. 이는 미국 당국이 재정·금융 긴축을 본격화하면서 글로벌 경제에 충격파가 닥쳐올 것이란 경고로 우리에겐 더욱 무겁고 크게 들린다. 윤석열 대통령도 지난 6월 3일 "경제위기를 비롯한 태풍의 권역에 우리 마당이 들어가 있다." 라며, "(태풍으로) 창문 흔들리고 나뭇가지 흔들리는" 상황에 비유하면서 경제가 위기 국면임을 강조했다.

대통령이 경제 현실에 위기의식을 갖는 것은 바람직하다. 이와 같은 인식에 따라 정책당국의 역할과 책임은 더욱 무거워졌다. 이는 당국이 모든 수단을 동원해 목전의 급박한 '경제위기 태풍' 에 전방위적으로 총력 대응해야 하는 명확한 이유이자 엄중한 책임이 되었다. 올 초부터 숨 가쁘게 이어진 선거 정국이 마무리되면서 온 나라를 뜨겁게 달궜던 정치의 계절도 저물고 이제는 말이 아닌 실천으로 민생경제를 챙겨야 하는 시간이 온 것이다.

이번 물가 상승은 정부의 통제 밖에 있는 외부적 요인이 큰 게 사실이지만 정부의 대응에 따라 국민이 받는 고통을 어느 정도는 경감이 가능할 수 있음도 사실이다. 따라서 정부는 물가를 정책 1순위에 두고 있다는 일관된 메시지를 시장에 꾸준히 보내야 한다. 기업 경영환경 개선과 규제 개혁에 속도를 더하고, 주요 수입품의 할당관세를 인하하고, 비축물량 확보 등 원자재가격이 물가에 전이되지 않도록 공급망 확보에 빈틈이 없도록 만전을 기해야 하며, 재정당국과 통화당국 간 꾸준한 밀착 소통으로 정책 공조를 강화하여 최적의 정책 조합을 일궈내야 하고, 시장 혼선을 줄여나가야만 한다.

그러나 최근 정부가 내놓거나 추진하는 정책은 화급한 민생경제 해결과는 다소 거리가 멀어 보이거나 아직은 많이 부족한 것으로 느껴지기도 한다. 오히려 종합부동산세 완화나 법인세 인하 등 부동산 부자와 대기업의 세금 부담 완화에 더 신경을 쓰는 것 같은 모양새다. 고물가·고금리는 우리 사회의 양극화를 심화시키는 암적 요인인 만큼 서민층 고통을 덜어줄 방안 마련에 더 큰 관심을 가져야 한다. 정부는 근로소득세 감면, 공공요금 인하 등 기업과 가계의 비용 부담을 덜어주는 정책을 펴고, 기업은 생산성 향상 등을 통해 가격 상승 요인을 최대한 자체 흡수하여 제품 가격 인상을 당분간 자제해야 한다.

무엇보다도 생활물가 상승과 이자 비용 증가로 인해 부담이 커질 수밖에 없는 취약계층에 대한 지원을 더욱 면밀하고, 더욱 촘촘하게 챙기고 보다 적극적으로 확대해 나가야 한다. 서민 가계와 영세 자영업자·소상공인·중소기업 등 고물가에 고통받는 계층을 대상으로 한 맞춤형 재정・금융 지원책도 필요하다.

또한, 기업들이 물가가 불안한 틈을 타 부당하게 가격을 올리는 행위도 주의 깊고 세심하게 감시해야 한다. 특히, 수입 물가 상승의 한 원인이 환율 급등에 있는 만큼 안정적인 환율 관리에도 만전을 기해야 함은 물론, 세금 감면 혜택을 받은 수입품이 국내에서 더 큰 마진이 붙어 재유통하는 일이 없도록 더욱 철저히 감독해야 한다.[4]

2024년 한국 경제 전망

구분	2022년	2023년			2024년(E)		
	연간	상반기	하반기(E)	연간(E)	상반기	하반기	연간
경제성장률 (%)	2.6	0.9	1.5	1.2	2.3	2.1	2.2
민간소비 (%)	4.1	3.1	1.3	2.2	2.0	2.4	2.2
건설투자 (%)	−2.8	1.8	0.5	1.2	−0.5	1.5	0.5
설비투자 (%)	−0.9	5.3	−5.4	−0.1	−2.0	5.0	1.5
수출증가율 (%)	6.1	−12.4	−2.1	−7.4	12.5	5.6	8.9
소비자물가 (%)	5.1	4.0	2.7	3.4	2.7	2.4	2.5
실업률 (%)	2.9	3.0	2.7	2.8	3.2	2.6	2.9

주 : 실적치는 한국은행, 통계청, 무역협회, 2023년, 2024년 전망치는 현대경제연구원

2024년 한국 경제는 잠재성장률 수준인 2.2% 정도의 성장세를 보일 것으로 전망된다. 지표상 상반기 성장률(2.3%)이 하반기(2.1%)보다 높은 경기 흐름을 보일 것으로 예상되나 이는 2023년 상반기의 낮은 성장률(0.9%)에 대한 기저효과에 기인하는 것으로 실질적으로는 상반기와 하반기가 유사한 경기 흐름을 보일 가능성이 커 보인다. 단 주요국 통화정책의 전환 시점, 중국 경기의 둔화 정도, 글로벌 교역 및 제조업 경기의 회복 강도, 국제원자재 가격의 안정화 여부에 따라 국내 경기 흐름 및 회복세가 좌우될 가능성이 크다는 점에 유의할 필요가 있다.

민간소비는 금리의 피크아웃으로 인해 가계 소비의 하방압력으로 작용했던 고금리 부담이 점진적으로 완화되는 가운데 소비자 심리의 개선, 양호한 고용여건 등으로 완만한 회복세를 보일 것으로 보인다. 그러나 가계부문의 누증된 부채와 이로 인한 이자 상환 부담은 민간소비 회복의 하방 요인으로 작용할 것으로 보인다.

건설투자는 원부자재 가격과 금융 비용의 점진적인 하락으로 증가세를 유지할 것으로 전망되나 2023년 대비 둔화될 것으로 보이고 설비투자는 글로벌 IT 경기의 회복과 금리의 피크아웃(peak-out)으로 인한 자본조달 비용의 점진적인 하락으로 소폭이나마 증가세로 전환될 것으로 예상된다.[5]

3. 세계 경제 격랑 속 25년만에 재정·경상수지 '쌍둥이 적자' 우려

주요국 중앙은행의 돈줄 죄기와 러시아의 우크라이나 침공 장기화로 경제에 태풍이 몰아칠 수 있다는 우려가 커진 가운데 우리나라의 주요 거시건전성 지표에도 빨간불이 들어오고 있다.

흑자기조를 이어가던 경상수지가 24개월 만에 적자로 돌아서 재정적자와 함께 '쌍둥이 적자' 우려가 커진 것이다.

한국은행이 10일 발표한 국제수지 잠정통계에 따르면 4월 경상수지는 8천만달러(약 1천5억원) 적자로 집계됐다.

주요국 중앙은행의 돈줄 죄기와 러시아의 우크라이나 침공 장기화로 경제에 태풍이 몰아칠 수 있다는 우려가 커진 가운데 우리나라의 주요 거시건전성 지표에도 빨간불이 들어오고 있다.

◇ 경상수지 2년만에 적자 전환

한국은행이 10일 발표한 국제수지 잠정통계에 따르면 4월 경상수지는 8천만달러(약 1천5억원) 적자로 집계됐다. 경상수지는 24개월만에 적자로 돌아섰다.

유가 급등에 따른 수입 원자재 가격 상승으로 상품수지 흑자가 줄어든데다 4월 외국인 배당 지급 확대로 본원소득수지가 적자를 낸 영향을 받았다.

상품수지 흑자가 1년 전보다 20억달러 적은 29억5천만달러에 그쳤고, 본원소득수지는 32억5천만달러 적자를 냈다.

본원소득수지는 국내 기업의 연말 결산 배당금 지급이 집중되는 4월 적자로 돌아서는 계절성을 띤다.

김영환 한은 금융통계부장은 경상수지 적자 전환의 배경에 대해 "상품 수출은 견조한 흐름이지만 원자재 가격 급등으로 수입이 급증하면서 상품수지 흑자 폭이 크게 줄었다" 며 "여기에 계절적 배당 요인이 더해져 경상수지가 적자를 기록했다" 고 설명했다.

김 부장은 경상수지 전망에 대해 "운송 수지 등에 힘입어 서비스 수지의 흑자 기조가 이어질 것 같고, 4월의 배당 요인도 완화되기 때문에 5월에는 경상수지가 흑자로 돌아설 가능성이 크다" 고 말했다.

4월 경상수지 적자가 일시적일 수 있다는 분석이다. 하지만 에너지 가격 급등 등으로 수입 증가세가 수출보다 빨라 경상수지에서 차지하는 비중이 큰 상품수지 흑자가 줄어들고 있어 안심할 수 없는 상황이다.

실제 4월 상품수지 흑자는 1년 전보다 20억달러 적은 29억5천만달러에 그쳤다. 수출(589억3천만달러)이 반도체·석유제품 등의 호조로 11.2%(59억3천만달러) 늘었지만, 수입(559억8천만달러) 증가 폭(16.5%·79억3천만달러)이 더 컸기 때문이다.

상품수지에 연동되는 무역수지도 4월부터 5월까지 2개월 연속 적자다.

올해 무역수지는 1월 적자를 보였다가 2월과 3월 흑자로 돌아섰지만, 4월부터 다시 적자로 전환됐다. 5월 적자규모는 17억1천만달러였다.[6]

◇ 코로나 경기부양 지속에 4년 연속 재정적자 예상

재정수지는 적자에서 헤어나지 못하고 있다. 코로나19 사태를 거치며 재정을 통한 경기부양 정책이 지속되며 재정수지는 적자 기조가 굳어진 상황이다.

총수입에서 총지출을 뺀 통합재정수지는 2019년 적자로 돌아선 이후 올해까지 4년 연속 적자가 예상된다.

최근 세수 호황이 이어지고 있지만, 지출이 더욱 큰 폭으로 늘면서 수십조원의 적자가 발생하게 된 것이다.

올해 1분기 국세 수입과 세외수입, 기금 수입을 합친 총수입은 170조4천억원으로 1년 전보다 18조2천억원 증가했지만, 1분기 총지출은 203조5천억원으로 21조3천억원 늘었다. 이에 따라 1분기 통합재정수지는 33조1천억원 적자를 기록했다.

통합재정수지에서 4대 보장성 기금을 차감해 정부의 실질적인 재정 상태를 보여주는 관리재정수지는 1분기에만 45조5천억원의 적자를 나타냈다.

올해 연간 통합재정수지 적자는 70조4천억원, 관리재정수지 적자는 110조8천억원에 달할 것으로 각각 전망됐다.

지난달 말 국회가 2차 추가경정예산을 처리하는 과정에서 지출이 늘면서 연간 재정적자 전망치는 당초 정부안보다 더욱 확대됐다.[7]

◇ 경제 환경 악화 지속…글로벌 긴축·인플레·경기 침체 우려

이런 상황에서 대내외 경제 환경은 계속 악화하고 있다. 대외 경제 환경은 우리나라의 수출과 물가 등에 영향을 미칠 수 있다.

유럽중앙은행(ECB)은 9일(현지시간) 통화정책회의를 열고 7월과 9월 기준금리

인상을 예고했다. 자산매입 프로그램(APP)에 따른 채권 매입도 7월부터 종료한다고 밝혀 본격적인 긴축을 알렸다.

ECB는 2016년 3월 기준금리를 0%로 낮춘 뒤 6년여째 유지해왔다.

미국 중앙은행인 연방준비제도(연준·Fed)도 이달 1일부터 대차대조표 축소 과정인 양적긴축에 들어간 가운데 인플레이션이 누그러질 때까지 당분간 '빅스텝' (0.5%포인트의 금리 인상)을 이어간다는 방침을 시사한 상태다. 러시아의 우크라이나 침공에 따른 전쟁은 끝을 알 수 없는 상황이다.

중국에서는 '경제수도' 상하이가 봉쇄 해제 열흘 만에 코로나 재확산 우려가 일면서 주민들 사이에서 또 도시 봉쇄에 들어가는 것이 아니냐는 불안감이 커지고 있다. 이런 요인들로 인해 세계 물가는 계속 상승하고 있고 이로 인해 경기 침체 우려까지 제기되고 잇다.

미국 최대 은행인 JP모건체이스의 제이미 다이먼 최고경영자(CEO)는 최근 인터뷰에서 경제에 허리케인이 올 수 있다고 경고하기도 했다.

대외 환경 악화는 공급망 차질, 수입 원자재 가격 상승 등으로 경상수지에 부정적인 영향을 미치고 물가 상승 등으로 내수에도 부담을 줄 수 있어 세수 등 재정에도 좋지 않은 결과를 가져올 수 있다.[8)]

◇ 신인도·외환시장 흔들릴 수 있어

재정적자와 경상수지 적자는 우리나라의 신인도를 흔들 수 있다. 경상수지 적자가 이어지면 대외 지급 능력이 줄어들고 재정수지 적자는 대내외 경기 충격이 발생했을 때 이를 방어할 수 있는 여력이 줄어든다. 외국인 투자자들에게는 우리나라 경제의 근본 체력이 떨어졌다는 의미로 받아들여진다.

경상수지 적자는 원화 약세를 가속할 수 있다. 국내 외환시장에 달러 공급이 줄어들고 신인도까지 흔들리면 국내에 들어와 있던 달러는 나가고 새로운 달러는 들어오지 않게 돼 원화 가치는 빠르게 떨어지고 환율은 급등하게 된다. 다만 아직 우리 경제의 펀더멘탈(경제 기초 체력)과 신인도는 비교적 양호하다.

외환 당국 관계자는 "최근의 원화 약세는 한국 경제에 대한 평가라기보다는 달러 강세에 따른 영향이 크다" 면서 "우리나라 보유 외환이 적지 않고 대외 건전성도 좋은 편이기 때문에 급격한 자금 유출 가능성이 크지 않다" 고 말했다.

한국의 외환보유액 규모는 4월 말 기준(4천493억달러)으로 세계 9위 수준이다.

박종석 한은 부총재보도 지난 9일 "소비 회복세 등 우리나라 (경제의) 펀더멘탈을 고려했을 때 급격한 자본 유출 가능성이 크다고 보지 않는다" 고 말했다.[9)]

4. 물가 5%선도 뚫렸다… 尹 "경제위기 태풍권"

지난달 소비자물가가 13년 9개월 만에 최고인 5.4% 치솟았다. 윤석열 대통령은 "경제 위기를 비롯한 태풍 권역에 우리 마당이 들어와 있다"며 강한 경계감을 나타냈다. '인플레이션 태풍'에 고금리, 고환율까지 겹친 '3고(高)' 위기에 대한 우려가 커지면서 한국 경제가 장기 침체에 빠질 수 있다는 경고도 나온다.

3일 통계청이 발표한 소비자물가 동향에 따르면 지난달 소비자물가는 1년 전보다 5.4% 올랐다. 이는 2008년 8월(5.6%) 이후 가장 큰 상승 폭으로, 물가 상승률이 5%를 넘은 것은 글로벌 금융위기 이후 처음이다. 올해 3월 4%를 넘어선 이후 2개월 만에 5%대에 들어섰다. 고공행진을 이어가는 국제 유가와 곡물 가격, 글로벌 공급망 차질 등 대외 요인에 전기, 가스 요금 인상 등 대내 요인까지 겹친 결과다. 특히 축산물과 가공식품, 외식비 등의 가격이 일제히 오르며 전체 물가를 끌어올렸다. 수입 쇠고기(27.9%), 돼지고기(20.7%), 닭고기(16.1%) 등이 큰 폭으로 오르며 축산물은 1년 전보다 12.1% 올랐다. 재료비와 물류비 상승 등의 영향으로 식용유(22.7%)와 밀가루(26.0%)가 포함되는 가공식품은 7.6% 상승했다. 외식 물가는 7.4% 오르며 1998년 3월(7.6%) 이후 가장 큰 상승 폭을 보였다.

여기에 석유류도 34.8% 오르며 우크라이나 사태 이후 지속된 오름세를 이어갔다. 전기, 가스 요금 인상 등 대내 요인도 물가를 부추겼다. 전기·가스·수도 요금은 9.6% 상승하며 2010년 1월 집계 이후 가장 많이 올랐다. 전기 요금은 4월에, 가스 요금은 4, 5월에 잇따라 인상됐다.

6, 7월에도 5%대의 높은 물가 오름세는 이어질 것으로 전망된다. 김상봉 한성대 경제학과 교수는 "수입 물가가 높기 때문에 물가 상승률이 6%로 올라설 가능성도 있다"며 "성장률도 떨어지고 있는 만큼 국내 경제가 일본처럼 장기 침체에 빠질 우려가 상당히 높다"고 지적했다.

윤 대통령도 '경제 위기'를 강조하고 나섰다. 윤 대통령은 이날 서울 용산 대통령실 청사 출근길에 기자들과 만나 '6·1지방선거에서 (여당의 승리로) 국정 운영 동력을 확보했다는 평가가 많다'는 질문을 받고 "지금 집에 창문이 흔들리고 마당에 나뭇가지가 흔들리는 거 못 느끼느냐"며 "지금 경제 위기를 비롯한 태풍 권역에 우리 마당이 들어와 있다"고 말했다. 그는 "정당의 정치적 승리를 입에 담을 그런 상황이 아니다"라고 덧붙였다.[10]

5. 애덤 스미스, 인류를 윤택하게…자유시장 경제학의 시초

미국과 중국 간 무역전쟁이 멈출 기미를 보이지 않고 있다. 미국은 지난 수십 년간 지속적으로 대중 무역적자를 경험해 왔다. 반대로 대미 무역으로 최대 흑자를 올린 곳이 바로 중국이었다. 무역적자는 무엇을 뜻하는가? "중국인들이 미국인의 일자리를 빼앗아갔다는 것, 그리고 그만큼 중국인이 미국인의 재산을 소유하게 된 것" 이라는 여론이 도널드 트럼프 미국 대통령 당선의 원동력이 됐다. 중국에 관세를 부과해 생산시설과 일자리를 미국으로 회귀시키자는 아이디어로 시작된 무역갈등에 대해 경제학자들은 트럼프가 '중상주의' 에 사로잡혀 있고 애덤 스미스 이전 시절로 돌아가는 것이라고 비판했다.

Q. 중상주의는 어떤 견해를 가지고 있는가?

A. 중상주의는 15~18세기 경제사상을 말한다. 당시 세계는 농경을 중심으로 이뤄져 있었으며, 장인이 도제와 함께 수공업 단계로 특산품을 생산할 뿐이었다. 재화는 지역별로 상품 가격 차이가 심했는데, 상인들은 그 사이에서 물건을 유통하면서 자본을 축적해 왔다. 상인들은 경쟁이 심해질수록 이윤이 줄어드는 것을 본능적으로 알고 있었다. 그들이 자신들의 부를 극대화하기 위한 방법은 정부(왕)에 금품을 상납하고 독점권과 각종 특혜를 받아내는 것이었다.

이처럼 미성숙한 초기 자본주의 사회에서 중상주의자들은 국가의 부유함이 왕가(또는 국경 내)가 보유한 재산(금은보화) 양이라고 생각했다. 전 세계 부의 총량은 정해져 있기 때문에 외국 제품을 수입하고 대금을 지급하다 보면 나라가 가난해진다고 생각했다. 자연히 수입품에 높은 관세를 물리고 수출은 장려해야 한다는 결론이 나온다.

왕가에서도 관세로 재정을 확보할 수 있어 마다할 이유가 없다. 영국이 이렇게 결정할 때 프랑스 입장에서도 마찬가지로 관세장벽을 쌓고 수입을 억제하지 않으면 일방적으로 손해를 보기 때문에, 결국 유럽 모든 국가들이 관세를 높게 유지하고 결과적으로 교역이 억제된 상태에 놓여 있었다.

Q. 애덤 스미스는 어떤 발견을 했는가?

A. 애덤 스미스는 1723년 영국 북부 스코틀랜드 지역에서 태어났다. 부족했던 외모나 언변과 달리 지적 능력이 뛰어났던 그는 옥스퍼드대를 거쳐 모교 글래스

고대에서 철학 교수로 부임했다. 당시 영국은 산업혁명이 시작되던 때로 방직기·방적기 등 첨단 생산 기술이 등장하던 곳이었다.

스미스는 중상주의를 비판적으로 분석하고 태동하는 산업혁명의 현장을 관찰하면서 자본주의와 시장경제에 대한 핵심적인 견해를 정리해 책을 냈는데, 이것이 경제학의 시초로 불리는 '국부론' 이었다.

스미스는 개인이 이기심에 따라 행동하더라도 세상이 파탄나지 않고 문제없이 돌아간다는 점을 지적했다.

마치 '보이지 않는 손' 이 조절해주듯, 사람들이 필요로 하는 재화는 누군가가 만들어서 공급해준다는 주장이었다. 소비자가 식욕을 해결하기 위해 빵을 원할 때, 빵을 만들 재주가 있고 돈을 벌려는 사람은 기꺼이 제빵업자로 시장에 참여한다. 만약 솜씨가 서툴러서 빵을 만드는 데 빵값보다 비용이 더 들어가는 제빵사 A가 있다고 생각해보자. A는 빵을 만들수록 손해를 볼 것이고 곧 적성에 맞는 직업을 찾아 떠날 것이다.

또 빵을 원하긴 하지만 빵의 가치를 너무 하찮게 생각하는 소비자 B가 있다고 생각해보자. 수량이 한정된 빵을 B에게 준다면 빵을 더 간절히 원하는 (가치를 더 높게 평가하고 더 많은 돈을 지불할 용의가 있는) 소비자 C가 소비할 기회를 잃어버릴 수 있다.

시장에서 결정되는 균형가격은 B 대신 C가 빵을 소비할 수 있도록 할당해주는 역할을 수행한다. 시장에서 자연스럽게 자원이 효율적으로 배분(가치를 높게 평가하는 사람이 소비하고, 적은 비용으로 만들 수 있는 사람이 공급)되도록 조율하는 것이다. 정부의 개입은 오히려 자연스러운 재화 생산과 소비를 방해한다. 자유롭고 조화로운 경제가 가능한 곳이 바로 (완전경쟁) 시장이라는 것이다.

Q. 경제 발전의 원동력은 무엇이라고 봤나?

A. 스미스는 옷핀 제조공장을 관찰하면서 당시 폭발적인 생산성 증가의 원천을 찾았다. 공장 직공들은 제조 과정(철사 자르기, 뾰족하게 만들기, 머리 붙이기 등)을 세분화해 한 명씩 나눠 맡음으로써 혼자서 옷핀을 전부 다 만들 때보다 수천 배 많은 양을 만들어낼 수 있다는 것을 발견했다.

스미스는 (중상주의자 생각처럼) 금고에 쌓아둔 금이 아니라 재화의 생산 능력이 '국가의 부유함' 을 의미한다는 점을 밝혔다. 또 분업을 통한 생산성 증가가 국가 단위에서도 적용되며, 따라서 경제 발전을 위해서는 관세장벽을 철폐하고 자유무역이 이뤄지도록 내버려둬야 한다고 주장했다. 관세로 이득을 보는 것은 독점사업자뿐이며, 자유로운 무역을 허용한다면 고용이 증가하고 소비자는 더 낮은 가격으로 상품을 소비할 수 있게 된다.

스미스의 가르침은 명확하다. 자유시장과 분업, 무역은 인류의 생활수준을 개선시켜 준다. 250여 년이 지난 현대에도 그는 여전히 가르침을 주고 있다.[11]

☞ 알쏭달쏭 OX퀴즈

1. 중상주의는 무역수지 흑자를 목표로 한다. ( )
2. 사람들의 이타심으로 인해 시장이 작동한다.( )
3. 특화와 분업은 생산성을 증대시켜 준다. ( )

정답 = 1. ○ 2. X 3. ○

경제학(經濟學, Economics)은 재화와 용역의 생산 및 분배, 지출 등 경제의 전반적인 부분을 연구하는 학문이다.

'경제학' 은 영어의 'economics' , 그리스어의 'οiκονομία' 를 번역한 말이다. 한자어 경제는 경세제민(經世濟民)의 줄임말인데 이는 '세상일을 잘 다스려 도탄에 빠진 백성을 구함' 이라는 의미이다. 반면 그리스어 어원은 '집, 가정' 을 뜻하는 'oikos' 와 '규칙 혹은 법' 을 뜻하는 'nomos' 의 합성으로서 'management of a household' , 즉 가정을 잘 꾸리는 방법을 뜻했으나 시간의 흐름과 번역을 거쳐 경세제민으로 그 의미가 확장된 것이라 할 수 있다.

경제학은 다양한 모형들을 만들어 현실을 설명하고자 한다. 이러한 모형들이 합쳐져서 하나의 개념을 형성한 것이 경제이론이다. 미래의 변화를 예측하기 위해서 모형을 사용할 때에는 다른 여타의 조건들은 일정하다는 가정이 필요하다. 즉, 한 가지 요인이 변할 때 결과가 어떻게 되는지 살펴보는 동안에 다른 원인들은 사실상 변하지 않는다고 가정하게 되는데 이를 세테리스 파리부스(ceteris paribus)라고 한다. 이 용어는 라틴어로 '다른 조건들이 일정할 때(other things being equal)' 를 의미하며 경제학의 경제 모형을 이해하는 데 반드시 필요한 원칙이다.[12]

6. 한국경제 도전과 과제 -특별좌담 -

한국 경제를 둘러싼 대내외 환경이 악화일로다. 안으로는 내수 침체 속에 기업 구조조정이 진행되고 있고, 밖으로는 글로벌 저성장에 따른 수출 부진으로 국내 기업들의 어려움이 가중되고 있다. 문화일보는 창간 25주년을 맞이해 이 같은 우리 경제의 대내외 리스크(위험)에 대한 진단과 함께 해법을 모색하기 위해 10월 20일 경제 전문가들을 초청해 '한국 경제 도전과 극복 과제'라는 주제로 특별좌담을 진행했다.

좌담에는 강인수 현대경제연구원 원장, 유병규 산업연구원 원장, 이근 서울대 경제학부 교수가 참여해 2시간여 동안 열띤 토론을 벌였다. 참석자들은 국내 경제의 위기 상황에 대한 인식을 공유하면서 우리 경제의 가장 큰 도전으로 장기 성장동력 부재 상황과 위기 극복을 위한 의지와 실천력 부재를 지목했다. 이들은 시장 논리에 따른 구조조정을 통해 경쟁력과 신성장동력을 확보하고, 기득권과 관성의 함정을 떨쳐내 정부와 기업, 노조 등이 사회적 합의를 통해 위기 극복의 힘을 모아야 한다고 주장했다. 참석자들은 또한 수출 부진 해소를 위해 아세안(동남아국가연합) 등 신흥시장 발굴과 함께 가격경쟁력 확보, 제품 차별화 전략 등으로 맞서야 한다는 데 공감했다(진행 : 김충남 경제산업부 차장).

문화일보 창간 25주년을 맞아 10월 20일 서울 중구 새문안로 문화일보 5층 편집국에서 진행된 특별좌담에서 강인수(왼쪽부터) 현대경제연구원장, 이근 서울대 경제학부 교수, 유병규 산업연구원장이 진지한 표정으로 위기가 심화하고 있는 한국 경제에 대해 진단하고 해법을 제시하고 있다(곽성호 기자).

—한국 경제를 둘러싼 상황에 대해 총평한다면.

△ 강인수 현대경제연구원장(이하 강 원장)=현재 상황만 보면 국내 경제가 외환 위기 때처럼 리스크가 가시화됐다고 보기는 어렵다. 그렇다고 저성장 장기화 기조가 회복될 것 같지도 않다. 우리 연구소 보고서 중 하나가 이를 '늪지형 성장'으로 규정했다. 지금 분명히 위험한 상황에 처해 있다. 그러나 위기의식을 크게 못 느끼면서 점점 가라앉고 있다. 당장 죽지는 않지만 서서히 침몰하고 있는 것이다. 뭔가 돌파구가 있어야 한다. 경제 방향성도 불확실하다. 치고 올라가는 건지, 떨어지는 건지 확실한 사인(신호)이 없다. 이런 상황에서 최근 갤럭시 노트7 단종 사태와 현대자동차 파업 여파는 수출에 분명히 타격을 줄 것으로 보인다. 지금이 중요한 시점이다. 모멘텀을 만들어 치고 올라가는 방향으로 전환해야 한다. 꺼림칙한 게 내년에 대선이 있다. 경기가 안 좋은 상황에서 또다시 포퓰리즘 얘기가 나올 것 같다. 부문별로 보면 소비를 늘리기는 쉽지 않고, 실질소득 증가율은 마이너스로 나온다. 가계부채는 지금 1257조 원인데, 내년엔 200조 원 가까이 늘어 1500조 원 언저리까지 갈 것 같다.

△ 이근 교수(이하 이 교수)=우리 경제가 대외 요인을 감안하면 나름 선방하고 있었다. 그런데 최근 갤럭시 노트7과 현대차, 해운업 이슈로 부정적인 요인이 커지고 있다.

△ 유병규 산업연구원장(이하 유 원장)=지금 4차 산업혁명이라는 새로운 신기술 혁신이 일어나고 있다. 국내적으로 보면 저출산·고령화도 그 어느 나라보다 빠르게 진행되고 있다. 다 어렵다고 하면서도 이를 극복하려는 노력은 안 하고 있다. 다들 그 현상을 즐기고 있다. 기득권의 함정 또는 관성의 함정이다. 현재 누리고 있는 기득권과 관성을 누구도 바꾸려고 하지 않는다. '끓는 냄비 속 개구리'와 같다. 이게 한국 경제의 가장 큰 문제다.

—우리 경제의 가장 큰 대내외 리스크를 꼽는다면.

△ 유 원장=대내외 여건 변화 자체가 리스크다. 하지만 이런 위기에 어떻게 대응하고 극복할 것인가 하는 의지와 실천력이 더 중요한 요소다. 누구도 위기 극복에 대한 실천 의지를 드러내지 않고 있다. 오히려 현상 유지를 하려고 한다. 이게 가장 큰 리스크다.

△ 이 교수=리스크 요소가 여러 가지 있다. 현재 선방하고 있는 산업 분야는 과거에 쌓았던 성장동력 덕분이다. 코드분할다중접속(CDMA) 휴대전화는 우리가 먼저 했다. 지금 가장 큰 리스크는 앞으로 성장동력이 안 보인다는 것이다. 4차 산업도 하나도 준비가 안 돼 있다. 새로운 성장동력을 미국이나 중국이 먼저 잡

은 것도 우리에게 리스크다. 그 원인 중 하나가 기업들이 단기 지향적인 성과주의에 급급하기 때문이다. 외환위기 이후 외국인 지분이 늘어나면서 단기 성과와 배당을 중요시해 장기 투자를 줄인 것이다. 삼성전자도 50% 이상이 외국인 주주다. 단기 성과에 대한 압박이 크다. 구글처럼 장기 투자를 하지 못한다. 대기업이 다 외국인 주주의 영향을 받으면서 장기간 베팅하는 투자를 하지 못하고 있다. 이 구조를 바꿔야 한다. 과도한 주주 자본을 견제할 필요가 있다.

△ 유 원장=새로운 성장동력 육성을 위해 정부와 기업이 과거에 비해 노력하고 있지만 의사결정 과정에 문제가 있다고 본다. 10~20년 장기적으로 투자하고 정책의 일관성을 유지해야 한다. 그런데 경제 민주화와 정치 민주화가 왜곡돼 정책의 일관성이 약화되고 있다. 예를 들어 이 정부가 창조경제를 한다고 했지만 벌써부터 정책이 (다음 정부에) 이어지기 어렵지 않겠느냐는 얘기가 나온다. 각 정부가 비슷한 정책을 쓰면서도 일관되게 유지하지 못하는 게 큰 문제다. 비효율적인 투자만 반복하고 있다. 지속성이 없으니 성과도 안 나온다. 둘째, 기업 측면에서 보면 지배구조 문제가 있다. 쉽게 말해 경영세대가 달라졌다. 과거 창업세대는 과감하게 투자하고 신속한 의사결정으로 기업을 키웠다. 그런데 지금은 기업이 어느 정도 커지면서 새로운 투자 수요도 많지 않다. 경영 목표도 투자 확대보다는 지금 하고 있는 사업을 지키는 데 주력한다. 그래서 (새로운 사업에 대한) 의사결정도 어렵다.

△ 이 교수=새로운 정권이 들어서서 인수위원회 때 새로운 정책을 시도하고, 이게 국회에서 통과될 때까지 평균 35개월이 걸린다고 한다. 이건 단순히 경제정책 선택뿐만 아니라 통치구조의 문제다. 의원내각제 하면 (기간이) 줄어든다고 한다. 또 대통령제라도 책임제로 해서 정당이 대통령을 선출할 필요가 있다고 행정학자들은 말한다.

△ 강 원장=장기적인 성장동력이 없다는 말에 공감한다. 그런데 우리나라가 사회적 합의를 이끌어내는 데 익숙하지 않은 것 같다. 그런 메커니즘도 없다. 정부, 기업, 학계 등 모든 부분에서 인센티브 구조가 잘못돼 있기 때문이다. 창업을 권장하고 있지만 망했을 때 재기할 수 있는 여건이 안 돼 있다. 인센티브 구조를 자기 노력에 대한 대가와 보상이 부합하도록 해야 한다. 현재 구조조정이 진행 중인데 이제는 정부가 '내가 할 테니 따라와라' 라는 식으로는 안 된다. 과거에는 정부 주도의 구조조정이 성과가 있었지만 지금은 그렇게 안 된다. 그런데도 기업들은 아직도 끝까지 버티면 정부가 해주겠지 하는 인식을 갖고 있다.

—시장 주도의 구조조정이 필요하다는 얘기인가.

△강 원장=맞다. 끝까지 버텨도 안 통한다는 걸 (정부가) 보여줘야 한다. 결국 한진해운도 정리절차에 들어가지 않았나. 이걸 문제 삼는 사람들은 물류대란을 얘기한다. 하지만 (관료들이) 내 임기에서만 안 터지면 난 청문회 안 나가도 되고 퇴직자로 잘살 수 있다고 버티는 것보다는 나은 것 아닌가. 구조조정의 대표적인 사례가 미국 제너럴모터스(GM)다. GM이 파산했을 때, 미국 정부가 500억 달러 정도의 공적자금을 투입했다. 당시 정부가 한 것은 이를 '굿 컴퍼니'와 '배드 컴퍼니'로 나눈 것이다. 일본도 샤프를 그런 방식으로 했다. 정부는 그 역할까지만 한 것이다. 실제 기업을 회생시키는 노력은 민간 전문가가 했다. 또 중요한 건 노사 간 합의가 됐다는 점이다. GM 근로자도 200억 달러 이상 급여를 반납했다. 노사가 서로 손해 보는 것에 합의하면서 재기가 가능했다. 우리는 이런 사회적 합의를 이끌어낼 수 있는 분위기가 잘 안 돼 있다.

—어떤 식의 구조조정이 바람직한가.

△ 유 원장=기업 부실화 단계까지 가기 전 상시에 구조조정이 이뤄져야 한다. 인센티브 구조를 시장 원리에 의한 것으로 바꿔야 한다. 그런데 현재는 시장 중심이 아니고 정치 논리 중심이다. 일관성이 없는 것도 마찬가지다. 우리 산업 발전이나 구조조정에 제약 요소다. 1970~1980년대는 정부가 무소불위의 힘을 가지고 마음대로 할 수 있었다. 주요 기업 총수를 불러 시키면 됐다. 1990년대 외환위기 때는 다 죽은 기업을 대상으로 구조조정을 했다. 금융기관을 통해 칼을 휘둘러 했다. 지금은 살아 있는 기업을 대상으로 구조조정이 진행되고 있다. 정부도 (이런 차이를) 인식해야 한다. 과거 같은 정부 주도의 구조조정을 생각해서는 안 된다. 또 앞으로 금융의 역할이 커져야 한다. 지금은 기업이 잘될 때 금융회사가 돈을 대주고 어려울 때 빼앗는 구조다. 그런 구조여서는 안 된다. 우리나라 금융회사는 (기업 관리) 능력이 취약하다. 기업하고 파트너가 돼야 한다. 기업 금융 투자 기능을 잘해야 한다.

△ 이 교수=이런 위기가 온 것은 뭐든지 단기적으로만 하기 때문이다. 정부 출연 연구비도 그렇고 모두 단기자금이다. 미국은 단기투자 때문에 망한다고 했다. 삼성전자가 (연간이 아닌) 분기 배당한다는 얘기도 나올 정도다.

△ 유 원장=정부는 이제 구조조정을 잘할 수 있는 시장 여건을 만들어줘야 한다. 이전과 다른 게 '기업활력제고특별법'(기활법)이다. 이 법은 사업구조를 바꿔 공급과잉 업종의 기업을 살리겠다는 것이다. 구조조정 과정에서 여러 가지 법적 제약이 있는데, 사업재편을 잘할 수 있도록 이를 풀어주는 게 정부의 역할이다. 또 우리나라는 이런 제약을 풀어주면 기업 특혜로 인식하는데, 사실 이게 특

혜가 아니다. 기업을 살리기 위해 정부가 앞길을 열어주는 것뿐이다. 경제를 활성화하고 새로운 돌파구를 만드는 건 기업이다. 반기업 정서는 앞으로 한국 경제의 발목을 잡을 수 있다.

△ 이 교수=일본이 구조조정을 잘한 나라다. 우리도 일본과 비슷한 기활법을 만들었지만 국회에서 이게 다 누더기가 됐다. 큰 효력이 없도록 만들었다.

—대우조선해양 문제를 짚어보지 않을 수 없다. 어떻게 해법을 마련해야 하나.

△ 강 원장=현대중공업과 삼성중공업은 대우조선과 비교하는 것을 기분 나빠한다고 한다. 문제를 자초한 건 대우조선해양의 저가수주다. 낙하산 문제와도 얽혀 있다. 이런 게 문제가 돼 기업의 거버넌스(지배구조)도 엉망이 됐다. 이런 걸 다 알지만 정리를 못 하고 있다. 지역경제도 통째로 거덜 나고, 실업자도 몇만 명 수준에 달하기 때문이다. 정치인들 표하고도 연결된다. 근본적인 해결책은 안 되지만 먼저 노사 문제나 일자리 문제를 해결해야 한다. 또 정부가 굿 컴퍼니와 배드 컴퍼니를 구분해 살릴 건 살리고, 죽일 건 죽여야 한다. 밑 빠진 독에 물 붓기식이면 결국 면피용밖에 안 된다.

△ 이 교수=철저한 자구 노력이 있어야 한다.

△ 유 원장=우리나라 산업은 곧 기업과 일치한다. 조선산업의 경쟁력 확보 차원에서 바라봐야 한다. 조선 3사가 갖고 있는 경쟁력에 차이가 있다. 현재 대우조선해양을 왜 가만 놔두고 있는지 궁금하다. 죽느냐 사느냐의 기로에 있다. 뭔가 결단을 내려 뼈를 깎는 구조조정을 발표해야 한다. 다른 조선사는 몇 년 전부터 엄청난 구조조정을 했다.

—구조조정과 별개로 신성장동력 육성은 어떻게 해야 하는가.

△ 이 교수=우선 신성장동력에 대한 대기업 투자와 새로운 주체가 등장하는 두 가지 방법이 있다. 대학생 등 젊은이들의 창업이 가능하지만, 창업해서 언제 대기업이 나오겠는가. 미국에서는 대기업에 있던 사람이 나와서 창업을 한다. 또 중소기업과 벤처기업이 성장하기 위해선 과감하게 투자를 해야 한다. 차등의결권도 줘야 한다. 차등의결권을 줘야 주주에 신경 안 쓰고 과감하게 투자할 수 있다. 우리는 그런 제도가 없다. 1주 1%에 막혀 있다. 현재 단기자본인 외국인 주주의 압력이 크다. 유럽은 워낙 단기자본에 휘둘려 장기주식 보유자에 대한 우대 혜택을 마련했다. 2년 이상 보유하면 의결권과 배당금을 더 주는 것이다. 한국은 이런 제도를 논의도 안 하고 있다. 기업들이 투자를 못 하는 이유는 불안한 탓도 있지만 이런 의결권 문제도 있다.

△ 강 원장=정부가 의결권을 포함해 기업의 투자 여건을 마련해 줘야 한다. 노

사 문제 등도 정부가 정비해야 한다.

유병규 산업연구원장
△성균관대 경제학과, 성균관대 대학원 경제학 석·박사 △한국경제학회 경제교육위원회 위원 △한국생산성학회 부회장 △현대경제연구원 경제연구본부 본부장 △국민경제자문회의 지원단 지원단장 △산업연구원장(현재)

강인수 현대경제연구원장
△서울대 경제학과, UCLA 대학원 경제학 석·박사 △대외경제정책연구원 책임연구원 △숙명여대 경제학부 교수 △한국경제학회 사무차장 △재정경제부 국세예규심사위원회 위원 △현대경제연구원 대표이사(현재)

이근 서울대 경제학부 교수
△서울대 경제학과 학·석사, 캘리포니아대 버클리캠퍼스 대학원 경제학 박사 △미국 하와이대 동서문화센터 책임연구원 △국제부흥개발은행(IBRD) 컨설턴트 △서울대 중국연구소장 △서울대 경제연구소장, 경제추격연구소장(현재)

시급한 구조조정

정부 주도 기업 사업재편 이젠 안돼
법적제약 풀어주는 시장여건 조성을

결국 기업 회생노력은 민간이 할 일
勞使 합의 가능한 분위기 만들어야

수출 돌파구는?

물량보다 글로벌가치 위주 수출을
고부가가치 상품으로 관점 돌려야

中의존 벗어나려면 아세안이 유망
프리미엄 전략 아닌 '차별화' 필요

부동산 과열 대책

내년 아파트 물량 70만가구 쏟아져
이 추세대로 가면 대형사고 불보듯

정책따라 진폭 너무 큰 부동산 시장
정부, 극단적 아닌 미세한 조정 필요

—수출 문제를 얘기해 보자. 수출 돌파구를 어디서 찾아야 하는가.

△ 유 원장=단기적으로는 교역 대상국을 확대하고 고부가가치 제품을 개발해 무역역량을 키우는 게 가장 큰 대책이다. 또 수출 관점을 바꿀 필요가 있다. 물량보다 '글로벌 가치 사슬'(Global Value Chain)이 더 중요하다. 스마트폰 무역의 역설이 대표적이다. 아이폰 같은 경우 중국에서 생산하고, 중국이 미국보다 수출 물량이 더 많다. 중국의 수출 경쟁력이 미국보다 크지 않느냐는 분석이 나올 수 있다. 하지만 GVC 측면에서 보면 실익을 챙기는 건 미국이다. 우리도 지금 현지 생산을 많이 하고 있다. 수출 물량보다 GVC에서 고부가가치 영역을 확보해야 한다. 또 하나 대기업 중심의 수출 구조에서 중소기업 수출 역량을 키우는 게 필요하다. 대기업을 우리 경제의 부정적인 측면으로만 볼 게 아니다. 대기업은 물적 자본과 인재 등이 축적돼 있다. 이걸 중소기업과 공유하고 연계해서 상생해야 한다. 긍정적인 관점에서 이런 구조를 살펴볼 필요가 있다.

△ 이 교수=수출에 어려움이 많다. 고부가가치로 가는 방향이 맞다. 눈에 보이는 수출보다는 눈에 안 보이는 수출, 과거 제조업이었다면 서비스 수출 등으로

바뀌어야 한다. 우리나라는 서비스 수출 규모가 너무 작다. 최종재에도 한류를 넣어야 한다. 그냥 휴대전화가 아니라 '김수현 폰'처럼 문화적인 걸 결합해야 고부가가치 상품이 된다. 그런 식으로 방향 전환이 필요하다.

△ 강 원장 = 중국과 교역에서 기술적 장벽(TBT)이 급증했다. 위생 검역도 많이 늘었다. 대표적인 비관세 장벽들이다. 중국이 국민 안전이나 보건 등을 이유로 내세우고 있지만 자국 기업에 유리하게 하려는 조치다. 이런 스탠더드를 만드는 과정에 우리도 어떤 형태로든 개입해야 한다. 그러기 위해 시장 특성을 잘 파악해야 한다. 중국이라는 나라는 시장 규모가 크다. 차이나 스탠더드를 만들고 있다. 이런 정보는 중소기업에서 캐치 업(catch up)하기 어렵다. 이와 관련, 정부가 정보 공유를 해줄 수 있다. 중국 수출 비중을 점차 낮출 필요가 있지만 여전히 중국은 중요하다. 고부가가치 쪽으로 집중하는 건 당연한데, 시장성이 큰 건 소비재다. 중국이 우리 기업에 요구하는 화장품 투과율만 하더라도 과학적으로 검증하기 어려운데, 어쨌든 우리 기업에 불리하게 적용한다. 배터리도 마찬가지다. 이런 기술적 장벽에 신경을 많이 써야 한다. 단기간 한국 경제에 직접적인 피해를 주기 때문이다. 대기업과 중소기업의 컬래버(협업)도 중요하다. 창조경제란 대기업의 효율성과 벤처기업의 혁신성이 결합한 결과물을 말한다. 이것을 범위를 넓혀 중소기업뿐만 아니라 중국이나 일본 기업과도 할 수 있어야 한다.

△ 이 교수 = 중국 의존도를 줄이려면 아세안이 가장 유망하다. 인도네시아만 봐도 인구가 2억5000만 명이다. 수도 자카르타에서 3시간 떨어진 반둥에 가봤는데, 한류가 알려져 있고 한국말도 조금씩 다 한다. 단순히 물건만 파는 게 아니라 문화적 교류를 해야 한다. 저변을 넓혀야 중국 위주에서 벗어난다.

△ 강 원장 = 인도네시아에 가보면 '기장'이라는 자동차가 널려 있다. 토요타가 인도네시아 현지용으로 만든 것이다. 일본이 1985년 플라자합의 이후 인도네시아에 직접투자를 많이 했다. 현대차 시장점유율은 3%도 안 된다. 아세안에서 수출경쟁력을 키우려면 한류를 활용해야 한다.

△ 유 원장 = 지역별 차별화 전략이 필요하다. 자동차의 경우 아세안 시장이 커지고 있다. 아세안 시장에서 우리나라와 중국의 경쟁력을 분석해 봤더니 우리가 중국에 밀렸다. 아세안 시장에서 경쟁력 있는 건 범용제품이다. 결국 가격경쟁력이 있어야 한다. 우리나라가 외환위기 이후 자동차 등 산업 경쟁력을 확보할 수 있었던 이유는 일본과 비교했을 때 프리미엄 제품의 경쟁력은 잃었지만 범용제품의 경쟁력은 높아지면서 세계시장에 진출할 계기를 마련했기 때문이다. 프리미엄 제품 중심보다는 현지 사람들이 수용할 수 있는 품질과 제품 등 차별화 전

략으로 가야 한다.

△ 강 원장 = 인도네시아를 보면 나라가 크고 자원이 많아 원조를 하겠다는 나라가 줄을 서 있다. 인도네시아에 대한 일본의 원조가 우리나라의 100배다. 일본이 아시아권 전체 연결망을 구축하는 사업을 시작한 지도 오래됐다. 인도네시아에는 일본이 100% 출자한 연구소가 있다. 여기에서 거점 도시에 대한 밑그림을 그려 인도네시아 정부와 긴밀하게 협상하고 있다. 일본은 미얀마나 스리랑카 등에도 무상으로 많은 공항을 건설해 줬다. 중국도 대규모로 돈을 빌려주고 부정부패를 하건 안 하건 관여를 안 한다고 한다. 그래서 중국 돈을 좋아한다고 하더라.(하하) 미얀마도 마찬가지다. 아세안 시장에 대해 우리가 일본, 중국처럼 할 수는 없지만 나름대로 니치마켓(틈새시장)은 있다.

—우리 경제의 내수 부진은 어떻게 봐야 하나. 특히 서비스산업이 취약하다는 지적이 계속 나오고 있다.

△ 유 원장 = 내수를 구성하는 건 기업의 투자와 소비다. 소비 부진은 국내 서비스산업의 취약성이 원인으로 꼽힌다. 결국 우리나라가 고비용·저효율 체제로 가면서 국내 투자가 급속히 줄어드는 현상이 내수 부진의 원인이다. 서비스산업이 낙후돼 고용 확대도 어렵다. 소득 수준과 함께 서비스 수준도 향상돼야 고급 소비가 늘어난다. 그러나 지금 그게 안 되고 있다. 또 저출산·고령화 현상으로 소비 성향도 낮아지고 있다.

△ 이 교수 = 비즈니스에 대한 규제가 너무 많다. 막힌 게 많아 안 돌아가는 것이다. 그것만 풀어도 창업이나 기업 성장환경이 개선된다. 특히 의료나 헬스, 핀테크(기술금융) 등에서 규제가 지나치게 많다. 규제 방식을 '포지티브'에서 '네거티브'로 바꾸라고 해도 안 바꾸지 않는가. 크라우드펀딩 관련 법안은 국회에서 2년 동안 잠자고 있다가 통과된 지 얼마 안 됐다. 이렇게 해서 내수가 활성화되겠는가. (크라우드펀딩으로) 사람들이 손해를 보면 어떻게 하느냐고 걱정한다. 하지만 크라우드펀딩 대부분이 소액투자다. (정부가) 과감하게 (정책을) 해야 한다. 자율주행차 같은 경우도 사람이 죽어도 계속 진행하지 않느냐.

—결국 서비스산업 발전은 법안으로 귀결되는 것 같다.

△ 강 원장 = 서비스산업이 안 되는 가장 큰 이유는 이익집단 간 갈등이 조정되지 않기 때문이다. 규제 권한을 가진 공무원 탓도 있지만, 이익집단의 기득권도 문제다. 이를 조정할 메커니즘이 없다. 정책이 지연된 것도 한 이유다. 35개월을 끌고 있는데 뭐가 되겠는가. 비중도 커지고 있고 거기서 고용이 증가한다. 문제는 양질의 일자리가 안 나오는 것이다. 음식점 서비스나 허드렛일 일자리가 생기는

건 서비스산업 발전이 아니다.

△ 유 원장 = 의료, 교육, 관광 이런 분야가 독점화돼 있다. '지대 추구(기득권 추구)행위'가 심하다. 의료와 관련해 뭘 한다고 하면 이쪽에 종사하는 사람들이 막 반대한다. 둘째, 우리나라가 제조업 중심으로 발전하면서 고급 의료 등 서비스 산업 일부를 호화 사치로만 보는 잘못된 인식이 있다. 부자들만 누리는 것이라고 정서적으로 반대한다. 또 서비스에 대해 정당한 대가를 지불하기보다 공짜라는 의식이 있다. 양질의 서비스를 받으려면 대가를 치러야 한다.

△ 강 원장 = 2013년에 정부가 7대 유망 서비스 육성 정책을 발표하면서 규제 완화를 강조했다. 하지만 전국경제인연합회 발표 자료에 따르면 서비스 등록 규제 건수는 2013년 6월 3601개에서 2015년 3월에는 4086개로 더 늘어났다. 말과 행동이 따로 가는 것이다.

—부동산이 과열 양상을 보이면서 가계부채가 급증하고 있다. 가계부채 문제를 해결할 방법은 없는가.

△ 유 원장 = 가계부채와 부동산 경기는 내수 활성화 측면에서 얽혀 있다. 서로 유기적인 관계를 잘 맺으면 내수에 큰 도움을 준다. 하지만 어느 선을 넘으면 화근이 된다. 그런 양면성이 있다. 가계부채를 너무 겁내면 내수 활성화 정책이 약화된다. 문제는 너무 빨리 증가하고 있고, 취약계층의 부채가 늘어나는 것이다. 가계부채를 전면적으로 두려워하기보다 부분적으로 취약 요소에 대한 모니터링과 사전 대응을 잘하는 게 중요하다. 또 부동산 관리를 잘하는 게 가계부채 대책이다. 부동산이 과열되는 것을 막으면서 동시에 꺼지는 것도 막아야 한다. 부동산 가격이 안정적으로 유지될 수 있도록 해야 한다. 다만 부동산 투자도 증권 투자처럼 투자자 책임 원칙을 강조해야 한다. 수요가 있어 투자가 일어나는 것이다. 또 어느 나라나 사람이 살기 좋은 곳은 과열되는 모습을 보인다. 물론 지나치게 과열되는 건 문제다. 투자자 책임 원칙을 강조하면서 그 열기를 식혀 나가는 게 중요하다.

△ 이 교수 = 투기적 수요가 많으니까 전매제한이 필요한 것 같다. 전매를 검토하겠다는 구두 개입만 해도 영향이 있을 것이다.

△ 강 원장 = 소득 증가율에 비해 가계부채 증가율이 높아서 문제다. 속도 문제다. 우려되는 부분은 올해 아파트 신규 인가가 사상 최고치였다. 이게 준공돼서 나오는 내년 하반기가 피크가 될 것이다. 70만 가구가 이 시기에 쏟아진다고 한다. 단기간에 그 물량을 감당할 수 있겠는가. 언젠가는 가격이 내려앉을 것을 다 안다. 폭삭 꺼지면 은행권이 망할 거라는 우려까지 나온다. 6개월~1년 사이에 현

실화할 가능성은 없지만 이 추세로 가면 언젠가 대형사고가 터진다는 사실을 알고 있다. 정부도 가계부채 질을 관리해서 원리금을 같이 갚도록 하고 있다. 또 분양권 전매제한이나 총부채상환비율(DTI) 등에 대한 신호를 확실히 줘야 한다. 그래야 연착륙할 수 있다.

△ 유 원장 = 부동산의 시장 기능을 복원할 수 있는 정책을 펴야 한다. 미국 부동산 경기는 경기 순환 사이클에 맞춰 흘러간다. 하지만 우리나라는 정부 주도의 정책에 따라 (부동산 경기가) 움직인다. 한때는 수요와 공급을 완전히 다 죽이고, 부동산 정책도 죽이다가 한때는 그걸 다 풀려는 정책을 편다. 극단적인 두 정책을 오가는 것이다. 부동산 경기가 시장에 따라 흘러가도록 해야 한다. 그렇지 않으면 정부가 큰 짐을 안고 가야 한다.

—어떻게 시장 기능이 작동하도록 해야 하는가.

△ 유 원장 = 수요와 공급에 따라 가격이 형성될 수 있도록 해야 한다. 예전에 부동산이 과열되니까 죽이는 정책을 폈고, 또 너무 죽으니까 살리는 정책을 폈다. 진폭이 컸다. 정부가 미세 조정하는 정책을 펴야 한다.

△ 이 교수 =(부동산 경기에) 실수요가 많이 반영되도록 하는 게 중요하다고 본다.

—미국의 금리 인상 가능성과 중국 경제의 경착륙 우려가 우리 경제에 미치는 파장은.

△ 강 원장 = 12월에 미국이 금리를 올린다고 보는 게 맞는 것 같다. 물가와 고용을 가장 중요하게 생각하는데 여기에 큰 문제가 없다고 보는 것 같다. 내년에도 지금 예상으로는 최대 두 번이다. 동시에 그렇게 못할 수도 있다. 미국 경기가 정말 괜찮은 건가. 기업이익률을 보면 꺾이고 있다. 추세적으로 보면 (기업)이익률이 내려가면 금리를 올리기 여의치 않을 수 있다. 미국이 금리를 올려 돈이 들어오면 달러 강세가 되고, 수출이 줄어들 수 있다. 그런 부담을 갖고 있는 것 같다. 미국이 중국에 문제 삼는 부분은 환율조작국이라는 것이다. 무역 마찰이 커질 수 있다. 힐러리 클린턴과 도널드 트럼프 중 누가 대통령이 되더라도 수출 측면에서 다시 보호무역주의가 강화될 수 있다. 한·미 자유무역협정(FTA) 때문에 일자리를 빼앗겼다는 얘기도 나온다. 이는 우리에게 부정적으로 작용할 수 있다. 하지만 미국이 금리를 올려도 한국의 외환보유액이나 여러 지표를 보면 건전하기 때문에 대규모 자금이 이탈할 가능성은 낮다. 큰 동요는 없을 것이다. 한 번 미국이 금리를 올리고 일정 기간 가는 게 불확실성을 제거하는 측면에서 긍정적이다.

△ 이 교수 = 여건상 금리 인상 속도가 빠를 수 없다고 본다. 중국 경제의 경

착륙 가능성 애기가 나온 지도 1년이 넘었다. 최근 중국 경제 지표도 더 나빠지지 않고 유지되고 있다. 중국 경제의 경착륙 가능성은 우려하지 않아도 된다고 본다. 대외경제 여건도 크게 나빠지지는 않을 것으로 예상된다. 대외 리스크는 크지 않을 것 같은데, 문제는 대내 리스크가 크다는 점이다.

△ 유 원장 = 비슷하다. 미국의 금리 인상은 점진적이고 제한적이라 우리 경제가 감내할 수 있을 것이다. 미국이 금리를 인상하더라도 우리나라 상황에 맞게 금융 완화정책을 펴야 한다. 내년 미국 경제가 더 관심사가 돼야 할 것이다. 고점에서 내려갈 것인지 경기 흐름에 대한 분석이 필요한 시기다. 중국 경제의 경착륙 가능성은 사실 구조 변화의 문제다. 앞으로 중국 성장률은 더 떨어질 것이다. 예전처럼 과도한 성장을 기대할 수 없다. 다만 중국 경제의 구조 변화를 관심 있게 지켜볼 필요가 있다.

—우리나라 잠재성장률이 떨어지는 과정에서 재정과 통화정책은 어떻게 펼쳐야 하는가.

△ 이 교수 = 통화와 재정정책은 다 알려진 변수라 별로 효과가 없다. 결국 산업의 변화를 읽고 구조개혁을 해야 한다. 구조개혁 정책을 펼치고 성장엔진을 창출해야 한다.

△ 강 원장 = 지난번 한국은행이 금리를 내렸을 때도 효과는 크지 않을 것으로 봤다. 실제로도 그랬다. 기준금리를 0.25%포인트 낮춘다고 해서 경제가 확 달라질 가능성은 없다. 재정정책도 마찬가지다. 돈을 풀어 국내총생산(GDP)이 늘어나는 것은 단기 효과에 그친다. 다만 심리적으로 경기가 위축되는 걸 막기 위해 재정정책이 필요한 것이다. GDP 대비 정부 부채비율이 40%를 조금 넘었다. 다른 나라보다 괜찮은 수준으로 문제가 없다는 게 정부의 입장이다. 하지만 앞으로 복지나 연금 등 의무지출이 계속 늘어난다. 국회나 기획재정부에서 추산한 걸 보면 2040년에 부채비율이 160%까지 올라간다고 한다. 이를 감안하면 추가경정예산이든 뭐든 편성해서 정부 지출을 땜질식으로 하기는 어려울 것이다. 정부도 추경으로 문제가 해결된다고 생각하지는 않을 것이다. 산업 구조개혁에 초점을 맞춰야 한다.

△ 유 원장 = 성장잠재력을 키우는 게 관건이다. 지금 우리에게 필요한 것은 기술 생산성이다. 사회제도와 시스템 혁신이 필요하다. 물질자본보다 지식과 사회자본을 키우는 데 더 신경을 써야 한다. 재정·통화 양적 투입에 대한 논란보다는 성장잠재력을 키우는 데 집중해야 한다.[13]

7. 대한민국 행복을 묻는다

행복(幸福, happiness)은 희망을 그리는 상태에서의 좋은 감정으로 심리적인 상태 및 이성적 경지 또는 자신이 원하는 욕구와 욕망이 충족되어 만족하거나 즐거움과 여유로움을 느끼는 상태, 불안감을 느끼지 않고 안심해 하는 것을 의미한다.

인류는 행복이란 파랑새를 끊임없이 찾는 존재라고 한다. 그렇다면 한국인은 얼마나 행복하고 또 진짜로 행복을 추구해 왔을까. 경제가 발전해 1인당 GDP 2만 달러 시대에 들어선 지금 한국인은 보릿고개가 있을 때보다 행복해졌을까. 미국 400대 부호들이 느끼는 행복이나 고작 소 몇 마리뿐인 아프리카 마사이족이 느끼는 행복은 다를 바 없다는 하랄드 빌렌브록의 얘기가 맞아떨어지는 것은 아닐까. 'Luxmen' 은 창간 1주년을 맞아 돈과 행복 사이에서 우리가 지향해야 하는 길이 무엇인지 탐색해본다.

가. 한국인 행복지수는 100점 만점에 61.8점

우리나라 국민들은 얼마나 행복할까. 한국심리학회는 최근 '2011 한국인의 행복지수' 를 61.8점이라고 발표했다. 김명식 한국심리학회 총무이사(전주대 상담심리학과 교수)는 지난 6월 말에서 7월 초 전국 성인 남녀 1697명을 대상으로 행복지수 설문조사를 실시한 결과 작년 63.2점에서 1.4점이 하락했다고 밝혔다. GDP가 올 상반기 2.2% 성장한 점만 놓고 본다면 최소 64.5점을 기록해야 정상일 텐데…. 한국인의 행복은 경제성장에도 불구하고 지난해보다 오히려 줄어들었다.

사회 구성원을 뜯어보면 더 행복한 계층이 있고 덜 행복한 집단이 있는 것으로 나타났다. 한국사회에서 가장 행복한 계층은 30대 여성으로 65.8점이었다. 반면 가장 불행한 집단은 60대 이상으로 57.5점이었다. 맞벌이가 많은 현대사회에서 직장일과 가사를 병행하는 30대 여성이 만족도가 높은 반면 은퇴 후 할 일이 줄어든 60대는 소외감 탓에 행복도가 떨어진다고 분석할 수 있다.

행복은 나이와도 상관이 있다. 한국인은 나이를 먹을수록 행복이 감소하는 특징을 보였다. 30대가 63.8점으로 가장 높았고 이어 20대와 40대가 62.4점, 50대 61.7점, 60대 이상 58.5점을 나타냈다. 질풍노도 같은 20대를 보내고 30대가 되면 행복을 크게 느끼다가, 이후 인사문제와 자녀교육 부담에 시달리는 40대부터 행복도가 하락하는 패턴을 보인 셈이다.

배우자를 받아들이는 것도 행복에 영향을 준다. 기혼자의 행복지수가 62.4점인 반면 미혼자는 60.9점으로 결혼한 사람이 행복할 확률이 높았다. 자녀수도 행복과 밀접한 관련이 있다. 아예 없으면 불행하지만 숫자가 많아도 행복하지 않은 딜레마를 보이는 있다. 0명일 때는 59.8점으로 가장 낮았다가 1명일 때는 63.8점으로 치솟고 2명부터는 내리막길이다. 2명은 62.7점, 3명은 60점 수준이었다.

육체노동자보다는 정신노동자들이 더 행복하다고 했다. 블루칼라가 58.7점, 화이트칼라가 65.2점이었다. 지역별 편차는 무시해도 좋을 만큼 미미했다. 서울이 63점으로 가장 높았고, 충청도 62.8점, 전라도 62.6점, 인천·경기 61.9점, 경북 61.8점, 경남 60.3점이었다. 한국심리학회 조사는 삶의 만족, 긍정적 정서, 부정적 정서 3가지 분야에서 9가지 지표로 설문하는 방식을 택했다.

나. 왜 코스타리카가 세계에서 가장 행복한가

한국심리학회의 행복지수 조사는 개인의 만족에 초점을 두고 있다. 당신이 얼마나 만족하고 있는지 아니면 얼마나 불행하다고 느끼는지에 따라 행복 점수를 달리한다. 그만큼 개개인의 행복에 충실한 지표인 셈인데 반론도 있다. 행복을 지나치게 주관적으로만 본다는 것. 한 인간을 둘러싼 외적 변수들을 포함하면 객관적인 행복지수가 달라질 수 있다는 논리다.

예를 들어 영국 싱크탱크인 신경제재단(NEF)은 행복지수에 외부 환경을 크게 고려한다. 2009년 신경제재단이 143개 국가를 대상으로 발표한 자료를 살펴보면 한국은 68위를 기록해 중위권에 이름을 올렸다. GDP 규모에 비해 분명 뒤처진 모습이다. 이에 따르면 행복은 경제 순이 아니었다. 중앙아메리카 소국인 코스타리카가 행복지수 76.1점으로 1위를 차지한 반면 미국은 114위였다.

이런 격차는 기대수명과 에너지 재생 수치 영향이 크다. 코스타리카는 평균 수명이 78.5세로 장수국에 속했고 에너지 99%를 재생가능 에너지로 충당했다. 한국은 평균수명이 77.9세로 나이만 놓고 보면 상위권이었으나 삶의 만족도와 환경발자국에서는 중간 점수밖에 받지 못했다.

10위권에 들어간 나라들 중 상당수가 중남미권이었다. 2위는 도미니카공화국, 3위는 자메이카, 4위는 과테말라, 6위는 콜롬비아였다. 꼴찌는 16.6점을 받은 아프리카 짐바브웨였다. 선진국은 저조했다. 네덜란드가 행복지수 50.6점(43위)으로 선진국 중 가장 높았고 독일은 48.1점으로 51위, 프랑스는 43.9점으로 71위, 영국은

43.3점으로 74위를 차지했다. 반면 중국은 57.1점으로 20위, 인도는 53점으로 35위에 이름을 올렸다. 신경제재단은 이런 현상을 이렇게 설명한다. “세계가 심각한 금융위기, 기후변화 악화, 원유 생산 한계 등에 직면해 있는 상황에서 우리를 인도할 새로운 지표가 필요하다. 고소비 생활방식이 돌이킬 수 없는 기후변화를 초래하기 전에 복지형 저탄소 경제를 위해 노력해야 한다.”

다. 상대적 행복과 절대적 행복

경제 규모와 행복 수준이 꼭 맞지 않는 까닭은 행복이 상대적이라는 데 있다. 이런 가정을 해보자. 당신은 두 가지 중 무조건 하나를 선택해야 한다.

1) 당신 월급이 500만원에서 1000만원으로 오르는데 반해 다른 이들은 1000만원에서 500만원으로 줄어든다.

2) 당신 월급이 500만원에서 1500만원으로 오르지만 다른 이들은 1000만원에서 2000만원으로 늘어난다.

상식을 갖고 있다면 1번을 택할 것이다. 소득이 더 많이 늘더라도 다른 이들이 몇 곱절 불어난다면 행복하지 않을 수 있다.

비스바스 디너 머리디언라이프코칭 사장은 이런 현상에 주목했다. 예를 들면 미국 노숙자들이 인도 노숙자들 보다 열 배나 부유(?)한데 덜 행복한 까닭은 사회적 관계에 있다고 했다. 인도 노숙자들이 그 상황을 더 견딜 만하다고 생각하는 이유 중 하나는 사람이었다. 가정과 사회적 관계가 비교적 온전하게 유지되고 있었는데 미국 노숙자들은 대부분 배우자가 없거나 자식이 없었고, 있다고 하더라도 수년 동안 한 번도 만나지 못했다. 또 캘커타처럼 빈곤율이 높은 환경에서 살면 노숙자들이 덜 실패한 것으로 느끼게 하기에 그만큼 더 행복하다고 여긴다는 것이다.

리처드 이스털린 남가주대 교수는 행복에 효용이라는 개념을 도입해 경제가 성장해도 행복이 증가하는 현상을 ‘이스털린의 역설’이라고 명명했는데 리처드 레이어드 런던정경대 교수도 행복에 대해 비슷한 관점을 제시했다.

2차 대전 후 50년간 미국인 1인당 GDP는 세 배 가까이 늘었지만 얼마나 행복한가를 묻는 설문에서 매우 행복하다는 응답은 비슷했는데, 먹고살기에 급급한 나라들은 소득과 행복의 상관관계가 매우 높지만 소득이 어느 정도를 넘어서면 이 관계가 느슨해진다는 것. 지금 한국은 이 단계에 이른 느낌이다. 이 문제에 대한 해법이 나와야 할 시기가 된 것 같다.

라. 양극화, 또 다른 행복과 불행

한국전쟁 직후 폐허에서 '한강의 기적'을 일궈낸 한국인들은 요즘 왜 행복하지 않다고 여기는가. '이스털린의 역설(Easterlin′s Paradox)'이 한국에도 적용되는 이유는 무엇일까. 전문가들은 그 원인으로 '지나친 경쟁에 따른 계층별 양극화'를 꼽는다.

마. 한국인의 자화상

한국개발연구원(KDI)은 지난달 '우리나라의 국가경쟁력 분석체계 개발'이라는 보고서를 통해 한국인을 둘러싼 삶의 조건들을 다방면으로 평가했다. 연구원은 국가경쟁력 지표를 크게 성장동력, 삶의 질, 환경, 인프라 등 네 가지로 나누고 총 15개 중분류, 50개 소분류 지표를 개발해 항목별로 순위를 매겼다.

지표의 데이터는 OECD와 유엔 세계은행 등의 2008년 자료를 활용했다.

이에 따르면 2008년 기준 우리나라의 '삶의 질' 순위는 27위로 2000년도와 같은 순위를 유지했다. '분배', '경제적 안전' 등 대부분의 소분류 지표에서 하위권이었다. 특히 국내총생산(GDP) 대비 사회지출 비중으로 평가하는 '사회지출'에서는 31위를 기록해 비교 가능 국가 중에 가장 낮았다.

특히 우리나라의 '삶의 질'이 경제협력개발기구(OECD)와 주요 20개국(G20)에 포함된 39개국 가운데 하위권인 것으로 나타났다. 겉으로 드러난 경제지표는 좋아졌지만 국민 개개인의 만족도는 이를 좇아가지 못하고 있는 것이다.

삶의 질 순위는 사회적 복지 시스템이 잘 갖춰진 유럽 국가들이 상위권을 휩쓸었다. 상대적으로 시장 경제를 중시하는 우리나라를 비롯해 미국 일본 영국 등은 순위가 낮았다.

바. 시장이 우리를 불행하게 한다?

시장 경제가 발달한 국가의 삶의 질이 상대적으로 떨어지는 근본적인 원인 중 하나는 '지나친 경쟁' 때문이다. 경쟁(競爭)은 둘 이상의 사람이나 집단이 무언가를 놓고 겨루는 것을 말한다. 경쟁은 보통 제한된 자원을 가진 환경에 공존하는 생물 사이에서 자연스럽게 일어난다. 짐승들은 먹잇감과 짝짓기 대상 등을, 사람들은 부와 명예 등을 두고 경쟁한다.

경쟁은 시장경제체제의 핵심 운영원리 중 하나다. 열심히 한 사람은 조금 더 가져가고 조금 잘못한 사람은 손해를 보게 함으로써 사람들이 다음에 조금 더 열심히 일할 유인을 갖도록 하기 때문이다. 기업 간 경쟁은 기업들이 가격·품질·디자인 등이 좀 더 우수한 제품을 만들게 함으로써 경제 체질을 개선시킨다.

하지만 경쟁이 갈수록 심화되는 환경 속에선 경쟁에서 뒤지는 개인이나 기업, 집단이 생길 수밖에 없다. 문제는 경제 구조적 원인 때문에 경쟁에서 낙오되는 개인이나 기업이 많아지고 있다는 점이다. 대기업-중소기업, 정규직-비정규직 근로자, 남성-여성 등 계층 간 집단 간 양극화가 심화되고 있다. 양극화는 경쟁의 결과이지만 개인 불행의 원인이기도 하다.

한국은 '경쟁공화국'이다. 출산·양육·대학입시·취업·결혼·내집마련 등 개인이 넘어야할 산이 너무 많다. 하나라도 제대로 넘지 못하면 빈곤의 나락에서 벗어나기 어렵다.

실제로 우리나라 중산층은 갈수록 하향분해되고 있다. 빈곤층으로 전락하는 중산층이 많다는 얘기다. 현대경제연구원이 통계청의 가계동향조사 마이크로데이터를 분석한 결과 지난 20년 간 1인당 소득은 3배 이상 증가했으나 중산층 비중(중위소득 50~150%)은 약 8% 포인트 감소했다.

수입보다 지출이 많은 적자가구 비중도 지난 20년 간 증가했다. 중산층 가운데 적자가구 비중은 1990년 15.8%에서 2010년 23.3%로 높아졌으며 중산층 가계수지 흑자액의 처분가능소득 대비 비중(흑자율)은 1990년 22%에서 2010년 17.9%로 낮아졌다. 중산층의 소득·지출 포트폴리오도 크게 바뀌었다. 부채상환 사교육비 등 꼭 써야하는 지출항목의 비중은 크게 늘고 영화관람비 등 꼭 지출하지 않아도 되는 항목은 줄었다. 대부분 가정이 허리띠를 졸라매고 있다는 얘기다.

계층별 양극화는 우리나라만의 문제는 아니다. 매달 마지막 날 밤 미국의 대형할인점 월마트에서는 기이한 풍경이 벌어진다. 밤 11시쯤 사람들이 몰려들어 분유와 우유, 빵, 달걀 등 기초적인 식품부터 장바구니에 담는다. 자정이 지나자마자 사람들은 전자결제카드를 들고 계산대에 줄을 선다. 정부가 저소득층에 지급한 푸드 스탬프 카드다. 매달 1일 보조금이 입금되는 즉시 아이들 분유를 사기 위해 부모들이 밤잠을 설치는 것이다.

미국엔 정부가 주는 푸드 스탬프로 연명하는 인구가 2010년 말 기준 4600만 명(총인구의 15.1%)에 달한다. 오랫동안 실업률이 9%를 웃돌면서 미국인 10명 중 한 명이 직장이 없는 상황이 몇 년째 계속되고 있다. 2010년 미국 가계의 한 해 평균소득은 전년 대비 2.3% 감소한 4만9445달러였다. 1999년 최고치와 비교하면

7.1%나 낮아진 수준이다. 미국의 가계 평균소득이 5만 달러를 밑돈 것은 1997년 이후 13년 만에 처음이다. 소득의 부익부 빈익빈 현상도 빨라져 상위 5%(평균소득 18만810달러)의 소득은 전년 대비 1.2% 하락했으나 하위 5% 소득은 4% 하락해 빈부 차가 더 커졌다. 빈곤층이 늘면서 건강보험 미가입자가 4990만명에 달해 20년래 최고 수준으로 치솟았다. 전체 인구의 16.3%(전년도 16.1%)가 의료보험 없이 살고 있는 셈이다. 세계 최강국 미국의 어두운 단면이다. 미국인들은 과연 행복할까.

사. 현세대 행복을 위한 복지 vs 미래세대를 위한 균형재정

사회복지는 위기를 먹고 자란다는 말이 있다. 사회 구성원들을 둘러싼 삶의 조건들이 악화됐을 때 구성원들에게 행복과 희망을 주는 데 복지가 필요하다는 목소리가 높아진다는 얘기다. 유명한 '요람에서 무덤까지'의 복지정책을 입안한 베버리지 보고서는 제2차 세계대전이 한창이던 1942년에, 미국의 사회보장제도는 1930년대 대공황 때 탄생했다. 한국의 경우 1997년 외환위기, 2008년 금융위기를 거치며 복지 논쟁의 강도가 세지고 있다. 초등학생 무상급식 범위를 두고 서울에서 '무상급식 투표'가 실시된 게 대표적 사례다. 복지는 점점 동력을 잃어가고 있는 경제 상황을 개선시키는 데 유용한 경기부양 수단이기도 하다. 국가가 중산층 이하 계층에게 소득을 보장함으로써 소비여력을 증대시켜 내수를 활성화하는 물꼬를 틀 수 있기 때문이다. 복지제도를 잘만 설계하면 성장동력을 잃은 한국경제에 모멘텀(momentum)이 될 수 있다.

문제는 국가 재정건전성이다. 지난 2008년 금융위기 당시 세계 각국은 천문학적인 재정 투입으로 위기를 막아냈다. 그러나 이 과정에서 급격히 늘어난 국가 '빚'은 각국 정부에 큰 부담으로 작용하고 있다. 한국은 미국 유럽 등에 비해 재정 상태가 나은 편이라지만 방심하기엔 이르다. 우선 국가 빚의 증가속도가 너무 빠르다. 글로벌금융위기, 카드대란, 글로벌금융위기를 거치면서 국내총생산(GDP)의 11%에 그쳤던 우리나라 국가채무비율이 30% 중반 수준까지 치솟았다. 국가채무규모는 60조원에서 10년 만에 300조원으로 뛰어올랐다.

앞으로 큰돈 들어갈 일도 많다. 저출산 고령화에 따른 자연적인 정부 재정지출 증가분, 남북한 통일재원 등도 큰 변수다. 현세대의 행복을 증진시키기 위해서 재정지출을 당장 확대할 것인가, 미래세대를 위해 재정 지출 여력을 남겨 놓을 것인가. 한국 경제는 지금 기로에 서 있다.[14]

8. 경제와 생태의 충돌과 그 해법. 한국인의 살림살이 지혜

"배고픈 건 참지만 배 아픈 건 못 참는다."

경제(經濟)는 사람이 생활을 함에 있어서 필요로 하는 재화나 용역을 생산, 분배, 소비하는 모든 활동이다.

1972/73년 벨지움 루벵에서 공부하고 있을 때의 이야기다. 일요일 성당에 미사를 갔는데 아마도 자선 주일이었던 것 같다. 한국의 굶주리는 아이들을 위해 성금을 부탁한다며 돌린 사진들이 나의 국민적 자존심을 무참히 짓밟았다. 그 속에는 한국 전쟁의 포화 속에 다 찢어지고 더러워진 저고리와 치마를 입은, 시커먼 먼지를 뒤집어쓰고 말라붙은 콧물로 뒤범벅이 된 예닐곱 살 된 여자아이가 동생인 듯한 두 살가량의 애기를 업고 있었다. 아직 경제적 사정이 좋지 않은 건 사실이었지만 그 정도로 비참한 것은 아니었는데, 보는 이의 동정심을 유발하기 위해 그런 사진을 선택했다는 것이 매우 안타깝고 서글펐다.

1950-60년대 폐허가 된 삶터에서 우리는 서로에게 힘내라고 위로하며 어렵고 힘든 시기를 잘 견뎌냈다. 그 결과 50년 만에 한강의 기적을 일구어내며 개발도상국들의 부러움을 한 몸에 받게 되었다. 그런데 이상하게 경제적 지표가 좋아질수록 사람들의 삶은 더욱 삭막해지고 불안해져 갔다. 다른 사람을 신뢰하기보다는 경쟁상대로 의식하면서 점점 시기와 견제의 눈초리로 바라보기 시작했다. 남이 성공하는 것에 대해 배가 아프기 시작한 것이다. 나보다 잘 사는 이웃이 있는 한 내 배는 계속 아프기 때문에 나는 더욱 악에 바쳐 모든 수단과 방법을 동원해 돈을 벌어야 한다.

살벌한 경쟁의 판에서 쫓겨나 가족들로부터도 외면당하고 거리를 헤매는 사람들, 신체적 장애 때문에 무시당하면서 생존을 걱정하며 하루하루를 버텨야 하는 사람들, 잘못된 방법을 쓰다 인생 망친 사람들… 많은 사람들이 박탈감과 상대적 빈곤감으로 인해 절망과 외로움 속에 목숨을 끊는다. 이제 살만 한데, 무역 강대국인데, 음식물 쓰레기가 넘쳐나는데, 왜 삶의 의욕을 놓아버리고 극단적인 선택을 하는 걸까. 이것은 근대화라는 서구화가 몰고 온 병폐 중 하나다. 근대화가 몰아치는 곳에서는 어디에서나 이와 비슷한 현상이 벌어지고 있다. 근대화의 물결이 전 세계를 뒤덮고 있는 지구촌 시대, 신자유주의와 신자본주의는 비켜갈 수 없는 쓰나미가 되어 인류의 재앙을 예고하고 있다.

가. 근대화가 퍼뜨린 '죽임'의 문화 : 생태계 파괴, 생명경시, 빈부격차 심화

세계적 신학자로 인정받는 한스 큉은 그의 책 『세계윤리구상』(분도출판사)에서 전 세계를 휩쓴 근대화라는 서구화를 다음과 같이 비판한다.

"학문은 있으나 지혜는 없다. 기술은 있으나 정신적 에너지는 없다. 공업은 있으나 생태학은 없다. 민주주의는 있으나 윤리는 없다."

한스 큉은 이것이 바로 근대 계몽주의적 이성의 실체라고 지적한다. 항상 자신을 절대화시키고 모든 것을 합리화하도록 강요하는 이성은 (주관성의 자유와 결합되어) 어떠한 우주와도 매여 있지 아니하고, 아무것도 신성시하지 않으며, 끝내는 자기 스스로를 파괴시킨다. 그 결과가 환경오염, 생태계파괴, 생명경시, 사회적 불안이라는 것이다.

"부자가 되어라, 빚내고 쓰고 즐겨라!" (Get rich, borrow, spend and enjoy!)라는 월가의 신자본주의의 강령은 바야흐로 99%의 평범한 시민들의 분노를 사서 그들로 하여금 "월가를 점령하라!" 는 구호를 외치며 거리로 뛰쳐나오게 만들었다. 월가의 똑똑한 경제학자들은 국제적인 대기업들이 돈을 많이 벌어야 그 혜택이 밑바닥까지 내려가 서민들도 떡고물을 얻어먹을 수 있다고 말한다. 소위 샴페인 잔의 비유를 들어 말한다. 피라미드식으로 쌓은 샴페인 잔의 맨 위에 샴페인을 부으면 그 잔이 넘치면서 차례로 아래의 잔들을 채워 밑에까지 흘러넘친다고. 그러나 아무리 기다려도 밑의 잔에는 아무런 기별이 오지않는 것이다. 알고 보니 위의 잔들을 계속 크게 만들어서 샴페인이 밑에 오기도 전에 끝나버리는 것이다.

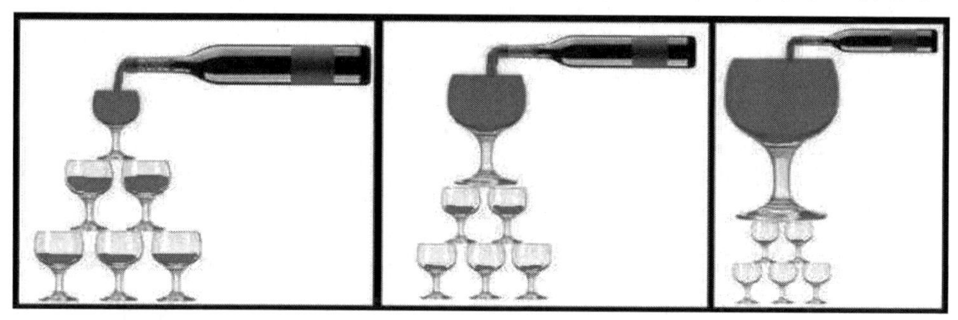

나. 신자본주의의 경제논리 : 나 살고, 너 죽고!

이들이 내세우는 주장이라는 것이 얼마나 이기적인지는 생태학자인 개럿 하딘의 '구명보트윤리' 라는 것을 보면 잘 알 수 있다. 하딘은 오늘날 우리가 처한 현재의 위기상황을 구명정에 비유한다. 선진국이 적정 수용인원을 태운 구명보트라면, 후진국은 너무 많은 사람들이 올라타서 이미 가라앉기 시작한 구명보트다. 후진국의 국민들은 배에서 내려 헤엄쳐 선진국의 구명보트에 올라타기를 희망하지만 하딘은 이들을 배에 태워서는 안 된다고 단호하게 말한다. 만약 그들을 태운다면 선진국의 구명보트도 과잉 승선으로 인하여 가라앉을 것이니 그들만이라도 살 수 있는 길을 택해야 한다는 것이다. 하딘은 제3세계에 대한 식량원조를 동결하고 이민도 금지해야 한다고 주장한다. 신자유주의와 신자본주의의 속셈을 보여주는 이론이며 학설이다.

이처럼 서양 사람들의 경제논리는 한마디로 '나 살고 너 죽고'의 논리다. 그들은 허울 좋게 "소비는 미덕이다"라고 외치며 자본주의 시장경제에 인류의 사활이 걸려 있다고 주장한다. 그러나 소비가 미덕이 되기 위해서는 욕망을 부추겨야 한다. 없는 욕망도 만들어내서 필요 없는 물건도 필요하다고 생각하며 구입하도록 조장해야 한다. 이것이 서양 사람들이 생각하는 생산과 소비구조다. 그리고 우리는 그것을 따라가기에 바쁘다. 우리도 자신이 살아남기 위해서 남을 밟고 올라가려고 한다. 여기에는 살림의 논리, 상생(相生)의 논리가 들어설 틈이 없다.

서양 사람들은 이런 무한경쟁의 논리를 다윈의 진화론에서부터 배웠다. 다윈의 진화론은 서양인들이 자연의 생태계에서 보고 배운 삶의 논리다. 그들은 자연의 생물들이 살아가는 실상을 그렇게 보았으며 그래서 거기에서부터 진화의 원리를 끄집어내 자연도태, 적자생존, 우승열패의 원칙을 이론으로 정립해냈다. 이들은 그들이 발견한 이 논리를 인간사회에 적용하여 최고만이 살아남는다는 〈경쟁의 논리〉로 만든다. 그러기에 최고가 아닌 사람은 희생된다. 아니 마땅히 희생되어야 하는 것이 자연의 법칙이라고 한다. 이런 논리는 합리성을 앞세운 계산의 논리, 이성의 논리다. 이런 논리대로라면 80%의 사람들은 못살게 되어있다. 나만 이 80%안에 들지 않으면 되는 것이다.

다. 경제 VS 생태 : 충돌이냐 조화냐

지금 전 세계를 하나의 세계로 통합시키면서 무섭게 자신의 지배영역을 지구상 곳곳으로 뻗치고 있는 원리는 국제자본금융의 경제논리이다. 모든 것을 돈이라는 경제 단위로 단일화시킬 수 있는 이 무서운 수량화의 논리 밑바탕에는, 존재하는 모든 것을 표상화하고 나아가 수량화하려 한 서구의 형이상학이 깔려 있으며, 우리는 그 이념이 생활세계에서 실현되고 있음을 보고 있는 셈이다. 경제중심의 생각이 지금 인류를 무한한 욕망에로 부추기며 하나뿐인 지구를 파멸의 낭떠러지로 몰아가고 있음을 이제 서구의 지성인들도 깨닫고 어떻게 하면 경제학과 환경[생태]학을 조화시킬까 고심하고 있다.

그런데 흥미롭게도 경제학(Ökonomie, economy)과 환경[생태]학(Ökologie, ecology)의 어원을 보면 그것은 똑같이 그리스어 <οικος(집, 주거, 거주) >에서 유래한다. 하나는 가정경제[가계운영]에 뿌리를 두고 있고, 다른 하나는 주거관리에서 연원하고 있다. 우리에게도 가정경제와 주거관리가 있었으니, 여기에 해당되는 우리말을 찾아보면 역시 하나의 단어에서 유래된다는 것을 알 수 있다. 그 단어는 바로 <살림살이>이다. 살림살이는 한 집안이나 국가, 단체 따위를 이루어 살아 나가는 상태나 형편이다. 우리는 가정 살림살이, 부엌 살림살이, 학교 살림살이, 국가 살림살이, 국민 살림살이 등등 모든 형태의 경제행위를 다 살림살이라 하였다.

우리말 <살림살이>에는 죽지 않도록 감싸주고 보살펴 주는 우리 선인들의 삶의 철학이 담겨있다. 살리는 일, 즉 살림을 생활화해서 삶의 지표로 삼는 자세가 <살림살이>라는 낱말 속에 간직되어 있는 것이다. 모든 것을 수량화하여 죽여 버리는 <경제학>이 아니라, 살도록 감싸주고 보살펴 주는 <살림살이>에서는 생태계 파괴의 꼬투리도 찾을 수 없다.

그렇다면 개별 생명체의 멸종과 지구 절멸의 위기에 봉착한 현대인이 그 위기에서 벗어날 수 있는 대안을 생활 속에 살림을 실천해 온 이 땅의 선조들 삶의 지혜에서 배울 수 있지 않겠는가?

우리는 생활, 삶 자체를 살림살이라 이름하였다. 우리나라에는 60년대까지 쓰레기가 없었다. 모든 것은 완벽하게 재활용되었다. 그런데 생활이 서구적인 형태로 변화하면서 우리의 생활에서도 이제 이카노미(경제)와 이칼로지(생태)가 충돌하게 된 것이다. 그러므로 이제 어떻게든 그 둘을 인위적으로 조화로운 상태로 올려놓아야 하는 단계에 이르렀다.

라. 죽음에서 생명으로 : 살림살이를 향한 여정

우리의 조상들은 천(天) · 지(地) · 인(人) 합일(合一)의 삶을 살았다. 인간은 하늘과 땅 사이에서 존재하는 "사이존재" 이다. 옛날에는 천재지변이 일어나면 하늘과 땅 사이에 책임을 져야 할 인간이 잘못했기 때문이라고 믿었다. 물이 넘쳐 홍수가 났을 때 그 물이 왜 넘쳤는지 원인을 알 수 없으면, 그 고을의 책임자가 천주(天柱)라고 하는 동헌의 기둥에 피가 나도록 머리를 찧어 인간의 잘못을 대표하여 사죄하였다.

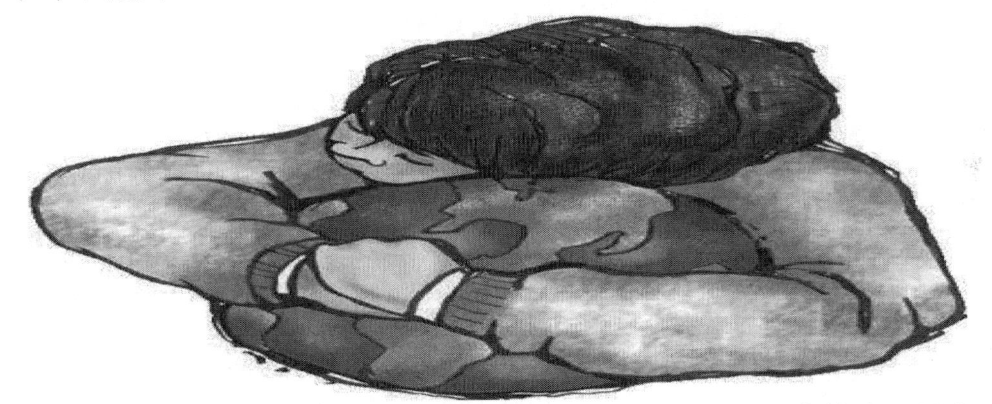

사진출처=SeekPNG

서양인들은 자연을 에너지의 창고라고 생각한다. 반면 우리는 자연에서 인간이 배워야 할 도리를 보았고 따라야 할 덕목을 읽어왔다. 사람에게 인품(人品)이 있듯 꽃에게도 화품(花品)이 있다고 보았다. 대나무는 절개, 모란과 작약은 부귀, 개나리와 진달래는 그 분명한 거취가 그 꽃들의 화품(花品)이다. 이러한 도덕의 범위를 짐승에까지 확대하여 벌과 개미에게는 군신의 의(義)가 있고, 원앙에게는 부부의 정(情)이 있고, 기러기에게는 장유유서(長幼有序)의 예(禮)가 있다고 보았다.

또한 우리의 선조들은 비가 온 뒤에 산에 갈 때에는 코가 얼기설기한 짚신을 신고 갔다. 비가 온 뒤에는 길가에 벌레가 많이 나오는데, 그 벌레들을 죽이지 않기 위해 그러한 신발을 신었던 것이다. 그리고 산에 갈 때에는 요강 같은 것을 가지고 갔다고 한다. 우리는 "산에 간다" 라는 말 대신에 "산에 든다" 라는 말을 썼다. 산에 허락 맡고 들어가는 것이지 우리 마음대로 산을 정복하기 위해서 올라가는 것이 아니기 때문이다.

존재, 소유, 욕망, 경쟁이라는 서구적인 삶의 문법이 우리 삶에 파고들어 죽임의 그림자를 드리우고 있다. 그 죽임의 문화가 우리 삶의 터전인 지구를 황폐화시키고, 지구상의 모든 생명체를 몰살시키고, 우리들의 생명까지도 멸절시키기 전에 우리는 우리 삶의 문법 속에 새겨져 있던 살림살이의 원칙을 오늘날에 되살려 놓아야 한다. 살림과 섬김, 비움과 나눔의 가치관을 새롭게 다시 배우고 익혀서 삶의 지침으로 삼아야 한다. 우리의 살림살이 문법이 지구의 살림살이 문법으로 다시 태어날 수 있기 위해서는 우리 스스로가 이것을 이론화시키고 체계화 시켜야 한다.[15]

주저앉은 한국 경제가 좀처럼 일어설 기미를 못 찾고 있다. 향후 5년간 평균 성장률이 2% 안팎에 그칠 것으로 전망되면서 '저성장 늪'에 빠지는 것 아니냐는 목소리가 나온다. 유례없는 속도로 진행되는 저출산고령화와 막대한 부채가 성장률을 끌어내리는 만큼 대책 마련이 시급하다는 지적이다.

19일 국제통화기금(IMF)의 '한국 연례협의 보고서'를 보면, 한국 경제는 2028년까지 매년 2.1~2.3% 성장할 것으로 전망됐다. 경제성장률이 올해(1.4%)보다 높아지겠지만, 이후에도 큰 반등 없이 2% 수준을 이어갈 것으로 본 것이다.

경제 규모가 커질수록 성장률이 내려가는 건 자연스러운 일이지만 최근 한국 경제가 놓인 상황은 이러한 연착륙보다, 추락에 가깝다. 성장률 하락폭도 선진국을 웃돌아 저성장 고착화 우려마저 커지고 있다. 한국 경제력이 정점을 찍고 내리막길에 들어섰다는 '피크 코리아' 주장이 나온 배경이다.

IMF는 "높은 가계부채는 경제 성장에 악영향을 끼친다"며 "국민연금이 2041년부터 적자를 볼 것으로 예측되는 만큼 재정의 지속가능성을 위해 연금개혁이 필요하다"고 조언했다. 올해 3분기 한국의 국내총생산(GDP) 대비 가계부채 비율(100.2%)은 주요 61개국 중 스위스(125.5%)와 호주(110.0%), 캐나다(102.9%) 다음으로 높았다.[16]

9. 겉 다르고 속 다른 공정경제 3법

경제(經濟)는 인간의 공동생활을 위한 물적 기초가 되는 재화와 용역을 생산·분배·소비하는 활동과 그것을 통해 형성되는 사회관계의 총체를 가리키는 경제 용어이다. 생산에서는 생산력이 핵심 요소인데, 생산수단의 질에 의해 좌우된다. 분배에서는 생산물을 누가 소유하느냐가 핵심 요소로, 보통 생산수단의 소유자가 생산물의 소유자가 되며 이에 따라 생산관계가 결정된다. 사회관계의 총체는 생산력과 생산관계의 형태에 따라 변화하는데 이 두 요소가 결합된 방식을 생산양식이라 한다. 생산양식에 따라 생산·분배·소비하는 활동의 양상이 달라지며 경제생활의 방식도 달라지게 된다.[17][18]

지난 8월 국무회의를 통과한 '공정경제 3법'이 국정감사 이후 화두가 되고 있다. 더불어민주당과 국민의힘을 주축으로 찬반 토론회가 이어지고 있고, 청와대는 물론 재계와 시민사회까지 가세했다. 이 3법을 법제화하기 위한 당정의 모습은 '빈 수레가 요란하다'는 속담과 '성동격서'라는 고사성어를 떠올리게 한다. 공정경제 3법이라고 명명하면 개혁적이고 강력한 방안이 담긴 것 같지만 내용을 뜯어보면 알맹이가 빠져 있기 때문이다.

재벌개혁의 핵심 법안이라고 할 수 있는 공정거래법 전부개정안은 전속고발권 일부 폐지, 지주회사 지분율 규제 강화, 사익편취 규제와 공익법인 의결권 규율, 벤처지주회사 규제 완화 등을 담고 있다. 하지만 전속고발권은 문재인 대통령 공약에서는 전면 폐지였으나, 경성담합만 폐지하는 것으로 완화되었다. 지주회사의 자회사 지분 보유율은 상장 30%, 비상장 50%로 높였지만, 신규 지주회사에만 적용하도록 했다. 공익법인이 보유한 계열사 지분 의결권은 금지한다면서 예외로 상장 계열사는 특수관계인 합산 15% 내에서 의결권 행사를 허용해주고 있다. 벤처기업에 대한 인수·합병(M&A) 활성화로 혁신 경쟁을 촉진한다며, 5% 한도 내의 비계열사 주식 취득 제한을 폐지하는 등 벤처지주회사 설립 요건과 행위 제한도 대폭 완화했다.

국민의힘과 재계에서 극렬히 반대하는 상법 개정안은 1인 이상의 감사위원을 분리선출하고, 선임 및 해임을 위한 최대주주와 특수관계인의 의결권은 합산 3%를 초과하는 부분에 대해 제한하도록 했다. 독립적인 감사위원 1명이 들어가서 어떤 견제를 할 수 있을지는 모르겠지만 이마저도 국민의힘과 재계에서 극렬히 반대하자 민주당은 완화시키려는 움직임을 보이고 있고, 일부 여당 의원은 감사위원을 이사회에서 제외시키자는 이야기까지 하고 있다. 20대 국회 민주당 안이었던 집중투표제는 흔적도 없이 사라져버렸다. 금융그룹감독법 제정안은 자본 적정성 등 건전성을 모니터링한다는 수준에 불과하고, 금산복합의 리스크를 줄일 계열 분리 명령과 같은 실효성 있는 방안은 빠져 있다.

결국 당정은 이름만 거창하게 공정경제 3법으로 붙여서 사회적 이목을 집중시키고, 시끄러운 동안 뒤에서 주목적을 이루려는 속셈으로 보인다. 재벌의 경제력 집중과 경영권 세습에 악용될 수 있는 비상장 벤처기업 차등의결권 도입과 일반지주회사의 기업주도형벤처캐피털(CVC) 보유 허용 법안 통과가 주목적이 아닐까 하는 의구심이 든다. 여당으로서 공정경제를 실현할 수 있는 법안을 3개나 통과시켰으니 이 정도는 괜찮지 않을까라는 생각이라면 국민을 우습게 본 것이다. 코로나19 이후 심화될 경제 양극화와 불평등을 생각한다면 재벌 규제 완화를 위한 꼼수를 중단하고 법안을 실효성 있게 수정한 후 통과시켜야 할 것이다. 그것이 진정 공정경제를 위한 길이다.[19]

10. MB는 '물가상승'을 바란다, 이걸 봐라

"물가를 가장 현명하게 극복하는 길은 소비를 줄이는 길 밖에 없다."

7일 이명박 대통령의 말이다. 물가 상승을 부추긴 정부 최고 책임자로서 무책임한 발언이다. 현 정부 출범 후 3년간 아시아, 유럽, 북미 등 주요 경제국 중 한국의 환율상승률(통화가치 하락률)과 물가상승률이 모두 최고 수준인 것으로 나타났다는 언론 보도가 나왔다. 왜 이런 상황이 빚어지고 있을까.

가. 이명박 정부가 저금리-고물가-고환율 유지하는 이유

7일 오전 서울 양재동 농협하나로클럽에서 국민경제대책회의를 주재한 이명박 대통령이 매장 안을 돌아보면서 물가를 점검하고 있다(청와대)

'기획재정부 남대문 출장소'로 전락한 한국은행이 2010년 하반기 이후 물가 상승 압력이 가파르게 상승하고 있음에도, 기준금리 인상을 꺼리는 것은 GDP성장률로 드러나는 외형적 경제성장률에 대한 집착증과 부동산 버블 붕괴에 대한 우려 때문으로 보인다.

한편으로는 급격히 증가한 정부 채무에 대한 이자 부담도 적잖이 작용하고 있는 것으로 보인다. 현 정부가 출범한 2008년 이후 정부 공식 채무만 100조 원 이상 증가했고, 공적 부문 전체로는 450조 원 가량 증가했다. 당연히 기준금리 인상은 폭증한 국가채무와 공기업들의 각종 이자부담 증가로 반영된다.

기준금리 인상으로 국공채 금리가 1%포인트 상승하게 될 경우 국공채 이자와 금융 부채 이자 부담이 2008년 이전에 비해 1년에 4.5조 원 증가하는 꼴이기 때문이다. 당장은 아니지만 일본처럼 매년 일반회계 예산의 약 1/4 가량을 국채 이자로 지출하게 되는 상황을 먼 나라 얘기로만 생각할 수 없는 것이다.

따라서 정부로서는 최대한 기준금리를 낮춰 국공채 금리를 낮추어 이자부담을 줄이려는 유인을 가지게 될 수밖에 없다. 실제로 일본 정부가 버블 붕괴 후 10여 년 간 사실상 제로금리 상태를 유지하는 이유 가운데 하나도 바로 국채 이자 부담 때문이라고 할 수 있다. 더구나 글로벌 금융위기 이후 남유럽의 재정위기가 계속 진행되고 있는 점도 정부로서는 의식하지 않을 수 없을 것이다. 따라서 이런 점을 감안하여 저금리 기조를 계속 유지하려 하고 있는 것일 수도 있다.

나. 저금리-고물가-고환율 '3단 콤보', 왜?

경제정의실천시민연합(경실련) 소속 회원들이 지난 2월 24일 오전 서울 종로구 청와대 인근 청운효자동주민센터 앞에서 'MB정부 3년, 민생회복과 국정쇄신을 위한 경실련 기자회견'을 열어 구제역 사태와 물가폭등, 전세대란으로 힘들어진 서민들의 모습을 보여주는 퍼포먼스를 벌이고 있다(유성호).

실제로 2010년 하반기 이후 고물가 추세가 이어지는 가운데도 현 정부는 5% 성장 목표를 고수하겠다는 의사를 거듭 밝히고 있다. '3% 물가'를 립서비스처럼 달고 있지만, 저금리-고물가-고환율 기조를 가능한 한 유지하겠다는 속내가 뻔히 보인다.

그런데 이 같은 '3단 콤보' 기조는 매우 심각한 경제 형평성 문제를 안고 있다.

우선 현실의 시장 리스크 수준을 반영하지 않는 인위적인 저금리 기조를 생각해 보자. 저금리의 장기화는 성실한 예금생활자에게 세금을 물려 빚을 지고 투기에 가담했던 가계나 민간기업, 그리고 2009년 이후 약 410조 원의 부채를 끌어 쓴 정부공공부문에 보조금을 주는 셈이다. 따라서 이를 일반 가계 입장에서는 '저금리 세금' 이라고 부를 수 있을 것이다.

고물가 상황은 어떤가. 여러 이유가 있지만 경기 부양 명목의 유동성 증가와 저금리의 지속 등으로 물가 상승세가 지속되고 있다. 그런데 현 정부로서는 물가 상승을 방조하려는 유혹에 강하게 노출돼 있다. 물가가 상승하면 상대적으로 화폐 가치가 떨어지게 되는데 이는 정부 공공부문 부채가 실질적으로 줄어드는 효과로 이어지기 때문이다. 반면 일반가계 입장에서는 실질소득이 줄어드는 정반대 효과가 발생한다. 물가가 오르는 만큼 일반 가계의 소득에 세금을 부과하는 효과를 내는 셈인데, 이를 인플레이션 조세라고 한다. 이를 '고물가 세금'이라고 바꿔 부를 수 있을 것이다.

이른바 환율효과 또한 대다수 국민에게는 세금을 부과하는 효과를 낸다. 2009년 경제위기 이후 경제성장의 상당 부분은 급격한 수출 성장에 의존하고 있다. 수출이 급성장한 결정적 요인 중 하나는 원-달러 환율이 급등한 덕분이 크다. 실제로 2010년 수출 대기업들이 올린 사상 최대 실적의 상당부분은 환율효과에 따른 것으로 추정된다.

반면 수입업자나 외국 원자재를 쓰는 중소 납품업체는 정반대로 경제위기 전보다 훨씬 더 비싼 원화 가격으로 원자재를 수입해야 한다. 이것이 수입 인플레이션의 형태로 소비자물가에도 전가되므로 소비자들도 상대적으로 더 높은 물가 부담을 져야 한다. 국민들의 대외 구매력도 크게 떨어지게 된다. 이렇게 보면 인위적인 고환율 유도 정책은 일반 가계와 수입업자 등에 세금을 부과하고 대기업에 막대한 수출 보조금을 지급해주는 꼴이다. 이를 '고환율 세금' 이라고 할 수 있다.

다. '3단 콤보' 는 가진 자에게 퍼주는 '망국적 복지'

그런데 현 정부는 저금리-고물가-고환율 조합을 상당히 의도적으로 오래 유지하고 있다. 이 같은 기조는 고물가와 양극화를 초래하는 등 경제의 질적 측면을 희생해 경제의 외형만 키우는 꼴이다. 또 부동산 거품을 부양하며 일반 가계와 성실한 근로소득자에게 불이익을 주는 반면 재벌대기업과 부동산 투기 가계에 보상하는 구조라는 공통점을 갖고 있다. 단순화하자면 없는 사람들에게 뜯어서 있는 사람들에게 막대한 규모의 소득을 재분배 해주고 있는 셈이다.

김중수 한국은행 총재가 지난달 10일 오전 서울 중구 한국은행에서 기준금리 인상 여부 등을 결정하기 위한 금융통화위원회의를 시작하며 의사봉을 두드리고 있다(유성호)

사실 이 같은 '세금 아닌 세금' 들은 국민 동의 없이 막대한 소득을 없는 자들로부터 가진 자들에게 이전한다는 점에서 매우 악성 세금이라고 할 수 있다. 이런 이유들 때문에 지난해 경제성장률이 6.1%에 이르는데도 일반 가계의 체감경기는 거의 개선되지 않고 있다. 현 정부는 이런 기조가 경기회복의 지속을 위해 불가피하다는 핑계를 대고 있다.

하지만 경기회복속도나 유동성 증가 추세에 비해 기준금리가 지나치게 낮다는 점, 부동산 거품을 거의 해소하지 못한 가운데 다른 국가들에 비해 물가상승률이 상당히 높다는 점, 경제위기 이후 대달러 환율이 강세를 띤 대부분 국가들에 비해 한국 원화만 유독 달러 대비 약세를 보였다는 점 등을 고려하면 납득하기 어렵다.

더구나 한국경제는 긴박한 경제위기 국면을 벗어난 지 오래다. 이런 상황에서 언제까지 일반가계의 부를 가진 자들에게 퍼줄 것인가. 한국에 정말 '망국적 복지' 가 있다면 이처럼 가진자들에게 각종 정책적, 제도적 지원을 해주는 퍼주기 복지일 것이다.

라. 부동산 투기자에게는 보조금, 성실 예금자에게는 저금리

이 같은 우회적인 세금을 통한 소득 재분배 효과가 얼마나 큰지 저금리 정책의 효과를 예로 들어 살펴보자. 주지하는 바와 같이 2008년 후반에 미국발 글로벌 금융위기가 발생하면서 한국은행은 5.5%이던 기준금리를 2.0%로 인하해 경기를 부양해왔다. 이어 2010년 하반기 이후 세 차례 기준금리를 인상해 2011년 4월 현재 3%까지 기준금리가 상승했으나 여전히 역대 사상 최저 수준의 기준금리인 것은 물론이다.

2008년 말 이후 저금리정책이 일반 가계들에는 어떤 영향을 미쳤을까? 언론에서는 주택담보대출자 등 주로 부채를 진 가계의 이자 부담에만 초점을 맞추고 있지만, 실제로는 은행에 여유자금을 저축하고 있는 가계들도 많다. 물론 현실에서는 양쪽의 비중이 다를 뿐 금융자산과 부채를 함께 가진 가계들이 많다는 점을 감안해야 한다. 하지만, 설명의 편의상 부채 가계와 예금 가계를 이분법적으로 구분해서 기준금리가 2%를 유지하고 있을 때 그 효과를 따져보았다.

우선, 은행에 빚을 진 가계는 연 환산 12.2조 원 가량의 금리인하(보조금) 혜택을 받은 것으로 추산됐다. 마찬가지로 2008년 말의 가계 저축성예금을 기준으로 저금리 정책의 기회손실을 계산해보면, 은행에 예금을 한 가계는 저금리 정책으로 연환산 10.5조 원 가량의 이자 손실을 본 셈이 된다. 이러한 기회이득 또는 기회손실은 저금리 정책이 길어질수록 확대된다.

결국 정부 정책실패나 금융기관의 무모한 경영으로 인한 잘못을 저금리 정책이라는 이름으로 포장하여 예금자인 가계에게 떠넘기고 있는 것이다. 또한 성실하게 일해 번 소득을 저축해 온 가계를 희생양으로 빚을 내 부동산투기에 가담한 가계에게 막대한 보조금을 주고 있다. 경제적 형평성 측면에서 심각한 문제가 있는 이 같은 퍼주기를 언제까지 더 지속해야 하는가.[20][21]

COVER STORY

누구에게, 무엇을, 어떻게 공급할지···3가지만 고민하라

11. 프랑스보다 더 '불량국가' 인 한국, 우리도 분노하자

"빚쟁이 대통령 MB가 망쳐놓는 한국...20-40대 깨어나야"

제2차 세계대전 때 레지스탕스 대원으로 독일 나치에 맞섰던 93세의 프랑스 노인이 출간한 책 <Indignez vous!, 분노하라>가 프랑스를 뒤흔들고 있다고 한다. 지난해 10월 초판 8000부가 출간된 이후 석달 새 무려 60만권이 팔려나가며 프랑스에서 '분노 신드롬' 을 일으키고 있다고 것이다. 국내 언론에 소개된 그 책의 일부만 읽어보아도 가슴이 두근거린다.

프랑스를 사로잡은 책 <분개하라!>. 한경미

베스트셀러가 된 <분개하라!>를 1면에 다룬 <리베라시옹> 2010년 12월 30일자, 한경미

"분노할 이유를 발견하는 것은 귀중한 선물이며 분노할 것에 분노할 때 당신은 거대한 역사의 흐름의 일부가 된다. 그 흐름이 우리를 더 많은 정의와 자유로 인도한다. 그 자유는 여우가 닭장 속에서나 맘껏 누리는 자유가 아니다." ('분노하라!' 프랑스 뒤흔든 '30쪽의 외침' . 한겨레신문 1월 4일 자)

"오늘날 분개해야 할 이유가 덜 분명해졌고 이 세상이 더욱 복잡해진 것은 사

실이다. 누가 명령을 내리고 누가 결정을 하는가? 우리의 삶을 결정하는 모든 종류의 흐름을 구별한다는 게 항상 쉬운 일은 아니다. (…) 그러나 이 세상에는 참을 수 없는 것들이 있다. 그것을 보기 위해선 잘 바라보고 찾아야 한다. 난 젊은 이들에게 말한다. '찾아보시오, 분명히 찾을 것이오.' 가장 나쁜 태도는 무관심이다. '무슨 방법이 없잖아, 나 혼자 알아서 처리해야지 뭐.' 당신들은 이런 식으로 행동하면서 인간을 구성하는 가장 중요한 요소의 하나를 잃고 있는데, 그것은 분개하는 능력과 그 결과로 이어지는 앙가주망(참여)이다." (오마이뉴스 1월 6일자 -93세 노인의 분노, 프랑스를 사로잡다).

가. 프랑스보다 우리가 훨씬 더 분개해야 한다

그러면 우리는 분개할 현실이 없을까. 그렇지 않다. 오히려 분개할 현실은 프랑스보다 우리가 훨씬 더 많다는 게 필자의 판단이다.

외환위기 이후 민주주의와 인권 신장, 대북 문제 등에서는 상당한 발전이 있었다. 하지만 경제적 측면에서는 새로운 시대적 요구에 걸맞은 패러다임과 게임 규칙을 우리는 확립하지 못했다. 그 결과 많은 중산층 서민들이 시간이 갈수록 큰 경제적 고통을 겪게 됐다. 조금만 살펴봐도 이를 보여주는 온갖 악성 지표들로 가득하다.

비정규직 비율 세계 최고 수준, 극심한 청년실업, 자살률 급증과 출산율 급감, 고령화 속도 세계 1위, 10만 명당 교통사고 사망자 수 세계 최고 수준, 세계 최고의 산업재해율과 OECD 최장 노동시간, 소득 대비 세계 최고 수준의 주택가격, 경제력 대비 지나치게 높은 생활물가, 공공도서관 수 선진국의 10분의 1 수준, 사회복지 등 공적사회복지지출 비용 OECD국가 3분의 1 수준, GDP 대비 교육재정 투자 세계경제포럼 조사 대상국 127개국 가운데 71위 등 조금만 훑어봐도 정말 일반 서민들이 건강한 삶을 영위하기 어려운 경제 및 사회 구조를 갖고 있다. 한마디로 전방위적인 불량국가이자, 엽기적인 나라다.

이런 엽기적 현실이 사람들을 좌절에 빠져들게 했다. 엽기적 현실에 따른 고통은 김대중-노무현 정부의 주요 지지층인 서민들에게 집중됐다. 서민들은 민생고를 해결해달라고 거듭 아우성쳤지만, 결과적으로 이들 정부는 서민들의 고충을 해소하지 못했다. 변화하는 패러다임에 걸맞은 건전한 경제구조를 마련하지 못한 채 낡은 기득권세력과 상당 부분 타협하고 굴종했다. 물론 그만큼 기득권 세력의 힘이 강고했다고도 할 수 있다. 하지만 이들 정부가 대다수 국민들이 바라는 '진짜 개혁' 을 달성하는 데 실패했음은 분명하다.

진짜 개혁의 좌절과 서민 경제의 지속되는 악화는 정치적 반동을 가져왔다. 독일이 1차대전의 전쟁부채에 시달리다 결국 선거를 통해 히틀러를 택한 것처럼 말이다. 우리가 현재 목도하고 있는 이명박 정부의 등장 또한 그런 맥락으로 볼 수 있다.

필자는 2007년 대선 결과에 대해 "배가 고프다고 쓰레기통을 뒤진 격" 이라고 통탄한 적이 있다. 자산과 소득 양극화에 부동산값 폭등, 비정규직 비율 55%, 청년 실업 200만, 출산율 바닥, 자살률과 근로시간, 산재사고 OECD 최고라는 대한민국의 엽기적인 현실을 생각할 때 현 정부는 이를 해결하기보다는 더욱 악화시킬 것으로 보였기 때문이다. 그런데 그 같은 우려는 현실이 됐다. 솔직히 필자가 생각했던 것보다 훨씬 더 악화된 형태로 말이다. 사실 현 정부는 아마추어도 이만저만한 아마추어가 아니며, 국민들에게 거짓말을 밥 먹듯 한다는 점에서 사기꾼 기질이 유전자에 각인된 정부라고 본다. 이들을 단순히 '실용정부' 나 중도우파 정부라고 본다면 그것은 오해요, 착각이다.

이들은 과격한 '우파 기득권 혁명세력' 이다. 어떤 상황에서도 자신들과 지지세력에게 필요한 것은 반드시 관철시키는 '불굴의 의지' 를 가진 집단이라는 점이다. 필자도 처음에는 그렇게까지 생각하지는 않았다. 하지만, 촛불시위 이후 자신들 세력을 결집하며 전 국민을 대상으로 선전포고하고, 미네르바 등 네티즌 논객을 구속하고 용산참화의 희생자들에게 사과는커녕 테러리스트 진압하듯 물리력을 휘두르는 것을 보면서 이들은 정상적 판단력을 가진 정부가 아니라는 생각을 하게 됐다.

그 결과 현 정부는 1987년 민주화 이후 한국 사회가 이뤄온 민주주의와 인권, 대북정책의 성과를 빠른 속도로 갉아먹고 있다. 국정원, 검찰, 경찰 등은 시간이 갈수록 권위주의 시절 마냥 정권의 주구로 변질되고 있다. 낡은 틀을 벗지 못한 정부 관료들 또한 과거의 낡은 패러다임에 사로잡혀 거듭되는 정책실패로 서민들의 고통을 가중시키고 있다. 사법 체계 또한 삼성에버랜드 사건 대법원 판결 등에서 보듯 법의 잣대를 기득권층에 유리하게 구부리는 경향이 여전하다.

나. 현 정권과 유착한 기득권 언론이 정권의 친위대 역할 자처

정치와 더불어 가장 심각한 것은 언론이다. 여전히 신문시장에서 현 정권과 유착한 기득권 언론이 정권의 친위대 역할을 하는 가운데, 현 정부의 집요한 방송

장악 시도로 방송의 공정성과 중립성이 심각하게 훼손당하고 있다. 이런 가운데 현 정부는 2010년 마지막 날 '조중동매연' 을 종합편성 및 보도전문채널 사업자로 지정했다. 일부 언론에서는 이들을 보수 일색이라 여론의 편향성이 우려된다고 했지만, 이들은 단순히 보수신문이 아니라 재벌광고주들에게 영혼을 팔아버린 기득권 언론들일 뿐이다. 민주화 이후 한국 사회경제의 건전한 발전을 가로막아 온 이들 언론이 여론시장을 지배하고 이 나라를 베를루스코니 치하의 이탈리아처럼 만들겠다는 기득권 세력들의 기획이 노골적으로 실행되고 있다.

더구나 열심히 땀 흘려 일하고 정직하게 납세하는 사람만 '봉' 이 되는 현실은 어떤가. 부동산과 주식 등 자산경제 규모는 7500조 원. GDP로 대표되는 생산경제 규모는 1064조 원에 이른다. 자산경제 규모가 생산경제보다 7배 크지만, 부과되는 세금은 생산경제 쪽이 4배 이상 많다. 근로소득에 불로소득보다 30배 이상 과중한 세금을 매기는 셈이다.

삼성 이건희 회장은 특검에서 4조 5000억 원의 비자금을 조성했다는 것이 밝혀졌다. 하지만 세금 한 푼 안 냈고, 한화 태광 등 비자금 통한 탈세 소식은 계속 불거지고 있다. 부동산, 주식에서 수천 수억 원 양도차익을 얻은 사람들도 양도차익에 대한 세금 한 푼 안 내는데, 연봉 수천만 원인 근로소득자는 연간 수백만 원의 세금을 원천징수당한다. 간이과세제를 배경으로 세금계산서 없는 거래를 통해 자영자들의 탈세도 매우 심각하다. 건강보험의 직장 가입자는 고소득자가 많지만, 지역가입자중 고소득자는 멸종위기종으로 보일 정도로 탈세가 만연해 있다. 더구나 부패와 각종 비자금의 온상 건설업계에서는 매년 10조~20조원씩 비자금이 조성돼 수조 원의 탈세가 횡행하고 있다.

이런 가운데 이명박 정부는 부자감세정책으로 오히려 전속력으로 역주행하고 있다. 국세 수입의 3대 축 가운데 법인세, 소득세수는 주는데 모든 국민이 소득수준 상관 없이 내는 세금인 부가가치세는 계속 증가하고 있다. '서민경제 지원을 위한 세제 개편안' 이라고 떠벌렸던 감세정책 이후 고소득의 경상조세 부담은 확준 반면 저소득층의 부담은 확연히 늘고 있다. 저소득층 세금 부담을 늘리면서 '친서민' 이니 '공정사회' 라는 것이 말이 되는가. 이처럼 정직하고 성실한 납세자들만 '봉' 이 되는 현실, 언제까지 지켜봐야 하는가. 왜 현 정부뿐만 아니라 정치권에서는 여야를 떠나 이 근원적인 불평등과 부조리에 대해 제대로 언급하지 않고 있는 것인가.

이처럼 낡고 부패한 정치, 시대착오적인 관료체제, 편파왜곡보도에 찌든 기득권 언론, 서민과 특권층을 차별하고 전관을 예우하는 사법체계, 정직하고 성실한 납세자만 쥐어짜는 불공평한 조세구조를 두고 한국 경제가 건전한 선진경제로 도약하기란 어렵다. 필자가 지속적으로 정부와 정치권의 정책을 비판하고 언론의 왜곡보도를 지적한 것도 이 때문이다.

하지만 분개하고 비판하는 것만으로는 한계가 있다. 필자가 강조하고 싶은 것은 대한민국 전반에 혁명적 변화가 일어나야 한다는 것이다. 개발연대의 자본집약적 산업구조에서 첨단기술산업 위주로 한국의 산업구조는 확 바뀌었다. 이 같은 경제 및 산업구조 변화에 걸맞은 새로운 패러다임을 마련해야 한다. 부동산투기가 기승을 부리지 않고 자산경제와 생산경제가 조화롭게 선순환하며 성장하는 나라. 지식정보화시대를 선도하고 창의적인 인재가 마음껏 능력을 발휘하는 나라. 공정한 게임 규칙에 따라 출신과 배경이 아닌, 능력과 노력이 성공의 핵심이 되는 나라. 건전한 민주주의 시장경제를 건설하기 위한 혁명적 변화를 국민 대다수가 갈구하고 있다.

우리가 지금 이명박 정부로 대변되는 시대적 반동에 굴복하고 새 희망을 가꾸지 못한다면 한국은 이대로 주저앉고 말 것이다. 하지만 일제 식민지배에서 벗어나 온갖 간난신고(艱難辛苦)를 겪으며 여기까지 전진해온 우리 국민의 저력을 생각하면 이 나라가 쉽게 주저앉을 리 없다고 믿는다.

다. 형편없는 정부, 경제 패러다임 확립 못했기 때문

하지만 지금 당장은 무기력감을 많이 느낀다. 노무현 전 대통령이 서거했을 때 필자도 눈물을 흘렸다. 노 전 대통령에 대한 애도의 마음도 있었지만, 전직 대통령마저 비운에 가야 하는 이 땅의 서글픈 현실 때문에 울었다. 필자는 그를 많이 비판했다. 민주주의와 인권 신장, 권위주의와 지역주의 타파 등을 위해 기울인 그의 노력과 열의는 높이 평가한다. 하지만, 사회경제적 문제에 대해서는 신랄한 비판을 하지 않을 수 없었다.

특히 부동산 문제에 관해서는 그의 말과는 달리 건설족 관료들에게 임기 내내 휘둘리는 모습을 보며 한숨짓고 분노한 적이 한두 번이 아니었다. 필자는 노무현 정부가 지지층에 버림받고 결국 정권까지 놓치게 된 결정적 이유가 부동산 정책 실패 때문이라고 판단한다. 그에 대한 반동으로 우리는 지금 시대착오적인 정권 치하에 살고 있다.

이처럼 형편없는 정부가 들어설 수 있었던 것은 건전한 공동체의 토양이 되는 경제 패러다임을 확립하지 못했기 때문이다. 또한 한국 정치권이 새로운 경제 패러다임을 확립할 구체적 정책과 대안을 갖지 못했기 때문이라고 판단한다. 정치권은 여야 가리지 않고 '민생' 을 외쳤지만, 문제 해결의 근본적 해법은 제시하지 못했다.

'4대강사업' 이라는 토건개발사업 말고는 아무런 미래에 대한 비전도 아이디어도 없어 보이는 이명박 정부는 그렇다 치고 국민이 만들어준 과반수 정당의 우위 속에서도 '진짜 개혁' 을 추진하지 못했던 민주당(과거 열린우리당)도 마찬가지다. 지난해 지방선거에서 민주당이 승리했지만 이를 민주당에 대한 적극적 지지로 보는 사람은 드물 것이다. '이명박 정부보다는 낫다' '그래도 현 정부의 폭주를 막기 위해서는 당장은 민주당을 밀어야 한다' 는 여론이 반영된 정도로 봐야 한다. 그렇기 때문에 우리는 지금 '박근혜와 일곱 난쟁이 현상' 을 눈앞에서 목도하고 있는 것이다.

이명박 대통령이 1월 3일 오전 10시부터 20분간 신년특별연설을 했다(청와대)

새해가 와도 희망을 가질 수 없는 게 역사를 퇴보시킨 현 정부와 한나라당은 그렇다 치고 도대체 민주당 등 야권은 뭘 하고 있는 것인가. 일반 가계의 민생문제를 제대로 해결할 비전과 역량 없이 뭉쳐서 이기기만 하면 다 되는 것인가. 지금 민주당을 중심으로 기성 야권의 상당수는 정책역량 업그레이드보다는 여전히 지난해 지방선거와 같은 선거구도를 만들면 승리하지 않을까 하는 환상을 갖고 있는 듯하다. 현재의 민생 문제에 대한 구체적인 해결책 없이 정권교체만 하면 서민들의 삶이 자동적으로 개선되는 것인가.

필자는 현 정부에 대해서는 누구보다 강하게 비판하는 사람이다. 이처럼 쓰레기같은 정부를 비판하고 견제하는 것이 분명 야당의 역할이지만, 집권을 목표로 한다면 유권자의 고충을 해소할 수 있는 정책 비전과 솔루션들을 제시해야 한다.

그런데 지금의 야권은 무엇을 하고 있는가.

한국 사회는 지금 두 가지 핵심 과제에 직면해 있다. 현 정부 들어 퇴보한 민주주의와 인권, 대북정책을 정상 궤도로 되돌리는 과제가 하나라면 집값 거품과 사교육비 부담 등 민생문제를 근본적으로 해결하는 것이 또 다른 과제다. 현 야권이 집권하면 첫 번째 과제는 일정하게 해결할 수 있겠지만, 두 번째 과제는 어떻게 해결할 것인가. 유권자들은 이 물음을 애타게 요구하고 있지만 민주당은 정권을 이렇게 형편 없는 정부에 빼앗기고 나서도 아직 제대로 된 답을 못 내놓고 있다.

한 번 물어보자. 무지와 무능, 사악함으로 점철된 현 정부가 물러간다고 '믿을 수 있는 변화'를 만들어낼 정치 세력이 있는가. 높은 도덕적 수준을 유지하면서도 지금 한국이 당면한 산적한 과제들을 해결할 문제 해결 역량을 갖춘 정치 세력이 있는가. 선뜻 긍정적인 답이 나오지 않는다. 하지만 그렇기에 무기력감과 동시에 결연한 책임감 또한 느낀다. 이 나라와 우리 자녀들의 미래를 맡길 수 있는 정치 세력, 기득권 세력들만이 권력과 자원을 독점하는 불공정한 게임 규칙이 아닌 탄탄한 공동체 기반 위에 건전한 민주주의 시장경제를 우뚝 세울 정치세력이 지금 없다면 결국 우리가 함께 만들어 가야 한다.

지금은 당초 기대에 부응하지 못해 많은 비판을 받고 있기는 하지만 미국 역사상 최초의 흑인 대통령인 오바마의 당선도 혼자 힘으로 이뤄진 것이 아니었다. 종교적, 이데올로기적 편협함에 빠져 자기들의 지지기반 챙기기에만 골몰했던 부시 행정부에 염증을 느낀 많은 미국 유권자들이 함께 일궈낸 기적이다. 추종자론(followership)의 대가인 바바라 켈러먼 교수의 말을 굳이 빌려오지 않더라도 "좋은 추종자들이 좋은 지도자를 배출한다" 는 상식을 여실히 입증한 것이다. 우리라고 못 할 리 없다.

라. 20-40대여, 기적의 변화를 주도하라

그러한 변화와 기적을 주도할 수 있는 것은 20대에서 40대 전반의 젊은 세대다. 인류 역사를 통털어 변혁을 주도한 것은 젊은 세대였지, 결코 기성세대가 아니다. 이미 세계 각국에서는 자연스럽게 젊은 세대가 국가 운영을 주도하고 있다. 당장 오바마 대통령부터 47세에 당선된 젊은 대통령이다.

미국뿐만 아니라 지금 많은 선진국에서는 40대, 심지어 30대의 정치지도자들이 속속 등장하고 있다. 지금처럼 급속히 변화하는 시대에 경륜과 관록보다는 스피

디한 변화와 창발적인 개혁을 세상은 요구하고 있다. 이명박 대통령과 현 정부의 60,70대 '올드보이들' 은 도저히 따라잡을 수 없는 세상이다. 급변하는 세상에 제대로 대응하고, 새로운 기회를 포착하고 주도할 수 있는 세대는 젊은 세대다.

더구나 낡은 경제 패러다임과 불공정한 게임규칙 때문에 상대적으로 더욱 고통받는 세대 또한 젊은 세대다. 이미 수많은 젊은이들이 대학을 졸업해도 일자리를 구하기 어렵고 '88만원세대' 로 전락하고 있다. 거액의 교육비를 들여 자신을 갈고 닦은 젊은이들에게 낡은 기득권 세력은 '눈높이를 낮추라' 고만 한다.

기자회견 중인 오바마 대통령(유성호)

그들의 과오와 탐욕 때문에 젊은이들이 재능을 발휘할 제대로 된 일자리를 많이 만들지 못한 것은 부끄러워하지도 않는다. 무능하고 부패한 정부와 정치권의 반성과 사과는 없고 젊은이들만 눈이 높다고 윽박지른다. 오른 집값에 결혼도 하기 힘든 젊은이들의 초임까지 깎고, 일자리 만든다며 젊은 세대가 나중에 쓸 돈을 끌어와 각종 단기 '알바' 자리를 양산하고서는 생색을 낸다.

경제적 여력이 부족한 30대는 대부분 치솟는 집값을 바라보며 손만 빨고 있어야 한다. 개발연대의 획일적 사고방식에 갇혀 제대로 창의성을 발휘하기도, 자기계발시간도 없이 세계 최장시간의 과로에 시달려야 한다. 향후 급속한 고령화에 따라 노후세대를 부양할 부담은 갈수록 커지는 세대다.

그런데도 현 정부는 미래의 재원까지 당겨와 강바닥을 파헤치는 등 대규모 토건사업에 쏟아 붓고 있다. 마구잡이로 시대착오적인 토건사업을 벌인 결과 2009년 이후 410조 원의 공공부채가 증가했다. 이전 10년간 늘어난 공공부채보다 더 많은 액수로 이 나라를 빚더미에 올려놓았다. 이런 상황에서도 이명박 대통령은 자신을 '빚쟁이 대통령' 으로 부끄러워하기보다는 '경제대통령' 이라고 온갖 너스레를 다 떨고 있다.

막대하게 늘어난 이 천문학적인 공공부채는 결국 미래세대를 위해 소중하게 쓰일 수 있는 재원을 모두 현재 기득권들의 탐욕을 충족하기 위해 당겨쓰는 것이다. 이처럼 낡은 기득권 세력에 의해 가장 많은 피해를 보는 젊은 세대가 왜 판판이 당하고 있어야 하는가. 자신들에게 돌아오는 것은 없이 막대한 희생만 강요하는 정책결정을 왜 소수 기성세대가 하도록 빤히 보고 있어야 하는가.

부모세대에게도 호소한다. 필자가 세대 간 갈등과 대립을 조장할 생각이 없다. 필자는 부모 세대가 자식세대의 더 나은 내일을 만들기 위해 흘린 피와 땀, 눈물을 잘 안다. 필자의 부모만 하더라도 초등학교밖에 못 나왔지만, 뜨거운 뙤약볕 아래 그을리고 손발이 부르터가며 농사를 지어 자식들 교육을 시켰다.

정도의 차이는 있지만, 절대 다수의 부모들이 자식의 성공을 위해 헌신했다. 부모세대의 헌신과 노력의 결과 한국경제가 보릿고개를 넘어 이 정도라도 발전할 수 있었다. 그런 부모세대들이 자식세대가 잘 되는 것을 위해 언제든지 양보하고 물러날 자세가 돼 있다고 믿는다. 소수의 기득권 세력들이 여전히 자신들의 탐욕에 눈이 멀어 낡은 질서를 유지하려는 것일 뿐이다. 소수의 기득권 세력들 때문에 국민 전체가 바보 취급당하며 고생하고 있는 것이다.

마. 자식세대가 끌고 부모세대가 밀어주어야 한다

이제 자식세대가 끌고 부모세대가 밀어주며 새로운 패러다임을 열어야 한다. 그러기 위해서는 멀쩡한 국민들을 바보 취급하는 기득권 세력을 타파해야 한다. 전 국민이 합심해 그들을 바보로 만들어야 한다.

필자의 동시대인과 후배들인 젊은 세대에게 호소한다. 제발 정치를 멀리하지 마라. 정치는 더러운 것, 사기치는 것, 뻔뻔해야 하는 것이라고 생각하고 있다면 그런 생각은 버려라. 필자가 하버드대 케네디스쿨에서 유학하는 동안 느꼈던 문화적 충격가운데 하나는 '정치는 고귀한 책무' 라는 인식이었다.

미국뿐만 아니라 정치 선진국에서 온 학생들 대부분은 정치는 개인이 국가와 지역 공동체를 위해 할 수 있는 최선의 공공봉사(public service)라는 인식을 갖고 있었다. 케네디스쿨의 교수들도 그렇게 가르쳤다. 물론 공중을 위한 봉사가 늘 정치일 필요는 없다. 몸담은 곳이 언론이든, 시민단체든, 정부든, 또는 기업이든 공중을 위한 봉사는 얼마든지 할 수 있다. 거꾸로 그것이 정치라고 해서 피할 필요가 없다. 정치는 사이코나 철면피, 또는 강심장들이나 한다는 생각을 제발 버려라.

기득권 세력은 자신들만 권력을 독점하기 위해 '정치는 더럽다' 는 인식을 더욱 조장한다. '정치는 더럽다' 는 인식 때문에 많은 이들이 정치에 발을 담그는 것을 회피한다. 악화가 양화를 구축하는 양상이다. 물론 현실의 한국 정치는 온갖 적폐로 넘쳐나는 게 사실이다. 그렇다고 해서 유능하고 도덕적으로 깨끗한 젊은 인재들이 정치를 멀리하면 할수록 정치의 수준은 더욱 더 떨어진다.

필자가 과거 기자로서 지켜본 정치판 인력(=정치인과 그 보좌진 및 정치인 지망생들)의 질은 그다지 높지 않았다. 도덕성으로 볼 때는 한국사회의 평균적 수준을 유지하지도 못한다. 물론 개중에는 매우 능력 있고, 뛰어난 도덕성을 갖춘 사람들도 있다. 하지만 대체로 더럽고 낡은 기성 정치판에 좀 더 잘 적응하는 인물들일 뿐이다. 왜 당신의 미래를 결정하는 정치를 무능하고 부패한 사람들의 손아귀에 맡겨놓는가.

한 번 생각해보라. 자신의 각종 생색내기식 개발사업에는 매년 수조 원씩 쓰면서도 우리 초등학교 아이들 친환경 식단으로 골고루 밥 좀 먹이자는 예산 700억 원이 아깝다며 '망국적 복지 포퓰리즘' 이라고 부르짖는 오세훈 서울시장만큼 우리 아이들의 미래를 생각하지 않겠는가.

용산참사 희생자들에게 '떼잡이들'이라는 폭언을 퍼붓는 반면 1200억 원 짜리 호화 구청사를 턴키로 발주해 건설업자들에게 퍼주었던 지난 용산구청장보다 서민들을 배려하지 못하겠는가. 입법권은 정부가 만들어온 법을 대신 발의하거나 당론에 따른 거수기 투표를 하는 것으로 치부하고, 예산심의권은 지난해말 예산안 날치기 통과 과정에서 봤듯이 지역구 개발사업 따내는 권한 정도로만 생각하며, 때 되면 권력의 향배를 좇아 우르르 몰려다니며 패거리 짓는 다수의 국회의원들보다 당신이 못할 것이 무언가.

우리가 낸 소중한 세금이 왜 겨울방학 동안 결식아동들의 굶주린 배를 채우고 이 땅의 영유아들에 대한 예방접종 기회를 확대하는데 쓰는 대신 '형님' 과 '안주인' 예산 챙기는 데만 혈안이 된 한나라당 의원들보다 못할 것이 뭔가. 전례 없는 경기 침체 와중에 87조 원의 부자감세에다 4대강 바닥에 24조 원의 혈세와 공공부채를 쏟아 붓고 이 돈을 뽑아내기 위해 4대강 주변을 '부동산 투기 특별구역' 으로 만들어버리는 이명박 대통령만큼 기득권 편향적일 수 있겠는가. 왜 시대착오적인 '올드보이' 들이 마르고 닳도록 권력을 누리면서 이 나라를 퇴행의 늪으로 빠지도록 놔두는가.

바. 새로운 시대적 감수성과 도덕성 갖춘 인재 필요해

필자가 아내 때문에 2년 전쯤 보게 된 드라마 '시티홀' 에서 작은 지방도시의 시장에 당선된 '신미래' 가 바로 진짜 정치인이다. 거대한 건설토목사업에 헛돈 쓰지 않고, 작더라도 서민들이 정말 필요로 하는 일을 하는 신미래가 진짜 주민들에게 필요한 정치인이다. 정치술수에 닳아빠지고 지역 토호들과 유착된 정치인보다는 서민들을 위해 봉사하겠다는 순수한 마음을 가진, 시장 커피 타던 30대 젊은 여성이 더 좋은 정치인이 될 수 있다. 검은 돈을 받지 않고, 중앙권력에 줄 서지 않으며, 서민들의 민생고를 더 잘 해결해주는 정치인이 될 수 있다.

물론 점점 전문화해가는 세상 속에서 전문적 역량을 대중적으로 검증받은 사람이 정치를 하는 것이 바람직하다. 하지만 지금 정치판 인력의 수준을 훨씬 뛰어넘는 역량과 도덕성을 갖춘 많은 젊은이들이 정치를 경원시하는 것은 안타깝다. 새로운 시대적 감수성을 갖추고 도덕성과 전문 역량으로 뭉친 인재들이 지자체와 지방의회, 중앙 정치무대를 주도할 때 한국 사회는 진보할 수 있다. 왜 썩어빠진 낡은 세력에게 우리의 운명을 맡겨놓고서 그들이 우리 뜻대로 안 한다고 욕 하는가. 이제 도덕성과 전문성으로 중무장한 젊은 세대가 정치의 전면에 직접 나서야 한다.

이것은 단순히 꿈이 아니다. 지난 미국 대선에서 미국 젊은이들을 대거 투표소로 끌어낸 것은 오바마로 상징되는 변화요, 개혁에 대한 열망이었다. 미국의 젊은이들도 인터넷을 주무대로 삼아 그러한 희망을 스스로 만들고 참여했다. 그리고 함께 승리했다. 우리 젊은이들도 결코 무기력하지 않다고 믿는다. 지금 젊은이들은 그동안 기득권의 게임 규칙에 갇혀 제 목소리를 낼 수 없었을 뿐 결코 역량이 없는 세대가 아니다. 기회만 주어진다면 얼마든지 세계를 선도할 잠재력을 가진 세대다.

지금 이들 세대들이 주축이 돼 인터넷에서 함께 만들어 내는 집단지성의 힘을 보라. 얼마나 대단한가. 이 힘들을 모으고 축적한다면 우리도 얼마든지 한국판 '오바마 기적' 을 이룰 수 있다. 그 기적을 만드는데 부모세대와 자식세대가 함께 힘을 모을 수 있기를 간절히 바란다.

마틴 루터 킹 목사가 40여 년 전 '나는 꿈이 있다' 고 한 말이 지금 미국에서 현실이 됐듯이, 우리 모두가 함께 꾸는 꿈은 얼마든지 현실이 될 수 있다. 그렇게 정치를 바꾸어야 경제도 바꿀 수 있다. 그렇게 해야 우리와 우리 아이들의 미래도 바꿀 수 있다.[22][23]

12. 팬데믹과 사회계약의 복원

팬데믹(pandemic)은 세계보건기구(WHO)의 전염병 경보 단계 중 최고 위험 등급인 6단계를 일컫는 말로, '감염병 세계 유행' 이라고도 한다. 두 개 이상의 대륙에서 전염병이 발생하여 세계적으로 유행하고 있는 상태를 뜻한다.

WHO는 1968년 홍콩독감과 2009년 세계적으로 유행한 신종인플루엔자에 대해 팬데믹을 선언한 적이 있으며, 2020년 3월 11일 신종코로나바이러스감염증-19에 대해 사상 세 번째로 팬데믹을 선언했다. 팬데믹 전단계는 '에피데믹' 으로 '감염병 유행' 이라고도 한다.[24]

사회계약(social contract, 社會契約)은 정치철학에서 통치자와 피치자의 상호권리와 의무를 규정하는 사실상·가설상의 계약 또는 협정이다. 그 이론에 의하면 원시시대에는 개인이 해석 여하에 따라 행복할 수도 불행할 수도 있는 무정부적 자연 상태로 태어났다.

그러다가 개인이 타고난 이성을 발휘함으로써 다른 개인들과 계약의 방식으로 사회 및 정부를 구성했다. 사회계약의 이론들은 그 목적에 따라 달라졌다. 즉 주권자의 권력을 정당화하기 위해 구상된 이론도 있고, 권력이 너무 과도해진 군주에 의한 압제로부터 개인을 보호하기 위해 구상된 이론도 있다.[25]

주요 20개국(G20)이 코로나19 사태에 대응해 지출한 재정 패키지 규모가 이미 10조달러를 넘어섰다. 이는 실질가치 기준으로 보면 2008년 글로벌 금융위기 때의 3배, 2차 세계대전 직후 유럽부흥계획이었던 마셜플랜의 30배가 넘는 수준이다. 매킨지의 보고에 따르면, 22개 OECD 국가의 재정지출 규모는 전년 대비 GDP 비중으로 볼 때 평균 20% 증가했다. 캐나다가 39%, 영국이 38%, 미국이 32% 순이다. 우리나라는 15%로 22개국 중 15번째이다. 그 결과 각국에서 급격히 하락한 GDP에 비해 가처분소득이나 고용이 상대적으로 영향을 덜 받고 있다.

우선, 각국 정부는 노동자들을 보호하기 위해 주로 일자리 유지를 지원하거나 직접적인 소득 지원을 하고 있다. 전자는 독일·프랑스처럼 노동자가 일하지 못하는 시간을 보조해주는 근로시간 축소 지원과 캐나다와 같이 전체 임금을 보조해주는 방식이 있다. 우리나라도 고용유지, 고용안정 지원금이나 협약 사업장에 대한 인건비 지원 등 일자리 유지를 위한 지원을 확대했다. 반면 미국은 1회성 지원금이나 실업보험 확대를 통해 가계에 직접 지원하는 데 초점을 두고 있다.

2019년 4분기부터 올해 2분기까지 유럽의 실질GDP는 14% 하락했으나, 고용은 3%, 실질가처분소득은 5%만 감소했다. 동 기간 미국은 실질GDP가 10% 하락했음에도 실질가처분소득은 오히려 8% 증가했다. 그러나 실업은 10% 증가했다. 우리나라는 전년 동기 대비 기준으로 실질GDP가 2분기 -2.7%, 3분기 -1.1%였고, 고용률은 11월 기준 66.3%로 전년 동월 대비 1.1%포인트 하락했다. 가처분소득은 소폭이나마 상승하였다. 발병 초기 성공적인(적어도 이때까지는) 방역대응과 기민한 재정지원 등에 힘입은 바 크다.

이와 함께 각국은 기본재와 서비스에 대한 소비를 지탱하기 위한 노력도 병행하고 있다. 주거안정 지원이 대표적이다. 가계지출 중 주거비 비중은 OECD 국가들 평균 15%를 넘는 수준이며, 소득 하위 20% 가계의 주거비 비중은 거의 대다수 국가들에서 30%를 크게 상회한다. 이에 세입자 지원을 위해 각국은 다양한 방식으로 대응하고 있다. 퇴거 금지, 임대차계약 연장, 임대료 지원, 임대료 납부 유예, 임대료 인상 금지, 임대료 인하 등이다. 동시에 주택보유자들에게도 압류 중단, 모기지대출 상환 유예 및 지원, 은행대출 지원, 세금 감면 등의 방법으로 지원한다. 이런 정책을 구현하는 구체적 방법과 유형은 국가별로 다양하지만, 주거안정이라는 사회적 기본재의 제공은 수요와 공급이라는 시장 원리를 넘어선 가치임을 잘 보여주고 있다. 그럼에도 각국에서 저숙련, 저소득 계층이 겪는 경제, 사회적 고통과 시련은 심각하다. 미국의 경우 임금기준 하위 20% 노동자의 고용률은 연초 대비 19.2%포인트나 하락한 반면, 고소득 노동자의 고용은 오히려 0.2% 증가했다. 유럽의 경우 저임금 노동자의 실업은 3배가 늘었고, 일시 해고나 노동시간 단축에 처한 노동자들도 30% 이상 증가했다.

우리나라도 상용근로자는 소폭 증가하고 있으나, 임시직, 일용직 근로자 및 자영업에 종사하는 비임금근로자는 꾸준히 줄어들고 있다. 한국은행에 따르면, 외환위기나 2008년 금융위기 시에는 경기 회복 후 6개월~1년 정도 시차를 두고 고용이 회복됐으나 이번엔 코로나19 이전 수준으로 회복되려면 이보다 더 오랜 시간이 소요되고, 산업별 및 고용형태별로도 속도가 상이할 것이라고 한다.

역사적으로 볼 때, 위기는 새로운 변화의 시대를 여는 기폭제로 작용하곤 했다. 예컨대, 미국의 사회보장제도는 대공황 이후 만들어졌고, 현대 복지국가의 성립을 상징하는 영국의 베버리지 보고서도 2차 세계대전 때 나왔다. 이제 주주가치와 시장만능론에 기댄 사회계약의 개인화 시대로 돌아갈 순 없다. 하지만 모든 방향으로 난사하는 바주카포 대신 취약한 저숙련 노동자, 여성, 청년계층에 좀 더 화력을 집중해야 한다.[26]

13. 추격의 시대 넘어 전환의 시대, 새 발상이 필요하다

'뉴노멀'이라는 말이 회자된 지 오래다. 원래는 저성장, 저금리, 저물가 상황을 뜻하는 경제 용어였다. 이제 뉴노멀은 팬데믹 위기가 만드는 변화를 칭하는 말로 확장됐다. 위기라는 낱말에는 위협과 기회라는 두 가지 뜻이 숨어 있다. 위기에 어떻게 대응하는지를 통해 국가와 사회의 역량을 파악해볼 수 있을 것이다. 문제 해결의 주체는 명확한가, 얼마나 기민하게 문제를 진단하고 대응하는가, 얼마나 인력과 자원을 동원할 수 있는가, 얼마나 체계적으로 대응할 수 있는가.

코로나19 대응은 한국이 갖고 있는 역량의 강점과 약점 모두를 보여주는 거울 같다. 정부는 질병관리청과 국무총리를 중심으로 한 컨트롤타워를 구축하고, 사스와 메르스 대응에서 빛을 발한 광범위한 검사→추적→치료 및 격리라는 3T 메커니즘을 수행하자는 방향성을 잡았다. 의료계의 장비업체들은 곧바로 빠른 진단검사를 수행할 수 있는 도구를 개발했다. '우수한 인재들의 프로젝트 몰입을 통한 문제 해결과 생산공정의 최적화'라는 한국 제조업의 문제 해결 방식과 유사하게 의료 인력의 헌신적인 투입을 통해 방역이 작동하기 시작했다. 마스크 제작에 어려움을 겪자 제조 대기업 엔지니어들은 마스크 생산업체에 찾아가 공정을 재설계하고 최적화할 수 있도록 도왔다. 그런 K방역이 한계에 봉착했다.

제조업이 추격의 한계에 부딪히고 고도화 전환에 어려움을 겪는 것처럼, 백신 도입 문제도 유사한 딜레마를 드러낸다. 내연기관 자동차 시장 경쟁이 전기차로 재편되듯, 전염병 상황의 판도를 완전히 바꾸는 게임 체인저는 백신이다. 물론 백신을 도입했을 때 양산 공정을 세계에서 가장 빨리 구축하는 것은 한국이 잘할 수 있는 일이다.

백신 도입에서 정부는 전통적인 방식의 백신 개발업체와 주로 계약을 협의하고, mRNA라는 새로운 백신 개발 방식을 채택한 업체와의 협의에는 더뎠다. K방역이 잘 작동될 때 백신 투자에 안일했고, 미지의 다른 방식으로 개발된 백신을 고려하는 데 의사결정의 병목이 발생했기 때문이다.

새로운 의제를 만들고 정책들을 조합해 입법과 행정을 통해 사회의 문제를 해결해야 하는 정치도 비슷한 딜레마에 빠진 것 같다. 정부·여당이 제기한 쟁점들이 그렇다. 검찰개혁 의제는 검찰총장과 법무부 장관, 세력과 세력 간의 익숙한 정쟁이 되어 버렸다. 국민 주거의 질을 높이는 부동산 정책은 투기꾼과의 싸움에서 시작해 임대주택 거주자와 주택 보유자·보유 희망자의 싸움으로 전환돼 버렸다. 달라진 것은 여당이 의회 내부의 비토를 고려하지 않고 다수결로 입법을 수행할 수 있게 된 것이다.

여론조사 지지율에 따라 정책 방향이 선회될 수 있다는 것이 일종의 견제장치일 텐데, 뉴노멀 시대에 발생하는 사회적 문제들을 갈등 조정과 함께 풀어내는 데 한계가 있음은 자명한 일이다. 그린 뉴딜 같은 장기적 어젠다 대응은 구체화 단계에서 속도가 잘 나지 않는다.

모든 것은 역사적 기여가 있었다. 우수한 인재들을 '갈아 넣어가며' 물량을 최대한 납기에 맞춰 뽑아내기 위해 자동화 기술과 공정관리 기술을 도입한 산업화로부터 유래해 온 추격형 전략은 자원과 발전된 과학기술이 없고 오직 높은 교육열과 헌신만 믿을 수 있는 개발도상국 한국의 나름의 생존 양식이었다. K방역은 수출과 교역으로 먹고사는 한국에서 전염병의 초창기 대유행을 막기 위한 일리 있는 대응 방식이었다. 빠르게 '적폐'를 설정하고 여론의 지지를 받아 개혁입법을 추진하는 것도 민주화 과정에서 군부독재를 타도한 성공적인 전술 중 하나였다.

다만 지금은 그 이상의 것, 혹은 다른 것을 요구하는 시대가 되었을 따름이다. 유사한 것을 빠르고 싸게 만들던 산업화 방식으로 제조업 경쟁력을 지속적으로 확보할 수 없고, 백신 없이 방역을 지금까지 하던 대로 성공할 수 없고, 민주화 게임의 방식으로 적폐를 청산하기 위한 개혁을 수행한다고 주장한들 그 동력을 더 이상 찾을 수 없다. 기존의 선진국을 추격하던 시기 만들어진 방식들의 시효가 끝나간다. 달리 말해 새로운 방식에 익숙한 새로운 주체들이 필요하고, 새로운 주체들에게 적합한 위치를 더 많이 부여해야 한다.

새로운 방식, 새로운 주체를 호출하면 기존 방식의 파탄을 딛고 넘어가야 한다는 식으로 생각하는 이들이 많다. 그런데 새로움이란 것도 기존의 우리 것에서 발생한 새로움인지라 다른 나라의 방식과 같지 않다. 산업화와 민주화를 향한 추격과 적폐 청산의 방식은 파탄났다기보다는 내재적으로 갈무리되어야 한다. 기성세대가 대한민국의 위대한 성과의 유산 속에서 자라난 다음 세대를 조금만 더 신뢰하고 역할 분담에서 상생을 도모한다면, 그러한 갈무리를 어렵지 않게 볼 수 있을지도 모른다.

위기의 시대는 그러한 종류의 전환이 필요하고, 강제되는 시대다. 새해에는 추격의 시대에 태어나 이미 선진국 시민으로 살고 있는 새로운 주체들이 전환하는 시대 속에서 더 많은 역할을 하길 기대한다.[27]

14. 신축년 한국 경제, 대통령의 덕목

2020년 한국 사회는 분열의 해, 대립의 해였다. 데이터에 근거한 논리적이고 합리적인 토론을 통해 해법을 모색해야 할 경제현안에서도 예외는 아니었다. 부동산, 재벌개혁, 중대재해기업처벌법 등 주요 이슈마다 진보와 보수는 극렬 대립했다. 남이 뭐라하든 갈 길을 가겠다는 식의 태도를 보여준 집권세력에 책임이 있든, 시대정신은 외면한 채 냉소와 조롱으로 정쟁을 일삼은 세력에 책임이 있든 결국 남은 건 신뢰의 상실과 상처다.

주택가격 급등에 신음하는 시민, 일자리를 찾지 못해 절망하는 청년, 벼랑 끝으로 내몰린 자영업자까지 민초의 삶은 나아질 수 있을까. 코로나19 사태는 사회안전망을 강화하면서 공동체를 유지하기 위한 대담하고 창의적인 정책들을 요구하고 있지만 이대로 가면 지루한 공방이 기다리고 있을 뿐이다.

경제구조에 파급력이 큰 사안을 두고 여야, 정부와 재벌, 재벌과 노동계, 시민들 사이에 이견이 발생하는 건 어찌보면 자연스러운 일이다. 다만, 접점을 찾지 못하고 끝없는 평행선을 달릴 때 최종 조율자는 대통령이어야 한다. 서로의 간극을 좁히고 금이 간 신뢰가 아물도록 역할을 해야 할 사람은 대통령이다. 역동적 리더십으로 협상가, 중재자로서의 진면목을 보여줄 수 있는지가 대통령 업무수행의 중요한 평가 요소가 된다는 얘기다.

이런 틀에 비춰보면 문재인 대통령이 그간 자신의 비전을 각계와 공유하려는 노력을 얼마나 기울였는지, 갈등 조정의 리더십과 소통・설득의 리더십을 보여주었는지는 의문이다. 간혹 대통령의 만기친람이 비판을 부르기도 하나 국정의 모든 책임은 대통령이 짊어져야 하는 게 숙명이다. 청와대 홈페이지에 공개된 2020년 대통령의 경제관련 일정을 보면 스마트시티, 소재・부품・장비 산업현장, 투자협약식 등 이벤트성이 강한 행사 참석과 내부 일정이 상대적으로 많았다. 가계의 쓴소리를 직접 접할 수 있는 자리는 드물었다. 지난 3월 대한상의 회장, 경총 회장, 민주노총・한노총 위원장 등과 함께 주요 경제주체 초청 원탁회의를 열었는데 이런 자리를 더 많이 만들었어야 했다.

대통령이 적극적으로 재벌과의 대화에 나섰다면 과연 '공정경제 3법'이 '기업 옥죄는 법'으로 매도당했을까. 경영진 과잉처벌만 부각시키며 중대재해기업처벌법을 무력화시키려는 세력에 '사장이 감옥에 가지 않는 게 생명을 지키는 일보다 중요하다는 말이냐' 며 대통령이 적극 설득에 나섰던들 지금처럼 법 제정이 난항을 겪고 있을까. "사람이 먼저다. 친구 같고 이웃 같은 서민 대통령이 되겠다" 는 집권 초의 초심은 어디로 갔는가. 함세웅 신부와 권영길 전 민주노동당 대표 등 시민사회 원로들이 최근 중대재해기업처벌법 제정과 관련해 "국정 최고 책임자인 문재인 대통령이 직접 나서서 책임을 다해야 한다" 고 요청한 것은 무엇을 말하는가.

경제민주화와 경기 활성화 대책을 적절히 배합하면서도 방향성을 놓치지 않으려면 대통령이 논쟁적 질의와 응답이 오가는 공간에 적극적으로 참여해야 한다. 거시경제에서 부동산에 이르기까지 경험이 많은 원로들을 자주 접하고 재벌 회장들과의 회동도 꺼릴 이유가 없다. 핍박받고 있다는 재계의 인식을 방치해선 안 된다. 현상은 현상대로 인정하되, 재벌개혁이 오히려 재벌을 살리고 경제민주화가 상생경제를 만들 수 있음을 설득해야 한다. 위기에 닥쳤을 때 힘을 하나로 모으는 데 앞장섰던 재계의 전통을 되살리는 건 대통령의 몫이다. 재계와 노동계의 첨예한 갈등을 중재하고 양보와 타협을 이끌어낼 수만 있다면 '재계와의 밀월' 이니, '노동계 편들기' 니 하는 시각을 의식할 필요가 없다.

부동산 보유세 강화 기조가 왜 시장안정에 도움이 되는지, 세금폭탄론이 왜 부당한지 시민들의 공감을 끌어내는 일도 여당이나 정부에만 맡겨선 어렵다. 불평등한 경제구조 개선과 공동체를 위한 연대의식 회복을 역설해야 하는 건 대통령이다. 사실 어떤 경제가 우리를 행복하게 할지, 한국경제의 나침반이 어디를 향해야 하는지는 답이 나와 있다.

노무현 전 대통령은 찬반이 극명하게 갈리는 문제에 뚜렷한 생각을 드러내며 논쟁을 마다하지 않았다. 한・미 자유무역협정(FTA)이 대표적이다. 그는 대통령의 권위에 상처가 날 것을 두려워하지 않았다. 캐릭터는 각기 다르다 해도 지도자가 어떻게 진정성을 보여주느냐에 따라 경제주체들의 심리는 완전히 바뀔 수 있다. 따뜻한 시장경제를 품에 안고 초심을 돌아보며 현장으로 파고드는 대통령의 모습을 봤으면 한다.[28]

15. 보유세 · 거래세 모두를 강화한 정부의 선택, 효과 거둘까

신축년 새해가 밝았다. 올해의 화두를 꼽는데 주택가격 안정이 역시 단골 메뉴로 등장한다. 최근 몇 년간 지속적으로 제기됐던 과제이지만 코로나19 사태로 인한 저금리 유동성 확대 등의 대내외적 환경과 맞물려 실질적 효과를 거두지 못하고 있어 정부도 국민도 초조함이 커져가고 있다.

보유세(保有稅)는 말 그대로 내가 보유하고 있는 재산에 걷는 세금이다. 재산세와 종합부동산세(종부세)가 보유세의 대표적 사례다. 재산세와 종부세는 과세 대상이 다르다는 점에서 차이가 있다. 재산세는 재산을 가진 사람이라면 누구나 납부해야 하는 세금이지만 종부세는 일정 금액 이상의 재산에 대해서만 선택적으로 부과하는 세금이다.

종부세는 부동산 보유 정도에 따라 조세의 부담 비율을 달리하여 납세의 형평성을 제고하기 위해 2005년부터 시행되었다. 종부세는 전국의 주택 및 토지를 유형별로 구분해 인별로 합산한 결과 그 공시 가격 합계액이 일정 기준금액을 초과하는 경우 그 초과분에 대하여 세금을 매기며 누진세율을 적용한다.

거래세(去來稅)는 물품의 매매, 자본의 전환 따위의 거래에 부과되는 조세. 유통세의 하나로서 부가 가치세와 인지세가 이에 속한다.[29]

올해는 지난해 정부가 강수를 던진 고가 및 다주택 보유자에 대한 강화된 세법이 시행되므로 정부정책의 효과에 귀추가 주목된다. 조정대상지역 내 다주택자들에 대한 종부세 등 보유세를 2배 수준으로 상향 조정한 데다 매각 시 차익에 대해 부과하는 양도소득세도 이전보다 더 강화해 6월 이전 매각을 유도했다.

1주택자 기준 9억원(2주택자는 6억원) 이상 소유자에게 부과하는 종합부동산세는 조정대상지역 내 다주택자 소유자의 경우 인상폭이 최대 3배까지 늘어난다. 2수택 이하는 구간별로 0.1~0.3%포인트 오르지만 3주택 이상이거나 조정대상지역 2주택자는 0.6~2.8%포인트 인상된다. 일례로 조정대상지역 2주택 및 3주택 이상의 경우 과표 12억~50억원(시가 23억3000만~69억원)은 2020년 1.8%에서 2021년 3.6%로 종부세율이 두 배 인상된다. 또한 재산세 과세기준이 되는 공정시장가액 적용비율도 2020년 90%에서 2021년 95%로 인상되고 세부담 상한도 300%로 오르게 되므로 강남 등 서울에서 고가주택 2채 이상을 보유한 경우라면 지난해보다 올해

내야 하는 보유세 부담이 최소한 2~3배 늘어날 것으로 예상된다.

6월부터는 다주택자 양도소득세도 더 오른다. 조정대상지역 내 2주택자의 경우 60%(기존 50%), 3주택자 70%(기존 60%)로 각각 10%포인트씩 인상되고 1년 미만 단기 보유한 주택을 팔면 양도세 70%(기존 40%), 1~2년 60%(기존 기본세율)가 적용돼 단기 양도차익을 노린 거래에 부담을 높였다.

결국 정부는 보유세와 양도소득세를 역대 최고 수준으로 높이는 방향으로 다주택자에 대한 매각 시그널을 강하게 주고 있지만, 시장 참여자들은 매도보다는 증여로 응수하고 있다. 양도소득세가 과도하게 오르면 오히려 증여세 부담이 적어지거나 양도세와 증여세가 비슷할 경우 매각하기보다 자녀 등에게 증여해 부를 이전하는 것이 효과적이라고 판단하기 때문이다. 실제로 지난해(1~11월) 한국 부동산원의 아파트 증여 거래를 분석한 결과 전국 8만1968건인 것으로 집계됐다. 이는 2019년(1~11월) 증여 거래량인 5만8117건보다 41% 증가한 것이다.

지난해보다 양도소득세와 보유세 부담이 모두 늘어나는 올해 6월1일 이전 다주택자들의 매도 주택이 얼마나 나올까. 2017년 노벨 경제학상을 수상한 행동경제학의 대가 리처드 세일러 교수는 그의 저서 〈넛지〉에서 사람들은 똑같은 대상을 놓고 그것을 잃었을 때 느끼는 처참함이 그것을 얻었을 때 느끼는 행복의 두 배에 달한다고 분석했다. 세일러 교수의 주장대로라면 1억원에 주택을 매입한 사람이 2억원에 매도할 때 2주택자이므로 세금을 6000만원 내야 한다고 하면 세후 차익 4000만원을 이득이라고 생각하기보다 일반세율보다 두 배 많은 양도세를 어쩌면 4배의 손실로 받아들이게 된다는 의미일 수 있다. 주식보다 거래비용이 월등히 높은 부동산이 하락기에도 하방경직성이 높은 이유도 결국 거래 비용이 크기 때문이 아닐까 싶다.

보유세 현실화를 통해 부의 재분배를 실현할 수 있는 제도적 장치가 마련됐다면 거래세를 합리적 수준으로 조정해야 한다는 주장과 달리 보유세와 거래세 모두를 강화한 정부의 선택이 앞으로 5개월간 시험대에 올랐다. 그래도 새해에는 희망을 걸어본다.30)

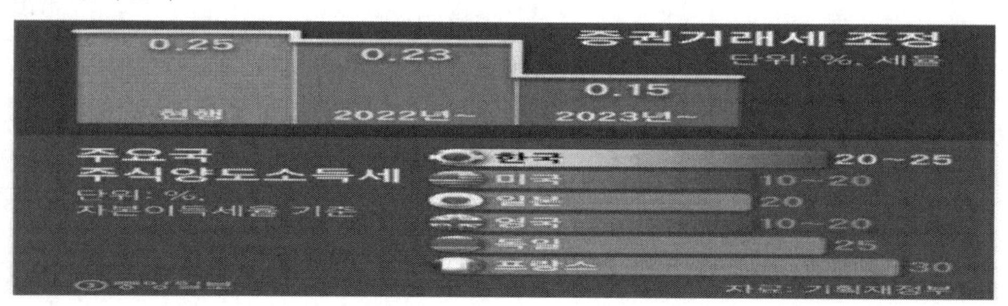

16. 조용한 학살

펀드를 한 적이 있다. 적금을 넣으러 갔더니 은행 창구 직원이 펀드를 권했다. 저축은행이 투자은행으로 변신하여 개인들에게 펀드와 보험을 팔고 카드와 대출을 권하던 시기였다. 그게 어떤 의미인지 처음에는 잘 몰랐다. 다달이 납입해서 만기에 찾는 방식은 같지만 이자가 좀 더 높을 거란 말에 그냥 '펀드로 해주세요' 라고 했다. 몇 년을 모아 만기가 도래하고 보니 당초 1000만원을 모을 생각으로 부은 돈이 1200만원 가까이 불어나 있었다. 마술에 홀린 것 같았다. 창구 직원은 '재테크' 를 권했다. 목돈을 깨면 써버릴 것 같아 반신반의하면서 '그렇게 해주세요' 라고 했는데, 돈이 급속도로 불어났다. 겁이 날 정도였다.

은행에서 받아온 투자안내서에 적혀있던 '브릭스(BRICs)' 라는 글자는 아직도 기억에 선명하다. 표지에는 브라질, 러시아, 인도, 중국 노동자들이 활짝 웃고 있었고, 지도 위로는 철도와 도로가 뻗어나가고 공장과 빌딩이 올라가고 있었다. '고객님이 맡긴 돈으로 우리는 이런 나라들을 발전시키고, 가난한 사람들을 잘 살게 해줄 겁니다' 라고 말하는 것 같았다. 얼마나 멋진 일인가. 하지만 그건 속임수였다. 저축이 미덕이던 시대에 자란 사람들을 회개시키기 위해 금융시장은 새로운 논리를 개발했다. 경제전문가들은 TV에 나와서 돈을 그냥 모으기만 하는 것은 비효율적일 뿐만 아니라 이기적인 일이라고 했다. 반면에 '투자' 는 필요한 곳에서 돈이 제 일을 할 수 있게 만드는 혁신적인 경제활동이었다. 빚지는 일을 두려워하던 사람들이 공격적 투자를 두려워하지 않는 기업가정신으로 무장되기 시작했다.

돈이 갑자기 불어나는 것도 마냥 좋은 일만은 아니었다. 가장 무서운 건 그 돈이 어디서 무엇을 해서 그렇게 돈을 불려왔는지 알 수 없다는 사실이다. 하지만 아주 몰랐다고도 할 수 없다. 그 즈음에 나는 브라질의 숲이 불타는 이유를 알고 있었다. '소고기' 가 될 소에게 먹일 곡물사료를 키우기 위해 거대 식품 자본이 주민들에게서 숲과 경작지와 삶터를 빼앗는다는 것을. 인도에서는 부채를 감당하지 못한 농민들이 땅을 빼앗기고 자살하고, 중국에선 아이폰을 만드는 폭스콘 공장 노동자들의 자살이 이어진다는 소식도 들었다. 철도와 도로, 공장과 빌딩은 지도 위에 지어지는 것이 아니었다. 투자는 침략과 약탈의 다른 이름이었다. 잘사는 나라에서 들어온 자본은 가난한 이들의 삶을 전쟁으로 몰아가는 발전의 불쏘시개

였고, 금융가들의 전투 화력이었다. 세계 각지에서 알지 못하는 수많은 이들의 삶을 파괴하고 생명과 맞바꾼 돈이 수익배당금이 되어 통장에 쌓였던 것이다.

거짓말처럼 불어났던 돈은 어떻게 되었을까? 거짓말처럼 다시 빠져나갔다. 빠져나갈 때는 더 무서웠다. 두 배 가까이 불어났던 돈이 다시 원금으로 돌아왔는데, 꼭 돈이 어디로 증발한 것 같고, 내 돈이 '반토막' 난 것만 같고, 졸지에 날강도에게 도둑맞은 기분이었다. 그런데 그게 애초에 '내 돈'이었나? 정신이 번쩍 들었다. 숫자의 마술은 영혼과 양심도 훔쳐간다는 걸 알았다. 이후로 펀드니 주식이니 하는 근처에는 다시는 얼씬도 하지 않는다. 그때가 2008년. 1997년 외환위기 이후 내 생애에 두 번째 금융위기였다. 그런데 지금 다시 '영혼까지 끌어 모아' 주식에 투자한다는 '영끌'이 유행한다. 이것을 어떻게 해석해야 할까?

최악의 경제위기라 느끼는 사람들의 체감을 비웃듯이 새해 들어 코스피 지수는 사상 최초로 3000을 넘어섰다. 어떤 사람들의 전쟁이 어떤 사람들에겐 축제인 세상이다. 역사 속에서 이런 세상을 나는 언제 보았던가. 전쟁과 파시즘을 맞이하던 시대가 이러했다. 착한 소비자가 저렴한 상품의 출처를 묻지 않고, 선의의 투자자들이 수익의 출처를 캐지 않고, 정부가 고삐 풀린 자본을 통제하지 못할 때, 돈은 자연을 파괴하고 산 목숨을 잡아먹고 덩치를 키운다.

'녹색 투자'라도 마찬가지다. 기업 활동에서 금융이 중심이 될수록 청정기업이 된다. 자본은 언제나 깨끗하다. 지나간 자리가 검고 붉을 뿐. 제 손에 피 한 방울 묻히지 않고도 사람을 죽일 수 있는 방법은 무수히 많다. 지난 8일, 국회는 국민들이 발의한 중대재해기업처벌법을 난도질해서 이렇게 더 죽여도 좋다는 법안을 여야 합의로 통과시켰다. 사람 살리자는 법을 기업은 '악재'라 불렀다. 기업이 '악재'를 면한 것과 코스피 지수 상승은 아무 상관도 없는 일일까? 생명을 갈아 넣어 이윤을 뽑아내는 거대한 죽음의 발전소는 오늘도 돌아간다. 우리가 가장 먼저 멈춰 세워야 할 발전소는 증권거래소인지도 모른다. 조용한 학살을 끝내려면.[31][32]

17. 가계부채 적극 대응 등 거시건전성 관리 시급

가계부채(Households debt, 家計負債))는 가계, 기업, 정부 등 경제의 3주체 중 가계부문의 부채, 곧 가구나 개인이 돈을 빌린 빚을 뜻한다. 한국의 가계부채 규모는 2015년 9월말 현재 1166조원이다.

전년동기 대비 10.4% 증가했고 2013년 4분기에 1000조원을 넘어선 이후 지속적으로 증가하고 있다. 특히 주택금융관련 규제인 주택담보인정비율(LTV)과 총부채상환비율(DTI)이 완화된 2014년 8월 이후 증가 속도가 한층 빨라졌다. 2000년대에 들어와서 가계의 부채는 주택의 구입과 연동하는 측면이 있다. 주택을 구입하기 위해서 은행에 빚을 지는 일이 늘어나고 있다.

어느 해라고 경제가 무탈하고 평온했을까만 올해는 개별 경제주체이든, 정책당국이든 각별한 균형 감각이 필요할 듯하다. 한편으로는 연이은 백신개발 성공과 승인, 접종 시작 등 반가운 뉴스에도 불구하고 코로나19 위기에 대한 총력 대응과 각종 사회·경제적 후유증의 연착륙 방안 모색은 여전히 중요하다. 다른 한편 완만하게나마 경제가 회복되는 과정에서 그동안 누적된 불균형들을 정상화하는 노력도 필요하다. 거시적 측면에서 보면 실물부문과 금융부문 간 디커플링의 지속, 신용팽창과 자산가격 상승 간 상호강화적 순환이 만들어내는 금융 불균형이 대표적이다. 지난해 주택거래대금 규모는 360조원을 넘는다. 전년대비 110조원 이상 증가했다. GDP 대비 주택거래대금 비율은 작년 3분기 말 기준 18.4%로 역대 최고 수준이다. 한편 연초에 코스피, 코스닥의 일평균 거래대금 규모가 64조원까지 치솟았다. 주식시장의 개인 신용공여 평균잔액이 36조원, 대기성자금인 고객예탁금도 70조원에 육박하는 상황이다. 실물경제의 회복과 괴리된 자산가격의 상승은 지속 가능하지 않다는 점, 그리고 이러한 불균형의 근저에는 과다한 부채가 존재한다는 점이 문제이다.

우리나라 가계부채 수준은 이미 GDP 수준을 넘어섰고, 가처분소득 대비 가계부채 비율은 지난해 3분기 말 기준으로 전년 동기 대비 10.7%나 증가했다. 국제결제은행(BIS)이 발표하는 신용갭도 지난해 2분기부터 경보단계로 들어섰다. 글로벌 금융위기 이후 11년 만이다. 과도한 부채로 인해 금리 인상과 같은 통화정책 운용이 어려워지는 부채함정에 대한 우려가 나오는 것도 이 때문이다.

이제 민간 주체들의 부채, 특히 가계부채에 대한 대응을 좀 더 적극적으로 추진해야 한다. 기왕에 추진되어온 주택담보인정비율(LTV), 총부채원리금상환비율(DSR) 규제 등 고위험 차주들의 대출을 억제하는 방안도 긴요하지만, 지금과 같은 상황에서는 거시건전성 관점에서 부채관리를 강화해야 할 시점이다.

그 한 가지 방안이 바로 가계부문 경기대응완충자본의 도입이다. 경기대응완충자본은 바젤Ⅲ 자본규제체계에서 금융회사의 경기순응성을 완화하기 위해 도입된 제도로 은행에 최대 2.5%까지 추가적인 자본적립을 요구함으로써 과도한 신용공급을 제어하는 거시건전성 감독수단이다. 그런데 이를 특정 부문, 예컨대 가계 부문에 적용하는 것이 부문별 경기대응완충자본 제도이다. 이 제도를 실제로 도입한 나라가 스위스이다. 스위스는 주택대출에 집중된 신용팽창이 민간신용 전체의 팽창으로 이어졌다고 판단하고 2013년 2월부터 주택담보대출에만 적용되는 부문별 경기대응완충자본을 부과했으며 처음에는 1.0%를, 2014년 1월부터 현재까지는 2.0% 수준을 부과하고 있다.

한편 국제통화기금(IMF)도 지난해 4월 한국에 대한 금융부문 평가프로그램 결과보고서를 발표하고 거시건전성 정책체계를 개선하는 한편 가계부문 담보·무담보 대출에 대한 부문별 경기대응완충자본을 1~2년 내 도입할 것을 우리 정부에 권고한 바 있다. 그런데 IMF의 평가는 가계부채 증가율이 꾸준히 하락하던 2019년 6월까지의 자료를 기초로 이루어졌음을 감안하면 제도 도입의 필요성은 더욱 커진 셈이다.

이 제도는 몇 가지 이점을 가지고 있다. 첫째, 대출 익스포저 전체가 아니라 특정 부문의 불균형에 대응할 수 있는 효율적인 수단이 될 수 있다. 둘째, 경기의 흐름에 대응하여 부과되는 규제이므로 경기 상황에 맞춰 유연하게 그 비율을 조정할 수 있다. 셋째, 이 제도는 자본비용을 통해 은행의 유인구조에 영향을 줌으로써 기존의 LTV, DSR 규제와 같은 차입자 기반의 건전성 관리 수단과 보완적으로 활용될 수 있다. 팬데믹 대응과 불균형의 정상화, 이 둘 간의 적절한 균형이 우리 경제가 풀어야 할 숙제이다.[33]

	2023년 1월	2월	3월	4월	5월	6월	잔액
은행 가계대출	-4조6755억	-2조7561억	-7109억	2조2964억	4조1557억	5조8963억	1062조2534억
정책모기지론 포함 주택담보대출	186억	-3143억	2조2684억	2조8176억	4조2478억	6조9605억	814조8427억
은행 기업대출	7조8958억	5조1882억	5조8699억	7조4528억	7조8075억	5조5377억	1210조665억
대기업	6조6377억	8906억	956억	3조856억	3조4422억	2조4133억	233조4559억
중소기업	1조2582억	4조2976억	5조7742억	4조3672억	4조3654억	3조1245억	976조6106억

2021~2023년 상반기 중 은행권 가계대출잔액 증감 현황 (단위 : 조원)

자료 : 한국은행

	2021년		2022년		2023년				'23년 6월 말 잔액
	1~6월	6월	1~6월	6월	1~6월	4월	5월	6월	
은행 가계대출	41.7	6.3	0.1	0.2	4.2	2.3	4.2	5.9	1062.30
주택담보대출	30.4	5.1	10.2	1.4	16.0	2.8	4.2	7.0	814.8
신용대출 등	11.3	1.3	-10.3	-1.2	-11.7	-0.5	-0.05	-1.1	246.1

18. 겉 다르고 속 다른 공정경제 3법

지난 8월 국무회의를 통과한 '공정경제 3법'이 국정감사 이후 화두가 되고 있다. 더불어민주당과 국민의힘을 주축으로 찬반 토론회가 이어지고 있고, 청와대는 물론 재계와 시민사회까지 가세했다. 이 3법을 법제화하기 위한 당정의 모습은 '빈 수레가 요란하다'는 속담과 '성동격서'라는 고사성어를 떠올리게 한다. 공정경제 3법이라고 명명하면 개혁적이고 강력한 방안이 담긴 것 같지만 내용을 뜯어보면 알맹이가 빠져 있기 때문이다.[34]

재벌개혁의 핵심 법안이라고 할 수 있는 공정거래법 전부개정안은 전속고발권 일부 폐지, 지주회사 지분율 규제 강화, 사익편취 규제와 공익법인 의결권 규율, 벤처지주회사 규제 완화 등을 담고 있다. 하지만 전속고발권은 문재인 대통령 공약에서는 전면 폐지였으나, 경성담합만 폐지하는 것으로 완화되었다.

지주회사의 자회사 지분 보유율은 상장 30%, 비상장 50%로 높였지만, 신규 지주회사에만 적용하도록 했다. 공익법인이 보유한 계열사 지분 의결권은 금지한다면서 예외로 상장 계열사는 특수관계인 합산 15% 내에서 의결권 행사를 허용해주고 있다. 벤처기업에 대한 인수·합병(M&A) 활성화로 혁신 경쟁을 촉진한다며, 5% 한도 내의 비계열사 주식 취득 제한을 폐지하는 등 벤처지주회사 설립 요건과 행위 제한도 대폭 완화했다

국민의힘과 재계에서 극렬히 반대하는 상법 개정안은 1인 이상의 감사위원을 분리선출하고, 선임 및 해임을 위한 최대주주와 특수관계인의 의결권은 합산 3%를 초과하는 부분에 대해 제한하도록 했다. 독립적인 감사위원 1명이 들어가서 어떤 견제를 할 수 있을지는 모르겠지만 이마저도 국민의힘과 재계에서 극렬히 반대하자 민주당은 완화시키려는 움직임을 보이고 있고, 일부 여당 의원은 감사위원을 이사회에서 제외시키자는 이야기까지 하고 있다. 20대 국회 민주당 안이

었던 집중투표제는 흔적도 없이 사라져버렸다. 금융그룹감독법 제정안은 자본 적정성 등 건전성을 모니터링한다는 수준에 불과하고, 금산복합의 리스크를 줄일 계열 분리 명령과 같은 실효성 있는 방안은 빠져 있다.

결국 당정은 이름만 거창하게 공정경제 3법으로 붙여서 사회적 이목을 집중시키고, 시끄러운 동안 뒤에서 주목적을 이루려는 속셈으로 보인다. 재벌의 경제력 집중과 경영권 세습에 악용될 수 있는 비상장 벤처기업 차등의결권 도입과 일반 지주회사의 기업주도형벤처캐피털(CVC) 보유 허용 법안 통과가 주목적이 아닐까 하는 의구심이 든다. 여당으로서 공정경제를 실현할 수 있는 법안을 3개나 통과시켰으니 이 정도는 괜찮지 않을까라는 생각이라면 국민을 우습게 본 것이다. 코로나19 이후 심화될 경제 양극화와 불평등을 생각한다면 재벌 규제 완화를 위한 꼼수를 중단하고 법안을 실효성 있게 수정한 후 통과시켜야 할 것이다. 그것이 진정 공정경제를 위한 길이다.[35)]

공정거래위원회(公正去來委員會, KFTC, Korea Fair Trade Commission)는 대한민국 국무총리 산하의 중앙행정기관으로, 독점규제 및 공정거래에 관한 법률(약칭 공정거래법)이 설치 근거이다.

공정거래위원회의 자료에서 밝혔듯이 먼저 "국무위원의 심의를 거치고, 대통령의 재가를 얻은 다음 국회에 제출하여 국회와 재계 등 이해관계자를 대상으로 법률의 개정 취지와 주요 내용 등을 설명하는 등 조속히 국회를 통과해 시행되도록 노력을 지속해 나갈 계획" 이라고 했다. 순서가 아주 잘못되었다. 정부는 무엇보다도 먼저 재계와 이해관계자와 소통을 해야 했다. 그리고 재계와 이해관계자들의 요구와 시정사항을 충분히 반영한 다음에 국무회의에 올리고 국회 제출 절차를 밟아야 했다. 그것이 민간부문의 자발적인 참여를 통한 항구적인 공정경제를 이룩하는 길이다.

정부의 말마따나 공정경제는 우리나라 경제의 지속 가능한 성장을 위한 핵심축이다. 그러나 이런 방식과 같이 미리 결정하고 따라오라는 식의 짓누르는 방식은 결코 성공할 수 없다.[36)]

19. 코로나19 이후 금융안정

전 세계적으로 코로나19 확진자 수가 5500만명을 넘어서며 증가하고 있다. 그런가 하면 효능이 높은 백신의 임상시험 성공 소식도 들린다. 이렇듯 전염병의 향방을 둘러싼 불확실성은 여전하다. 코로나19 발생 이후 1년이 다 되어가는 지금 세계경제는 어디로 가고 있는 것일까?

국제통화기금(IMF)이 지난 10월 발표한 세계경제전망에 따르면, 올해 세계경제는 -4.4%의 성장률을 기록하고, 내년에는 5.2% 성장할 것으로 전망된다. 기저효과라든지 전염병 확산세 둔화와 경제활동 재개 등을 전제한 전망치이다. 그럼에도 각국이 코로나19 이전의 경제활동 수준으로 돌아가기까지는 상당한 시간이 필요하다는 데 많은 전문가들이 의견을 같이하고 있다.

한편 세계경제전망과 함께 발표된 금융안정보고서에 따르면, 거의 대부분의 국가들이 전례 없는 규모와 속도로 집행한 통화재정정책과 각종 지원책들은 "시간을 버는 데" 도움이 되었다. 즉 투자심리 안정과 신용흐름 유지에 성공했다. 하지만 이러한 정책들은 의도하지 않은 결과들을 가져올 수 있다는 데 유의해야 한다. 세 가지만 살펴보자.

우선 위험자산의 시장가격 상승과 부진한 경제활동 간 탈동조화 현상이 지속되고 있다는 점이다. 글로벌 주식시장의 회복은 기업수익의 증가가 아니라 기준금리 인하와 풍부한 유동성에 기댄 리스크 프리미엄 하락 등 정책지원 덕분이다. 신용시장 역시 기업 펀더멘털보다는 정책지원으로 인해 낮은 신용스프레드가 유지되고 있다.

두 번째로 기업 부문, 특히 자본시장에 대한 접근 가능성이 적은 중소기업들의 부실 확대 가능성에 대한 우려다. 지금까지는 정책지원 덕분에 차입이나 지원을 통해 유동성 압박이 완화되었지만, 투자를 통한 수익 회복이 뒷받침되지 못한 차입 증대는 중기적으로 상환능력의 저하를 가져올 것이기 때문이다. 우리나라도 이자보상배율 1 미만 기업의 비중이 35%를 넘어선다.

세 번째는 비은행 금융 부문, 예컨대 투자펀드의 리스크가 여전하다는 점이다. 유동성 미스매치, 즉 투자자의 상환 요구나 시장 손실로 인한 급매나 유동성 경색은 중앙은행의 개입으로 막을 수 있었지만, 문제 자체를 해소한 것은 아니다. 또한 각종 위험자산 간 상관관계가 0.8이라는 역대 최고 수준으로 높아진 것도 우려사항이다. 위험관리를 위한 포트폴리오 분산 기회도 줄어들고 유사시 전염 위험이 증가하기 때문이다. 게다가 극단적으로 낮은 수익률과 억제된 시장변동성 하에서 중앙은행의 지원에 대한 기대가 형성되면 투자자들은 수익률 증대를 위해 금융레버리지를 확대하고자 하는 유인이 커지게 된다.

이 같은 요인들은 금융시장의 취약성을 확대시키는 방향으로 작동한다. 물론 코로나19 사태와 같이 예상치 못한 전 세계적, 국가적 비상상황에서 가용 자원과 정책수단을 적극적으로 동원해 위기로의 전이를 막아내는 것은 정책당국의 당연한 책무이다. 하지만 우리는 현재와 미래 사이의 트레이드오프(trade-off) 관계 및 의도치 않은 결과의 발생 가능성을 염두에 두어야 한다. 오늘의 가용 자원을 사용함으로써 얻는 이점과 이로 인해 내일 추가적인 지원여력이 감소하거나 경제시스템의 취약성이 심화될 위험 사이에서 균형을 잡는 게 중요하다.

앞으로 경제활동이 본격 재개되더라도 완화적 통화정책과 유동성 지원은 경기회복 지속을 위해 필수적이다. 다만 유동성 지원 대상과 목적을 좀 더 명확하게 타기팅할 필요가 있다. 또한 일관성 있는 채무조정 원칙을 적용해 유동성 지원 대상 기업의 자격요건을 강화하여 과잉부채를 줄이고 생존 가능한 기업을 선별하는 노력도 필요하다. 아직도 불확실성이 큰 상황이지만 향후 가능한 상황들에 대한 시나리오를 만들어 시나리오별, 단계별 정책 로드맵을 구축해 유연하게 대응할 준비가 필요한 시점이다.[37]

특례보금자리론은 서민·실수요층 주거안정 등을 위해 공급한 것으로, 유사한 대책이 있었던 시기와 비교해 공급규모가 크지 않으며 올해 초 금리급등·시중자금 위축 상황에서 서민·실수요층 등의 주거안정과 가계부채 구조개선에 상당부분 기여했다고 평가했다.

금융위는 코로나19 위기대응 과정에서 소상공인·취약계층 등의 부채가 빠르게 증가했고, 최근 고금리 상황과 경기회복 지연 등이 맞물려 이들의 상환능력이 악화돼 시급한 지원이 필요한 상황이라고 진단했다.

그러면서 채무조정을 통해 소상공인·서민층의 채무부담을 경감하는 것은 가계대출의 급격한 부실을 방지하고, 경제적 재기를 통해 상환능력이 회복된다는 점에서 가계부채 질적관리에도 상당히 도움된다고 강조했다.

정책 서민금융이 연간 약 10조원으로 이는 가계부채 총액의 0.5% 수준이다. 이에 따라 금융위는 서민금융 등을 통해 취약계층이 꼭 필요한 자금지원을 하더라도, 민간의 고금리 자금을 대체하는 효과 등을 감안할 때, 가계부채 총량에 미치는 영향은 크지 않을 것이라고 답했다.[38]

20. 일본은 왜? -'민족주의'라는 퇴행적 유령의 출현 -

광복절인 8월 15일 서울 광화문 일대에 모인 시민들이 일본 아베 정부를 규탄하는 집회를 갖고 있다(EPA_연합뉴스).

일반적 통념에 반하는 일들이 글로벌 경제에서 너무 자주 벌어지고 있다. 자유교역의 가치는 이미 미중 무역분쟁으로 훼손되고 있는데, 여기에 일본이 가세했다.

아무리 생각해도 한국에 대한 일본의 경제 제재는 반칙이다. 자본주의가 완전하진 않지만 그래도 자본주의는 마땅히 존중받을 가치가 있는 시스템이다.

자본주의 선지자들이 말한 부의 창출 원천은 3가지였다. 아담 스미스는 저서 '국부론'에서 분업을 말했고, 데이비드 리카도는 '경제학과 과세원리'에서 교역을 강조했으며, 슘페터는 여러 저작에서 파괴적 혁신을 주창했다.

요즘 벌어지는 일들은 교역의 원칙에 대한 부정이다. 리카도는 한 나라가 모든 것을 다 만들 필요가 없다고 봤다. 자국이 가장 잘 만들 수 있는 재화를 만들어 교역하면 서로에게 도움이 된다는 비교우위론을 설파했다.

리카도의 시각에서 보면 한국과 일본은 교역을 통해 성장해온 국가들이다. 일본은 기초소재에 경쟁력이 있었고, 한국은 이를 수입해 만드는 중간재에서 비교우위를 가졌다. 양국 모두 글로벌 분업에 참여해 견고한 입지를 구축했다.

이런 점에서 볼 때 최근 일본의 행위는 지독한 반칙이다. 적대적 반칙은 응전을 부른다. 우리 입장에서는 소재의 국산화를 추진할 수밖에 없다. 그러나 여기에 많은 시간이 걸린다는 어느 재벌 총수의 주장이 아니더라도, 모두가 경제 자립도를 높이는 세상이 한국에 좋은지 생각해봐야 한다.

한국은 비교우위의 원칙이 관철됐던 세계화 시대의 최대 수혜 국가였기 때문이다. 따라서 모든 나라가 경제 활동의 상당 부분을 자급하는 자립 경제의 시대는 한국에 재앙이다.

똑같은 논리가 일본에도 적용된다. 보호무역은 교역 상대방뿐 아니라 스스로에게도 상처를 주는 자해에 다름 아니다. 미국은 그나마 경기가 좋아 보호무역에 따른 충격을 감내할 수 있지만 일본은 그렇지도 않다.

일본의 순환적 경제 지표들은 한국과 비슷하게 악화일로를 걷고 있다. 한때 1%를 상회했던 일본의 2019년 GDP(국내총생산) 성장률 전망은 0.6%까지 하향 조정됐고, 수출도 7개월 연속 감소세가 이어지고 있다.

장기적으로 봐도 마찬가지다. 아베 정권 출범 후 일본 경제가 활력을 찾고 있다는 의견이 있지만 필자는 동의하지 않는다. 아베노믹스를 구성하는 소위 3가지 화살은 중앙은행의 적극적 개입, 팽창적 재정 정책, 민간투자 활성화로 구성되는데, 정책의 최종 목표는 디플레이션 탈피다. 그러나 일본은 성숙한 자본주의 국가 중 기조적인 디플레이션을 경험한 유일한 국가다.

디플레이션은 물가 하락에 대한 기대심리가 경제 주체들에게 고착화되는 현상이다. 디플레이션에 빠지면 경제는 무기력증에 빠진다. 디플레이션 경제에서 미덕은 '하지 않는 것이 버는 것' 이기 때문이다.

물가가 지속적으로 하락하므로 '지금' 소비를 할 이유가 없는 것이다. 당장 필요한 최소한의 소비만 하고 돈을 움켜쥐면 물가가 하락함으로써 화폐의 구매력이 높아지기 때문이다.

아베노믹스는 디플레이션을 탈피해 경제 주체들에게 인플레이션 기대심리를 조성하는 게 중요했고, 그 과정에서 노동자들의 임금 상승이 중요한 중간 목표로 강조됐다. 임금이 올라야 물가가 지속적으로 상승하는 진성 인플레이션이 만들어지기 때문이다.

물가가 오르더라도 높아진 가격을 감내할 수 있는 구매력이 존재해야 추가적인 물가 상승에 대한 기대심리도 형성될 수 있다. 그러나 아베 정권 출범 후 많은 노력을 했음에도 물가상승률은 중앙은행 목표치를 한참 밑돌고 임금도 오르지 않고 있다.

오히려 일본 경제는 정책 중독증이 너무 커졌다. 아베노믹스의 한 축이 중앙은행의 적극적 역할에 있긴 하지만 정도가 너무 심하다. 일본은행의 총자산은 GDP를 뛰어넘는다.

글로벌 금융위기 이후 양적완화를 실시했던 ECB(유럽중앙은행)의 GDP 대비 총자산 규모가 40%, 미국 연방준비제도가 17%라는 점을 감안하면, 일본은행의 역할은 상상을 뛰어넘는 수준이다. 질적 완화라는 명분으로 채권뿐 아니라 주식 ETF까지 중앙은행이 사들이고 있으니 관치(官治)도 이런 관치가 없다.

그나마 중앙은행의 적극적 역할로 일본 경제가 이만큼 지탱됐지만 향후에는 이마저도 쉽지 않을 것이다. 일본의 장기금리가 마이너스권에 진입했기 때문이다. 금리가 마이너스인 상황에서는 중앙은행의 통화정책이 효과를 보기 어렵다.

필자의 고민은 '일본은 왜?' 라는 점이다. 형편이 좋지 않음에도 왜 타자는 물론 자신들에게도 해가 되는 행동을 할까?

아베 정권의 호전성은 일본 국민이 겪은 집단적 좌절의 산물이라고 본다. 1980년대 후반 버블이 붕괴되기 시작한 후 무기력한 세월을 보내던 일본은 2009년에 변화를 모색한다. 전후 50년 넘게 이어지던 자민당 장기 집권을 끝내면서 일본인들은 민주당에 정권을 넘겨줬다.

나름의 몸부림이었지만 결과는 좋지 못했다. 민주당의 무능을 확인했을 따름이다. 또 2011년 후쿠시마 원전 대폭발은 '안전사회 일본' 이라는 믿음에 심대한 타격을 줬다. 뭘 해도 안 되는 세상에서 아베의 2차 집권이 2012년부터 시작됐다.

내부의 문제가 해결되지 않을 때는 외부의 적을 만들어야 체제가 유지된다. 내부의 모순을 은폐함과 동시에 공동체의 결속을 다질 수 있기 때문이다. 걱정스러운 점은 이런 모습이 일본에서만 나타나는 현상이 아니라는 사실이다.

주요 국가들에서 소위 '스트롱맨' 이 득세하고 있다. 자국 이기주의를 노골화하는 미국의 트럼프, 노딜 브렉시트를 주장하는 영국의 존슨, 집단지도 체제를 사실상 폐기하고 중화주의를 강조하는 중국의 시진핑, 슬라브 민족의 영광을 재연한다는 러시아 푸틴 등이다.

한결같이 배타적인 자국 이기주의와 민족주의 코드가 흐르고 있는데, 그 뿌리는 일본과 다르지 않다. 해결하기 힘든 내부 모순이 존재하는데, 이는 대체로 양극화의 문제에 다름 아니다.

계층 간 양극화는 물론, 실물경제와 자산시장 양극화도 심각하다. 아마 브렉시트에 찬성한 영국 노동자들과 트럼프에 표를 준 미국 러스트 벨트 주민들의 성향은 비슷할 것이다. 영국을 예로 들면 실물경제를 상징하는 산업생산은 아직 글로벌 금융위기 직전의 고점을 회복하지 못했으나 주가는 이를 진즉에 넘어섰고, 주택가격은 훨씬 더 가파르게 올랐다.

격차 해소를 위해 신뢰할 만한 솔루션은 존재하지 않는다고 봐야 한다. 어느 나라나 해결되지 않는 비슷한 내부 문제를 갖고 있는데, 이를 은폐하기 위해서는 외부의 적이 필요하다. 각국의 스트롱맨들은 적대적 공생을 하고 있다.

'민족주의' (Nationalism)는 근대 국가가 형성되기 시작했던 19세기의 이데올로기다. 산업혁명으로 더 넓은 범위의 경제 활동이 가능해지면서 근대 국가는 협소한 봉건제를 대체했다.

역사가 에릭 홉스봄은 민족주의를 근대 국가를 만들어가는 도구로 봤다. 민족주의에 내재된 가장 기본적인 논리는 배타성이다. '우리' 를 강조한다는 점에서 민족주의는 타자에 대해 배타성을 갖는다. 민족주의는 외부의 적을 만들어가면서 성장했다.

민족이라는 개념과 완전히 분리된 '100% 세계주의' 를 지향하는 것은 공허하다. 하지만 극단적인 자국 이기주의를 앞세운 요즘과 같은 민족주의 코드는 퇴행이다. 이런 배타적 민족주의의 득세는 세계화 시대의 최대 수혜국이었던 한국에 치명적인 타격을 준다.

또 위대한 자본주의를 만들었던 기본 원리인 '비교우위에 근간한 교역' 을 훼손하는 과도한 민족주의는 스스로에게도 상처를 주는 자기 파괴적 행위다. 미국의 대중국 관세 인상과 중국의 미국산 농산물 수입 취소, 중국에 대한 환율조작국 지정 등은 국가 간 갈등이 이미 자기 파괴적 단계에 접어들었다는 사실을 보여준다.

최근 급등하는 금값을 보면서도 역사의 퇴행을 느낀다. 금은 배당이 나오는 자산이 아니고, 성장을 반영하는 자산도 아니다. 인류의 화폐 제도가 금에 묶여 있던 과거에는 금에 대한 과도한 권위 부여가 인류의 삶을 억압하는 디플레이션으로 이어졌고, 금본위제에 대한 국제적 집착은 전쟁을 불러오는 단초가 되기도 했다. 금값 상승은 민족주의라는 퇴행적 이데올로기가 부각되는 최근의 시대상과 잘 조응한다.

분업과 교역, 혁신이라는 자본주의 교범은 절대적 '파이' 를 늘리는 데 기여했지만 불평등 문제는 해결하지 못했다. 이에 대한 반동적 대응이 배타적 민족주의라는 외피를 쓰고 나타나고 있고, 이런 점이 세계화 시대의 모범 국가였던 한국 경제가 직면한 본질적 리스크라고 할 수 있다.[39][40]

21. 자본주의와 민주주의, 상생의 정치경제학을 위하여

정치경제학의 시각에서 플라톤(Plato), 아리스토텔레스(Aristotle)부터 홉스(Hobbes), 로크(Locke), 루소(Rousseau) 등과 같은 대표적인 근대적 자유주의자들 그리고 벤담(Bentham)과 밀(Mill) 등의 공리주의자, 미국 건국의 아버지들(Founding Fathers)을 거쳐 롤스(Rawls)와 좌파 자유주의자에 이르기까지 정치경제학과 관련한 다양한 쟁점과 주요 흐름들을 성찰했다.

사실 '정치경제학'이라는 용어는 1760년대 리카도(Ricardo) 등으로 상징되는 영국 고전학파가 가장 먼저 사용한 학문 분과의 이름이었다.

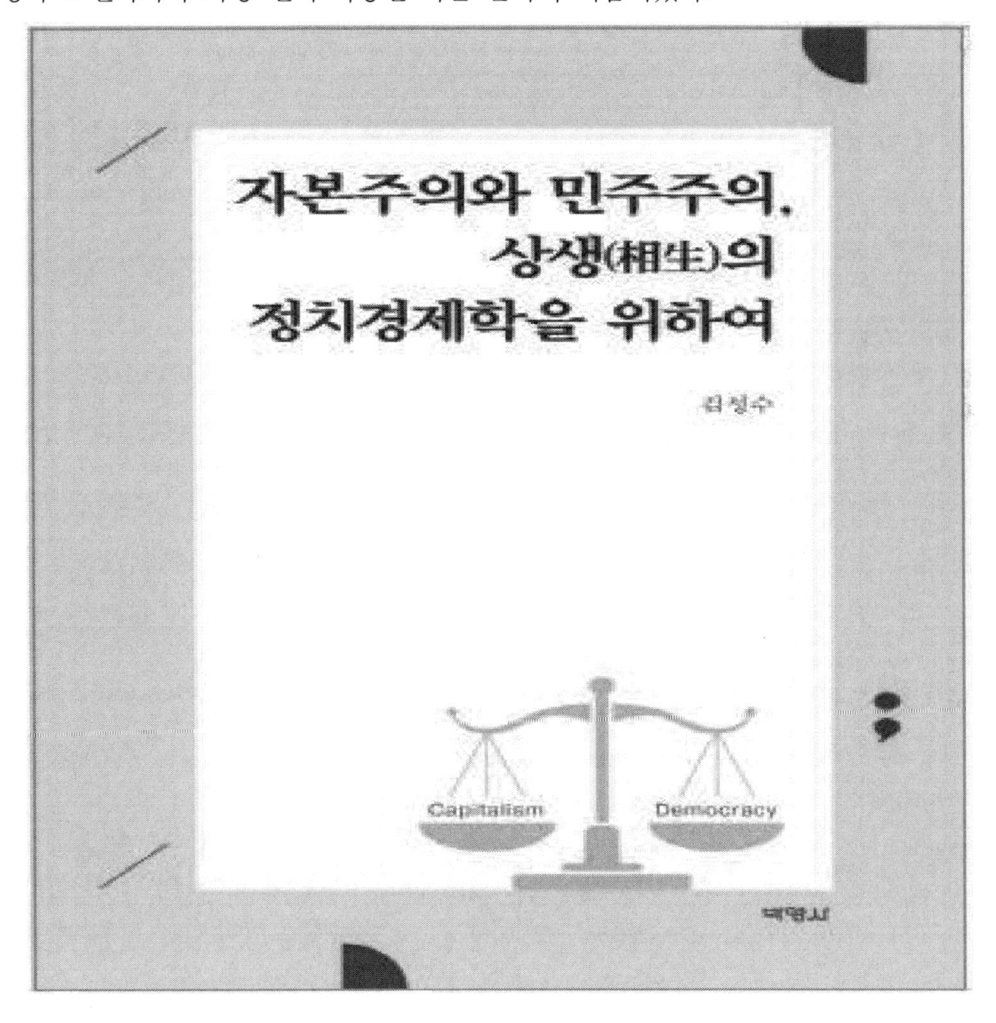

이 책은 정치와 경제(시장), 민주주의와 자본주의의 관계와 상호 작용에 초점을 맞춰 주요 정치경제학자들의 쟁점과 흐름을 고찰했다.

정치경제학은 원래 자본주의 경제 발전을 위한 국가 개입 또는 자본주의 발전이 요구하는 국가의 역할을 다룬 학문으로 '경제학'의 모태라고 볼 수 있다.

비록 마르크스(Marx)가 정치경제학 비판(A Contribution to the Critique of Political Economy)을 통해 자본주의 지배계급과 질서 유지에 기여하는 정치경제학을 비판했지만 정치경제학의 근본 취지는 경제와 정치의 밀접한 관계에 주목해 자본주의와 민주주의의 상호보완적 발전을 모색했다는 것.

정치경제학의 흐름을 살펴보면 정치에 대한 정의와 역할이 상이했다. 민주주의를 바라보는 시각도 서로 달랐고 대립적이었다. 때로는 양립 불가능한 측면도 있다는 사실을 발견해왔다.

고전적으로 정치에 대한 개념은 현실적으로 아주 제한된 사회적 가치들-부, 지위, 명예, 기회 등-에 대한 경쟁과 권위적인 배분으로 정의됐다.

정치는 희소한 자원을 둘러싼 '게임의 규칙(the rules of the game)'을 결정하고 관리하는 것이며 개인과 집단들 사이의 갈등을 조절하고 통합하는 기술로서 규정된다.

그러나 정치에 대한 이런 정의는 현실적인 설명력은 있지만 정치를 지나치게 협소하게 규정한다는 비판도 만만치 않다.

예컨대 아리스토텔레스 이래로 중요한 흐름 중 하나는 정치는 단순히 개인의 부, 명예, 이익 등의 가치를 추구하는 수단으로서가 아니라 공동체의 다양한 의사결정에 적극적으로 참여함으로써 자신의 도덕과 인간성, 자유와 능력의 잠재력을 최대한 발휘하고 함양할 수 있는 근본적인 가치를 갖는다는 주장이었다.

정치는 그 자체로서 가치를 갖는다는 것이다. 이런 맥락에서 신자유주의 시대에 맹목적으로 질주하는 자본주의와 민주주의의 관계를 어떻게 설정하느냐가 정치경제학뿐만 아니라 정치발전에 있어서도 매우 중요한 과제가 된다.

정치의 중요한 구성 요소로서 국가의 역할 또한 대단히 논쟁적인 주제다. 이 주제는 정치철학적으로 우파 자유주의와 좌파 자유주의 혹은 급진적인 정치경제학의 논쟁과도 깊은 관련이 있다.

우파 자유주의는 사회계약설에 기반하여 '국가의 중요한 역할은 개인의 자유와 권리를 보장하고 질서와 평화를 유지하는 것'이라고 강조한다.

이에 비해 좌파 정치경제학은 '평등이나 유대감, 혹은 공동선과 같은 특정한 가치를 함양하는 국가의 역할'을 강조한다. 우파 자유주의가 시장자본주의와 개인의 능력, 경쟁 등을 배타적으로 강조하고 있다면 좌파 정치경제학은 개개인의 덕성 함양과 복지 등을 강조하고 있다. 이것은 근본적으로 국가의 존재목적과도 깊은 연관을 가지고 있으며 민주주의를 과연 절차적으로 보느냐 실질적인 참여의 평등으로 보느냐의 문제와도 긴밀하게 연관돼 있다.

지금 우리가 살고 있는 현대 정치경제의 지배적인 사상적 기조는 신자유주의다. 신자유주의적 세계화는 시장의 경쟁 원리와 이윤 추구의 논리를 일국적 차원은 말할 것도 없고 세계적 차원에서 전면적으로 확산시킨다는 점에서 가히 세계적인 문명이 됐다고 볼 수 있다.

우리나라의 경우에도 1997년 외환위기 이후 IMF와 세계은행 등 국제금융기관의 구조조정 프로그램을 통해 명실공히 신자유주의 패러다임에 속하게 됐다고 볼 수 있다. 신자유주의가 경제 성장만큼이나 빈부격차 및 양극화를 심화시키고 공동체의 연대와 유대의 토대를 붕괴시키면서 민주주의를 위축시킨다는 비판도 세계 곳곳에서 제기되고 있다.

이 책의 맥락에서 보면 한국뿐 아니라 세계적으로 주된 흐름은 '자본주의 시장의 우선성과 민주주의의 위축'이라고 볼 수 있을 것이다. 물론 지난 2016년 광장을 뜨겁게 달군 촛불 집회처럼 상황과 맥락에 따라 민주주의가 분출하는 시기도 있었지만 전반적인 흐름은 민주주의 발전에 필요한 시민적 덕성과 공동체 의식이 많이 위축돼 있다는 것이 학계의 일반적인 평가다.

그런데 고대부터 현대까지 정치경제학의 일관된 흐름을 살펴보면 결국 '경제성장 및 부의 분배와 정치권력의 균형과 조화를 어떤 수준에서 어떻게 달성하는가가 오랜 과제였다'는 것을 발견하게 된다.

즉 '지금 여기'의 문제는 이미 기원전 아리스토텔레스부터 고민하고 해결하려고 했던 인류의 공통된 과제였다는 것이다. 대표적으로, 아리스토텔레스는 경제적 부의 문제는 정치적 독립성과 밀접한 연관을 가지기 때문에 시민적 덕성은 단지 정치적 제도나 교육만이 아니라 경제적 조건에 의해서도 영향을 받는다고 강조했다.

아리스토텔레스는 경제적 불평등의 조건은 제한되어야 하고 광범위한 중산층이 중요한 정치적 공동체의 중추가 돼야 한다고 보았다. 때문에 이를 위해 토지 소유에서 일정한 한도의 제한을 부여하고 가난한 이들의 독립을 보장할 수 있도록 고용과 토지를 부여해야 한다고 주장했다.

이러한 아리스토텔레스의 주장은 재산 역시 사적 소유뿐만 아니라 공공선의 관점에서 다스려져야 한다는 것이다. 이 원칙은 공화주의, 사회주의 및 현대의 민주주의자들에게 근본적인 영향을 미치고 있다. 부의 불평등을 당연한 것으로 간주했던 자유주의자들 역시 부의 격차가 공화국의 치명적인 위험이 된다는 경고에 나름대로 대응하면서 시장과 정치, 자본주의와 민주주의 관계에 대한 다양한 입장들이 발전해 온 것이다.

미국 건국에 영향을 미친 해링턴(Harrington) 역시 아리스토텔레스의 영향을 받아 극심한 경제적 불평등은 자유로운 공화국에 암적인 요소임을 강조하면서 적절한 규모의 소유를 통해 독립성을 구가할 수 있는 중산층 계급의 중요성을 강조했다.

특히 해링턴은 역작 오세아나 공화국(The Commonwealth of Oceana)에서 다수 인민이 공평한 토지 소유로 인해 진정한 주권자가 되는 공화국은 재산의 균형위에 수립됨으로써 안전하고 완전한 공화국이 될 것이며 이와 함께 직접민주적인 아이디어 즉, 공직의 순환적 교체의 중요성을 강조했다.

17세기 초의 이러한 고민과 이상적인 원리들이 지금 우리가 살고 있는 시대에도 여전히 빛을 발하는 고전적인 혜안이 될 수 있다.

이런 고전의 힘을 재해석하고 현대화시켜 현대 정치경제학의 발전뿐만 아니라 이 시대의 과제를 해결하는 데 기여할 수 있다는 것이 이 책의 근본적인 집필 동기이며 플라톤, 아리스토텔레스라는 고전 사상가에서 논의를 출발하는 이유이기도 하다.

그러므로 이 책에서 다루는 시대와 사상가들의 문제의식을 관통하는 키워드는 다음과 같이 거칠게 정리될 수 있다.

첫째, 정치와 경제는 어떤 상호작용 관계에 있는가? 둘째, 부의 분배를 정당화하는 논거는 무엇인가? 셋째, 용인될 수 있는 불평등은 어느 정도인가? 넷째, 집단의 의사결정에 참여할 수 있는 자격과 범주는 어떻게 정당화되는가? 다섯째, 정치공동체의 주체는 엘리트인가? 대중인가? 여섯째, 국가(정치권력)은 시장에 대해 무엇을 해야 하고 무엇을 하지 말아야 하는가? 일곱째, 현대 정치사회의 가장 중요한 제도인 시장과 민주주의 중에서 어떤 제도가 우선적인 중요성을 갖는가? 여덟째, 자본주의와 민주주의는 상생적인 발전이 가능한가?

물론 이런 질문 외에도 정치공동체와 경제적 토대를 둘러싼 다양한 세부적인 주제들이 논의될 것이다.

한편 저자 김성수는 한양대학교 정치외교학과를 입학한 후 American University에서 정치학학사, Marymount University에서 인문학석사 그리고 University of Southern California (USC)에서 정치학석사와 비교정치, 정치경제, 정치이론으로 박사학위를 취득했다.

대학원 재학 중 USC Graduate Fellowship, Phi Beta Kappa Honor Society Dissertation Scholarship, Jesse M. Unruh Institute of Politics Research Fellowship 등의 연구지원과 더불어 Korean Heritage Foundation Award를 수상했다.

현재 한양대학교 정치외교학과 교수와 한국연구재단의 장기과제 신흥지역연구 사업으로 선정된 유럽-아프리카 연구소 소장으로 재임 중이다.

대표적 학회활동으로 한국정치학회 대외협력이사 와 한국국제정치학회 연구이사 등을 역임하였다. 2017년에 연구성과우수자로 교육부장관 표창을 받았으며 유럽-아프리카 연구소는 '한국중소기업의 아프리카진출을 위한 사업전략 및 비즈니스모델 개발' 로 한국연구재단으로부터 우수연구기관으로 소개됐다.

주요저서로는 새로운 패러다임의 비교정치세계속의 아프리카 The Role of the Middle Class in Korea Democratization 등 다수의 서적을 집필했으며 비교정치와 정치경제 그리고 아프리카지역 연구에 관한 상당수의 논문을 KCI와 SSCI에 게재하고 있다.[41]

22. GDP는 삶의 질을 말해주지 않는다

행복은 성적 순이 아니듯 국민행복도 국내총생산(GDP) 순이 아니다. GDP는 경제성장의 총량일 뿐 성장의 질을 말해주지 않기 때문이다. 소득 분배의 형평성이나 복지 수준 같은 삶의 질은 GDP에 반영되지 않는다. 성장 과실의 분배 통로가 막혀 있다면 GDP는 국민 대다수가 체감할 수 없는 허수에 불과하다. GDP 증가율, 즉 경제성장률이 높아진다고 해서 곧바로 박근혜 대통령의 공약, '국민행복시대'가 열리는 게 아닌 것이다.

GDP 등 총량지표가 국민행복을 결정지었다면 지금 대한민국 국민 대다수는 행복해야 한다. 경제성장률, 국민소득 모두 양호하기 때문이다. 지난해 경제성장률은 3.3%, 1인당 국민총소득(GNI)은 2013년 2만6205달러(한국은행 통계)를 기록했다.

과거 고성장 시대를 떠올리면 3%대 성장률은 낮은 것이지만 작금 세계적 저성장 흐름에서 보면 양호한 편에 속한다. 노벨경제학상 수상자인 폴 크루그먼이 3%대 저성장을 걱정하는 국내 경제학자에게 "그 정도면 훌륭한 거 아니냐"고 되물었다는 일화도 있다.

그러나 이렇게 양호한 총량지표가 국민행복을 가져다주지는 못하고 있는 게 분명하다. 지표가 조금 더 올라간다고 해서 크게 개선되리라 기대하기도 어렵다. 대한민국엔 지금 행복하지 않은 사람이 너무 많다. 경제협력개발기구(OECD) 회원국 중 자살률 1위라는 오명이 이를 말해준다. 이들 지표가 훨씬 좋지 않은 나라 중 행복지수가 더 높은 나라가 적잖다. GDP와 GNI는 점점 많은 국민이 체감할 수 없는 수치가 돼가고 있다.

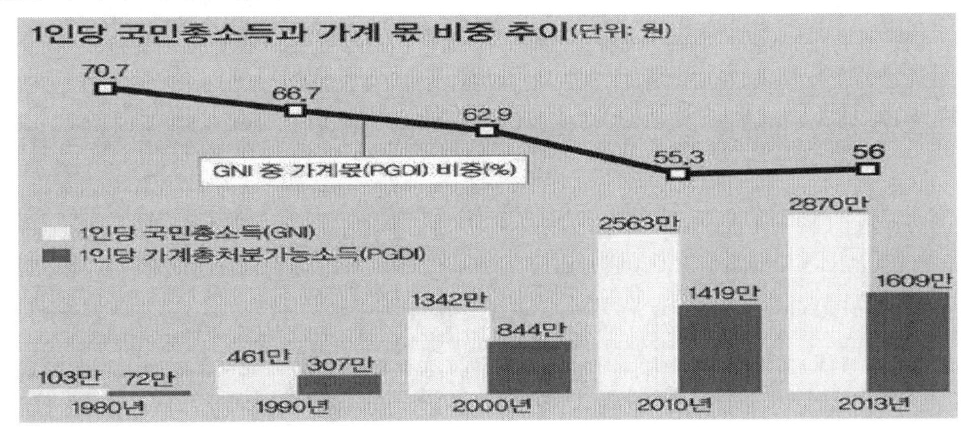

가. 높은 소득, 낮은 행복지수

세계은행(WB)이 집계한 2013년 1인당 GNI를 보면 한국 2만5920달러(환율적용 차이로 한은 통계와 약간 차이가 있음), 칠레 1만5230달러, 브라질 1만1690달러, 멕시코 9940달러다.

국민소득으로 보면 한국이 월등하게 앞서는 1위다. 그러나 행복지수로 보면 이들 4개국의 국민소득 순위가 정확하게 뒤집어져 한국은 꼴찌로 떨어지고 멕시코가 1위로 올라선다. OECD 더 나은 삶 지수(Better Life Index) 중 삶의 만족도(Life Satisfaction) 지수를 보면 한국은 6.0으로 36개국 중 25위다. 칠레는 6.6으로 23위, 브라질은 7.2로 13위이며 멕시코는 7.4로 10위를 차지하고 있다.

물론 국민소득이 절대적으로 많은 경우 삶의 만족도가 높을 가능성은 크다. 삶의 만족도 지수가 7.8로 1위인 스위스는 1인당 국민총소득이 8만6600달러, 2위인 노르웨이는 10만2610달러로 한국의 4배 안팎에 달한다. 그러나 이 역시 결정적 조건일 수 없다.

인도와 중국 티베트자치구 사이에 있는 인구 75만여명의 소국, 부탄은 100명 중 97명이 "나는 행복하다"고 답할 만큼 행복지수가 높다. 이 나라의 1인당 국민소득은 고작 2500달러 정도로 한국의 10분의 1에 불과하다. 부탄은 1972년부터 GDP 대신 '국민행복지수(GNH:Gross National Happiness)'를 국가 발전의 잣대로 삼고 있다. 이를 관장하는 정부 명칭도 '국민총행복위원회'인데 우리로 치면 장관급인 해당 위원장은 늘 언론 인터뷰에서 "물질적인 것과 비물질적인 것의 조화를 중시한다"고 말한다.

행복 지수는 자신이 얼마나 행복한가를 스스로 측정하는 지수이다. 영국의 심리학자 로스웰(Rothwell)과 인생 상담사 코언(Cohen)이 만들어 2002년에 발표한 행복 지수가 대표적이다.[42]

총량지표와 행복지수의 괴리는 여러 이유가 있겠지만 무엇보다 분배의 불균형과 관련이 깊은 것으로 보인다. 경제성장의 과실이 제대로 분배되지 않으면서 총량지표의 체감도가 떨어지고 소외감과 박탈감이 커지는 것이다. 예를 들면 2013년 1인당 GNI가 2869만5000원이라고 하지만 이 중 가계가 온전하게 챙기는 액수는 1608만6000원으로 56%에 불과하다.

국민 개개인에게 의미가 있고 실감하는 수치는 2869만원이 아니라 1608만원인 것이다. 가계가 챙기는 과실의 비율이 OECD 평균(62.6%)에 한참 못 미치는 것이다. 선진국의 가계 몫 비중을 보면 미국이 74.2%, 독일 66.1%, 일본 64.2%이다. 한국은 이 비율이 1980년 70.7%→1990년 66.7%→2000년 62.9%→2007년 57.6% 식으로 줄곧 떨어지는 흐름이었다.

나. “숫자를 버려라”

경제적 성과를 측정하는 지표로 GDP를 대체할 새로운 지표가 딱히 있는 것은 아니다. 경제전문가들은 대체로 GDP나 GNI 같은 총량지표의 한계를 지적하면서도 그 역할에 대해서도 불가피성을 인정했다.

문제는 정부가 총량지표에 너무 무게를 두고 있다는 점이다. “성장률만 올리면 다 되는 것처럼 국민을 오인케 하는 것” 이라는 지적이 나온다. 연장선에서 “성장률을 높이기 위해 돈 풀어 양적 성장을 하겠다는 생각부터 버려야 한다” 는 충고가 잇따랐다.

이용섭 전 새정치민주연합 의원은 “우리 경제는 저성장과 양극화라는 두 가지 큰 문제를 안고 있는데 이젠 금리를 내려 돈을 풀어도 성장이 안 된다” 며 정책 패러다임의 대전환 필요성을 강조했다. 이 전 의원은 “성장률 숫자부터 버려야 한다” 고 말했다.

분배 관련 지표를 국정의 간판 목표로 함께 걸어야 한다는 지적도 잇따랐다. 전성인 홍익대 교수는 “성장률 목표가 아니라 ‘노동소득 분배율 5%포인트 제고’ 식의 질 좋은 성장을 위한 목표가 필요한 때” 라고 말했다. 안동현 서울대 교수는 “정부 정책에서부터 총량 지표뿐 아니라 지니계수, 노동소득 분배율 등 분배 지표들에 비중을 두고 관리해야 한다” 고 지적했다.[43]

23. 4차 산업혁명 주도할 한국판 뉴딜

1920년대 후반부터 시작된 세계 대공황을 극복하기 위해 미국의 제32대 대통령 프랭클린 D. 루스벨트가 단행했던 부흥 정책인 뉴딜 정책(New deal)에서 따왔다. 당시의 뉴딜은 예산 측면에서는 아메리카 대륙의 넓은 국토에서 과잉 생산되는 농작물을 통제하여 가격을 안정시키는 것을 목적으로 하는 농업조정법(Agricultural Adjustment Act)과 테네시 강 유역 및 개척이 끝난 서부 일대의 대규모 토목 공사를 통한 일자리 창출이 핵심이었으므로, '한국판 뉴딜' 과는 정부 자금을 지원한다는 얼개만 비슷할 뿐 그 양상과 내용은 미국의 뉴딜 정책과 전혀 다르다.

또 '그린뉴딜' 의 경우 2007년 미국의 언론인 토머스 L. 프리드먼(Thomas L. Friedman)이 '그린(Green)' 과 '뉴딜' 을 합쳐 만든 조어로, '화석 연료 중심의 산업 구조를 친환경 에너지로 대체하자' 는 환경 운동을 이르는 용어이다. 그린 뉴딜 계획의 경우 한국판 뉴딜의 하위 계획에 포함되어 있다.[44]

지금 세계는 초연결, 빅데이터, 인공지능(AI) 등 디지털로 촉발된 4차 산업혁명이라는 지능화 혁명을 경험하며 거대한 문명사적 변화에 직면했다. 특히 빅데이터와 AI 기술의 발전은 생산 방식의 혁신을 통한 생산성 증대 그리고 자율주행·스마트시티 등 부가가치가 높은 신산업 창출과 이에 따른 일자리 구조 변동을 주도할 뿐만 아니라, 개인별 맞춤형 서비스 제공을 통해 국민 생활의 편의와 복지를 증진하는 등 사회 전반적인 변혁에 이바지하고 있다. 다만 경제·산업 구조 변화 과정에서 실업 양산과 경제 양극화가 나타날 우려가 존재하며 따라서 일자리 안전망 강화에 대한 국민적 요구도 분출되는 상황이다.

이처럼 4차 산업혁명에 기인한 변화에 대한 긍·부정적 시각이 혼재하나 빅데이터와 AI 분야가 단순한 기술적 차원을 넘어 우리 사회 모든 영역에 걸친 패러다임의 변화를 초래하고 있음은 자명한 사실이다. 최근 정부는 디지털 전환이 가속되는 시점에 신종 코로나바이러스감염증(코로나19) 사태로 인한 위기를 극복하고 이후 글로벌 경제 선도와 미래에 대비하는 국가발전전략의 일환으로 한국판 뉴딜(디지털 뉴딜)을 제시했다.

한국판 뉴딜의 주요 핵심은 DNA(Data·Network·AI) 생태계 강화를 기준으로 스마트 사회를 실현하자는 것이다. 공공데이터 14만개를 공개해 데이터 댐을 만들고 만여개 기업 데이터를 제공해 국가・사회 전 분야의 데이터 생산・유통・활용이 가능한 공공-민간 데이터 플랫폼을 구축하는 등 전 산업 영역에서 5G 통신과 AI를 접목해 융합하는 디지털 경제 가속화를 통한 경제역동성을 촉진하는 것이 주요 골자다. 또한 각종 급부적 서비스의 DB화 및 AI 활용으로 사각지대 없이 도움이 필요한 국민을 먼저 찾아 선제적 맞춤형 서비스를 제공하는 국민 중심 공공서비스의 혁신도 도모하고 있다.

복지 부분에서는 가령 AI를 기반으로 하는 헬스케어 로봇이 노년의 사용자가 30분 이상 말이 없으면 먼저 말을 걸기도 하고, 5시간 이상 움직임이 없을 시 보호자나 생활관리사에게 자동 연결하는 등 취약계층 대상의 서비스를 제공한다. 또한 100만명의 바이오 빅데이터로 희소 난치병을 극복하기 위한 스마트 건강관리 시스템이 발현된다. 농업 부분에서도 지능화 기술을 활용해 농장 규모와 작물 수요에 따라 환경을 제어해 고품질 작물을 최대한으로 수확할 수 있는 컨테이너 농장을 가능하게 하고 금융, 치안, 행정 등 다양한 부분에 뉴딜의 성과가 있을 것으로 기대된다.

우리나라는 높은 교육 수준과 신기술 수용성, 세계 최고의 ICT 인프라와 반도체・제조 기술 등 AI를 잘 할 수 있는 강점을 보유하고 있다. 그렇기에 AI 기술의 발전을 넘어 산업에 활기를 불어넣고, 사회문제 해결과 사람 중심의 사회 혁신을 달성하기 위한 국가적 역량을 총집결시킬 필요가 있다. 이는 정부의 노력만으로 가능한 것은 아니다. 기업 및 산업, 학계 등 전문가 그리고 역동적 시장을 위한 소비 주체이자 사회적 논의의 참여 주체자로서 AI 시대를 이끌 당사자인 국민 모두가 합심할 필요가 있다.

2017년 하반기에 출범한 대통령 직속 4차산업혁명위원회는 지난해 12월 부처합동으로 발표된 AI 국가전략과 올해 8월에 발표된 한국형 뉴딜로 그 맥락이 이어지는 모양새다. 4차산업혁명위를 중심으로 포스트 코로나 시대를 주도할 국가・사회 전반의 준비가 필요하며 국민의 참여와 지지가 병합된 한국판 뉴딜의 가시적인 성과를 기대한다.[45]

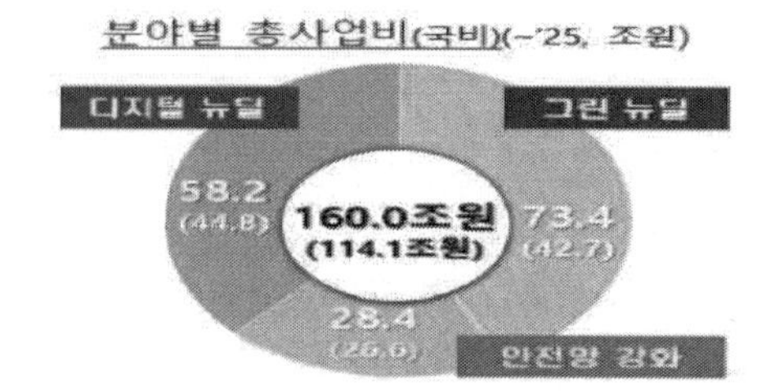

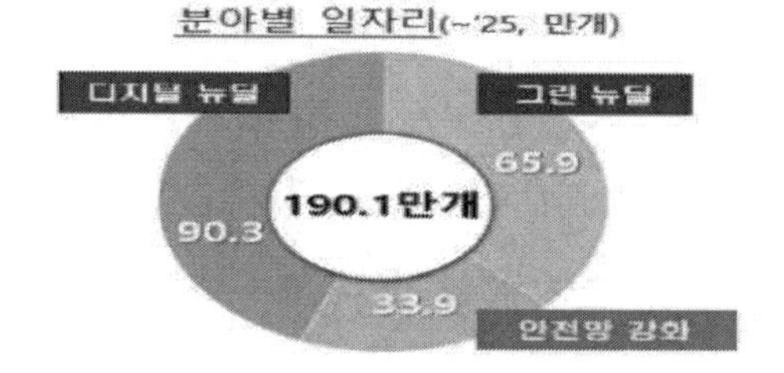

24. 불확정성의 자본주의와 경제민주화

시장은 인류의 역사 속에선 물론 다른 동물 사회에서도 관찰될 만큼 보편적 생명 현상이다. 하지만 이런 시장이 인간의 경제활동 대부분을 설명할 수 있을 만큼 커진 것은 인류 역사에서 매우 최근에 일어난 변화라 할 수 있다. 이른바 자본주의의 태동과 확장의 짧은 역사! 자본주의는 개개인의 자발적 의사결정에 기초하여 사회적 결정이 이루어지므로 민주주의와 유사하다. 실제 중세 유럽의 농노해방, 미국의 흑인 노예제 폐지 등과 같은 정치적 자유와 민주적 권리가 신장된 것이 초기 자본주의의 태동과 발전에 중대한 영향을 미쳤다.

군주제 혹은 봉건사회를 지배했던 자원배분의 위계질서, 절차와 방법들에 의한 세세한 통제와 간섭은 없어지고 사유재산권과 교환의 자유가 그것들을 대체했다. 이제 생산을 통해 얻어진 이익을 어떻게 노동자, 자본가, 지주들 사이에 나눌지 법과 명령에 따라 사전에 정해진 것이 아니라 시장이란 '암실'에서 결정되는 것으로 바뀌었다. 이렇게 결정되면 최선의 결과가 얻어진다고 애덤 스미스가 말하지 않았던가? 이것이 경제학 교과서에서 빠지지 않는 시장경제의 가장 중요한 장점이다.

통제와 간섭을 대체한 시장질서, 그 암실에는 불확정성이 상존한다. 애덤 스미스를 비롯한 많은 경제학자들뿐만 아니라 분배정의를 연구했던 학자들은 '공정한 암실'의 불확정성을 높이 평가했다. 그러나 현실에는 공정한 암실보다는 불공정한 암실이 더 많았다. 이처럼 나쁜 불확정성은 흔히 정치적·경제적·군사적 힘의 지배로 확정되고, 우리는 매일 그 폐해들을 접하고 있다. 자본주의의 역사는 불확정성이 일으키는 나쁜 결과들을 해소하려는 갈등과 협상의 연속이다. 그 불확정성에 대한 민주적 통제를 지속하는 과정 속에서 자본주의는 진화해왔고 민주주의는 이런 진화가 지속될 수 있던 주춧돌이었다.

1987년 독재타도와 민주화가 없었다면 한국 자본주의의 발전도 없었다. 권위주의 체제 속에서 아직도 저임금, 노동착취, 저비용 수출 전략으로 다른 개발도상국들과 하향평준화 경쟁에 빠져 있을 것이다. 민주화 없이 선진국 수준의 경제발전을 이룬 나라는 찾기 어렵다. 중동 산유국과 싱가포르 같은 특수 사례를 제외하고. 자본주의의 민주적 발전에 대해 미국 정치학자 가브리엘 알몬드는 "모든 자본주의 선진국들이 복지국가로 자리 잡았고 어떤 형태로든 사회보험, 보건과 복지 안전망, 그리고 자본주의의 폐해를 해소하는 규제 장치를 갖출 수 있었다”며 “복지(국가) 개혁이 없었다면 자본주의의 존속은 어려웠을 것”이라고 말했다. 이런 민주주의적 수정이 없었다면 불평등과 사회 양극화로 다수를 억압하는 폭압적 자본주의가 될 수밖에 없고, 민주적 복지자본주의와 폭압적 자본주의의 양자 중 전자가 지속 가능하다는 것은 분명해 보인다.

경제민주화와 재벌개혁이라는 사회적 담론이 꽤 오랫동안 지속됐다. 재벌가의 사리사욕으로 한국을 대표하는 기업들이 곤란을 겪고 시장이 무질서해지는 것을 더 이상 좌시할 수 없고 극심한 불평등과 양극화 역시 경제발전을 지속할 인적동력을 손상시키는 단계에 이르렀다. 모두 자본주의의 불확정성 속에서 형성된 힘의 논리의 결과다. 관련 제도의 공백 속에서 일어난 사익추구의 당연한 귀결이었다. 미국·독일·일본 등 자본주의 선진국들이 같은 경험을 했고 공정거래에 대한 제도개혁으로 대처했다. 이렇게 힘의 논리가 지배했던 불확정성은 공정경쟁의 시장질서, 공정한 불확정성으로 전환될 수 있었다.

이제는 경제민주화를 좌익의 정치적 구호쯤으로 생각하게 하는 ‘정치적 세뇌’의 영향에서 벗어날 때가 됐다. 이런 어리석은 세뇌를 일삼는 정치세력은 민주적으로 숙청돼야 한다. 선진 자본주의 경제질서가 자리 잡으려면 경제민주화는 선택이 아닌 필수다. 이것을 새 좌표로 삼아 정치적 타협이 이루어져야 한다. 지금 논의되는 공정경제 3법은 그 사회적 타협의 출발이다.

노동에 대한 보상을 결정하는 시장의 나쁜 불확정성은 19세기 자본주의의 지속가능성에 대한 심각한 고민으로 이어졌다. 존 스튜어트 밀은 그의 정치경제학 원론, 노동계급의 미래에 대한 결말에서 교육과 민주주의적 정치참여, 노동계급의 연대 그리고 시민사회의 지적 성숙이 빈곤과 불평등을 극복할 수 있는 열쇠라고 했다. 그의 결론은 현대 자본주의의 나쁜 불확정성에 대한 민주적 해법으로 확대돼야 한다. 지구적 불평등과 빈곤, 노동착취와 불공정 무역, 기후위기와 생태계 파괴, 전쟁, 군사적 긴장과 군비경쟁 등 자본주의의 나쁜 불확정성이 만든 힘의 논리가 인류의 미래를 위협하고 있다.[46]

25. 韓日 무역전쟁-겉 다르고 속 다른 양국의 국가 주도 과잉개입-

일본의 추가 보복이 이어질 경우 '상응조치' 로서 우리 주요 품목의 대일 수출 제한, 일본산 수입품 추가 관세 부가 나아가 한국의 화이트리스트에서 일본을 제외하는 등 강경대응도 가능할 수도 있다. 그러나 한국은 그동안 WTO 이사회에서 일본 수출규제의 부당성 호소, 불공정 무역행위에 대한 WTO제소 준비 등 연성전략에 치중했다.

광복절인 8월 15일 서울광장에서 열린 광복 74주년 일제 강제동원 문제해결을 위한 시민대회 및 국제평화행진에 참석한 강제징용 피해자 양금덕 할머니와, 이춘식 할아버지가 발언을 하고 있다.
(사진=뉴시스)

그러나 일본이 설정한 강제징용 관련 '제3국 중재위원회 구성' 에 대한 우리 정부의 답변 기한인 7. 18일을 넘기는 것이 확실해지고 7. 16일 한국 대통령 발언은 강경했다. 일본의 수출제한이 반세기간 축적해 온 양국 협력의 틀을 깨고 우리경제의 성장을 가로 막는 행위이며 전략물자 밀반출 의혹 제기는 우리에 대한 중대한 도전이며 결국 일본 경제에 더 큰 피해를 초래할 것이라며 사태의 장기화에 대비한다는 입장이다. 그러나 분명한 것은 이러한 양측의 강대강 대응은 결코 현명하지 못하는 것을 양측이 너무나 잘 알고 있다는 사실이다.

특히 이번 일본의 조치가 양국은 물론 미국경제와 인도태평양 전략에도 적지 않은 파장을 몰고 올 것으로 예상되었다. 그러나 양자간 외교적 해결을 원칙을 강조하면서 개입을 자제했던 미국은 한국이 한일군사정보보호협정(GSOMIA) 파기를 내비치자 동맹을 중시하는 7월말 한일 양국이 '분쟁 중지 협정(standstill agreement)' 에 서명할 것을 촉구한 바 있다. 일본의 수출규제로 인한 한일 갈등이 더 커지는 걸 막기 위해 미국이 본격적으로 중재에 나선 것으로 보인다.

이번 조치는 한국의 대일수출입 축소와 일본의 대한수출 감소로 양국간 무역투자는 축소균형으로 갈 공산이 커졌다. 국교정상화 이후 50년간 양국이 줄곧 지향해 온 무역투자 확대균형과는 거리가 멀어지게 되었다. 2012년 이후 축소일로에 접어든 양국간 무역투자 활동에 대못을 박고자 작심한 셈이다. 세계 최대의 최상이 효율적인 동아시아 공정분업권에 대한 심각한 도발이 아닐 수 없다.

일본은 왜 이러한 정책선택을 한 것일까. 원인은 세 가지다. 첫째, 대법원의 강제징용 배상판결과 일본기업의 한국내 자산동결, 매각, 현금화 조치에 따른 자국 민간기업 피해에 대한 사전 대응조치다. 둘째, 트럼프 행정부 출범이후 강화되고 있는 시대착오적 자국 우선주의와 보호주의에 대한 편승이다. 셋째, 최근 화웨이 사태에서 보듯 미국의 대중 전략기술정보 규제를 위한 미일의 국제공조체제 구축이다. 이를 통해 한미일 동맹체제를 강화하고 북중러 대륙세력을 견제하려는 것이다.

일본은 오랜 동안 구미선진국의 보호주의적 무역정책에 반기를 들고 다자와 양자 협상에서 룰 셋터로서의 자국의 역할을 자임해 왔다. 90년대 중반부터 대두되기 시작한 지역주의에도 불구하고 다자주의와의 병행을 기본으로 한 개방적 지역주의가 일본의 대외경제정책의 기본이었다. 트럼프 대통령이 TPP(환태평양자유무역협정)를 일방적으로 파기하자 일본은 미국을 대신하여 환태평양자유무역권의 리더로서 위상을 다지려는 속셈이다.

여기에 대중유화 제스처도 가미되기 시작했다. 이번 오사카 G20 공동성명에서도 스스로 자유무역과 공정경쟁을 위한 규범 추동자로서의 기존방침을 밝힌 바 있다. 이번 조치는 G20 정상회의 직후 방한한 트럼프 대통령이 귀국길에 오르자마자 터져 나왔다. 우리는 이러한 일본의 겉 다르고 속 다른 이중적 행동에 실소를 금할 수 없다.

이번 사태는 일본 측의 문제만 아니다. 지난 정부가 2015년 말 일본정부와 가까스로 도달한 위안부 문제 합의는 일본군의 관여, 일본정부의 책임통감, 아베총리의 사죄와 반성을 담았고 일본 정부예산(10억 엔)으로 '화해와 치유 재단' 설립하고 일부 위안부 할머니들에게 위로금을 지급했다. 일부는 일본정부의 사죄와 반성이 불충분했고 본인들과 위로금에 대한 사전 협의도 없었다는 이유로 위로금 수령을 거부했다. 이번 정부 들자마자 위안부 합의를 검증하고 피해자 우선주의를 명분으로 재단을 해산시키면서 일본에는 더 이상 요구하지 않겠다고 했다. 여기서부터 양국간 신뢰관계는 금이 가기 시작했다.

위안부문제는 수면 아래로 잠복했지만 이윽고 2018년 10월 대법원은 전원합의부에서 식민지배의 불법성 인정, 징용피해자 개인피해보상 판결을 통해 피해자에게 1억 원 상당의 배상을 명했다. 이미 국가보상을 명시한 65년 한일기본조약과 청구권협정 자체를 근본부터 흔들었다. 당연히 국제법을 무시한 처사로서 국가간 신뢰를 헤치는 일방적 행위에 대한 일본측 반응은 격렬할 수밖에 없었다.

한국정부는 이미 1975년 징용피해자 보상을 했다. 그러나 당시에도 강제동원 부상자를 제외하는 등 도의적 차원에서 보상이 불충분하다고 판단한 바 있다. 2005년 1월 40년 만에 한일협정 문서가 공개되자 강제징용 피해자들의 문서공개 요구가 법원이 받아들였고 후속대책을 위한 민관공동위원회가 발족했다. 당시 쟁점이었던 국가간 협상에 의한 개인 청구권 소멸여부를 두고 현 대통령(당시 청와대 민정수석)은 개인의 참여나 위임이 없는 상태에서 국가 간 협정으로 개인의 청구권을 어떤 법리로 소멸시킬 수 있는지 검토해야 한다는 의견을 냈다.

민관공동위의 결론에 따라 2005년 노무현 정권은 위안부문제는 한일 청구권 협정으로 해결되지 않았지만 강제징용문제는 개인청구권은 유효하지만 65년 협정에 따라 무상 3억 달러에 반영된 것이므로 행사가 어렵다고 보고 2007년 특별법으로 정부예산으로 위로금과 지원금 형태로 추가보상에 착수하는 것으로 정리한 것이었다. 2015년까지 징용피해자 7만 2,631명에 6,184억원이 지급되었다. 일본 역시 기본조약으로 완전하고 최종적으로 해결되었으므로 정부와 기업의 배상의무 없음을 분명히 했다.

그러나 2012년 5월 대법원에서 한일협정에도 불구하고 개인 청구권 행사가 가능하다는 파기환송 판결이 나왔고 2018년 10월 대법원은 그 판결을 확정한 것이다. 2005년 당시 민정수석(현 대통령)은 "국가간 협정으로 개인 청구권이 어떤 법리로 소멸될 수 있는지 검토하자" 고 문제를 제기한지 13년 만에 확정판결을 얻어낸 셈이다.

이후 징용공 피해보상 판결은 줄을 이었고 해결방안은 찾지 못한 채 양국관계는 마주달리는 열차와 같이 언제 파열되어도 이상하지 않으리만치 표류를 거듭해 왔다. 양국정부는 각자의 국내 상황 때문에 선제적 행동은 기대하기 어려웠다. 한국 정부는 삼권분립의 입장에서 대법원판결이라는 사법부 결정에 대한 관여 문제와 피해자들의 반발을, 일본정부는 기본조약으로 완결된 사안으로 배상불가는 물론 배상범위, 대상자의 신원파악에 대한 확정불가와 한국이외 국가로의 확대가능성을 우려한 때문이다. 한국과 일본 공히 운신의 폭이 좁을 수밖에 없었다.

그동안 양국 전문가들도 세 가지 안을 둘러싸고 설왕설래했다. ① 징용공 관련 이른바 가해 일본기업과 한일협정 당시 일본의 경제협력자금으로 설립된 한국기업과 양국 정부가 참여하는 기금설립, ② 한일협정에 명시된 제3국 중재위 회부, ③ 국제사법재판소(IJC) 위임 등이 그것이었다. 한국은 기금의 경우 한국정부와 기업 참여가 대법원 판결에 위배될 뿐만 아니라 일본은 기업의 참여가 거의 불가능하다는 판단에서 행동에 옮기기를 주저할 수밖에 없었다.

중재위와 국제사법재판소 위임 결정 역시 외교적 협상과 대화의 실패를 대내외적으로 공인하는 결과를 초래하기 때문이다. 동시에 제3자 결정을 정부는 물론 정작 피해 당사자들의 최종 수용여부가 크게 의문시 되었다. 더욱이 양국간 쟁점이 발생할 때마다 제3자 위임이라는 선례를 만들 우려가 제기되었다.[47][48]

일본 측은 한국에 대한 경제제재 등 대항조치를 거듭 시사하면서 5. 20일 한일청구권 협정에 의거한 중재위 방안을 정식으로 강하게 요구했다. 그러나 끝내 거부당했고 혐한분위기는 고조되고 친한 파마저 등을 돌리기 시작했다. 동시에 반일감정도 격해지기 시작했다. 당연히 양국 정치권은 이를 이용하기 마련이다.

첫째, 일본의 수출규제로 인해 한국의 수입업체가 받을 영향을 과대 평가했다.

둘째, 최근에는 한국 소비자들의 일본상품 불매, 일본 관광 일정과 한일 직행편 축소, 지자체간의 기존 문화교류행사 취소 등 결코 바람직하지 못한 일반기업과 시민사회 대응을 보고 있어 공공외교의 틀마저 무너지는 안타까운 상황이다. 일본마저 예상치 못한 것이다.

셋째, 한국내 자산매각으로 피해가 예상되는 강제징용 기업이 3개 품목 생산 수출업체와 어떤 기업 간 관계(지분보유, 인력파견 등)에 있는지 분명하지 않다.

넷째, 일본정부는 과연 개별기업 그것도 강제징용관련 피해와는 무관한 기업의 수출을 규제할 권한을 과연 갖는 것인가.

다섯째, 미국의 하웨이 규제에 보다 효과적으로 동참하기 위해 반도체 강국 한국의 차세대 반도체 공정을 마비시켜 일본 라이벌 기업의 비교우위를 강화하고 동시에 대중기술 유출을 차단하려는 정치적 의도이다.

여섯째, 일본의 핵심부품소재는 선린우호국의 공유자산이지 군사용이나 진배없는 전략무기가 되어서는 안 된다.

일본정부는 트럼프 행정부의 보호주의에 대한 경고를 오사카 G20 공동성명 문구에 끝내 반영하지 않은 속내를 백일하에 드러내고 말았다. 미국에 이어 일본마저 WTO다자주의에서 이탈하면서 기능부재에 빠진 WTO 제소 역시 판결까지는 3년 이상이 소요되는 등 이번 사태해결에는 거의 도움이 되지 않는다는 것이 중론이다. 행정당국의 면피용일 뿐이다.[49][50]

26. 가계부채의 경제학

가계부채(家計負債)는 가구의 빚을 말한다. 가계는 가구의 수입과 지출 상태를 뜻하는 말이며 부채는 빚을 뜻한다. 2000년대에 들어와서 가계의 부채는 주택의 구입과 연동하는 측면이 있다. 주택을 구입하기 위해서 은행에 빚을 지는 일이 늘어나고 있다. 특히 한국에서는 그것이 주택가격의 상승을 부추기는 측면이 있어서 많은 전문가들의 우려를 낳고 있다.

가계부채는 가구나 개인의 부채이지만 국가의 부담으로 작용할 수도 있다. 사채가 아닌 이상 은행이나 카드사, 캐피탈, 상호금융에서 돈을 빌릴 수밖에 없는데 이곳들도 맨입으로 어디서 돈을 만들어다가 꿔주는 게 아니기 때문이다.

한국 가계부채(가계신용 기준)는 공식적으로 2020년 1분기 말 기준 1611조원으로 전년 동기 대비 4.6% 상승했다. 증가율만 보면 2010~2019년 평균 7.7%에 비해 높지 않은 편이다. 국내총생산(GDP) 대비 가계부채비율은 95.9%, 처분가능소득 대비 가계부채비율은 163.1%로 상승했다. 차주 구성을 보더라도 고신용(3등급 이상), 고소득(상위 30%) 차주의 대출 비중이 60~70%대의 높은 수준이다. 유사시 부채상환 여력을 가늠할 수 있는 금융자산 대비 금융부채비율도 47.7%로 양호해 보인다. 통계 작성 기준의 문제, 예컨대 개인사업자대출과 같이 사실상 가계부채로 볼 수 있는 유형까지 포함해야 한다는 점, 경제협력개발기구(OECD)나 국제결제은행(BIS) 등에서 발표하는 수치보다 상당히 낮다는 점 등은 일단 논외로 하자. 사실 한국의 가계신용 증가율은 정부의 지속적인 주택시장 안정화 대책과 가계대출 규제 강화 등의 영향으로 2018년 이후 점차 둔화하는 양상을 보이다가 올해 들어 다시 반등하고 있다. 게다가 가계부채 구조의 질적 개선이라고 할 수 있는 변동금리, 일시상환 방식 위주에서 고정금리, 분할상환 방식으로의 전환 흐름도 올해 들어 다시 역전되고 있다. 2019년 말 원리금 분할상환 비중은 55%, 고정금리대출 비중은 48%까지 높아졌다가 다시 신규대출 기준으로 30% 남짓한 수준으로 떨어졌다.

일반적으로 가계부채가 경제에 미치는 영향에는 두 가지 측면이 존재한다. 하나는 가계부채가 소비 및 경제성장을 촉진시키는 효과이다. 소위 생애에 걸친 소비평탄화를 위한 소비 목적의 가계차입은 총소비를 증대시키며, 자산 구입 목적의 가계차입도 내구재 소비 증대 등을 통해 총소비 증대에 기여할 수 있다. 반면에 가계부채의 누적은 차입가계의 원리금 상환부담 가중 및 가계의 소비제약 등으로 경제성장에 부정적인 영향을 줄 수 있다. 부정적인 효과가 긍정적인 효과를 상회하는 임계 부채 수준에 대해서는 50%, 80%, 90% 등 여러 수치들이 제시되고 있으나 딱히 기준으로 삼기는 어렵다. 모든 부채가 그렇듯이 미래의 소득이 현재의 원리금 상환부담보다 많다면 부채의 긍정적 효과가 더 클 것이기 때문이다. 다만 몇몇 국내 연구들에 따르면, 적어도 2010년대 중반 이후에는 가계부채 증가가 소비와 경제성장에 긍정적이기보다는 부정적으로 작용하고 있다는 게 공통된 분석결과이다. 가계부채와 소비 간의 관계가 최근 약화된 건 미래 경기에 대한 불확실성이 크고, 주택 구입이나 전・월세 보증금 확보, 사업자금 마련 등을 위한 목적의 대출이 적지 않기 때문이다. 9월 말 현재 958조원에 이르는 은행 가계대출의 73%가 주택담보대출이라는 건 거시경제 및 금융 안정에도 심각한 위협요인이다. 결국 이러한 불안정성을 해결하는 하나의 방법은 신용의 이용 가능성을 제한하는 것이다.

바젤의 자본규제하에서는 자산의 형태에 따라 자본요구량을 다르게 정하기 위해 위험가중치를 사용한다. 통상 부동산대출이 가장 안전한 대출로 간주된다. 하지만 개별 은행 관점에서 상대적으로 안전한 부동산담보대출도 거품과 과잉부채를 만들어 경제 전체의 불안정을 확대시킬 수 있다. 사적 위험이 아닌 거시적 위험을 감안한 위험가중치 설정이 중요한 이유다. 이러한 견지에서 우리 규제당국은 신용형태별 자본요구량을 정할 때 LTV 60% 이상의 고위험 주택담보대출의 위험가중치를 최대 70%까지 올렸으나 이제 그 범위를 좀 더 확대하는 방안에 대해 검토할 필요가 있다. 물론 그 역효과로 나타날 수 있는 수요 위축, 소비자 후생 악화와 불평등 심화에 대한 대응책도 필요할 것이다. 현재와 같은 상황에서 민간부채와 국가부채를 동시에 줄이기는 어렵다는 걸 받아들여야 한다. 또한 부동산 가격 상승에 기댄 경제성장은 지속 가능하지 않다는 걸 모든 경제주체들, 소위 시장이 받아들일 수 있도록 적극적이고 일관된 정책 추진이 필요하다.[51)]

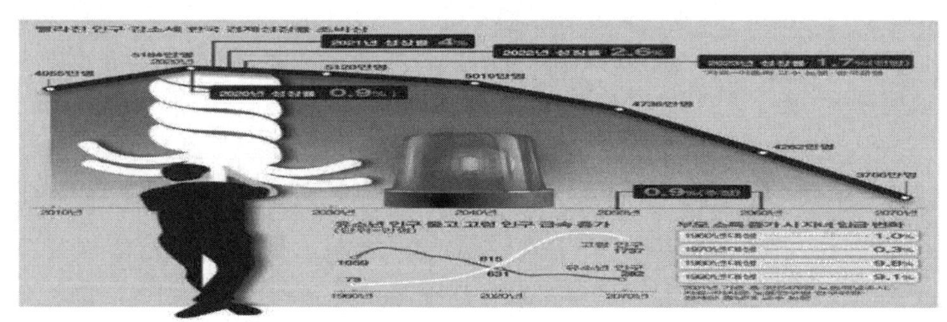

27. 경제가 재정보다 우선이다

그리스 신화엔 프로크루스테스란 인물이 등장한다. 침대 크기에 맞춰 사람의 팔다리를 자르거나 혹은 늘여서 죽였다는 악인이다. 이 이야기의 반전 중 하나는 그의 침대엔 길이를 조절하는 숨겨진 장치가 있어서 사실은 어느 누구도 그 침대 크기에 꼭 맞을 수가 없었다는 점이다. 사람을 죽이기 위한 고약한 방식이었던 것이다. 코로나19로 인한 초유의 위기 와중에 정부가 재정준칙을 도입하기로 했다는 보도를 접하면서 뇌리를 스친 이야기다.

공교롭게도 그 제안된 재정준칙은 유럽연합(EU)이 1993년 출범하면서 합의한 준칙과 같다. 1년 재정적자는 GDP의 3% 이내에서 관리되어야 하고, 국가채무는 GDP의 60%를 넘지 말아야 한다는 것. 독일은 이 재정준칙을 회원국 모두가 엄격히 준수하도록 하기 위해 1997년 '성장과 안정 협약'이란 걸 이끌어내고, 재정적자가 큰 회원국들에 대해 제재를 가하는 길을 열었다. 문제는, 2008년 글로벌 금융위기로 이 재정준칙을 도저히 지킬 수 없는 상황이 발생한 것이다. 2015년까지 유로존 국가 중 에스토니아, 핀란드, 룩셈부르크만이 이 재정준칙을 충족할 수 있었다. 독일의 경우도 상당기간 이 준칙을 지키지 못했다. 2003년부터 2018년까지 국가채무가 GDP의 60%를 넘었기 때문이다.

그럼에도 불구하고 독일 정부는 회원국들에 이 재정준칙 준수를 지속적으로 압박했다. 특히 2012년 유럽중앙은행(ECB)이 국가부도 위기에 직면한 회원국 정부채권을 매입해주기 시작하자 유럽연합법에 위반된다면서 유럽사법재판소에 소송을 제기하기까지 했다. 3년이 지나 유럽사법재판소가 법에 저촉되지 않는다고 판결하자, 이 문제를 다시 독일헌법재판소에 위헌심판 청구하고, 2016년 6월이 되어서야 독일헌법재판소도 ECB의 정부채권 매입이 불법이 아니라고 최종 판정하기에 이른다. 이런 법적분쟁 와중에 ECB는 정부채권 매입을 중단하게 되고, 유로권 경제는 장기불황에 빠져들게 됐었다. 재정준칙이 경제위기 시에 족쇄가 된 것이다.

아이러니한 건, 이번 코로나19 팬데믹 중에는 독일 정부가 가장 적극적인 재정부양책을 시행해오고 있다는 점이다. 정부지출 확대를 통한 재정부양책의 규모는 GDP의 10%에 달하고, 긴급자금 대출과 감세조치 등 여타의 정부재정을 통한 보증조치들의 규모는 GDP의 30%에 달한다. 가히 세계 최고 수준의 확장재정책이다.

ECB의 경우도 지난 3월 중순 이후로 지난달까지 2조유로(약 2662조원) 이상의 채권을 매입해오고 있다. 사력을 다해 선제적 확장재정 정책을 취해오고 있는 것이다. 장기불황을 통해 경제회복이 재정건전성 원칙에 우선한다는 교훈을 뼈저리게 깨달았기 때문이다.

그런데 어찌된 영문인지 한국 정부는 이 초유의 위기 와중에 EU의 재정준칙을 도입하겠다고 한다. 90여개국이 이러저러한 재정준칙을 도입해오고 있다는 논리를 펴고 있는데, 실상은 그 재정준칙을 제대로 지키는 나라들이 거의 없다. 미국의 경우에도 1917년 정부부채 상한선이 도입된 이후 90여차례나 상향 조정되어왔다. 2001년부터 2016년 사이엔 14번이나 상한선이 인상됐는데, 그 상한선 조정을 놓고 거의 매년 정쟁이 끊이질 않았다. 급기야 트럼프 정부에 이르러서는 부채상한선을 잠정적으로 중지하기에 이르렀다.

시야를 전 세계로 넓혀 봐도 확장재정 기조는 뚜렷하다.

국제통화기금의 전망에 따르면, 지난 3월 이후 전 세계적으로 집행되어온 재정부양책의 규모는 12조달러(약 1경3536조원)를 상회하고, 올 한 해 전 세계 평균 재정적자 규모는 GDP의 -12.7%, 국가채무는 98.7%에 달할 것으로 전망된다. 나아가 이런 확장재정 정책을 지원하기 위해 선진 10개국 중앙은행들이 지난 3월 이후 지금까지 매입해온 채권의 규모는 7조5000억달러(약 8452조원)에 달하고, 20여개의 발전도상국 중앙은행들도 사상 처음으로 정부채권을 매입해오고 있다.

한국은 행정부가 갖고 있는 재정권한이 이미 지나치리만큼 강하다. 헌법 제57조는 "국회는 정부의 동의 없이 정부가 제출한 지출예산 각항의 금액을 증가하거나 새 비목을 설치할 수 없다"고 규정하고 있다. 의회가 예산증액을 할 수도, 새로운 지출항목을 만들 수도 없는 것은 다른 민주국가에선 찾아보기 힘들다. 지금은 재정준칙 도입이 아니라, 재정을 어떻게 더 과감하고 효율적으로 집행해서 고용을 유지하고, 소비와 투자의 선순환을 만들어나갈지에 모든 정책역량이 모아져야 할 때다. 그나저나 프로크루스테스(Procrustes)는 그 자신이 만든 침대로 죽임을 당했다고 한다.[52)]

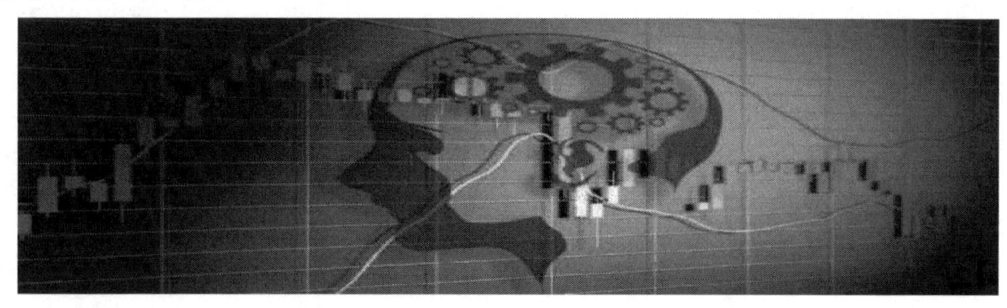

28. 이낙연, '이익공유제' 올인···게임 체인저 될까?

이익공유제(profit sharing, 利益共有制)란 대기업과 협력기업 간 공동 노력으로 발생한 이익을 사전에 양자 간 약정한 바에 따라 공유하는 것을 말한다. 정운찬 당시 동반성장위원장이 2011년 제시한 개념이다. 거론되고 있는 이익공유 방법으로는 대기업과 협력사가 판매수입을 나누는 판매수입 공유제, 순이익을 나누는 순이익 공유제, 연초 설정한 이익목표초과분을 나누는 목표초과 공유제 등이 있다. 이에 대해 재계는 목표 이익 설정 및 기여도 평가 불가, 기업 혁신 유인 약과, 주주 재산권 침해 등 이유로 반대 입장을 표명한다.

세계적으로 협력이익공유제를 법제화한 국가는 없는 가운데 남양유업이 국내 최초로 도입해 업계의 주목을 받고 있다.[53]

최근 이낙연 더불어민주당 대표가 '코로나 이익공유제'에 올인 하고 있다. 이 대표는 이익공유제의 필요성을 사흘 연속 강조하며 여론몰이에 나섰다. '민간의 자발적 참여 추진'을 원칙으로 하면서, 비대면 플랫폼 경제 시대에 적합한 상생협력 모델을 만들자는 것이다. 이 대표는 최근 전 대통령 사면 논란 등으로 점수를 까먹은 걸 만회하기 위해 이익공유제를 강력하게 밀어붙일 태세다.

이 대표의 이익공유제 취지는 일단 상당히 좋다. 코로나19로 인한 양극화는 우리나라만의 문제가 아니라 전 세계적으로 겪고 있는 폭발력 있는 사회갈등 요인이다. 이 대표도 '코로나19로 인한 양극화를 방치할 경우 미래에 심각한 불행의 씨앗이 될 것'이라며 '상생의 틀을 만들자'고 호소하고 있다.

이 대표는 이익공유제를 홍익표 3선 의원에게 맡겼다. 한정애 의원의 환경부 장관 입각으로 공석이 된 정책위의장 자리에 홍익표 3선 의원을 임명하고 그에게 추진단장직을 맡긴 것이다. 홍 정책위의장은 '포스트 코로나 불평등 해소 및 재정 정책 TF(태스크포스)'를 맡아 이익공유제 총대를 메고 전진을 외치고 있다. 특히 해당 법안은 중소벤처기업부 장관으로 유력 거론되는 정태호 의원과 정책위의장을 역임했던 조정식 의원이 각각 발의했기 때문에 이익공유제 추진에 무게감이 더해지고 있다는 분석이다.

이 대표의 이익공유제 핵심은 3가지다. 가장 중요한 원칙은 '민간의 자발적 참여로 추진되는 것'이다. 군사정권 시절부터 정부가 기업에 각종 출연금 명목으로 돈을 뜯어낸 악성 선례가 있는 만큼 이 대표도 이 문제를 가장 우려하고 있다. 이익공유제의 좋은 취지에도 불구하고 기업 협박 프레임이 짜이게 되면 실익보다 더 큰 화를 자초할 수도 있다. 두 번째는 '자율적으로 이뤄진 상생협력 결과에 대해 기업에 세제 혜택이나 정책자금 지원 등의 인센티브를 제공하되 간섭은 하지 않는다'는 것이다. 세 번째는 '플랫폼 경제에 적합한 상생 협력 모델을 개발하는 것'이다.

이 대표의 원대한 그림은 홍 정책위의장이 관련 TF를 맡으면서 이익공유제 현실화에 속도를 내고 있다. 홍 정책위의장은 원내대책회의에서 "민주당은 코로나19로 인해 심화되고 있는 불평등을 완화, 해소하기 위한 방안 중 하나로 코로나 위기 속에 얻은 혜택과 이익을 나누는 '코로나 이익공유제'를 제안한다. 강제적인 수단보다는 공동체 회복을 위한 연대와 협력의 정신으로 자발적인 참여 방안을 마련할 것"이라고 말했다. 이어 홍 정책위의장은 "불평등 및 위기 극복을 위해 민간의 참여와 함께 확장 재정으로 국가가 적극적 역할을 해야 한다"고 설명했다. 구체적인 방안으로 대기업 또는 일부 금융에서의 펀드 조성으로 중소벤처 기업·취약계층에 대한 지원 등을 이어가는 방식이 거론되고 있다.

민주당 지지층 사이에서는 이 대표의 '이익공유제'에 대해 긍정적인 반응이 보이고 있다. 무엇보다 아무 것도 하지 않아서 지지율이 오르고 있는 국민의힘 정책부재를 공격할 수 있는 좋은 소재다. 정치 평론가들은 "불평등과 양극화 해소를 위한 정치적 대안을 제시하고 이슈를 선점한 효과는 크다"고 보고 있다. 신종 코로나바이러스 감염증(코로나19)으로 크게 고통 받고 있는 자영업자·소상공인들은 재원이 어디에서 나오든 하루빨리 실질적인 지원 대책이 있으면 좋겠다는 입장이다. 김경진 전 의원은 "영세 자영업자들 대부분이 지금 힘든 상태에 있다"며 "이 분들로부터 마음속의 응원을 받을 기회가 많이 넓어졌기 때문에 지지의 보편성이 넓어질 수 있다"고 했다.

하지만 초반부터 당내에서 이견이 나오고 있다. 양극화 해소라는 취지에는 공감하지만 자율성에만 기댈 경우 현실성이 떨어진다는 것이다. 말이 '자율성'이지 '돈 많이 번 기업들은 알아서 토해내라'는 말과도 같다는 반응도 나온다. 민주당 5선 이상민 의원은 "자발적 참여는 실효성 담보가 안 된다"며 '사회적 연대세'를 신설하는 입법을 준비 중이다. 이 대표의 의욕적인 정책 추진에 대해 상황이 묘하게 꼬여가자 당 안팎에서는 이낙연 대표의 정책입안 능력에 문제가 있는 것 아니냐는 말까지 나오고 있다. 이 대표는 지난해 말 코로나 '고통분담' 차원에서 전 국민 통신비 할인정책을 추진했지만 여론의 시큰둥한 반응을 받기도 했다. 이번 이익공유제 정책도 발표 전 각계의 의견을 충분히 수렴하지 않고 너무 여론 띄우기 식으로 추진하고 있다는 비판도 나오고 있다. 정치권에서도 거부감을 보이고 있다. 이 대표가 고통 받고 있는 자영업자 중소상공인의 절박함을 '정치적으로' 이용해 기업들의 팔을 비틀어 생색을 내려한다는 것이다. 최형두 국민의힘 원내대변인은 "이익공유제는 준조세나 다름없고, 법에 없는 법인세를 기업에게 물리는 것"이라고 반발하고 있다. 정의당은 코로나 국면에서 소득이 크게 늘어난 개인과 법인에 5% 세금을 더 부과하자는 '특별재난연대세' 신설을 거듭 제안하고 있다.

하지만 여권은 물러설 태세가 전혀 아니다. 집권여당의 대표와 정책위의장이 전방위적으로 추진하고 있는 이익공유제가 재계의 반발이 있다고 해서 쉽게 중단될 것 같지는 않을 것이다. 홍 정책위의장은 14일 당 정책조정회의에서 '기업 팔 비틀기'라는 비판에 대해 "최근 당의 포스트 코로나 이익공유제와 관련해 한동안 야당에서 사회주의 공산주의 철지난 비판을 하더니 이젠 겨우 기업 팔 비틀기 목조르기 주장하는데 사실 이 분야는 국민의힘이 훨씬 전공 아닐까 싶다. 전두환 시대 '일해재단' 박근혜 '미르재단' 등 우리보다 훨씬 많은 전력과 노하우를 갖고 있는데 우리는 그렇지 않다. 국민의힘이 걱정하듯 기업 목조르기 팔 비틀기 할 생각도 의지도 없다. 걱정하지 말길 바란다"고 쏘아붙였다.

사실 이 대표 입장에서는 이익공유제가 자신의 대권가도를 위해 상당히 중요한 동력원이다. 이 대표는 당 수장에 오른 뒤 지금까지 이렇다 할 '작품'을 만들어내지 못했다. 오히려 여론의 지점을 제대로 파악하지 못해 사면론 논란을 일으켰고 지지율은 이재명 경기도지사에게 확실히 역전당한 상태다. 이 대표의 이익공유제 제기는 고통분담을 통한 양극화 해소를 내건 이슈로 전직 대통령 사면에 이은 '통합론'의 연장선상에 있다. 이 대표의 임기는 불과 두 달 남짓 남았다. 이익공유제를 자신의 재임 성과로 강렬하게 남기겠다는 의도도 숨어 있다. 이 대표는 2월 중으로 '신복지체제' 구상도 내놓을 예정인 것으로 알려진다. 집권당의 정책과 자신의 대선플랜을 연동시키고 있는 셈이다. 이 대표의 측근의원은 "집권당 대표답게 정부정책의 실효성을 높여 향후 과제 등을 담은 정책으로 다음 정권의 비전을 보여주는데 주안점을 둘 것"이라고 말했다. 두 달 남짓 남은 집권여당 대표 임기 막바지를 다음 정부에 대한 비전을 알리는 장으로 활용하겠다는 뜻도 보인다. 지난해 연말부터 표면화된 정부여당에 대한 비판적 여론과 함께 후퇴한 대선지지율 반등이 변수다. 3월 초 임기까지 가시적 상승세를 보여줘야 주도권을 회복할 수 있다.

하지만 각계의 반발과 저항이 만만치 않다. '이익 당사자'로 지목된 IT 기업들은 답답함을 넘어 조직적인 저항 움직임마저 일고 있다. 코로나19로 벌어진 경제적 불평등을 완화하려는 취지라지만 부작용이 더 클 것이라는 우려 때문이다. 한 IT 관계자는 "대부분의 IT 기업은 사람으로 치면 아직 청소년기인데, 이런 외풍에 '성장판'이 닫힐까 걱정"이라고 말했다. IT 업계는 "취지는 공감하지만 법제화나 강제하는 분위기는 과하다. 국내서 사업하는 구글·아마존에도 이익 공유하라고 할 거냐"고 분통을 터뜨리는 분위기다. 결국 한국 기업들만 '자발적 기부'를 강요받을 것이란 얘기다. 재계에서는 이같은 '반강제 이익환수' 방식은 결과적으로 기업의 혁신 동력을 꺾고, 경제에 부메랑이 될 것이란 우려도 나온다.

재계에서는 이 대표의 이익공유제 밀어붙이기를 진정한 국민통합과 고통분담 차원이 아닌 이 대표의 대권 도전 로드맵에 따른 정치적 승부수로 받아들이는 분위기다. 정치적인 시각으로 볼 때, 대선을 앞둔 선심용 정책이라는 비판까지 나온다. 기업의 이익을 고용과 투자로 돌리도록 유도하는 것이 정부의 핵심 경제정책인데, 선거를 앞두고 집권여당이 선심성 대책을 막무가내로 밀어붙이고 있다는 것이다. 이 대표의 순수성을 의심받고 있기 때문에 이익공유제에 대해 기업들도 순순히 따라가지 않을 태세다.

한 경제평론가는 이에 대해 "사회 공론화 과정 학습이 아직 미미한 편인 우리의 정치 여건 상 여당이 사회적 대화를 추진한다고 해도 이익공유제를 관철하기 위한 자리 깔기에 그칠 가능성이 크다. 174석의 거대의석을 차지하고 있는 집권여당이 상임위원장 자리마저 독점하고 있다. 기업이 이익공유제에 대해 이견을 내거나 조금이라도 비협조적인 태도를 보일 경우 상임위에서 얼마든지 조질 수 있다. 기업들은 1년 내내 상임위에서 시달리느니 차라리 원하는 돈을 내겠다는 분위기다. 과거 전두환 일해재단식 기업 팔 비틀기가 요즘 세상에 통하겠느냐. 정부여당이 더 은밀하게 하지만 확실히 기업을 때린 일은 너무나도 많다. 정보를 독점하고 있는 집권여당이 그 정도도 못하겠느냐. 홍 정책위의장의 '사회적 대화'는 이름만 거창할 뿐 사실상 합법적인 기업 돈 빼내기 창구 역할을 할 것이라는 기업의 우려에 귀를 기울여야 한다"고 말했다. 이 대표는 이익공유제를 사면론과 함께 자신의 통합 이미지를 확실히 심으려고 할 것이다. 하지만 재계에서는 이 정책이 극심한 정쟁만 불러일으켜 오히려 국민 통합을 해칠 수도 있다는 평가도 나온다. 한 평론가는 이에 대해 "오히려 논란만 가중시킬 위험이 있다. 이익공유제 대해서 당장 야당에서는 사회주의적 발상이라는 이야기가 나오고 있을 정도"라고 말했다.

사실 이 대표가 제기한 이익공유제에는 코로나19 시대에 우리가 한번쯤 고민해봐야 할 민감한 주제가 숨어 있다. 이 대표의 이익공유제가 나오게 된 주 배경에는 최근 초이익기업으로 급부상하고 있는 플랫폼 기업과 전자결제 기업 등의 비대면 사업자의 약진 때문으로 풀이된다. 재계 일각에서는 플랫폼 기업을 노린 '핀셋 정책'이라는 말까지 나온다. 사실 코로나19 사태의 최대 수혜자는 바로 플랫폼 기반의 언택트(비대면) 온라인 사업이다. 반면 레스토랑, 카페, 헬스장 같은 대면업종은 코로나 폭탄을 맞고 초토화되다시피 했다. 한쪽은 초호황의 길로 가는데, 다른 한쪽은 재난지원금의 지급대상이다. 이런 심각한 소득 격차를 해소하자는 취지로 이 대표가 이익공유제를 제안한 것이다.

코로나19 사태로 플랫폼과 온라인 베이스의 경제 질서가 재구축되고 있다. 스마트폰의 대중화와 함께 플랫폼 기업이 제공하는 여러 서비스가 어느덧 일상생활의 기반이 되었고 코로나19 시대의 중요한 병참기지 역할을 하고 있다. 그로 인해 플랫폼-온라인 베이스 기업들은 엄청난 수익을 챙기고 있다. 하지만 기존 오프라인 중심 매장들은 하릴없이 코로나19의 직격탄을 맞고 속수무책에 빠져 있다. 이런 혼란한 기업분야 간 불균형을 정부가 신속하게 해결해야 한다. 하지만 여기에 정부의 마스터 플랜은 없다.

플랫폼 비대면 기업과 오프라인 기업간의 매출 격차와 자영업자.소상공인들의 소득격차가 급속도로 커지고 있다. 플랫폼 사회는 코로나19를 계기로 필요에 의해 도래했고, 사회를 새롭게 해체하는 방향으로 나아가고 있지만 정부의 전반적인 재조정 플랜은 없는 것이다. 이런 상황에서 이 대표가 불쑥 이익공유제 정책을 내던지자 당사자인 업계는 당연히 반발할 수밖에 없다.

이익공유제 문제는 포스트 코로나 시대의 플랫폼-오프라인 경제시스템 재구축이라는 마스터플랜이 전제된 상태에서 진행될 수 있다. 무엇보다 이런 대전환의 주제에 대해 국민들의 공감대와 공론화 과정이 필요하다. 그것을 바로 '정치'가 풀어내야 한다. 하지만 이런 과정은 쏙 빠진 채 갑자기 이 대표가 이익공유제를 던지면 이해당사자들은 목숨을 걸고 저항할 것이고, 국민들은 어리둥절할 뿐이다.

이 대표가 이익공유제를 추진하기 위해 어떤 사전 정지작업을 했는지 알 길은 없다. 하지만 갑자기 던진 거대한 주제를 두고 '졸속추진'의 우려도 나온다. 무엇보다 선거를 앞둔 정치공학적 접근이라는 비판에서 자유로울 수 없다. 지지율이 떨어져 다급해 하는 이 대표의 마지막 지지율 올리기 승부수라는 정치권의 냉혹한 시각도 존재한다. 기업 입장에서는 수익을 냈다면 법인세를 많이 내고 투자와 고용을 늘리게 하는 기존의 방식이 있는데 굳이 이렇게 '간접세' 를 내야 하느냐는 불평을 한다. 재계 일각에서는 "정치가 코로나19 이후 격변할 상황에 대한 대책 마련 대신 지금 당장 선거에 도움이 되는 정책만 생각하는 것 같다" 며 거부감을 보이고 있다.

그럼에도 코로나19는 우리 사회의 전 영역에 강제적인 변화를 요구하고 있다. 경제도 마찬가지다. 플랫폼 기반 사회로 급격하게 이동하고 있는 현재의 상황에서 집권여당이 당장 돈 내라고 윽박지르는 권위적인 정책 추진이 아니라 국민과 기업 등의 이해당사자가 모두 공감하는 상생의 정책을 내놓아야 한다. 그 화두를 이 대표가 던졌다는 점에서만 이익공유제는 의미가 있을 뿐, 이제 사회 구조 재편의 난제를 정치와 재계가 머리를 맞대고 해결해내야 한다.

이익공유제에 대한 국민적 공론화의 '밑자락' 은 야당도 깔아놓고 있기는 하다. 김종인 국민의힘 비대위원장이 최근 소속 의원들에게 미국 공화당의 마코 루비오 상원 의원이 주창한 '공공선(Common Good) 자본주의' 에 대한 보고서를 돌려서 화제가 됐다. 이를 두고 당 일각에서 "좌클릭 하려는 것이 아니냐" 는 얘기가 나오자 김 위원장은 방송 인터뷰에서 "이런 한심한 사람들과 뭘 하겠냐" 며 불쾌감을 드러냈다. 김 위원장이 불쾌감을 표시할 만도 하다. 달을 가리키면 달을 봐야 하는데 손가락을 보고 '좌파' 운운하는 것은 국정의 책임이 있는 입법의원의 자세가 아니다. 공공선 자본주의는 가톨릭 신자인 루비오 의원이 2019년 11월 미국 가톨릭대 연설에서 처음 제안한 후 여러 언론 기고와 인터뷰를 통해 알려왔다. 그는 "시장이 국가와 국민을 위해 존재한다" 면서 '좋은 일자리 창출'을 공공선의 핵심 목표로 제시했다.

또한, 지난해 1월 열린 다보스포럼의 화두는 '이해관계자 자본주의' 였다. 주주 외에도 노동자, 하청 업체, 지역 공동체 등을 기업의 이해관계자로 보며 사회적 책임을 강조한 개념으로서 공공선 자본주의도 같은 맥락이다. 최근 SK그룹 최태원 회장이 기업의 사회적 책임을 중요한 경영화두로 삼고 있는 등 재계에도 생존을 위해 '공공선 자본주의' 를 새롭게 바라봐야 할 시점이다. 그 시기를 코로나19 사태가 다소 앞당겼을 뿐이다. 이런 세계적인 경제 질서의 재구축 트렌드를 '좌클릭' 운운하는 국민의힘에 국민들은 힘이 빠진다. 그럼에도 집권여당의 대표가 촉발한 이익공유제를 코로나와 살아가야만 하는 우리에게 상생과 나눔의 사회적 대타협과 공론화의 시발점으로 삼았으면 한다. 그것으로 이 대표의 '정책 지르기' 는 의미가 있다.[54]

29. 이익공유제와 사회연대세

'코로나세상'이 된 지 1년이 되었다. 잃은 것이 많지만 소중히 일군 공동체가 일거에 무너졌다는 상실감이 가장 크다. 소상공인의 휴·폐업이 속출했고 일자리 잃은 청년은 수를 헤아리기 힘들다. 더 심각한 건, 계층·업종 간 '피해불평등'이다. 생계형 밑바닥 경제는 생존을 위협받는 반면 부동산·금융 등 자산가들과 대기업은 여전하거나 외려 호황이다. 온라인·플랫폼사업은 전통적인 오프라인 자영업의 몰락을 그대로 흡수했다.

새해 들어 '국민통합' 기치를 든 이낙연 민주당 대표가 코로나19를 극복하고 포스트 코로나 시대 극심한 양극화를 해소하기 위해 이익공유제를 화두로 던졌다. 코로나로 사회적 불평등과 양극화가 심각하니 특수를 누린 기업의 이익을 공유하자는 것이다. 플랫폼기업이 수수료 인하를 통해 이익을 나누고, 대기업은 고용과 사업안전망을 지원하는 사회연대기금에 참여하도록 한다는 것이다. 맞는 말이고 얼마나 아름다운가.

코로나19 팬데믹 상황에 집값 폭등으로 양극화가 극심하니 이번에는 다를까. 야당과 재계는 '기업 팔 비틀기'라고 하면서 이윤추구와 혁신유인을 약화시켜 시장경제를 쇠퇴시킬 거라고 한다. 지난 10년간 '이익공유제'가 나올 때와 한치 차이도 없다.

'갑질대장' 대기업과 플랫폼·온라인기업들이 갑자기 공동체를 위한 '착한 자본가'로 회심할지 의문이지만 공동체를 위해선 우선할 가치가 있다. 하지만 실효성을 높이기 위해서라도 이번 기회에 공유경제 영역에서 플랫폼사업자가 이익을 독식하지 않고 공유할 수 있도록 전자상거래법 등에 제도적 장치를 두어야 한다. 비상한 상황인데 선의와 모범사례에만 믿고 기다린다면 끝내 희망고문일 수 있다.

특정 부문의 불평등 외에 사회 전체적 불평등과 양극화 해소 방안은 무얼까. '퍼주기'에 가까운 미국과 유럽의 코로나 대응 이후 당연하게도 불평등 및 양극화 문제 해결과 재정 확충을 위해 사회연대세 등 증세 논의가 활발해졌다. 각국의 재정 악화를 목도하고 있는 국제통화기금(IMF)과 세계은행도 재정여력 확보와 불평등 완화를 위해 누진세 강화와 세율 인상을 권하고 있다.

국민적 공감대가 있다면 코로나19로 이익을 보거나 소득·재산 상위 1~5%인계층에 한시적 목적세로 사회연대세를 도입하는 것은 좋은 대안이다. 저출산·고령화 복지재원까지 고려하고 재정지출의 효율화가 전제된다면, 부가세로 개인·법인 소득세에 10%, 양도세 등 자본이득과 감면 혜택에 20% 수준으로 추가 과세를 도입하는 방안도 고려할 수 있다.

하지만 공동체를 위한 세금이라도 '내 세금'이라면 용납하기 쉽지 않다. 코로나 피해 계층 외에 조세 혜택을 받지 못하는 사람이 세금을 부담하는 것의 정당성도 논란이 일 수 있다. 독일에서 1991년부터 과거 동독 지역 재건을 위해 소득세·법인세에 5.5% 추가 과세해온 사회연대세에 대해 헌재는 '어디에 살든 동일한 삶의 질을 누릴 권리'가 헌법정신이고 규모와 기간도 입법자 재량이라며 인정했다. 독일 국민의 희생과 동의로 사회연대세는 30년간 동독 지역 재건과 국민통합에 큰 종잣돈이 되었다.

코로나19는 우리에게 자본주의와 시장경제 속에서 달려온 숨가쁜 호흡을 내쉬고 뒤를 돌아보고 대안을 찾으라고 권하고 있다. 역설적으로 국가와 사회를 재설계할 수 있는 흔치 않은 기회도 제공한다. 이익공유제와 사회연대세는 모두 공동체를 위한 것이기에 양자택일이 아니라 함께 추구하고 가야 할 길이다. 이익공유제든 사회연대세든 국민적 동의와 참여가 있다면 경제도 백신과 치료제가 마련될 것이다. 하지만 재난 상황에서 중요한 것은 '시간'이다. 생채기가 나지 않길 바라는 것은 아니지만 최소한 생명에는 지장이 없어야 한다.[55]

21대 국회 출범 이후 정부와 여당은 이익공유제 입법화에 속도를 내고 있다. 여당은 2020년 6월 10일 공정거래법 전부 개정안 등 '공정경제 3법'을 입법예고한 데 이어 6월 16일 협력이익공유제 법안을 꺼내들었다.

30. 고용보장제에 주목하라

코로나19 사태 이전부터 미국과 영국의 진보경제학자들이 주장했던 '고용보장제'라는 정책이 있다. 장기 실업에 빠진 사람들 중 일을 하고자 하는 이들은 모두 정부의 재정으로 최저임금에 일정한 수당 패키지를 더한 임금으로 고용하여 일자리를 제공하자는 아이디어이다. '자연 실업률'로 대표되는 주류 경제학의 사고방식에 익숙한 이들에게는 이 무슨 황당한 포퓰리즘이냐고 여겨질 것이 틀림없다. 하지만 코로나19 사태로 노동시장이 곳곳에서 붕괴하고, 다시 활발한 고용이 민간 부문에서 살아나는 날을 기약하기 힘들게 된 지금 이 정책은 많은 이들이 심각하게 고려하는 대상이 되었다. 그래서 이제 기본소득만큼이나 익숙한 이름이 되어가고 있다.

황당하게 들릴지 모르지만, 이와 동일한 일들을 이미 우리는 곡물시장과 금융시장에서 하고 있다. 쌀이라는 곡물을 시장의 수요 공급에만 맡겨둔다면 그 가격도 불안정할 것이며, 초과 공급이 발생하는 경우에는 쌀이 그대로 폐기될 뿐만 아니라 그것을 생산하려고 1년간 허리가 부러졌던 농민들은 소득 감소 등 여러 고통을 안게 된다. 쌀과 주요 농산물은 여기에 맡겨두기에는 너무나 소중하며 사회적인 파장이 크다. 그래서 우리는 추곡수매가 정책이라는 것을 몇 십년째 시행해왔고, 이는 대부분의 나라에서 시행 중이기도 하다. 금융시장에서 유동성의 공급을 시장의 변덕에만 맡겨 뒀다가는 유동성 과잉이 나타나기도 하고, 또 패닉의 순간에는 신용 경색이 벌어져서 금융기관들이 차례로 무너지고 시스템 자체가 붕괴한다. 이를 막기 위해 150년 전부터 유동성을 무제한으로 공급하는 '최종 대부자'가 존재했고, 20세기 들어 이것이 중앙은행을 기점으로 한 은행 시스템으로 제도화됐다.

칼 폴라니는 현대의 자기조정시스템의 가장 큰 불안 요인은 본래 상품이 될 수 없는 자연(즉 곡물), 화폐, 인간을 시장의 수요 공급에만 내맡기는 데에서 나타난다고 갈파하였다. 그래서 곡물이나 화폐에 대해 방금 본 것처럼 수요공급의 논리를 넘어서는 정부의 개입은 당연한 것으로 여겨져 왔다. 그렇다면 인간, 즉 노동시장에 대해서는 왜 그런 일을 해서는 안 되는가? 장기적인 대량 실업이 노동자 개인과 그 가족은 물론 사회 전체에 얼마나 큰 손상을 입히는가를 따져보면 곡물이나 화폐의 경우 그 이상이 아닌가? 고용보장제는 이러한 농산물시장에서의 추곡수매 정책과 금융시장에서의 최종 대부자 제도를 노동시장에 적용한 것에 불과하다. 따라서 그렇게 낯설거나 기상천외한 제도라고 할 수 없다.

주류 경제학자들의 낯익은 반론은 이러하다. 첫째, 재원을 어떻게 할 것인가. 둘째, 이 제도가 임금 상승을 낳아 인플레이션 악순환 고리를 만들지 않겠는가. 이 두 질문은 연결되어 있다. 이 제도를 옹호하는 자들의 반론은, 첫째, 최저임금으로 고용하므로 민간 노동시장의 고용주들은 거기에 월 1만원만 얹어도 이론상 얼마든지 노동시장으로 인력을 흡수할 수 있게 된다. 둘째, 고용보장제로 일하는 인력 풀의 크기는 경기순환에 역행하게 된다. 호황기에는 실업자가 줄어들게 되므로 그 프로그램이 축소될 것이며, 반대의 경우에는 확장될 것이다. 따라서 고용보장제는 인플레이션이 아니라 오히려 경기순환의 진폭을 완화시키는 효과를 낳는다. 셋째, 미국의 경우 역사적 데이터에 근거하여 시뮬레이션을 해보면 그 프로그램의 재정 지출의 크기는 GDP의 1% 정도에 불과할 것으로 예측된다. 한국의 경우 십 몇 조원 정도가 되겠거니와, 이로 인해 발생하는 경제적·사회적 편익을 생각한다면 절대로 크다고 할 수 없는 액수이다.

작년 코로나19 사태의 와중에서 이 고용보장제는 이미 실험에 들어갔다. 오스트리아 남부 노동청은 옥스퍼드대학의 경제학자들과 함께 고용보장제 프로그램을 마련하여 마리엔탈 지역에서 3년간의 실험을 작년 10월부터 시작하였다. 1년 이상 실업 상태에 있는 이들을 국가의 재정으로 연소득 3만유로의 돈으로 "고용"한다. 어차피 실업수당 및 각종 '적극적 노동시장 정책'에 들어가는 예산을 1인당으로 환산하면 기존에도 그와 동일한 액수가 지급되고 있었다는 것이다. 이렇게 고용된 이들은 2개월간 직업상담사 및 여러 전문가들과의 상담을 통하여 자신이 할 수 있으며 할 의욕이 있는 일을 선택한다. 예를 들어 목수 일을 하기로 한 사람은 3년간 동네와 지역을 돌면서 개별 가정의 가구 수리를 비롯하여 마을에 필요한 여러 가지 일들을 하게 된다. 오스트리아 정부는 2024년에 이 실험의 보고서를 제출하기로 하였다. 코로나19 사태로 노동시장의 위태로운 상태에 직면한 우리 또한 이러한 고민에서 예외가 될 수 없다.[56]

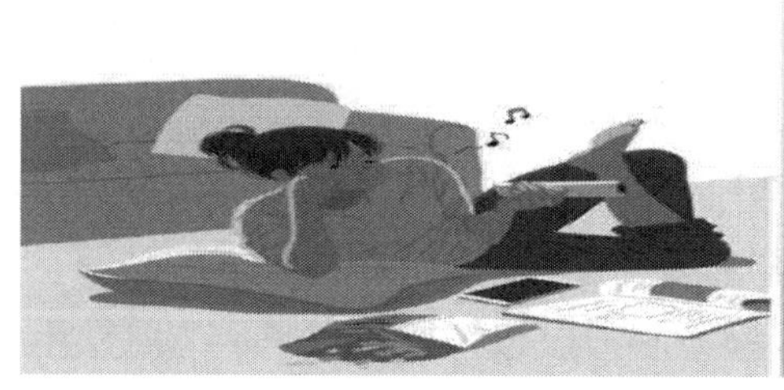

31. 위대한 리셋의 시대 기업의 사회적 책임

세계경제포럼(WEF) 회장 클라우스 슈밥의 저서 <위대한 리셋(Great Reset)>이 최근 번역, 출간되었다. 그가 주장하는 리셋이 거대한 것일 수도 위대한 것일 수도 있겠으나, 한마디로 거시적 차원에서 미시적 차원, 심지어 개인의 차원에 이르기까지 우리가 사는 세상을 총체적으로 "다시 세워야" 하는 시대가 도래했다는 주장을 담고 있다. 성장과 고용, 불평등, 사회계약, 큰 정부의 귀환, 글로벌 거버넌스와 자국중심주의, 기후문제와 환경, 디지털 전환, 이해관계자 자본주의와 ESG(환경 · 사회 · 지배구조) 경영 등 방대한 어젠다들을 파노라마식으로 제시하고 있다. 완고한 진영논리나 이데올로기적 편향에 기댄 해석을 잠시 걷어내고 바라보면 경청할 만한 가치가 있는 거대담론이다.

슈밥 회장은 최근 한 언론사와의 인터뷰에서도 이제 맹목적 시장숭배의 시대는 종말을 고했다고 강조한다. 자유시장, 자유무역, 자유경쟁은 적어도 이론상으로는 막대한 부를 창출하고 모든 사람들을 더 부유하게 만들 수 있다. 그러나 이것은 오늘날 우리가 살고 있는 현실은 아니다. 기술 진보는 종종 독점화된 경제에서 나타나며, 사회 진보보다는 기업의 이익이 더 우선시되곤 한다. 오늘날 주요국의 중산층은 줄어들고, 밀레니얼 세대는 자기 부모들보다 가난하다. 소위 슈퍼스타 기업들은 이윤의 80%를 가져가는 반면 좀비기업들, 즉 3년 이상 부채로 인한 금융비용보다 적은 이익을 내는 기업들의 수는 빠르게 늘고 있다. 이는 전 세계적으로 관찰되고 있는 현상이다. 1950~1960년대 자본주의 황금기에 엄청난 번영을 가져왔던 경제시스템이 이제는 불평등을 초래하고 있다. 의도하지 않은 부정적 결과들인 것이다.

이와 관련해 WEF 국제기업자문위원회는 지난해 9월 이해관계자 자본주의 측정 지표체계를 마련해 발표한 바 있다. 올해 1월 다보스포럼에서는 이해관계자 자본주의의 '실천'이라는 슬로건하에 21개의 핵심지표와 34개의 확장지표들을 제안했다. 핵심지표는 비교적 잘 정립되고 중요한 지표 및 기준으로서 많은 기업들이 해당 정보를 이미 발표하고 있거나 어렵지 않게 얻을 수 있는 정량지표들로 구성되어 있다. 한편 확장지표는 기존의 관행과 표준으로는 잘 정립되지 않은 것들로 기업을 넘어 가치사슬 전체에 걸친 지표들로 구성되어 있다. 이 지표들은 지속가능발전목표(SDGs)와 ESG 경영의 기준에 부합하는 것들이다. 올해에는 처음으로

60여개의 글로벌 기업이 이 제안의 채택에 동의했으며 앞으로 더 많은 기업들이 참여하도록 권고할 계획이다. 작년에 발표한 '다보스선언 2020' 이 이해관계자 자본주의에 기반한 기업의 윤리적 강령을 상징적으로 보여준 것이었다면, 그 구체적인 측정 및 실행 방안을 제시했다는 점에서 한발 더 나아간 것이다.

돌이켜 보면 1970년 밀턴 프리드먼이 기업의 사회적 책임은 이익을 증대시키는 것이라고 선언한 이후 대대적인 규제 완화의 시기를 거치면서 주주 가치는 기업의 핵심적인 목적으로 간주되었다. 아이로니컬하게도 "우리는 오직 돈만 번다"는 슬로건은 2008년 글로벌 금융위기를 촉발시킨 투자은행 베어스턴스 건물 현관에 걸린 문구였다.

WEF가 주장하는 이해관계자 자본주의가 일종의 캠페인이나 윤리강령에 그치지 않고 자유시장 자본주의의 실패를 치유하고 지속 가능한 사회경제적 발전을 가져다 줄 수 있는 제도와 정책으로 정착할 수 있을지는 지켜봐야 한다. 하지만 이해관계자 자본주의는 기업 활동과 목적의 180도 전환을 요구하는 게 아니라 단지 단기적 목표 대신 자기 조직과 사명에 대한 장기적 관점을 가지면 협소한 자기 이익보다는 모든 사람들의 복리를 추구할 수 있을 것이라는 전망을 웅변하고 있다. 이런 비전이 우리 기업 현실에서도 구체화되길 기대한다.[57)]

AI(인공지능)는 산업·노동·일상 등 사회 전반을 바꿀 우리 시대의 진정한 '게임 체인저' 라 할 수 있다. 특히 출시 두 달 만에 월간 이용자 수 1억 명을 돌파하고 현재는 주간 이용자 수가 1억 명에 달할 정도로 성장한 챗GPT는 AI가 우리 삶에 얼마나 깊숙이 스며들어 있는지를 체감하게 하고 있다. 챗GPT는 현재 포천지 선정 500대 기업 중 92%가 사용하고, API(응용프로그램 인터페이스) 사용 개발자만 200만 명에 달할 정도로 큰 영향력을 보여주고 있다.

또 위원회는 한·미·일 정상회의에서의 AI 기술 공조 약속 이행에 대한 종합 계획을 수립하고, 부처 간 노력을 조정·관리·감독해야 한다.

앞으로 각자 AI 위험 관리 표준이나 대응 기술을 개발하기보다 3국이 공조해 신속히 개발하고 공유해야 한다. AI 기술 역량을 강화하고 AI 선도 국가로 도약하기 위해 한·미·일 협력관계를 레버리지로 최대한 활용해야 한다.

현 상황에서 가짜뉴스, 딥페이크, 사이버공격 등 당면 문제를 신속히 해결하고 AI 선도 국가로 도약하여 대한민국의 미래 번영과 안정을 보장하기 위한 공식은 범정부 컨트롤타워로서의 국가AI위원회 설립과 한·미·일 AI 공조 확립이 될 것이다. 이것이 지금 우리의 성공 공식이다.[58)]

32. 세계여, 미국에 관여하라

트럼프는 물러났지만 미국 민주주의는 복구되지 않았다. 그는 지난 1월6일, 반역적 폭력으로 미국 의회의 새 대통령 당선 승인 절차를 저지하려고 했다. 헌정질서를 해치려 한 대통령의 선동으로 결국 4명이 사망했다. 그러나 이석기 전 의원을 내란선동죄로 8년째 감옥에 가두고 있는 한국에서 볼 때, 더 놀라운 일이 미국에서 벌어졌다. 지난 15일, 미국 상원은 탄핵안을 부결했다. 탄핵 반대표를 던진 상원 의원이 모두 공화당 소속이었다고 하여, 미국 민주주의의 실패가 합리화되는 것은 아니다. 미국은 아직 돌아오지 않았다. 문제는 이것이 그저 미국만의 문제가 아니라는 데에 있다. 미국에 관여할 때이다.

미국은 트럼프 방식과 확실히 결별해야 한다. 인류의 중대 현안인 기후위기에 대응하는 국제적 리더십을 발휘해야 한다. 중국과 더불어 더 안정적이며 호혜적인 세계 경제질서 규칙에 함께 참여해야 한다. 국제사회는 미국과 중국이 일방주의가 아닌 다자국의 참여를 통하여 국제 현안을 해결하도록 요구해야 한다.

그러나 트럼프에 대한 탄핵 실패에서 볼 때 바이든 행정부에서도 미·중 무역전쟁은 더 격화될 가능성이 크다. 심지어 바이든 대통령이 임명한 새 국무장관 토니 블링컨은 중국에 관한 한 트럼프가 옳았다고 말했다.

나는 블링컨 장관의 의견에 동의하지 않는다. 작년 2월 트럼프 행정부가 중국을 몰아붙여 얻은 '1단계 무역협정' 은 분열적이었다. 다자주의 국제 통상의 기본 원칙에 매우 부정적인 영향을 끼쳤다. 미국 기업들에만 중국 접근의 특혜를 부여했다. 중국이 호주에서 수입하던 상품을 미국에서 사게 했다. 트럼프의 분열적 일방주의가 한국 경제에 도움이 되지 않았음은 말할 필요가 없다.

바이든 행정부가 중국 경제의 굴기를 견제하는 수단은 단지 관세에 머물지 않을 것이다. 노동, 인권, 보조금, 디지털 경제 등 여러 분야에서 중국을 압박할 것이다. 이 중 한국 경제에 직접적인 민감한 영향을 줄 것이 디지털 분야이다.

2019년 미국은 일본과 상품 무역협정과 별도로 '디지털 무역협정' 을 맺었다. 이 협정은 미국의 구글, 페이스북, 유튜브 등 '빅 테크' 기업들이 정보 수집·반출과 처리에서 국경 제한을 받지 않도록 하였다. 그리고 은행의 금융정보 관리 '서버' 를 자국 영토 내에 설치하도록 하는 규제를 할 수 없게 했다. 누구나 차별 없이 디지털 제품에 접근하도록 하였다. 또 트위터와 같은 인터넷 '상호작용

서비스’ 에서 이용자가 게시한 글의 폭력성이나 음란성을 이유로 사업자를 처벌할 수 없게 했다. 이러한 내용은 하나하나가 모두 한국 경제와 시민 생활에 직접적인 영향을 주는 내용이다.

미국은 작년 7월에 발효된 미국·멕시코·캐나다 무역협정에서도 별도의 장을 두어 이러한 디지털 경제 틀을 반영했다. 바이든 행정부는 이와 같은 새로운 디지털 무역협정 규칙을 세계무역 규범의 틀로 만들어 중국의 디지털 경제 굴기에 대항할 것이다.

중국은 현재 구글 서비스조차 차단하고 있다. 그리고 국제 디지털 경제 질서를 알리바바와 같은 전자상거래 보호 규범에 국한시켜 방어하려고 한다. 한편 유럽연합은 매우 엄격한 개인정보 보호 의무와 세금을 디지털 거래에 부과하는 방향으로 접근하고 있다.

현재 한국은 안보를 이유로 구글의 지도 반출 요청을 불허하고 있다. 은행이 해외에서 정보를 처리하는 경우에는 30일 전에 금융감독원장에게 별도로 보고하도록 했다. 아동 성착취 사건인 ‘n번방’ 사건 이후 상호작용 서비스 사업자의 책임을 무겁게 하고 있다.

한국 경제의 관점에서 미국이 시도하는 디지털 무역협정이 중국 배제의 가속도가 붙지 않도록 하는 것이 중요하다. 작년 말 중국의 인터넷 사용자가 9억8900만 명에 이르렀다. 전자상거래 규모는 중국이 세계 거래량의 약 40%를 차지하여 미국을 압도했다. 이를 바탕으로 중국의 디지털 기업들은 미국이 미국 증권 시장에서 중국 기업을 퇴출시키는 속도보다 훨씬 더 빠르게 중국 현지 주식시장에 상장하고 있다.

미국은 트럼프의 중국 정책 실패에서 배워야 한다. 작년 말 미국은 오랜 동맹인 유럽연합이 중국과 투자협정을 체결하는 것을 지켜보기만 해야 했다. 앞으로 중국은 유럽과의 투자 협정 그리고 15개 아시아·태평양 국가와의 포괄적경제동반자협정(RCEP)을 통하여 국제사회의 더 많은 요구를 받을 것이다. 이 과정에서 중국은 국제사회에 책임있는 역할을 감당하지 않으면 안 된다. 미국과 중국이 더 균형감 있고 정당성 있는 행동을 하도록 국제사회가 관여할 때이다.[59]

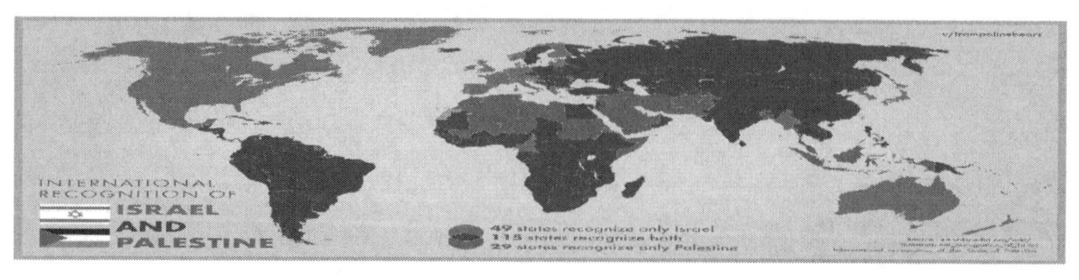

33. 사회연대소득

#기본소득.

개개인이 재산이나 근로 등 아무런 조건 없이 주기적으로 받는 현금('기본소득 지구네트워크'의 정의)을 말한다. 부모를 잘 만나지 않아도, 평생 일하지 않아도 묻지도 따지지도 않고 최저생계비를 현금으로 준다니 얼마나 대단한 일인가. 대선후보 조사 1위를 달리는 이재명 경기지사가 공언하기에 국민들의 기대감은 한껏 높아져 있다. 하지만 아직까지 제도로 정착은커녕 시행조차 해본 나라가 없다. 핀란드는 몇년 전 실업자 대상으로 일시적인 샘플링 실험만 했고, 스위스 국민은 웬일인지 기본소득 도입을 국민투표로 부결시켰다. 유일한 사례라는 알래스카는 복지제도로서 기본소득이라기보다 석유수입으로 만든 지역영속기금(APF)으로 열악한 정주환경을 메우는 '정착자금'에 불과하다.

그런데도 한국은 지금 기본소득 이상열기다. 여야 정치인들은 기본소득에 찬동하면서 기본소득이 갖는 높은 요구조건에 비춰 생활비에 조금 못 미치거나 선별지급이라도 이야기하면 서로 비난하기 일쑤다. 과연 한국이 논쟁과 '열패의식'을 딛고 세계 최초로 전 국민 대상 기본소득을 실현할 수 있을까.

#신복지체제.

대선 정국 초입이지만 달궈진 복지 논쟁에서 이낙연 민주당 대표는 현 복지제도를 바탕으로 한 중산층 수준의 보편적 생활복지체제라는 '국민생활기준2030'을 내놓았다. 아동수당을 3배 수준인 만 18세까지 확대하고 전 국민 대상 상병수당과 고용보험을 포괄하는 내용이다. '요람에서 무덤까지' 사회보장을 지향하면서 아동, 장애인, 노인 등 생애주기별 수당도 확 늘렸다. 기본소득의 영향이다.

#문제는 재정.

기본소득이 반향을 일으키는 것은 경제 수준에 걸맞지 않은 복지지출과 시스템의 결핍에서 비롯되었다. 한국의 복지지출은 GDP의 12%에 불과해 30%대의 복지선진국은 물론 경제협력개발기구(OECD) 평균인 20%에도 훨씬 못 미친다. 복지만 충분하다면 공짜돈이 아니니 국민들은 기본소득에 흥미를 잃는다.

기본소득이 생활비 수준, 보편성과 주기성을 의미하는 '기본'을 갖추려면 국민 1인당 월 50만원 이상은 지급되어야 하니 연간 300조원이 넘는 추가 재정이 필요하다. 중산층 수준을 지향하는 국민생활기준을 위한 재정도 만만치 않다. 아동수당만 해도 10조원에 달하는 등 재정부담으로 계획을 다 실현하려면 연간 50조원 이상이 필요하다. 기본소득 도입 초기 증세 없이도 예산지출과 조세감면을 확 줄여 연 100만원 수준으로 일단 시행한다고 하지만 한번 시행하면 단박에 약정채무가 되고 기본소득을 중단하기는 어렵기에 불확실한 재원계획은 대안이 될 수 없다. 그러기에 복지지출에 걸맞은 세입이 안정적으로 가능한 세제 개혁과 증세 논의는 필수다. 과표 양성화는 물론 사회보장 기능까지 갖춘 소득파악 시스템도 도입해야 한다. 기본소득 팬덤의 국민들에게 더 많은 세금청구서를 받을 준비가 되어 있는지 확인해야 한다.

#사회연대.

코로나19 팬데믹으로 고용과 사업에 문제가 생기면서 폐업과 실업이 감당할 수 없는 수준으로 늘고 있다. 이미 4차 산업혁명으로 인한 로봇과 인공지능(AI), 플랫폼 기반의 경제 재편으로 인한 일자리와 소득 감소는 일찍이 경험해본 적이 없다.

우리가 기본소득에 경도된 사이, 세계는 사회안전망을 구축하기 위해 '사회연대성'에 기초한 조세와 공동체 기금 도입 등 사회연대 논의를 빠르게 진척시키고 있다. 우리도 포용적 사회연대로 조세 기능을 확장시켜 새로운 부의 원천으로 등장한 데이터, 인공지능, 로봇과 플랫폼 등에 연계된 사회연대세 등 과세 시스템을 구축하고 이를 사회구성원의 소득보호에 연계시킨 사회연대소득 체계로 전환할 필요가 있다.

'앙꼬 없는 찐빵'처럼 기본소득에 '기본'이 없으면 안 되지만 '기본'을 제대로 갖추는 것은 사실상 불가능하다. 그러기에 이제 기본소득은 기본이라는 외형에 얽매이지 않고 공동체가 함께 마음을 모을 수 있는 포용적인 사회연대소득 개념으로 나아가야 한다.[60]

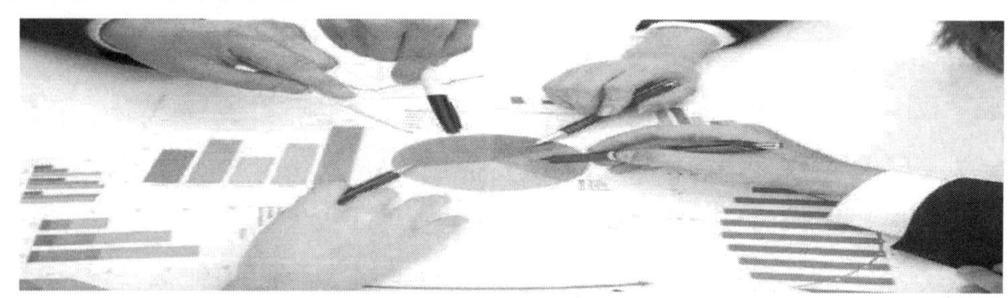

34. 경제가 살아야 저출산도 해결

'신생아 제로' 인 전국의 읍·면·동이 지난해 43곳으로 전년보다 9곳이 늘었다고 한다. 2019년 합계출산율은 0.92명으로 OECD 회원국 중 최저 수준이었다. 또한 지난해는 출생자 수보다 사망자 수가 많은 '인구 데드크로스 현상' 이 발생해 주민등록인구가 사상 처음으로 감소했다. 최근 5년간 저출산 대책에 투입한 예산이 150조원에 이르고, 정부 계획에 따르면 향후 5년간 196조원을 투입한다. 정부에서 매년 막대한 예산을 쏟아붓고 있지만, 상황은 좀체 나아질 기미를 보이지 않고 오히려 악화일로에 있다. 저출산은 노동력 부족과 생산성 저하를 초래해 경제 활력을 잃고 저성장과 국가경쟁력 추락의 악순환으로 이어질 수 있다. 정부는 저출산의 근본 원인부터 철저히 파악해 현실 가능한 대안을 마련해야 한다. 출산을 기피하는 배경으로는 무엇보다 경제적인 요인이 가장 클 것이다.

자녀의 양육비·교육비 부담이나 결혼과 자녀에 대한 가치관의 변화, 맞벌이 가정의 어려움 등 저출산의 원인을 재차 철저히 규명해야 한다. 또한 과감한 규제개혁으로 일자리 창출 주체인 기업에 활력을 불어넣고 부동산 대책도 민간 공급 확대 쪽으로 전환해야 할 것이다. 정부는 종전처럼 근시안적 임기응변식이 아니라 장기적이고 종합적인 해법을 찾아주길 바란다. 미래를 내다보는 거시적 국가 전략 없이는 인구 감소 시대가 초래할 국가 재앙의 악몽을 피하지 못할 것이다. 정부를 비롯해 우리 국민 모두에게 국가의 존립 자체가 위협받는 심각한 상황임을 인식하고 나라의 장기적 미래를 함께 고민하는 자세가 절실히 필요해 보인다.[61]

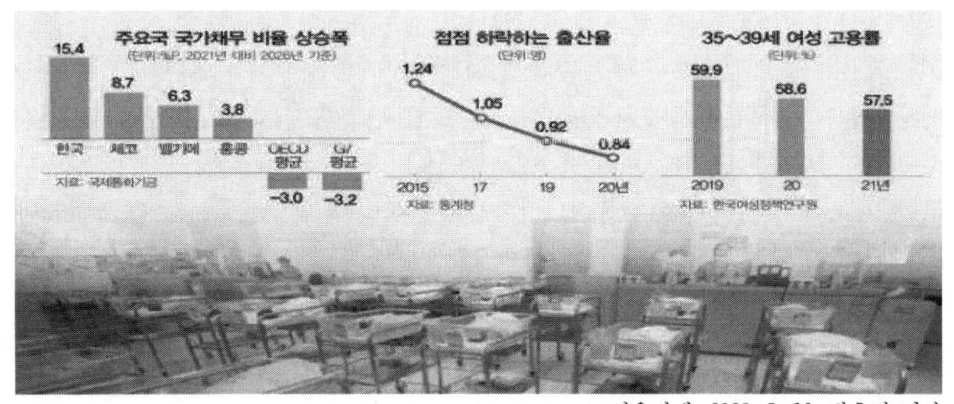

서울경제. 2022. 3. 10, 박효정 기자

35. 100년 전 칼 폴라니의 월급 사용법

현대 경영학의 창시자 피터 드러커(1909~2005)의 자서전에 그가 경제사회학자 칼 폴라니(1886~1964)를 처음 만나는 장면이 나온다. 드러커가 김나지움을 막 졸업한 1927년 크리스마스 즈음이었다. 당시 유럽의 명성 있는 경제잡지 '오스트리아 경제'에 기고한 것을 계기로 편집진이 청년 드러커를 신년 특집호 제작회의에 초대했는데, 부편집장이 폴라니였다. 드러커가 회의 후 이야기를 더 나누고 싶다고 하자 폴라니는 그를 집으로 초대한다. 폴라니의 집은 빈 시내에서 멀었다. 빈민가 종점으로 가는 전차를 타고, 그 종점에서 다시 전차를 갈아탄 뒤 공장과 창고가 늘어선 지대를 지나 또 다른 종점에서 내리고 다시 20분간을 더 걸어가서야 당도했다. 쓰러질 것 같은 판잣집들과 쓰레기 더미에 둘러싸인 허름한 5층 집이었다. 껍질을 대충 벗긴 설익은 감자가 크리스마스 만찬의 전부였다. 하지만 드러커 '생애 최악의 식사'도 그를 놀라게 하기엔 일렀다. 폴라니와 부인, 장모 그리고 외동딸 등 네 가족이 다음달 생활비를 어떻게 벌 것인지를 놓고 벌인 논쟁에 그는 귀를 의심했다. 그날 낮 폴라니가 월급으로 거액의 수표를 받은 것을 보았기 때문이다. 참다 못해 드러커가 "박사님 월급으로 생활비는 충분하지 않나요?" 라며 끼어들었다.

순간 네 사람 모두 말을 멈추고 그 자리에 얼어붙었다. 그러곤 합창하듯 동시에 말했다. "아주 훌륭한 생각이로군요. 월급을 자신을 위해 쓰다니! 우리는 그런 소린 생전 처음 들어봅니다." "그렇지만 사람들은 대부분 그렇게 살아요." 그러자 폴라니의 부인 일로나가 말했다. "우리는 대부분의 사람들이 아니에요. 우리는 논리적인 사람들이죠. 빈은 헝가리 난민들로 넘쳐나고 있어요. 그들 가운데 상당수는 생계를 유지할 능력이 없지만 칼은 돈을 벌 수 있어요. 그러니 칼의 월급은 다른 헝가리 사람들에게 주고, 우리가 나가서 필요한 돈을 벌어오는 것이 논리적인 일이죠." (피터 드러커 자서전 인용)

이 대목에서 드러커는 감동이나 충격, 존경이라는 말은 쓰지 않았다. 하지만 18세 청년 드러커가 폴라니와 가족을 향해 느꼈을 감정은 충분히 짐작할 수 있다. 훗날 20세기의 지성으로 불린 드러커의 삶에 이 만남이 끼쳤을 영향을 유추하는 것도 어렵지 않다.

힘 있고 돈 있는 사람들, 배운 사람들이 편법적으로 사익을 챙기다 여론의 지탄을 받고 있다. 존경받았던 전직 대통령의 아들은 국회의원이 되면서 재산을 숨기다 들키자 편법으로 증여했다. 야당 국회의원은 국회 관련 상임위에서 터줏대감으로 활동하며 자기 친족회사에 건설공사가 가도록 힘을 썼다는 의심을 받고 있다. 거주하지도 않을 세종시에서 특별분양을 받아 거액을 챙긴 공직자들도 있다. 앞에서는 정의와 도덕을 말하면서 뒤론 차곡차곡 이득을 챙기고 있었다. 그러고도 법을 어기지 않았으니 되지 않았느냐고 항변한다. 지식을 자신들의 비위를 변명하고 가리는 데 활용하고 있다. 우리 사회가 앞으로 가고 있는지조차 확신할 수 없다.

100년 전 폴라니가 주목한 불평등 구조와 자본주의의 폐해는 여전하다. 가진 사람들의 돈과 권력 향유는 오히려 더욱 교묘해지고, 그 틈에서 특권과 반칙이 횡행하고 있다. 정의와 공정에 목마른 젊은이들의 불만은 분출할 출구만 찾고 있다. 시대가 변해도 불평등을 해소하는 접근은 다를 수 없다. 제도를 고안하고 집행하는 사람들의 솔선수범이 그것이다. 지금 우리 부동산 정책이 딱 그렇다. 투기 공직자들이 기획하고 법을 통과시킨 위선적인 정책이 눈 밝은 시민들에게 통할 리가 없다. 그동안 수차례 내놓은 정책에 '영끌'과 '빚투'에 몰린 젊은이들이 반응하지 않는 것은 너무나 당연하다.

이 시대의 어느 누구도 폴라니와 그의 가족처럼 사회 변혁에 온전히 삶을 바칠 수는 없다. 폴라니처럼 허름한 집에 살면서 월급까지 통째로 내놓는다면 가식이라고 오해받기 십상이다. 작금 시민들이 공직자들에게 요구하는 것은 폴라니와 같은 특별한 희생이 아니다. 시대가 요구하는 최소한의 도덕적 기준에 응답하라는 것뿐이다. 여기서 지난 7년 동안 국회에서 썩고 있는 이해충돌방지법을 주목한다. 속칭 김영란법을 통과시킬 때 국회의원들만 대상에서 쏙 빠져나와 누리던 그 특권을 이제 폐지할 때가 되었다. 여야 모두 약속한 대로 이 법을 정기국회에서 꼭 통과시켜야 한다. 희생하라는 게 아니라 그동안 누려온 것을 내려놓아달라는 간곡한 요청이다. 폴라니를 100분의 1이라도 따라 한다면 이번엔 가능하지 않을까.[62]

36. 누구를 위한 재정준칙인가?

코로나19가 장기화됨에 따라 정부의 세수는 줄고 지출은 늘고 있다. 정부는 코로나19로 인한 경제위기를 극복하기 위해 이미 세 차례 추가경정예산(추경)안을 편성하는 등 적극적 재정정책을 펼치고 있다. 이 중 3차 추경안은 추경 규모(35조3000억원), 세입경정(11조4000억원), 적자국채 발행(23조8000억원), 지출 구조조정(10조1000억원) 모두 역대 최대 규모이다. 이에 따라 국내총생산 대비 국가채무비율(43.5%)과 관리재정수지 적자비율(5.8%)도 역대 최고치를 기록할 것으로 추산되고 2024년에는 국가채무비율이 58.6%에 이를 것으로 전망되고 있다. 이 때문인지 최근에 정부는 재정준칙에 대한 도입방안을 마련하기도 하였다. 하지만 그 필요성과 실효성을 놓고 찬반양론이 크게 엇갈린다. '재정변칙'이라는 말장난도 등장한다.

재정건전성이나 재정준칙에 대한 강조는 정부의 씀씀이가 늘어나는 것을 못마땅하게 생각하는 보수주의 경제학의 단골메뉴이다. 재정건전성이나 재정준칙을 강조하면 당연히 지출에는 제동이 걸릴 수밖에 없다. 우리나라가 그동안 '건전한 재정'을 유지해올 수 있었던 것도 따지고 보면 낮은 복지지출 수준을 배경으로 한 것이었다. 높은 복지 수준과 재정건전성을 동시에 충족하는 것은 불가능하다. 조세부담률을 올리지 않으면서 재정건전성을 유지하려면 복지지출을 삭감하는 수밖에 없다. 보수주의 경제학이 선호하는 해법이다.

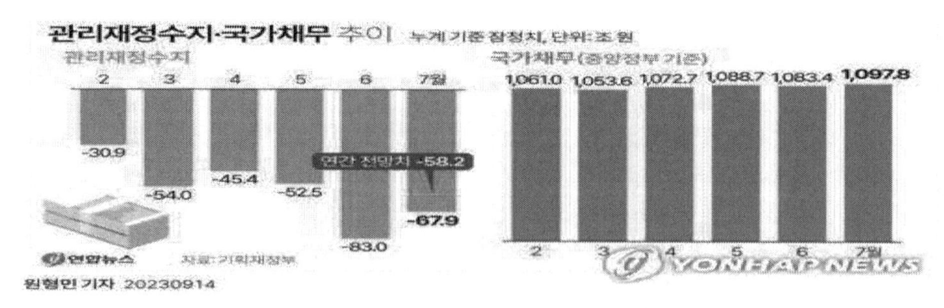

재정건전성을 한 나라의 채무에 대한 변제능력으로 본다면 재정건전성의 정도를 국가채무의 총량이나 국민소득에 대비한 비율로 측정하는 것보다는 국가채무로부터 발생하는 이자의 총액이나 국민소득에 대비한 비율로 측정하는 것이 더욱 적절하다. 5% 이자율에 발행되는 국채에 대한 이자부담과 1% 이자율에 발행되는 국채에 대한 이자부담은 천양지차이다. 상당 기간 국채이자율이 낮게 유지될 것으로 전망되므로 새로 발행되는 국채에 대한 이자 부담이 큰 것이라고 보기는 어렵다.

불황기에는 기본적으로 경제활동이 침체해 소득 창출능력이 저조하다. 조세수입이 줄어 민간의 소비여력을 증가시키고 실업보험 등 각종 재정지출은 많이 늘어나 자동으로 확장적 재정정책이 이뤄지는 이른바 '재정의 자동안정화 장치'가 발동한다. 감소한 세입과 늘어난 재정지출은 재정수지 적자로 귀결된다. 세입여건이 좋지 않기 때문에 국채 발행 없이는 경기부양을 할 수 없다. 국가는 경제위기 극복, 복지재원 확충, 경기침체 탈출 등 여러 이유로 정부 세입을 초과한 재정지출을 할 경우 부족한 부분은 국채를 발행해 충당한다.

국채는 빚이기는 하나 과도한 인플레이션을 초래할 정도라든지 국가신용도가 크게 하락하여 자본의 해외유출이 심각할 정도가 아니라면 국가채무를 지나치게 걱정할 필요는 없다. 옛날에는 은행권이 금화나 은화 등의 교환을 보증하는 증서였지만 오늘날에는 은행권이 화폐라고 결정되어버렸기 때문에 엄밀한 의미에서 국가의 채무불이행이란 것도 있을 수 없다. 국가는 언제든지 화폐를 찍어서 빚을 상환하고 이자를 지불하면 된다. 더욱이 화폐는 현금과 예금으로 구성되는데 대부분의 돈은 예금이다. 그런데 예금은 따지고 보면 장부상(혹은 컴퓨터상)의 기록에 불과하다. 이 때문에 노벨 경제학상 수상자인 제임스 토빈은 오늘날의 화폐를 '만년필 화폐'라고 불렀다. 현대사회에서 화폐는 석유나 귀금속처럼 고갈되는 것이 아니라 만년필로 장부에 기입하면 돈이 생긴다는 뜻이다.

현대사회에서 종잇조각에 불과한 혹은 장부적 기록에 불과한 화폐가 왜 통용력을 갖는가 하는 것에 대해서는 다양한 이론이 존재한다. 가장 알려진 이론은 국가가 화폐의 통용력과 가치를 법적으로 강제하기 때문이라는 것이다. 또 다른 이론은 국가가 화폐로 세금을 내도록 강제하였기 때문이라는 것이다. 시중에 종잇조각을 그냥 뿌려 봐야 통용력이 전혀 없지만 매달 종이 한 다발씩을 세금으로 납부하도록 강제하는 순간 그 종잇조각은 화폐로서 통용력을 갖는다는 설명이다. 두 번째 이론에 의하면 세금이 먼저이고 지출이 나중인 것이 아니라 정부의 지출이 먼저이고 세금이 나중이다.

금리가 지금처럼 극도로 낮은 상태에서는 전통적 통화정책으로는 실물경기가 잘 움직이지 않는다. 확장적 재정정책을 통하지 않고는 다른 정책수단으로 해결이 요원한 상태다. 2008년 글로벌 금융위기 때 선진국들은 평균적으로 GDP 5% 이상 재정지출을 증가시켜 위기를 극복했다. 확장적 재정정책의 시기가 있으면, 경기가 회복되고 경제체질이 건강해지는 재정건전화의 시기도 온다.[63]

37. 무섭게 오르는 비트코인

가상통화의 '대장'으로 꼽히는 비트코인의 시가총액이 지난 주말 1조달러(약 1154조원)를 넘어섰다. 올해 들어서만 거의 두 배 올랐는데, 해당업계에서는 현 5만달러인 개당 가격이 25만달러까지 갈 것이라는 대담한 전망도 나온다.

반면 고전적인 안전자산인 금은 맥을 못 추고 있다. 작년 8만원대까지 내다봤던 국내 금값(한국거래소 1g 기준)은 지난주 들어 6만원대 초반까지 내려앉았다. 코로나19 창궐 이후 금에다 돈을 묻었던 '안전제일' 분위기는 어느새 비트코인이 인플레이션 헤지 대체재로 급부상하는 위험 선호로 바뀌었다.

전설적인 투자자 마크 파버의 비유를 인용하자면, 중앙은행이 공급하는 유동성이 담긴 '거대한 접시'를 투자자들인 '커다란 코끼리'들이 비트코인 쪽으로 흔드는 형국이다. 테슬라 창업자이자 첨단기술업계의 아이돌인 일론 머스크는 그 대표주자다. 자사 현금을 비트코인에 투자하고, 자사 전기차도 비트코인 받고 팔겠다는 계획을 내놓으면서 시장 분위기를 달궈놨다.

비트코인이 스타의 '점지'를 받자 그간 주저하던 전통파 코끼리들도 우르르 움직이고 있다. 세계 최대 자산운용사인 미국의 블랙록, 월가 대형 투자은행인 모건 스탠리 등도 투자 발표를 잇따라 내놨다. 회의론자들도 입장이 흔들린다. 비트코인에 부정적이던 빌 게이츠 마이크로소프트(MS) 창업자는 최근 '중립'을 표방했고, 월가의 채권왕 제프리 군드라흐는 "금보다 비트코인"이라고 말했다.

비트코인의 기원을 생각하면 이 같은 시장 분위기는 꽤 모순적이다. 금융사들의 탐욕 때문에 터진 금융위기 직후였던 2008년 익명의 인물이 기존 통화체제에 반기를 들며 시작한 온라인 화폐가 갑자기 대형 금융사들의 '핫 아이템'으로 떠오른 격이라서다. 원래 주류문화는 주변문화를 삼키면서 지속된다고 하지만 보수적인 금융권에서 '사이버펑크'(cyberpunk)를 삼킬 것이라고 예상한 이는 많지 않았다. 반항아 비트코인에 시장에서 우수학생 마크를 붙여준 격이다.

하지만 속성을 직관적으로 이해하기 어려운 투자재라는 경고도 적지 않다. 발행물량이 2100만개로 '한정'돼 있고, 수학공식을 풀어서 '채굴'한다는 점에서는 '금'과 유사하지만 비트코인의 실제 화폐로서 기능은 모호하다. 노벨 경제학상 수상자인 폴 크루그먼을 비롯한 여러 전문가들은 그래서 비트코인이 존재하지도 않는 문제를 해결하겠다며 나선 '사이버자유주의'의 산물이라고 비판한다. 거래추적이 쉽지 않아 마약·협박을 비롯한 검은 거래에도 적잖게 쓰이는 데다, 채굴 때 어마어마한 전력을 잡아먹는다는 비판도 만만치 않다.

그럼에도 비트코인이 급부상하는 원인 중 하나는 코로나19 이후 중앙은행들이 경기부양을 위해 푼 막대한 유동성이다. 통화량이 많아지고 돈의 가치는 떨어지면서 인플레이션 경고음이 끊이지 않자 제도 금융권까지 이 새로운 투자재로 눈을 돌린 것이다. 코로나19 이후 정보통신(IT)을 비롯한 기술업계의 입지가 상당히 강화된 분위기 역시 이 같은 추세와 무관하지 않다. 머스크가 트위터에 올린 한 마디에 '도지코인' 처럼 낯선 가상통화까지 급등세를 타는 상황이다. 월가보다 영향력이 더 커진 그가 시장을 왜곡하는 것 아니냐는 얘기까지 나오는 판이다.

하지만 비트코인의 향후 전망은 모호하다. 내 지갑 속 10만원의 가치는 한국은행이 보증하지만, 비트코인은 그런 기관이 따로 없어 조그만 충격에도 가격이 급등락한다. 월가의 커다란 코끼리들이 투자에 뛰어들면서 향후 리스크가 줄어들 것이란 기대도 있지만, 미국 재무부는 비트코인에 여전히 냉담하다.

각국 중앙은행들이 지급을 보증하는 디지털화폐(CBDC)가 발행될 경우 비트코인을 비롯한 민간 가상통화의 가치 하락으로 직결될 것이라고 일각에선 경고한다. 하지만 현재 비트코인이 이끄는 가상통화 붐에 다른 가상통화들의 가격도 따라오르고, 개인 투자자들도 늘어나고 있다.

앞서 언급한 코끼리 이야기의 뒷부분은 이미 잘 알려진 대로다. 몰이꾼들이 가리키는 방향으로 움직인 코끼리들은 접시의 물이 이미 넘쳐흘러서 시장이 뜨고 한참이 지난 뒤에야 상황을 파악한다. 똑똑한 이들은 눈치채고 판에서 빠지지만 뒤늦게 들어선 이들은 상투를 잡는다. 유행도 '요즘 이게 최신 트렌드' 라고 뉴스에 나오고 모두 다 알 정도면 이미 끝물이라는 얘기가 떠오른다.[64]

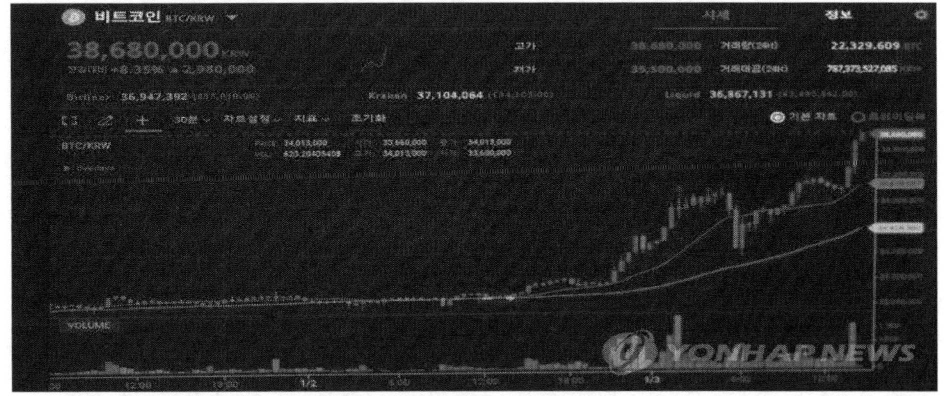

비트코인의 가격은 신종 코로나바이러스 감염증(코로나19) 사태 초기 주식 시장이 폭락하는 가운데에도 꾸준히 상승하며 지난 한 해 세 배로 뛰었다.

38. 쿠팡의 美 상장과 노동 규제

국내 최대 온라인 쇼핑몰 쿠팡의 미국 뉴욕증권거래소 상장이 논란을 불러일으키고 있다. 쿠팡은 신종 코로나바이러스 감염증(코로나19) 시대에 장래성이 돋보이는 물류 회사로 한국의 아마존으로 불리며 지난 수년 간 한국에서 가장 많은 일자리를 창출한 기업으로 손꼽힌다. 쿠팡이 해외로 나가는 이유로는 국내의 과다한 규제 때문이라는 것이 정설이다. 미국의 상장 절차가 한국보다 더 까다롭지만 일단 상장하면 한국 금융 당국의 규제를 덜 받고 글로벌 시장에서 자유로이 기업 활동을 펼 수 있고 쿠팡이 뉴욕증권거래소 상장 이유서에서 밝혔듯 국내의 노동 법규 등이 너무 엄격해 경영의 위험 요소로 작용하기 때문에 한국을 피해 미국에 상장한다는 것이다.

쿠팡이 미국 뉴욕 증시 입성 첫날 시가총액 100조 원을 넘기며 성공적으로 데뷔했다. 김범석 쿠팡 이사회 의장은 미국 방송과의 인터뷰에서 "'한강의 기적' 이란 믿을 수 없는 스토리의 일부가 돼 너무 흥분된다" 고 밝혔다. 쿠팡이 대규모 자금 조달로 공격적 경영의 발판을 마련하면서 경쟁우위를 확보했다는 평가가 나온다. 반면 노사관계와 규제 문제를 풀지 못하면 수익성 개선도 쉽지 않을 것이라는 우려도 있다(동아일보, 2021. 3. 12, 유재동 특파원)..

쿠팡의 사례는 두 가지를 떠올리게 한다. 하나는 규제의 폐해를 지적한 경제학의 '도착 이론(perversity hypothesis)' 이다. 이 이론에 의하면 어느 한 집단을 도와주기 위해 직접적인 보호 정책을 쓰면 그 정책은 반작용을 자극해 오히려 그 집단에게 피해를 주는 결과를 가져온다는 것이다. 사례는 수없이 많다. 저임금 노동자를 도와주기 위해 급속히 최저임금을 인상한 결과 고용이 줄고 폐업을 초래해 저임금 노동자들이 일자리를 잃는 결과를 가져온다거나 대학 시간강사의 처우를 단기간에 개선하려 강사법을 개정한 결과 재정난에 시달리는 대부분의 대학들이 강사 수를 줄여 취업난이 더 악화된 경우 등이 대표적이 예다.

둘째는 1990년대 이후 독일의 사례이다. 독일은 1990년대 세계 최고 수준의 고임금과 높은 복지 비용, 그리고 주 35시간에 불과한 세계에서 가장 짧은 노동시간으로 노동자의 천국을 이뤘다. 하지만 기업들은 높은 노동 비용을 감당하지 못하고 신규 고용을 꺼려 12%에 달하는 높은 실업률을 가져왔고 기업이 해외로 빠져나가는 산업 공동화 현상을 초래했다. 당시 독일은 경제 위기에 시달려 경제성장률이 2%를 넘지 못하는 유럽의 병자로 불렸다. 독일의 고용과 경제가 부흥한 계기는 2002년의 하르츠 개혁이었다. 하르츠 개혁은 노동 유연화를 적극적으로 추진해 시간제 일자리인 '미니잡'을 허용하고, 파견 노동 규제를 철폐했고, 노동자 해고 보호 조치도 완화했다. 그 결과 독일 기업은 자국의 투자와 고용을 늘려 실업률은 5%대로 하락했고 60%대에 머물던 고용률은 75%에 달했다. 경제성장률도 4%에 육박하는 등 유럽연합(EU) 평균 수준을 뛰어넘는 성과를 거뒀다. 하르츠 개혁은 저소득 일자리를 늘리는 '인기 없는 성공'이라는 비판도 있지만 실업률·고용률·성장률을 개선하고 독일 경제의 부흥을 이룬 점은 누구도 부인할 수 없다.

한국은 최근 '기업 규제 3법(상법·공정거래법·금융그룹통합감독법)'을 시행해 경영의 자율권을 대폭 축소했다. 또 노동자 보호를 위해 노동과 산업 안전에 관한 규제를 크게 강화했다. 한 설문에 의하면 기업들의 70%는 기업 규제 3법에 불만을 표시하면서 노동 규제를 가장 시급한 개선 과제 1순위로 지적했다. 기업과 노동은 부가가치의 배분 측면에서는 대립적이지만 소득 제공과 일자리 창출의 측면에서는 협조적이다. 기업에 대한 규제가 반드시 노동자들에게 이익이 되지는 않는다. 자본과 노동은 시장이라는 같은 생태계를 공유하고 있기 때문이다. 도착이론과 독일의 사례가 보여주듯 노동자 보호를 위한 노동 관련 법안의 강화가 오히려 실업과 산업 공동화를 불러와 코로나 시대에 신음하는 노동자들의 고통을 가중하는 결과를 가져오지 않을지 성찰해야 할 시점이다.[65]

39. 쿠팡의 위험요소

쿠팡이 뉴욕증시 상장에 도전한다. 경제지는 쿠팡을 미국에 뺏겼다며 한탄했다. 노동법과 공정거래법, 금융규제 등이 용의자로 떠올랐다. 사실 쿠팡의 국적을 찾으려는 시도 자체가 아이러니다. 쿠팡의 모회사는 쿠팡 LLC로 미국법인이다. 처음부터 미국 상장이 목표였다. 쿠팡의 주요 투자자는 일본 소프트뱅크의 손정의 회장이 조성한 비전펀드다. 비전펀드의 최대주주는 중동의 오일머니다. 우리가 뺏긴 건 대한민국 회사 쿠팡이 아니라 쿠팡에서 일한 노동자다.

쿠팡은 미 증권거래위원회에 제출한 상장 신청서에 한국 고용노동부가 쿠팡플렉스와 쿠팡이츠 배달노동자들을 독립계약자로 판정했다고 썼다. 확신은 없었던지 불안한 마음을 덧붙인다. 노동자 지위 논란이 쿠팡의 재무상태, 운영 결과에 악영향을 미칠 수 있고 이를 방어하고 해결하는 데 드는 비용도 쿠팡의 사업에 중요한 요소라는 것이다. 쿠팡은 이를 '위험요소'로 명시했다.

쿠팡의 주장은 거짓이다. 2020년 7월30일 배달노동자들의 노동조합 라이더유니온은 노동부에 노조설립신고서를 제출했다. 노동부는 조합원들이 노동자가 맞는지 조사하겠다며 출석을 요구했는데, 항의 차원에서 각각의 배달회사를 대표하는 조합원들이 단체로 조사를 받으러 갔다. 이 중에는 쿠팡이츠 라이더도 있었다. 11월10일 노동부는 라이더유니온에 노조설립필증을 교부했다. 대한민국이 쿠팡이츠 노동자에 대해 공식적 판단을 내린 게 있다면 단체교섭권 등 노동3권을 행사할 수 있는 노조법상 근로자라는 사실 하나다.

쿠팡의 신청서는 플랫폼노동을 기반으로 한 산업의 불안을 그대로 보여준다. 플랫폼기업들은 기존 기업들이 당연히 책임졌던 생산도구 제공, 최저임금 보장, 사회보험 가입, 산업안전 의무에서 해방된다. 이 혁명은 쿠팡 배달을 하지만 근로자는 아니라는 위탁계약서 한 장으로 완수된다. 계약서엔 자동차나 오토바이는 일하는 사람이 알아서 구해오고 사고가 나도 회사가 책임지지 않는다는 내용이 있다. 당연히 배달을 노동자의 완전한 자율에 맡겨두면 서비스의 질을 보장할 수 없다. 이 때문에 평점 시스템과 실시간으로 바뀌는 배달료로 노동자들을 통제한다. 여기서 구멍이 생긴다.

마침 쿠팡이 막아야 할 구멍이 두 가지 생겼다. 영국에서 우버 드라이버가 근로자라는 판결이 나왔다. 영국 대법원은 '우버'가 요금과 계약조건을 결정하는 점, 운전자가 승차 거부를 자주 하면 불이익을 받는 점, 별점을 통해 운전자 서비스를 모니터링하고 반복된 경고에도 서비스가 개선되지 않을 경우 계약관계를 종료할 수 있는 점을 들어 우버 드라이버를 노동자라고 판단했다. 쿠팡이츠 시스템과 똑같다. 두 번째로 라이더유니온이 쿠팡이츠에 단체교섭을 요구했다.

쿠팡이 왜 미국으로 갔나를 물을 게 아니라, 쿠팡은 왜 한국 국민들을 플랫폼 노동자로 만들고 있는가를 질문해야 할 때다. 쿠팡이츠에 등록된 노동자의 숫자가 20만을 넘었다. 쿠팡의 노동자들이 아니라, 위험한 배달 일을 시키면서 아무런 책임도 지지 않는 쿠팡이야말로 우리 사회의 위험요소 아닐까.[66]

미국 증시 상장을 앞둔 쿠팡이 공정거래법을 투자 위험 요소라고 명시했다(연합뉴스)

미국 증시 상장을 앞둔 쿠팡이 공정거래법을 투자 위험 요소라고 명시했다. 쿠팡은 1일(현지시간) 미국 증권거래위원회에 제출한 수정 상장 신청서류에서 상장 주체인 미국기업 쿠팡주식회사(쿠팡 Inc)의 한국 자회사인 쿠팡과 계열사들이 한국법상 공시대상 기업집단으로 지정될 수 있다는 점을 새로 언급했다. 또 독점규제 및 공정거래에 관한 법률에 따라 관련 정보를 공개해야 할 수도 있다는 내용도 투자 '위험요소(Risk Factors)' 에 추가했다.

이런 내용은 지난달 12일 제출했던 상장 신청서류에는 없던 것이다. 지난달 상장 신청서류에서는 자회사와 계열사 간 관계와 거래가 공정위 검사를 받을 수 있고 만약 공정위가 공정거래 관련 법과 규정을 위반했다고 결정하면 과징금 등 처벌을 받을 수 있다는 언급만 있었다.

이와 함께 쿠팡은 한국 고용노동부가 쿠팡 플렉스와 쿠팡이츠 배달원을 노동자가 아니라 독립 계약자(개인사업자)로 판정했다는 내용은 '위험요소' 에서 삭제했다. 한편 수정 서류에서는 기존 신청 서류에 명시됐던 상장 주관사 중 뱅크오브아메리카 증권이 제외됐다.[67]

40. 정책은 왜 널뛰기하나

정책(政策)은 사회적 목표의 달성이나 문제해결의 합리적 수단이다. 즉 정부나 정치 단체, 개인 등이 정치적인 목적을 실현하거나 사회적인 문제를 해결하기 위하여 취하는 방침이나 수단이다.

정책입안이란 어떤 수단이 어떤 효과를 가져오는가 하는 사실판단과 그 담당 주체에 대한 능력 판단을 종합하여 당면한 상황에서 실행 가능한 선택안을 설정하고 국민적 이익이라는 목표에 실질적으로 부합될 수 있도록 다양한 선택안 중에서 최적의 방책을 선정하는 행위이다. 군사·기업 등에서는 이러한 정책 입안은 전략과 전술의 문제로 취급된다. 즉 정책적 사고는 모든 집단과 사회에서 정치적 사고의 기본적 요소이다.

현명하고 적절한 정책입안과 실행을 위해서 정치지도자는 정보수집, 선택안의 판단, 결정의 효과적 수행을 위한 두뇌와 수족을 필요로 하는데 보통 그 역할을 담당하는 것은 관료제이다. 정치적 결정은 집단 구성원 전체의 요구에 부응해야 한다는 전제가 강화됨에 따라 관료제는 상대적으로 비대해져왔다.[68]

다시 정치의 계절이 시작되었다. 4월의 서울·부산 시장 보궐선거에서부터 내년 3월의 대선까지 나라의 분열상이 심해질 것 같다. 이런 조건에서 정책은 한 극단에서 또 다른 극단으로 쏠리는 널뛰기 모습을 보이고 있다.

최근 극단적인 널뛰기 정책의 사례가 여야 후보들이 내놓은 부동산 대책과 신공항 대책이다. 서울시장 주요 후보들은 수십만가구의 주택 신규 공급을 공약하고 있다. 분당 신도시가 10만가구에 미치지 못하고, 강남 3구의 아파트 수가 30만가구 남짓이다. 몇 년 동안 서울 안에 신도시 몇 개를 밀어넣겠다는 것이다. 부산시장 후보들은 가덕도신공항을 선거 국면에서 무리하게 논의하고 있다.

물론 부동산 정책이나 신공항 정책 널뛰기는 현 집권세력 책임이 크다. 정부는 2017년 8·2대책을 통해 수요 억제 일변도의 정책 골격을 제시했다. 2020년 4월 총선에서 승리한 정부·여당은 극단적인 수요 억제책을 밀어붙였다. 그럼에도 가격이 잡히지 않자 서울시장 선거를 앞두고 또다시 쇼크요법을 내놓았다. 이번의 2·4부동산대책에는 전국 83만여가구, 서울 32만가구의 공급 방침이 포함되어 있다. 가덕도신공항 논의는 재정투자의 기본절차를 무너뜨리고 있다. 불과 몇 달 사이에 현기증 나는 정책 널뛰기가 나타나고 있다.

이 밖에도 경제정책 널뛰기의 사례는 많다. 2017년 7월 결정한 2018년도 최저임금 인상률은 16.4%로 2002년 이후 최고치였다. 그런데 2021년도 최저임금 인상률은 1.5%로 1988년 최저임금제 도입 이래 가장 낮은 수치를 기록했다. 정부는 출범 초 공공부문 비정규직의 정규직화를 내세웠다. 그러나 정규직 전환을 둘러싼 갈등이 확대되면서 정책 동력이 소진되었고, 비정규직은 계속 늘고 있다. 소득주도성장 정책은 담론 논쟁에서의 열세, 정책수단의 미비로 큰 성과를 거두지 못하고 후퇴했다.

경제정책뿐만이 아니다. 남북관계나 대외관계에서도 널뛰기가 심하다. 2018년의 세 차례 남북정상회담의 흥분과 열정은 이제 찾아보기 어렵다. 문재인 정부의 대일 정책은 강력한 반일정책에서 친일정책으로 급선회하고 있는 중이다. 남북관계의 요동은 북・미관계의 영향을 받은 측면도 강하다. 그런데 한・일 간에는 한국 정부가 관계를 악화시키는 데 중요한 역할을 수행했다는 평가가 많다.

중요 정책들이 왜 이렇게 널뛰기를 하는 것일까? 여기에는 양극화된 정치구조가 작용을 한다. 적대적인 정치집단은 권력 장악과 독점에 몰두한다. 정책에서도 진영논리와 독점적 의사결정을 추구한다. 권력 장악을 지상목표로 하면, 정책의 일관성과 현실성은 부차적 문제로 취급한다. 기존 권력에 도전하는 측에서는 새롭고 선명한 구호를 내거는 차별화 전략이 유리하다고 여긴다. 정책은 단기적인 지지율의 뒤꽁무니를 쫓게 된다.

정부 임기 중에도 정책은 널뛰기를 한다. 대통령의 권력자원은 지지율과 관련이 깊다. 그런데 1987년 이후 민주화체제의 역대 대통령 지지율은 임기 말이 되면 급락했다. 이른바 '제왕'적 대통령에서 '레임덕' 대통령으로의 추락 현상이 반복되었다.

어느 정부든 임기 초에는 권력자원의 크기를 과대평가하는 경향이 있다. 충성심과 돌파력이 칭송되면서 특히 집권 초기에 무리한 정책 목표에 대한 열정에 휩싸인다. 그러나 시간이 지나면서 현실의 제약에 모습을 드러내고 임기 초에 내세운 정책기조로 버티고 가기 어려워진다. 실패를 만회하기 위한 추주감이 널뛰기 정책을 압박하게 된다.

정치학계에서는 레임덕을 정당이나 입법부와의 관계, 행정입법권과 인사권의 행사 정도 등의 원인과 연관 짓는다. 나는 정책의 일관성・현실성 요인이 레임덕과 관련이 있다고 본다. 임기 초의 무리한 정책 추진은 결국 널뛰기 정책으로 귀결되고 그것이 레임덕의 일부가 되는 것이다. 선거에 나서는 세력들 모두 앞날을 깊이 살펴보길 바란다.[69]

41. 밀크티(MilkTeaAlliance) 동맹

19세기 영국과 청나라 간 아편전쟁의 도화선이 된 것은 차(茶)였다. 당시 영국에서는 차 수요가 폭발적으로 증가했다. 하지만 청으로부터 차를 사들일 결제대금 은이 절대 부족했다. 그래서 영국이 고안한 것이 인도를 끼워넣은 '삼각무역'이었다. 대중국 무역 독점권을 가진 동인도회사가 영국의 모직물을 인도에 수출하면, 인도는 중국에 아편을 수출하고, 그 대가로 영국이 차를 가져오는 식이다. '차의 정치경제학'을 보여준 대표적인 사례다.

지난 28일 대만에서 열린 밀크티 동맹 행진에 참여한 시민들이 미얀마 군부 쿠데타에 반대하는 세 손가락의 경례를 보여주고 있다(로이터 연합뉴스)

지난해 차가 다시 국제정치의 중심에 섰다. 태국과 중국 간 소셜미디어(SNS) 전쟁이 계기였다. 태국의 한 유명인이 트위터에 홍콩을 국가로 묘사한 이미지를 올린 것이 발단이었다. 중국 누리꾼들은 '하나의 중국' 원칙을 무시한 처사라며 강력 반발했다. 급기야 두 나라 간 갈등에 홍콩과 대만 누리꾼들이 태국 편에 가세하면서 반중국 운동으로 번졌다. 이를 계기로 태국과 홍콩, 대만 등 세 나라 누리꾼들이 결성한 것이 '밀크티 동맹'이다. 차를 즐겨 마시는 중국과 달리 세 나라가 밀크티를 마신다는 공통점에 착안해 만든 이름이다. 밀크티 동맹은 지난해 인도와 중국 간 국경분쟁으로 인도 누리꾼까지 가세하면서 세력을 확장했다.

'피의 일요일'로 불리는 2월 마지막 날, 미얀마에서 군경의 총격으로 시위대 최소 18명이 숨졌다. 쿠데타 발발 한 달 만의 최악의 유혈사태다. 그러자 홍콩과 태국 방콕, 대만 타이베이에서 청년들이 미얀마 시민 지지 거리시위를 벌였다. SNS상에서만 연대의 뜻을 표출하던 밀크티 동맹이 오프라인으로 활동무대를 넓힌 것이다. 반군부 시위에 나선 미얀마 시민들은 국제관계의 냉엄한 현실을 절감하던 터였다. 특히 쿠데타 세력을 강력 비난한 서방국가들과 달리 애매한 태도를 보이고 있는 중국에 대한 불만이 높았다. 시민의 안위는 도외시한 채 미얀마의 전략적 가치만 따지고 있다는 것이다.

밀크티 동맹(Milk tea Alliance)은 태국과 홍콩 그리고 대만이 연대한 '반(反)독재, 반(反) 중국' 운동을 지칭한다. 2020년 초 태국의 한 유명 배우가 SNS에서 홍콩과 대만 독립을 지지한 것이 알려지면서, 중국 네티즌은 물론 태국 주재 중국 대사관이 '하나의 중국' 원칙을 훼손했다며 강력하게 반발한 것을 계기로 펼쳐진 SNS 대전이다. '밀크티'가 태국·대만·홍콩에서 공통으로 사랑받는 음료라는 점에서 이처럼 불리게 됐다.

한편, 홍콩과 대만, 태국 등의 민주주의 활동가들이 디즈니 영화 '뮬란'의 보이콧(boycott)1) 운동을 추진 중이다. 홍콩 민주주의 활동가로 유명한 조슈아 웡이 SNS에 '뮬란' 보이콧을 밝힌 이후로 홍콩뿐 아니라 대만과 태국의 민주주의 활동가들 사이에서 '밀크티 동맹(MilkTeaAlliance)'이라는 해시태그를 사용한 '뮬란' 보이콧 운동이 번졌다. '뮬란'이 중국 정부의 위구르족 인권탄압 의혹이 있는 신장위구르 자치구에서 촬영된 데다가 엔딩 크레딧에 촬영에 협조해 준 중국 공안 당국에 감사를 표시하는 문구가 들어가 밀크티 동맹에 불씨를 댕겼다.[70]

밀크티 동맹이 미얀마 사태에 얼마나 영향을 미칠지 예측하기 어렵다. 하지만 외롭게 투쟁하는 미얀마 시민에게 최대 지원군인 것은 틀림없다. 밀크티 동맹이 만약 미얀마의 민주화를 지켜내고, 나아가 반중 연대라는 한계까지 넘어선다면 아시아 민주주의와 인권 운동의 상징이 될 수 있을 것이다.[71]

42. '사회적 선망 편향성' 발생 '저출산 설문' 방법 바꿔야

지난해 우리나라 역사상 최초로 인구가 줄었다. 행정안전부가 발표한 자료를 살펴보면, 2020년 12월31일 기준 우리나라 주민등록인구는 5182만9023명으로, 2019년(5184만9861명)에 비해 2만838명이 줄어 사상 처음으로 인구가 감소했다. 특히 지난해 인구 감소는 군소한 특정 지자체뿐 아니라 서울을 비롯해 부산, 대구, 광주, 대전 등 광역시에서도 확인된 현상으로 향후 본격적으로 감소할 것임을 보여준다.

그동안 우리나라도 이러한 인구 감소 문제를 해결하기 위해 막대한 재정을 투여해 왔다. 저출생 해결 관련 예산이 2006년 2조원 수준에서 2018년에는 26조3000억원으로 10여년 만에 무려 10배 이상 증가했다. 그럼에도 불구하고 저출생으로 인한 인구 감소 문제는 조금의 해결 기미도 보이지 않는 상황이다. 이제는 그야말로 지금까지 지속해온 저출생 문제의 해결 방안과는 전혀 다른 새로운 대안을 찾아야 하는 시점이 온 듯하다.

현재까지 수행해 온 저출생 해결 전략들이 아무런 객관적 근거 없이 추진된 것은 결코 아니다. 오히려 근거 자료들은 넘쳐나는 상황이다. 여러 연구기관과 부처에서 다년간 다양한 설문조사를 바탕으로 대안을 모색해 왔다. 그리고 이러한 조사를 통해 우리는 주거, 직업, 소득, 육아 비용, 양성평등과 같은 익히 잘 알려진 답변들을 반복해서 확인했다.

하지만 이러한 설문조사 결과들을 해석할 때 우리는 보다 더 주의를 기울여야 할 듯하다. 그것은 개인들을 대상으로 한 설문조사에서는 사회적 선망 편향성(social desirability bias)이 발생할 수 있기 때문이다. 사회적 선망 편향성이란 설문조사 응답자가 다른 사람에게 좋은 인상을 남기기 위해 실제 자신의 의견과는 다른 답을 하는 경향을 말한다. 예를 들어 본인은 정작 특정 문제에 전혀 관심이 없거나, 심지어 반대되는 생각을 갖고 있음에도 불구하고, 설문조사에 응답할 때는 보편적으로 받아들여지는 정서에 근거한 답변을 할 때가 많다.

예를 들어 '창업활동을 지원해야 하는가'라는 설문조사에서 과연 '아니요'라고 대답하는 사람이 몇이나 될까? 하지만 정작 설문조사에 응답한 사람들에게 직접 창업을 할 거냐고 물으면 설문조사 내용과는 정반대로 본인은 창업에 관심도 없고, 창업에 대해 부정적으로 인식하는 경우가 많다.

저출생 관련 설문조사에서도 유사한 현상이 전개될 가능성은 높다. 우리 사회는 특정 나이가 되면 반드시 취업을 해야 하고, 다시 특정 나이가 되면 결혼을 해야 하며, 다시 결혼 후 몇 년 안에 아이를 가져야 한다는 정형화된 인식이 공고하다. 이러한 사회적 인식 속에서 나만 다른 경로의 인생을 설계하고 있다고 외부에 표명하는 것은 왠지 자신에게 문제가 있다는 사실을 알리는 듯한 인상을 줄 가능성이 높다. 이 경우 가장 흔히 보이는 답변 행태는 방어적 태도이다. 쉽게 말해 자신도 다른 사람과 동일한 가치관을 갖고 있지만, 외부 환경이 여의치 않아 이를 실천하지 못하고 있다는 것이다.

1960년대 우리는 지금 못지않은 청년취업난과 열악한 주거환경 속에서도 다자녀를 둔 바 있다. 시골에서 올라와 단칸방에서 4~5명의 가족이 생활한 모습을 우리는 기억하고 있다. 이와 더불어 오늘날 공무원과 같은 안정적인 직업군의 여성들과 의사, 변호사 같은 전문직 여성들의 비혼율이 전체 평균보다 높다는 점도 단순히 경제적 지원만으로는 저출산 문제를 해결하지 못함을 방증한다.

인구구조 문제는 코로나19보다 중대한 우리 사회의 당면과제이다. 이 문제를 지난 10년간 해결하지 못했다면, 이제는 새로운 대안을 찾기 위한 기존의 설문조사와 같은 방법론과는 전혀 다른 새로운 접근법을 시도해 봐야 하지 않을까 싶다.72)

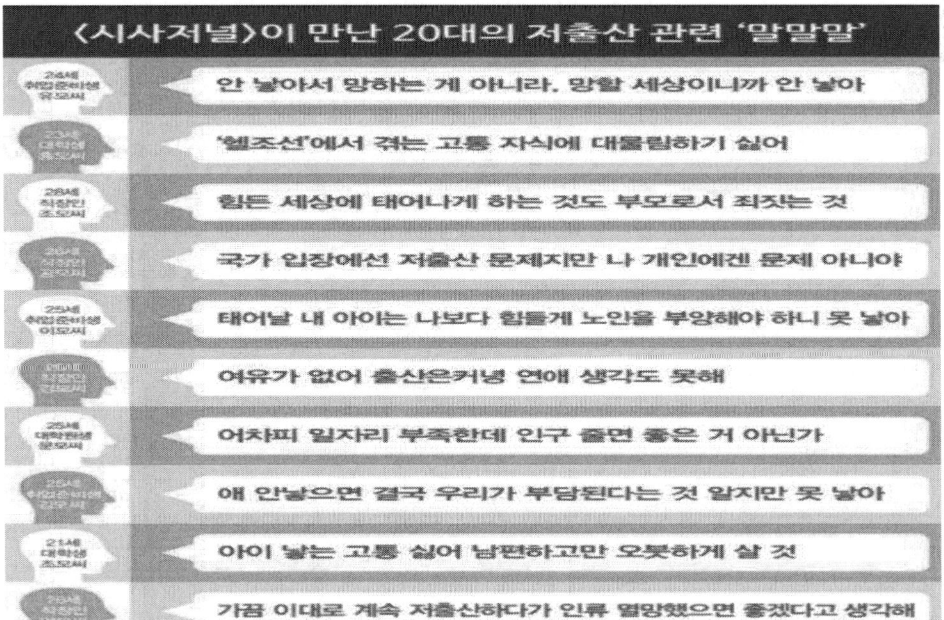

〈시사저널〉이 만난 20대의 저출산 관련 '말말말'

안 낳아서 망하는 게 아니라, 망할 세상이니까 안 낳아

'헬조선'에서 겪는 고통 자식에 대물림하기 싫어

힘든 세상에 태어나게 하는 것도 부모로서 죄짓는 것

국가 입장에선 저출산 문제지만 나 개인에겐 문제 아니야

태어날 내 아이는 나보다 힘들게 노인을 부양해야 하니 못 낳아

여유가 없어 출산은커녕 연애 생각도 못해

어차피 일자리 부족한데 인구 줄면 좋은 거 아닌가

애 안낳으면 결국 우리가 부담된다는 것 알지만 못 낳아

아이 낳는 고통 싫어 남편하고만 오붓하게 살 것

가끔 이대로 계속 저출산하다가 인류 멸망했으면 좋겠다고 생각해

43. 소액기본소득의 효용성 의문

기본소득(basic income, 基本所得)은 중앙정부나 지방정부가 모든 개인에게 자산조사나 근로취업에 대한 요구 등의 조건 없이 지급하는 소득. 노동과 소득을 분리하고, 구성원 모두의 인간다운 삶을 보장한다는 의미의 '기본권' 차원에서 출발하며, 기초생활수급이나 실업수당과 같은 기존 사회보장제도와 달리 공동체 구성원이라면 평생 동안, 충분한 금액을 규칙적으로 지급하는 복지 정책이다.[73]

기본소득이 대통령선거에서 핵심 주제로 자리 잡을 듯하다. 현행 소득보장의 한계를 넘어서자는 논의이기에 전향적인 일이다. 다만 기본소득이 국가정책의 장으로 들어온다면 앞으로의 토론은 엄격해야 한다.

우선 기본소득의 실체를 명확히 하자. 근래 기본소득이 바람을 타면서 웬만한 현금복지에 기본소득 이름이 붙고 있다. 사람마다 선호하는 상표는 존중하더라도 내용물은 혼동하지 말아야 한다. 기본소득 바구니에는 확연히 성격이 다른 네 가지 유형이 담겨 있다.

첫 번째는 모두에게 상당한 금액을 지급하는 완전기본소득이다. 기본소득 옹호자들도 근래 충분성을 명시하지 않듯이 지금 논의 대상이 아니다. 두 번째는 완전기본소득에서 금액을 낮춘 소액기본소득이다. 관련 법안도 제출될 만큼 정치권의 의제로 부상했다. 세 번째는 아동, 청년, 농민 등 특정 대상에게 적용되는 범주형 기본소득이다. 복지국가에서 동일한 제도를 사회수당이라고 부르듯이 논란의 제도는 아니다. 네 번째는 취약계층에 한정된 사회부조형 기본소득이다. 실업부조 수급자를 대상으로 삼은 핀란드의 실험이 여기에 속한다. 이는 취약계층 복지에서 근로동기를 독려하려는 노력으로 역시 찬반 제도는 아니다.

결국 우리가 다룰 주제는 소액기본소득이다. 이는 아동, 실업, 빈곤 등 지원의 필요를 따지지 않고 무조건 지급한다는 점에서 범주형이나 사회부조형과는 완전히 다른 제도이다. 아프리카 어디에서 취약계층에게 일괄 현금을 지급했으니 혹은 핀란드도 실험했으니 소액기본소득을 시행하자는 엇박자 주장은 곤란하다. 향후 토론은 전 국민 소액 지급의 타당성에 집중해야 하며 논점은 다음과 같다.

첫째, 공유부의 분배? 이는 토지, 지식, 빅데이터 등 모두의 노력과 네트워크로 형성된 공동자산은 동일하게 분배되어야 한다는 주장으로 근래 기본소득의 핵심 근거이다. 그런데 공유부만일까? 자동차공장 역시 오랜 노동과 지식의 축적물이다. 마트에 진열된 물건도 소비자가 구매해야 비로소 상품으로 완성된다. 공유부도 특정한 역사적 형태일 뿐, 불평등을 재생산하는 생산자원이라는 점에서 기존 자산과 다르지 않다. 자동차공장이든, 공유부든 모두 사회적 노동과 역할의 결과이기에 여기서 조성된 공공재원이 꼭 동일액으로 분배되어야 할 이유는 없다. 부가 어떤 방식으로 존재하든, 분배는 별도의 '정치' 영역이다.

둘째, 재분배 효과? 동일액을 제공하는 기본소득에서 재분배는 지급 방식보다는 누진적 세입에서 비롯된다. 세입과 세출에서 동시에 재분배를 구현하는 일반 현금급여들과 비교해 기본소득은 공공재정의 사용에서 가장 재분배가 적은 제도이다. 불평등이 심각하다면서 최소의 재분배에 머물러도 될까? 상당수 시민들이 낸 세금보다 더 받기에 증세 가능성을 내세우지만 서구 복지국가들은 기본소득 없이도 높은 세입을 달성했다. 증세 정치에서 관건은 신뢰와 연대임을 잊지 말자.

셋째, 단계적 인상? 일단 적은 금액으로 시작해 올려가자는 제안이다. 닭도 병아리에서 출발한다는 비유도 등장했다. 그런데 두 기본소득 유형이 속한 사회경제적 환경의 다름을 직시해야 한다. 병아리와 닭은 같은 환경에서 자란다. 반면 완전기본소득이 작동하는 사회는 대부분이 탈노동 지위에 있는 인공지능사회에 가까울 것이나 지금 도입하자는 소액기본소득은 심각한 불평등체제 안에서 운영된다. 적합하지 않은 공간에 억지로 병아리를 넣고 닭으로 크라고 주문할 수는 없다.

대안은 무엇일까? 우리가 사는 세상이 불평등하다면 필요 기반의 소득보장이 최선이다. 이는 실업, 빈곤 등으로 소득의 어려움에 처한 누구라도 지원하기에 보편주의 원리와도 상통한다. 무차별 지급이 아니면 선별로 간주하는 협소함을 넘어서야 한다. 사각지대에 대응할 수 있냐고? 앞으로는 가능하다. 대한민국에는 전자거래와 디지털화 덕택에 소득·매출 자료가 대부분 존재한다. 정부가 확고한 의지로 실시간 소득파악체계를 구축하면 사각지대 없는 소득보장을 추구할 수 있다.

물론 인공지능사회도 대비해야 한다. 탈노동 시민이 많아지면 당연히 필요 기반 소득보장은 더 넓게 펼쳐질 것이다. 돌봄과 참여 활동에서 사회적 지원 필요가 인정되는 만큼 소득보장 범위도 돌봄수당이나 참여소득 등으로 확대될 것이다. 그리고 언젠가 인공지능사회가 도래한다면 모두의 필요가 비슷하기에 인류사회의 소득보장은 자연스럽게 완전기본소득의 모습을 띨 수 있다. 진정 완전기본소득을 원한다면 지금 키워야 할 병아리는 소액기본소득이 아니라 필요기반 소득보장이라는 말이다.[74]

44. '참여소득제'에 주목하자

재난지원금 지급을 거치면서 기본소득이라는 정책은 이제 더 이상 낯설지 않은 것이 되었다. 그런데 기본소득의 필요성에 공감하는 이들도 그 정책의 파격적인 상상력에 주춤하는 경우를 많이 본다. 무엇보다도 아무 대가 없이 지급한다는 '무조건성'이라는 기본소득 원칙에 대해 거부감을 느끼는 이들이 많다고 보인다. 이런 이들에게 기본소득과 무척 닮아있지만, 이 '무조건성'의 원칙 대신 '사회적 가치를 갖는 활동'이라는 조건을 내건 참여소득제의 개념에 관심을 갖도록 권하고자 한다.

참여소득제는 기본소득과 대단히 중요한 전제를 공유하고 있다. 아직도 경제학의 금과옥조처럼 돼 있는 '완전고용'이라는 것이 사실상 만성적 대량 실업과 극심한 소득 부족으로 대체되어버린 21세기의 현실에서, 사람들의 소득 원천을 노동시장에만 맡겨둘 수 없다는 것이다. 따라서 노동시장에서 일시적으로 배제된 이들의 소득을 보조하는 기존의 '잔여적 복지'를 과감히 넘어서서 노동시장에서 고용되지 않은 이들도 최소한의 소득을 얻을 수 있는 사회의 보장을 제도화할 필요가 있다는 점에선 두 정책이 지향하는 바가 일치한다.

하지만 참여소득제는 그 대가로 소득을 얻는 이들이 사회적 가치를 인정받는 활동을 해야 한다는 의무를 부과한다. 참여소득을 얻기 위해서는 돌봄, 학습, 마을공동체 기여, 생태위기를 경감시키는 활동같이 사회적으로 가치 있다고 인정되는 활동을 해야만 한다. 그냥 무작정 주는 돈은 아니라는 것이다.

최초에 이 개념을 세상에 제기했던 이는 지금은 고인이 된 영국의 사회정책 연구 대가 리처드 앳킨스였다. 1996년에 발표한 글에서 그는 기본소득의 개념과 방향에 크게 공감하지만, '모든 이들에게 무조건 돈을 퍼준다'는 생각에 대해 대중들의 반감이 거셀 것이며 이 때문에 정치적으로 순탄히 용납되기 힘들 것이라고 보았다. 그래서 이러한 정치적 난점을 최대한 넘어서면서 기본소득 정책에 접근하기 위한 일종의 중간적 형태로서 참여소득을 이야기했던 것이다. 하지만 시간이 지나면서 참여소득은 기본소득으로 가는 매개물을 넘어서 그 자체로 독자적인 의미를 갖는 정책일 뿐만 아니라, 그 근간을 이루는 상상력에 있어서 기본소득과 결정적인 차이를 갖는다는 점에 최근의 연구자들은 착목하고 있다.

첫째, 참여소득은 시장가격으로 나타나는 시장가치를 넘어서서 '사회적 가치' 를 창출하는 활동의 대가라는 독자적 근거를 갖기 시작했다. 세상엔 사회적으로는 너무나 소중하고 가치있는 재화와 서비스이지만 시장가격으로는 전혀 반영되지 않는 것이 많다. 폐지 줍는 어르신들이 창출하는 가치가 과연 고물상 주인들이 내어주는 1000원짜리 몇 장뿐일까? 그 액수는 고물상 주인의 영리 활동의 비용 계산에서 나온 것일 뿐, 어르신들 덕에 깨끗해진 동네 환경과 노인 문제 완화 등의 사회적 가치는 전혀 반영되어 있지 않다. 내 숙모님께서는 거동을 전혀 못하는 시어머니의 배설물 처리부터 식사 후 커피 한잔까지 정말로 알뜰하게 돌보셨다. 동네의 목사님들과 스님들 중에는 엇나가기 십상인 청소년들을 붙잡고 좋은 길로 인도하려고 불철주야 애쓰는 분들이 많다. 이러한 활동이 시장에서 가격으로 가치가 계산되지 않지만, 우리 세상이 굴러가는 데에 없어서는 안 될 너무나 소중한 사회적 가치임은 누구도 부인할 수 없다. 참여소득은 바로 이러한 사회적 가치를 창출하는 활동에 대한 적절한 보상이라고 할 수 있다.

둘째, 기본소득은 그 밑에 자유지상주의라고 불리는 개인주의 가치관을 깔고 있는 반면, 참여소득은 개인이 아닌 '사회' 라는 관점에서 출발한다. 기본소득은 국가와 사회가 모든 개개인에게 일정한 소득을 '무조건적' 으로 주는 책임을 이야기할 뿐, 그 돈을 개인들이 어떻게 쓰고 활용하는지에 대해서는 절대적으로 개인의 재량에 맡기자고 한다. 반면 참여소득은 어떤 활동이 사회적으로 유용한 것인지 또 그 활동의 가치, 즉 참여소득의 액수를 어떻게 계산할 것인지 제반의 문제를 사회라는 실체가 결정할 문제라고 본다.

가족정책으로서의
기본소득제 거버넌스 세미나

백신 접종이 시작됐지만, 코로나19로 망가진 노동시장과 경제가 언제 회복될지는 기약이 없다. 그리고 2019년 상태도 사실 그다지 좋은 것이 아니었다. 대안적인 사회정책과 노동시장 정책의 논의가 봇물처럼 터져나오고 있다. 기본소득, 고용보장제, 참여소득, 사회연대경제 등 새로운 선택지가 다양하게 열리고 있다. 기본소득에 회의적인 분들은 참여소득에 관심을 가져보시기를 강력히 권하고 싶다.[75]

45. '인간 친화적 기술혁신' 코로나 위기서 더 중요

코로나19 위기가 우리의 삶을 근본적으로 뒤흔들고 있다. 가장 피부에 와 닿는 변화는 이른바 '언택트' 로 대변되는 기술혁신의 파고일 것이다. 누군가는 "지금 전 세계가 전자상거래, 디지털 및 원격 경제에 대한 특강을 받고 있다" 고 평하기도 했다. 4차 산업혁명의 열풍에도 완고함을 잃지 않던 중장년층들조차 이제는 전자상거래는 물론 야식 배달서비스와 랜선 회의마저 친숙해진 모습이다.

하지만 코로나19가 몰고 온 새 바람의 이면에는 매출 없이 임대료와 이자만 부담해야 하는 자영업자나 영세기업들, 그리고 일자리를 찾지 못해 망연자실해하는 청년들과 실직자들의 비애가 넘쳐난다. 아니면 언택트 열풍에 따른 배달 특수에 라이더나 택배기사가 되어 생계의 현장에 나서야 한다. 공허하게만 다가오던 4차 산업혁명의 어두운 면, 아니 생생한 현장을 몸소 체험하고 있는 것인지도 모른다. 우리 주변에 일자리 상실과 생계난, 안전사고 위험에 시달리는 사람들이 늘고 있다. 건강하고 안전한 양질의 일자리는 디지털 전환이란 명목하에 축소되고, 현대판 '3D' 일자리만 그 공백을 채우고 있다.

<국가는 왜 실패하는가>의 공저자로 유명한 경제학자 다론 아제모을루는 최근 이처럼 기술혁신, 특히 AI로 대변되는 자동화의 부정적 이면에 주의를 환기시킨다. 그의 표현을 빌리면 '잘못된 유형의 AI' (the wrong kind of AI)가 문제다. 흔히 과학기술은 가치중립적이라고 생각하기 쉽지만, 그 사회적 영향을 감안하면 가치판단에서 자유로울 수 없다. 특히 그는 기술혁신이 "사회적으로 바람직한 수준을 넘어섰다" 고 지적한다. 생산비용 절감 차원을 넘어 고용 위축과 임금 감소 등 사회적 비용이 더 크기 때문이다.

기술혁신은 경제성장 및 인류 진보의 원동력이다. 기술혁신은 생산성 증대와 고용기회의 확대를 통해 생활수준을 높일 것으로 기대된다. 그러나 지금은 경제 전반의 생산성이 둔화되고 고용 위축과 양극화가 심화되고 있다. 그 이유로 아제모을루는 빅테크 주도의 기술혁신에 따른 시장실패, 또 기초연구에 대한 정부의 지원 축소와 노동보다는 자본을 우대하는 세제 편향 등을 꼽는다. 따라서 그는 '기술혁신의 방향 재조정', 즉 고용기회를 확대하고 번영의 과실을 고르게 나눠줄 '인간 친화적인 기술혁신' 의 필요성을 역설한다. 정부가 직접 나서서 자본 친화적 방향에서 노동 친화적 방향으로 기술혁신의 구성을 바꿔줄 인센티브를

창출해야 한다는 것이다.

물론 이러한 정부의 기술규제에 대해서는 당연히 반론이 제기될 수 있다. 정부가 너무 나서는 건 아닌지, 그런다고 기술혁신의 방향을 바꿀 수 있을까, 혹시 빅브러더와 같은 새로운 전체주의를 낳는 것은 아닌지 등등. 하지만 아제모을루는 과거에도 정부는 정책 지원이나 기술표준 제정 등을 통해 언제나 기술혁신에 개입해왔고, 인터넷이나 항생제와 백신의 도입에서 볼 수 있듯이 정부개입에 따른 영향력은 실로 막대했다고 평가한다. 나아가 하이에크와 같은 극단적인 자유론자의 우려와 달리 정부개입은 대부분 현대 복지국가의 번영을 이끌어 왔다는 게 그의 진단이다.

다만 국가의 개입을 효과적으로 통제할 수 있도록 '국가와 사회의 균형'이 중요하다. 우리는 디지털 기술이 독과점 폐해와 확증편향 강화 등으로 민주주의 자체를 위협할 수 있다는 그의 경고에 주의를 기울일 필요가 있다. 국가의 역할이 필요하고 또 커질수록 민주주의를 지키는 것은 법률이나 권력분립의 제도적 설계 자체가 아니라 정치인과 관료들의 행위에 책임을 묻고 감시할 수 있는 시민사회의 역량이다. 국가와 사회의 상호보완적인 균형에 기반하여 기술혁신을 올바른 방향으로 이끌 규율체계가 필요한 것이다. 포스트 코로나 세상의 재건을 위해 이제 기술혁신의 방향 재조정은 더 이상 피해갈 수 없는 과제이다.[76]

《국가가 왜 실패하는가》는 2012년에 처음 출판되었으며 경제학자 다론 아제모을루와 제임스 로빈슨의 저서이다. 저자와 다른 많은 과학자들의 이전 연구를 요약하고 대중화한다. 신제도경제학을 기반으로 저자들은 정치 및 경제 제도 (사회에 존재하는 일련의 규칙 및 집행 메커니즘)에서 다른 요인을 고려하여 여러 국가의 경제 및 사회 발전 차이에 대한 주요 원인을 봅니다. 지리, 기후, 유전학, 문화, 종교, 엘리트 무지)는 이차적이다.

저자는 두 가지 유형의 제도를 대조한다. 정치적 의사 결정 및 소득 분배 과정에서 사회의 대다수를 배제하는 것을 목표로 하는 추출적 제도와 경제 및 정치 생활에서 사회의 가능한 가장 광범위한 계층을 포함하는 것을 목표로 하는 포괄적 제도이다. 저자에 따르면, 광범위한 사회 계층이 배제됨에 따라 정치적 의사 결정 과정은 필연적으로 엘리트에 속하지 않은 모든 사람들의 경제적 권리에 대한 공격으로 이어진다. 그리고 재산권에 대한 신뢰할 수 있는 보장과 사회의 다양한 부분에서 기업으로부터 소득을 얻을 수 있는 기회가 부족하여 경제 성장이 중단된다. 따라서 저자에 따르면 다원주의적인 정치 제도가 없으면 지속 가능한 발전을 달성하는 것이 불가능하다.[77]

46. 미국 경기 좋아질 때, 미국 밖 금융시장은 사달이 난다

금리란 기본적으로 화폐의 시간적 감가(물가상승)에 대한 보상이므로 물가상승률과 비슷하게 가는 것이 기본이다. 그러나 물가상승률을 정확하게 산정하기 어렵고 그렇게만 해서는 경제성장을 반영할 수 없기 때문에 (명목) 경제성장률을 상한으로 잡게 된다.

미국 금리가 빠르게 상승하고 있다. 작년 말 0.92%였던 미국 10년 만기 국채수익률은 이달에 1.6%까지 높아졌다. 금리가 올라가는 건 미국 경기 회복에 대한 기대가 높아지고 있기 때문이다. 코로나19 백신 접종이 빠르게 진행되고 조 바이든 행정부의 대규모 경기부양책까지 의회를 통과하면서 2021년 미국 성장률 전망치는 계속 상향 조정되고 있다. 2021년 미국 국내총생산(GDP) 성장률 전망치는 3개월 전 3.9%에서 지난 주말에는 5.5%까지 높아졌다. 코로나19로 인해 역성장(-3.5%)했던 작년의 부진을 일거에 만회하는 놀라운 반전이다.

초저금리 환경에 익숙해져 있던 주식시장은 금리 상승에 화들짝 놀라고 있지만 심각한 조정세가 나타나고 있는 건 아니다. 미국 증시에서는 금리 상승에 취약한 성장주들이 포진돼 있는 나스닥지수가 꽤 깊은 조정을 나타내고 있지만, 전통적 경기민감주들 위주인 다우지수는 연일 사상 최고가를 경신하는 기염을 토하고 있다.

사실 금리 상승은 금융시장에서 예상하지 못했던 일이 아니다. 작년보다 올해 경기가 회복될 것이라는 기대는 거의 대부분의 투자자들이 가지고 있었기 때문이다. 오히려 문제는 외환시장에서 나타나고 있다. 달러가 강해지고 있기 때문이다. 금리 상승은 금융시장의 컨센서스였지만, 강달러는 소수의견이었다.

올해 거의 모든 나라가 작년보다 성장률이 개선되는 경기 회복을 경험하게 되겠지만, 그중에서도 미국이 나타낼 것으로 보이는 회복 강도는 차별적으로 강하다. 반면 미국과는 다르게 유로존 성장률 전망치는 하향 조정, 일본은 정체를 나타내고 있다. 공식적으론 탈코로나에 가장 먼저 성공한 중국도 지난주 전인대에서 강력한 경기부양보다 늘어난 부채 관리에 치중하겠다는 발표를 하면서 성장에 대한 기대가 후퇴했다. 코로나19 백신 접종이 더딘 신흥국들의 상황은 더 나쁘다. 미국 경제가 차별적으로 좋으니, 미국 돈인 달러가 강해지고 있는 것이다.

달러가 강해질 때 미국 밖의 금융시장이 평온했던 경우는 거의 없었다. 달러

가치가 강해지면 비달러화로 표시된 자산이 가진 매력도가 떨어지기 때문이다. 신흥국 주식시장에서는 거의 전방위적인 외국인 매도세가 나타나고 있다. 2021년 들어 외국인 투자자들은 한국 증시에서 7조5000억원의 순매도를 기록하고 있다. 통화가치도 약해져 작년 12월 1080원대까지 떨어졌던 원·달러 환율은 지난주 1140원대까지 치솟았다.

확실히 글로벌 금융위기 이후 십수년간 글로벌 경제의 구조가 바뀐 것 같다. 과거에는 미국 경제가 좋아지면, 미국 밖의 많은 나라가 대미 수출을 늘리면서 경기가 함께 좋아졌다. 미국은 다른 나라들에 무제한적인 시장 접근을 허용했고, 수입된 물량을 충분히 소화해 낼 수 있는 왕성한 소비욕을 가진 국가였다. 요즘도 미국 경기 회복이 글로벌 경제에 악재라고 볼 수는 없지만, 미국 경제에 도는 온기가 미국 밖으로 퍼지는 효과는 확실히 약해졌다고 봐야 한다. 보호무역을 노골적으로 내걸었던 도널드 트럼프 행정부 때 이런 경향이 두드러지게 나타났지만, '바이 아메리카'(buy America: 미국산 제품 구매 장려), '리쇼어링'(reshoring: 다국적 기업들의 본국 회귀) 등의 자국 제조업 진흥 정책을 내걸었던 건 버락 오바마 행정부 때였고, 바이든 행정부의 경제정책에서도 내셔널리즘의 그림자가 어른거리고 있다.

글로벌 금융위기 이후 미국 이외 지역의 금융시장은 미국 경기가 회복되는 국면에서 오히려 위기에 노출되곤 했다. 경기가 좋아서 미국 금리가 올라가고, 달러가 강해지는데, 미국 밖의 나라들은 미국에 현저히 못 미치는 회복 강도를 보여줬기 때문에 금융여건 악화의 불똥을 맞았다고 볼 수 있다. 글로벌 금융위기 이후 경기가 정상화되는 과정에서 나타났던 2011년의 강달러 국면에서는 남유럽 국가들이 재정위기의 유탄을 맞았고, 2013년 당시 연방준비제도 의장이었던 벤 버냉키가 양적완화 축소를 의미하는 테이퍼링을 언급했던 시기에는 브라질이 치명상을 입었다. 2015년 미국 금리 인상 국면에서는 중국의 부채위기가 세상 밖으로 드러나면서 중국 주식시장이 큰 홍역을 치뤘다.

이번에도 비슷한 상황이 전개되고 있다. 금리가 급등할 경우 미국 주식시장도 약세를 나타내겠지만 투자자들이 감내할 수 없을 정도의 조정은 아닐 것이다. 반면 만성적 경상수지 적자국으로 강달러 국면에서 늘 취약했던 브라질·터키 등의 주식시장은 부진한 성과를 나타낼 것으로 보인다. 한국 주식은 개인 투자자들의 자금 유입이 아직도 강력하고, 중기적 경기 회복 강도도 주요국들 중 상위권에 속하기 때문에 여타 신흥국보다는 나은 성과가 기대되지만, 작년처럼 미국보다 좋은 수익률을 기록하기는 힘들 것으로 보인다.[78]

47. 투기의 추억

투기와 투자의 차이점은 투기가 극히 단기의 이익획득을 목적으로 불확실성을 오히려 이용하여 적극적으로 모험행위를 하며 일시적인 차익만을 노리는 행위라면, 투자는 정상적이며 합리적일 뿐만 아니라 규칙적인 수익획득을 목적으로 하여 손실의 위험을 적게 하려는 행위라고 할 수 있다.

#1기 신도시. 1989년 노태우 정부는 분당·일산 등 5곳에 200만호의 베드타운 계획을 전격 발표했다. 곧 예정지는 투기장이 되었고 심각한 사회문제에 대대적인 수사로 무려 1만3000명의 투기꾼이 적발되고 비리공직자 131명을 포함해 987명이 구속되었다.

#2기 신도시. 2003년 노무현 정부는 동탄·위례 등 12곳에 신도시 계획을 전격 발표했다. 다시 투기가 극성을 부리자 대대적인 수사로 투기꾼에게 개발정보를 준 공무원 27명 등 무려 투기꾼 1만5000명이 입건되었다.

#3기 신도시. 2018년 문재인 정부는 하남·과천 등 6곳에 신도시 계획을 발표했다. 이상하게도 온 나라가 떠들썩했던 1·2기와는 달리 2년 넘게 조용했다. 지난 2월 뒤늦게 광명·시흥에 7만호 신도시를 추가 발표하자, 한 달 만에 LH 투기 사건이 터졌고 뿌리 깊은 투기 복마전의 일각이 다시 드러나고 있다.

한국의 신도시는, 늘 집값 폭등으로 출발해 대출이나 중과세 등 수요규제를 대책으로 내놓았다가 부동산시장과 언론의 공급 확대만이 정답이라는 집요한 요구에 굴복한 결과물이다. 그런데 엄청난 국가자원과 사회적 비용을 들인 신도시는 집값 안정은커녕 불법전매, 부정청약, 집값담합 등 불법행위를 일삼는 투기꾼들의 먹잇감이자 놀이터로 전락했다.

한국의 주택 보급 등 부동산 상황은 나쁜 편이 아닌데도, 왜 한국만 집값 폭등이 사회문제가 되고 부동산투기가 만연할까. 부동산에 국민 재산의 76%가 몰려있고 GDP의 5배나 된다는 특성도 있지만, 근본적으로 '강남불패' 라는 말처럼 한정된 주택시장에서 실수요 아닌 투기수요를 무제한 허용하다 보니 국민의 주거권이 심각하게 침해되어 생겼다.

문재인 정부도 집값 폭등에 '역대급' 금융규제와 중과세는 물론 신도시 계획에 도심 고밀도 공공개발 방안까지 내놓았다. 하지만 공공주택 공급을 맡은 LH 공직자들까지 뛰어드는 뿌리 깊은 투기에 대한 안일한 상황인식으로 결국 절체절

명의 위기를 맞았다. 백약이 무효요, 진퇴양난인 상황이다.

하지만 역설적으로 50년 부동산투기꾼과 비호세력을 영원히 축출할 흔치 않은 기회도 맞았다. 투기로 불로소득을 올리고 개발정보로 국고를 축내는 이들에게 적용할 이해충돌방지법 등 입법적 개선은 물론, 지긋지긋한 부동산 문제를 해결하려면 정부 조직과 정책을 혁신적으로 재편해야 한다.

우선, 주거복지정책을 전담할 '주거복지부'나 '주택청' 같은 중앙행정기관을 만들어야 한다. 국토부의 주거정책과 LH 주택공급 기능을 떼내 주거복지정책의 컨트롤타워로 삼아 공공성을 중심으로 주택시장을 통괄시켜야 한다. 주거복지정책을 국정의 중심에 둘 때가 되었다. 임직원 9500명, 자산 184조원의 거대 조직에 정부 대신 주택정책을 총괄해온 LH는 기능 대부분을 정부로 넘기고 해체해야 한다. 정책은 중앙부처, 집행은 지방청 등 집행조직으로 이관하되 인원과 기능은 대폭 재조정하고, 도시재생 등 여타 업무는 지방공사로 넘긴다.

핵심은, 망국적 투기를 예방할 방책을 마련하는 것이다. 이 땅에서 투기 종식을 위해서는 경기부양 수단으로서 부동산시장을 포기하고 사후적 안정화 방안이 아닌 사전적 시장감독기구를 두어야 한다. 상설감독기구는 거래 분석이나 하는 '부동산거래분석원'이 아니라 금융·자본시장의 금융감독원처럼 시장 관리와 감독 기능을 갖춘 '부동산감독원'이 더 적합하다. 정녕 투기를 근절하고자 한다면 비상한 특단의 대책이 되어야 한다.

남의 일 같았던 부동산투기가 우리 국민들의 문제가 되었다. 불평등과 양극화가 심각해진 지금, 땀 흘려 일한 보람과 우리 사회가 지탱할 수 있는 최소한의 공정이 확보될 수 없다면 대부분 투기 탓이다. 매번 수사와 처벌이 반복되었지만 투기세력과 그들의 이익은 더 커졌다. 지금이 국민과 정부가 힘을 합쳐 익숙한 '투기의 추억'과 진짜로 절연할 절호의 기회다.[79]

경제활동에서 투자는 생산적이지만, 투기는 기생적 성격을 띤다. 물론 투기도 가끔은 경기를 일시적으로 활성화시키는 긍정적 역할을 하지만, 장기적으로 생산의욕을 꺾는다는 점에서 그 기생성을 부인할 수 없다.

48. 말로만 "불로소득 척결"을 외쳐온 결과

'LH 사태'에 연루된 직원들이 노렸던 것은 일확천금 불로소득이었다. 보통 사람은 접근하기 힘든 내부정보를 이용한 투기라는 점에서 자산가들의 아파트 투기보다 시민들이 느끼는 분노와 상대적 박탈감은 더 크다. 정부는 "부동산 투기를 통해서는 더는 돈을 벌 수 없다는 점을 분명히 하겠다"며 기회 있을 때마다 불로소득 척결을 외쳤지만 공공기관에서조차 제대로 말발이 먹히지 않았다.

불로소득은 노동소득에 의존하는 평범한 사람들을 좌절케 한다는 점에서 자본주의의 대표적 병폐로 꼽힌다. 비단 한국만의 문제는 아니지만 한국만큼 부동산으로 불로소득을 얻기 쉬운 나라도 없을 것이다. 수십년 동안 권력이나 자본, 정보를 움켜쥔 세력이 부동산 시장을 투기장으로 만들며 축재 수단으로 삼아왔고, 부동산 불패 신화가 굳어졌다. 건물주가 꿈이라는 어린이들의 말에서 보듯 미래세대까지 불로소득의 유혹이 스며들었다. 사실 손쉽게 돈을 벌려고 은밀한 정보에 목말라하는 사람들이 얼마나 많은가.

공정과 정의를 내건 촛불정부가 불로소득의 고리를 끊어줄 것이란 기대가 높았다. 내부정보에 접근할 수 있는 권력자들, 각종 인허가권을 쥔 공무원들, 비업무용 부동산을 사재기하려는 기업들, 대출 후 갭투자로 불로소득을 노려온 일부 시민들의 행태를 제어해주길 바랐다. 또 부동산 시장만능주의자들, 틈만 나면 보유세 세금폭탄을 들먹이는 사람들의 논리가 꺾이는 날이 오길 기다렸다. 하지만 정부·여당이 불로소득을 용납할 수 없다고 하면서도 정작 제대로 차단막을 치지 못했음이 확인됐다. 구멍 뚫린 농지법과 이해충돌방지책의 부재 등 숱한 문제가 LH 사태를 계기로 드러나고 있다. 불로소득 환수를 위한 독하고 근본적인 정책을 제때 펴지 못하고 미봉책으로 일관해온 탓이다.

불로소득을 노리는 투기와 정당한 투자의 구분이 가능하냐고 누구는 묻는다. 이익을 챙길 기회가 있으면 잡으려 하는 게 인간의 당연한 심리 아니냐는 말도 맞다. 아파트 투기로 돈을 번 사람 중 "경제의 흐름을 읽고, 정부정책과 세제를 분석한 뒤 수억원을 잃을 모험을 감수했다"고 강변하는 경우도 많다. 사람들의 불로소득에 대한 욕망과 일탈을 완전히 막는 건 불가능할지 모른다. 그럼에도 사람들이 쉽게 번 돈은 막대한 세금을 물어야 한다는 점을 명확하게 인식하고 있다면, 내부정보를 활용한 투기가 어떤 결과를 초래할 것인지 두려워하는 마음이 있다면 잘못된 유혹에 빠지는 것을 막을 수 있다. LH 사태는 불로소득 환수장치 마련에 태만했던 정부·여당, 나아가 정치권에도 책임이 있다. 불로소득을 얻는 구조와 시스템을 놔두고, 말로만 공정과 정의를 실천하겠다며 핏대를 올려서는 달라지지 않는다.

신뢰의 위기에 처한 정부를 겨냥해 부동산 정책의 기조 전환을 요구하며 재건축 규제 완화 등 민간에 기댄 공급확대론 목소리가 다시 커지고 있다. 그간 수도권에서 공급확대 물량이 자본을 가진 자들의 먹잇감으로 전락해왔음은 주지의 사실이다. 부동산 폭등의 불쏘시개 역할을 했던 과거의 공급확대 방식으로 돌아갈 수는 없다. 정부가 공공주도의 공급확대 방안을 들고나온 것도 이런 폐단을 인식했기 때문이긴 한데 LH 사태로 이마저도 위태롭게 됐다.

최근 아파트 공시가격이 나온 것을 계기로 세금폭탄론이 나오는 것도 우려스럽다. 보유세 강화는 어떤 정치세력이 집권하든 밀고 나가야 하고 부동산 시장안정은 불로소득 환수가 기본이다. 정부가 보유세 강화를 강하게, 일관되게 추진하지 못했고 이것이 부동산 정책 실패의 1차적 요인이다. 시장의 눈치를 보는 핀셋 대책으로는 결코 부동산 가격을 잡을 수 없다. 문재인 정부 역시 보유세 부담 강화에 부정적인 관료들의 저항을 극복하는 데 성공하지 못했다. 부동산의 경기조절 기능을 포기하지 않으려는 관료들의 습성은 정말로 뿌리가 깊다. 4월 서울시장 선거와 내년 대선 등 굵직한 정치일정이 기다리고 있다. 투기세력에 돈 벌 기회를 주려는 무분별한 공급확대론과 부동산세제 완화론은 틈만 나면 제기될 것이다.

정부는 전쟁이란 용어까지 사용해가며 불로소득 척결을 외쳤지만 이제 믿는 사람은 많지 않다. 이달 중 투기근절 대책을 내놓는다고 하니 속는 셈 치고 다시 믿어봐야 하나. 보수세력도 LH 사태를 정권 흔들기 차원에서 정략적으로 접근하려는 자세를 버리고 미래세대를 위해 정말 우리 사회에 필요한 대책이 무엇인지 고민해야 한다.[80]

노컷뉴스. 2021. 10. 13, CBS 한판승부, 박재홍

49. 3월 11일 즈음에

올해 3월11일을 전후하여 참 많은 일들이 있었다.

먼저 10년 전 이날 국회에서 상법 개정안이 통과되었다. 이 개정법은 특히 종류주식의 발행을 허용하고 이사회 결의를 통해 배당도 주식과 같은 현물로 할 수 있도록 하였다. 이 중 종류주식은 복수의결권을 통해, 현물 배당은 포이즌 필을 통해 적대적 인수·합병에 대한 방어수단으로 재벌이 끈질기게 요구해 온 것이었다.

그런데 복수의결권과 포이즌 필은 최종적으로 모두 제외되었다. 낙후된 기업지배구조하에서 덜컥 재벌의 경영권만 공고화해 줄 경우 득보다 실이 많다는 사회적 분위기 때문이었다. 그 결과 현행 상법은 '의결권을 제한' 하는 주식의 발행은 허용하지만(상법 제344조의3) '의결권을 몇 배로 뻥튀기' 하는 주식은 금지하고 있다. 재벌은 입맛을 다시며 후퇴했다.

그중 복수의결권이 다시 돌아왔다. 정부가 벤처 규제 완화를 명분 삼아 복수의결권을 도입하는 내용의 벤처기업법 개정안을 발의했기 때문이다. 일부 사람들은 올해 3월11일 미국 뉴욕 증시에 상장한 쿠팡 지주회사를 두고 복수의결권과 결부시키는 억지를 부리기도 했다. 시민사회단체는 즉각 반발했지만 정부와 더불어민주당은 적당한 통과의례를 거친 후 국민의힘과 짝짜꿍이 되어 이를 밀어붙일 태세다. 명분에 밀려 공청회를 하기로 했지만 찬성 측 인사를 과반수 넣었다. 찬성 측 진술인 중 한 분은 2005년 이 주제로 전경련이 발주한 용역을 수행하기도 했다. 이학영 산자위원장은 각성하고 사태를 바로잡아야 한다.

이재용 삼성전자 부회장이 연루된 부당 합병 및 분식회계 사건 재판이 서울중앙지법에서 이날 재개되었다. 이 부회장의 부당 승계에 대한 사법적 판단을 본격적으로 시작하게 된 것이다. 한편 이날 언론들은 이 부회장의 프로포폴 추가 투약 의혹을 보도하였고, 이 부회장 측은 프로포폴 수사를 중단해 달라며 수사심의위원회 개최를 요구했다. 일부 언론은 오늘(22일) 수사심의위원회가 개최될 가능성을 보도했다.

이 부회장의 취업제한을 두고도 코미디가 진행되었다. 법무부의 취업제한 통보에도 불구하고, 삼성전자 주총은 이 부회장을 해임하지 않았다. 삼성준법감시위원회는 '법령을 잘 준수하라' 는 취지의 권고를 하기로 했다. 법령을 잘 지키는 것이 무엇인지는 판단하지 않고. 이게 '총수도 무서워할 준법감시조직' 인지는 독자들의 판단에 맡긴다.

3월 11일을 전후하여 미국 국채 금리가 '발작' (탠트럼)을 일으켰다. 1.5%에서 1.6%까지 급등락을 보였다. 적어도 일시적으로 미국 금리는 상승세를 보일 가능성이 크고 변동성도 클 것 같다.

문제는 한국이다. 해외 금리가 상승할 경우 한국은행이 선택할 수 있는 정책 범위가 넓지 않기 때문이다. 나는 한국은행법을 개정하여 한국은행이 비은행 민간의 자산을 직접 매입할 수 있도록 해야 한다고 본다. 그래야 전체적으로 신용을 축소하면서 자금이 필요한 일부 민간 부문에 직접 유동성을 공급할 수 있기 때문이다.

3월 내내 전 국민의 관심사는 단연 LH 직원들의 부동산 투기 실태였다. 선거를 앞두고 지지율 급락에 놀란 정부와 더불어민주당은 가능성과 유효성을 검증하지도 않은 채 '전 공무원의 재산등록' '부동산 투기자에 최대 무기징역형 선고' 등 급조된 엄포를 쏟아냈다. 그러나 형사상 처벌을 강화하는 것이 능사가 아니다. 민사사건보다 훨씬 강한 입증책임이 요구되고, 판사가 '작량감경' 등의 방식으로 형량을 낮출 수도 있기 때문이다. 무엇보다도 '팔자를 고칠 수 있는 돈' 만 벌 수 있다면 몇 년 감옥에서 몸으로 때우는 것을 두려워하지 않는 사람도 있을 수 있다.

나는 민사적 환수제를 도입하는 것이 더 유효한 방지책이라고 본다. 법안도 다 나와 있다. 통상 이학수법이라고 알려진 특정재산범죄에 대한 재산환수법이 그것이다. 특정재산범죄의 정의에 부동산 투기를 추가하면 된다. 소급입법도 가능하다. 이미 친일재산귀속법에서 그 법리를 사용했기 때문이다.

이학수법이 발의되었을 때 박범계 의원은 격렬하게 반대했다. 이제 그 허물을 씻을 기회가 왔다. 박범계 장관은 공연한 '모해위증' 에 연연할 것이 아니라 부동산 투기와의 전쟁에 동참해야 할 것이다.[81]

50. LH와 정권, 어느 것을 지킬 것인가

한국토지주택공사 흔히 LH로 불리는 한 공기업 직원들의 일탈적 투기 행위로 대통령 지지율이 연일 하락세를 면치 못하고 있다. 마침 진행 중인 서울시장 보궐선거에서 20대 지지율이 여당과 야당 사이 3배 가까이 차이가 났다. 평창 동계 올림픽 남북 단일팀 구성에서 처음 공개적으로 불거져 나온 청년들의 공정 문제가 수년간 누적되고 압축되어 드디어 LH 사건에서 폭발한 것이다. 이 추세가 이어지면 가까운 재・보선은 물론이고, 멀게는 대선도 영향을 받는다.

내가 만약 문제를 해결해야 한다면, LH 이름을 '주거복지공사' 정도로 바꾸고, 일부 기능은 정부로, 일부는 몇 개의 별도 법인 신설로 분리시킬 것 같다. 한전의 경우를 생각해보자. 민영화와의 타협점으로, 한전에는 송전망인 배전만 남기고 발전은 6개 자회사로 분할했다. 나주의 전력거래소도 형식적으로는 별도 회사다. 가스도 별도 회사고, 지역난방도 역시 별도 회사다. 아무리 공기업이라도 하나의 회사로 너무 커지면 그 안에서 외부 감시가 작동하기 어렵게 되어 아무도 속을 모르는 블랙박스처럼 된다. 형식적으로라도 사장이 별도로 임명되고, 회사별로 인센티브 지급이 달라지면 결국 서로 경쟁을 한다. 정부가 얘기한 '해체 수준' 이라는 LH에 대한 초기 방침이 행정적으로는 옳았다고 생각한다. 몇 주 논의하다 결과적으로 LH는 그대로 두고, 감시 강화에 약간의 조직 개편 정도로 결론이 나는 것 같다. 정권의 위기는 여기서 폭발한다.

특별히 LH에 대한 편견 없이 사태를 바라보는 청년들 눈에는 이 몇 주 사이에 LH가 정부에 로비를 했든 설득을 했든, 어쨌든 초기 방침이 은근슬쩍 변화한 것으로 보이지 않겠는가? 이렇게 국가가 흔들릴 정도로 큰 사건이 벌어졌는데, 며칠 지나고 나니까 결국 기득권 보장으로, 민심은 폭발한다.

한국 주택 공급 체계의 근간은 일본의 일본주택공단과 택지개발공단에서 왔다. 일본은 1981년 주택도시정비공단으로 두 기구를 통합하게 된다. 여기까지는 LH의 역사와 같다. 그 후 1999년 도시기반정비공단으로 바뀌면서 분양 사업에서는 철수하게 된다. 그리고 2004년 도시재생기구로 바뀌면서 현재의 체계가 자리를 잡는다. 임대주택 사업과 도시정비 사업이 일본 정부가 중점을 두는 공공 임무다. 프랑스 파리의 대표적 공기업인 '하비타' 역시 임대주택 분야에서 세계적 명성을 갖는 공기업인데, 이게 주택공기업 기본 모델이다. 간단히 정리하면, LH에 해당하는 거대 공룡같이 주택과 관련된 모든 것을 다 하는 중앙형 공기업은 이제 한국 외에는 없다. 언젠가는 임대주택과 도시재생 그리고 지역 공기업 체계로 전환하게 될 것이다.

그 변화를 조금 먼저 하거나, 형식적인 전환기를 두는 것이 이상한 일일까? 그렇지는 않다. 언젠가는 우리도 이런 세계적 흐름을 따라가게 된다. 전두환 때 만들어진 택지개발촉진법, 소위 '택촉법' 역시 얼마 전까지 폐지를 전제로 논의가 진행되고 있었다. 군사정권 시절이라서 가능했던 전격적인 토지 수용과 강제적인 택지 조성, 이제는 너무 폭력적이고 과거적 방식이다. 주민들과 오랜 기간 논의하면서 지역발전의 연장에서 택지에 대한 방법을 정하고, 보상도 주민과의 협의 속에서 진행되는 것이 일반적 방법이다. 택촉법 방식으로 외부에서 도면부터 만들고 나서 형식적으로 주민들 만나는 방식은 어떻게 해도 부작용이 생기고, 결국에는 외지인이 단기 투기를 하게 된다. 택촉법에 기댄 개발 방식, 이제는 내려놓을 때가 되었다는 게 원래 정부 흐름이었다.

임대주택 방식도 그렇다. 정부가 예산을 대고 자체 계획을 세워 임대주택을 진행했으면 5~6%에서 도무지 늘지 않는 지금의 임대주택 양상이 되었겠는가? 택지 개발하면서 땅장사하거나 재건축하면서 남는 돈으로 임대주택 짓는다고 하는 건, 우리가 가난하던 시절의 주변부적이고 잉여적 방식이다. 1인당 국민소득 3만달러 시대에 민간주택 공급 과정에 끼워넣기, 잉여적 방식으로 임대주택을 대하니까 다른 나라가 임대주택 20~30% 수준에 도달하는 시대에 아직 10% 근처에도 못 가는 것 아닌가? 임대주택과 도시기반이 공공 영역의 핵심이 되어야 하는데도, 택지개발과 아파트 공급이 우선이고, 임대주택은 잉여적 방식으로 정책을 집행한다. 바꿀 때가 되었다.

3기 신도시는 어떻게? 정부 차원에서 임시 본부 하나 설치해 하기로 한 건 그냥 추진하고, LH는 그것과 상관없이 장기적 계획을 세우면서 개혁하면 된다. 3기 신도시를 해야 하니까 LH는 그대로 두고 가겠다, 이건 꼬리가 몸통을 휘두르는 이상한 자세 아닌가? 국가적 주택 정책에서 3기 신도시는 작은 시책에 불과하다. 여당의 힘 있는 사람들에게 물어보고 싶다. 지켜야 하는 게 정권인가? 아니면 LH인가? 왜 개혁을 애써 회피하는가?[82]

대법원 관계자는 "택지개발 사업의 시행을 위해 취득한 토지에 대해서는 그 취득원인이 협의 취득인 경우에도 '수용한 토지'의 환매권을 정한 택지개발촉진법 13조 1항의 유추적용에 따라 환매권 발생 요건을 정해야 한다는 점을 최초로 명시적으로 설시했다" 고 평가했다(이투데이. 2023. 9. 7, 박일경 기자).

51. 다수결 투표의 결과가 마음에 들지 않는 이유

우리는 무언가를 결정하기 위해 다른 사람들의 의견을 수렴해야 할 때가 많다. 이때마다 즐겨 사용하는 방식이 다수결투표이다. 하지만 정작 우리들은 다수결투표 결과가 맘에 들지 않을 때가 많다. 이러한 현상은 무엇에 기인한 것일까? 많은 경제학자들은 과반수투표가 내포하고 있는 이러한 한계점을 일찍부터 인지하고 있었다. 그중 하나가 1972년 노벨 경제학상을 수상한 케네스 애로 교수가 제시한 '불가능성의 정리(impossibility theorem)' 이론이다. 완벽한 의사결정 방식으로 평가받기 위해서는 민주적이면서도 효율적으로 집단의 의사결정을 도출할 수 있어야 하지만, 그런 의사결정 방식은 없다는 것이다. 즉 효율적 의사결정 방식은 민주적이지 못하거나, 반대로 민주적 의사결정 방식은 효율적이지 못하다는 것이다.

간단한 예를 들어보자. 할아버지, 할머니, 부모님, 큰형, 작은형, 누나, 나 그리고 동생까지 포함해서 총 9명의 식구가 투표를 통해 새로 이사할 동네를 결정하기로 했다고 하자. 그런데 할아버지와 할머니 그리고 부모님은 오래전에 거주했던 동네인 강북 지역을 가장 선호하고 뒤이어 강남, 강서 순서로 선호도를 보였다. 반면 형들과 누나는 친구들과 놀기 편한 강남 지역을 가장 선호했으며 뒤이어 강서, 강북 순으로 선호도를 보였다. 나와 동생은 친구들이 많이 살고 있는 강서 지역을 가장 선호했으며 뒤이어 강남, 강북 순으로 선호도를 보였다.

이러한 상황에서 해당 가족이 다수결로 이사 지역을 결정하면 아버지와 어머니, 할머니, 할아버지가 1순위로 선호하는 강북으로 결정될 것이다. 일견 이러한 의사결정은 온 가족의 민주적인 다수결투표에 의한 내용이므로 별다른 문제가 없어 보인다. 강북 지역으로 이사하는 것이 정말 이 가족이 원하는 결과일까? 만약 나와 동생이 강서 지역을 투표 후보군에서 빼자고 주장하여 강북과 강남만을 두고 투표하는 상황으로 바뀌었다고 가정해보자. 이 경우 아버지와 어머니, 할머니, 할아버지는 기존대로 강북에 투표할 것이며, 누나와 두 형은 강남에 투표할 것이다. 하지만 나와 동생은 강서지역이 없어졌기 때문에 2순위에 해당하는 강남에 투표하여, 결국 투표 결과는 강북 4명, 강남 5명으로 뒤바뀌게 된다. 이번에는 누나와 두 형이 동생들을 위해 자신들이 선호하는 강남 지역을 배제하고 투표를 했다고 가정해보자. 이 경우 누나와 형들은 자신들이 2순위로 선호하는 강서지역에 투표할 것이고 그렇게 되면 강서 5명, 강북 4명으로 투표 결과가 다시 뒤바뀐다.

이는 이들 가족 대부분이 실제로는 강북보다 강남이나 강서 지역을 더욱 선호하고 있다는 사실을 확인시켜주고 있다. 이와 함께 우리가 기억해야 할 것은 그럼에도 불구하고 처음 세 지역을 대상으로 한 투표 결과 이러한 개인의 선호와는 상반된 강북으로 결정되었다는 사실이다. 민주적인 방식의 가족 투표 결과가 가족들의 선호도를 제대로 반영하지 못한 것이다. 이러한 사실로 우리는 왜 민주적인 방식으로 선출된 우리 동네 대표가 맘에 안 드는지, 왜 민주적인 가족 투표 방식으로 선택한 이사 지역이 마음에 안 드는지를 쉽게 확인할 수 있었다. 이처럼 케네스 애로 교수의 불가능성의 정리는 단순 다수결투표제뿐만 아니라 우리가 활용하고 있는 다양한 의사결정 방식이 우리가 생각하는 것만큼 완벽하고 이상적인 방식은 아니라는 사실을 확인시켜준다.

그리고 더 나아가 완벽한 의사결정 방식은 애당초 기대해선 안 된다는 사실을 알려준다. 그렇다고 많은 경제학자들이 손 놓고 있는 것은 아니다. 지금 이 순간에도 보다 개선된 투표제도 내지 집단 의사결정 방법을 제시하기 위해 밤새 연구하는 학자가 수없이 많다. 언젠가 또 다른 천재 경제학자가 등장해 만족할 만한 의사결정 프로세스를 제시해주길 고대해본다.[83)]

투표의 역설(voting paradox)은 8세기 프랑스 계몽주의자였던 마르퀴 드 콩도르세(Marquis de Condorcet)가 민주주의적 선거제도의 맹점을 지적한 표현으로 수학자이며 정치학자였던 콩도르세는 다수결 투표로 결정한 내용이 그 집단 전체가 원래 생각했던 가장 이상적인 결과와 달라지는 현상을 발견하고 이를 '투표의 역설'이라고 불렀다. 그는 세 사람의 후보자가 출마했을 때 투표자가 선호하는 1위 후보에만 투표하는 경우와 투표자가 선호하는 세 후보자의 우선순위를 투표에 반영할 때의 선거결과가 다르게 나오는 경우를 들어 그의 역설을 설명했다. 콩도르세는 '투표의 역설'을 방지하기 위해 선호순위를 반영하는 제도를 고안했는데, 이 제도에 의하면 최악의 후보에 꼽히지 않은 사람이 당선될 확률이 높아진다.

콩도르세의 투표방식은 후보자들에 대한 호감과 비호감의 정도를 투표에 반영하여 '투표의 역설'을 줄이자는 의도에서 고안된 것이지만 개인별로 다른 호감과 비호감의 척도를 표준화하기 어렵다는 난점이 있다.

미국의 경제학자인 케네스 애로(Keneth Arrow)는 민주주의가 택하는 다수결의 원리가 합리적 의사결정을 낳기는 불가능하다는 것을 수학적으로 증명하여 1972년 노벨 경제학상을 수상했다.

52. 손익계산서 · 현금흐름표 잘 살폈다면…투자 기업 '상장폐지' 걱정 '끝'

손익계산서(profit and loss statement, 損益計算書)는 일정 기간 내에 발생한 수익과 손실을 대비하여 작성한 것으로, 대차대조표와 함께 재무제표에서 가장 중요한 부분을 차지하며, 손익계산서를 통해 손실과 수익에 대한 원인과 과정을 파악할 수 있다. 당기업적주의와 포괄주의에 기초한 것이 있어 각각의 목적에 따라 두 가지의 형태로 작성된다.

상장기업의 손익계산서 변경

현행	변경(예정)
매출액 원재료비, 급여 등	매출액 원재료비, 급여 등 영업권손상, 기부금
영업이익 기타수익 기타비용 지분법손익 금융수익 금융비용	영업이익 관계(공동)기업 관련 지분법손익 금융자산 투자 공정가치 변동 배당이익 재무손익 및 법인세비용 차감전 순이익 차입금 및 리스 관련 이자 충당부채 할인액 상각
법인세비용 차감전 순이익	법인세비용 차감전 순이익
당기순이익	당기순이익

자료: 한국회계기준원

상장기업들의 사업보고서 제출과 주주총회 일정이 모두 마무리되었다. 이로써 기업들의 2020년 결산도 끝이 났다. 올해는 특히 적정감사의견을 받지 못해서 상장폐지 대상으로 분류되고 주식 거래가 정지된 기업체 수가 예년에 비해 크게 증가했다.

실적 악화에 따라 적자가 쌓여 자본잠식된 기업도 있고, 불투명한 거래와 관련된 회계자료를 감사인에게 제출하지 않아 의견거절을 받은 기업도 다수 보인다. 의견거절을 받은 뒤 회사가 뒤늦게 자구책을 마련하거나 자료를 보완해서 재감사를 받고 적정의견을 수령해 다시 거래가 재개된 과거 사례도 일부 있었지만 대부분의 경우는 상장폐지로 이어졌다.

기업이 상장폐지 되면 결국 투자자의 소중한 돈은 사라져버린다. 주식 투자해서 매일매일 수익이 불어나면 더없이 좋겠지만 이 같은 위험도 동시에 도사리고 있기 때문에 투자에 앞서 기업 공부를 꼭 해야 한다. 그러면 어떻게 해야 상장폐지 당하지 않는 기업에 투자할 수 있을까?

적자가 지속되는 기업에 대한 투자는 지양하는 것이 좋다. 손익계산서에서 매년 영업이익이 아닌 영업손실이 나온다면 위험신호이다. 특히 코스닥 상장규정에 따르면 4년 연속 영업손실은 관리종목 지정, 5년 연속 영업손실은 상장폐지 대상이 된다. 단, 기술성장기업 상장특례로 상장을 진행한 여러 바이오 기업들은 예외다. 이런 기업들은 기술력과 성장성이 있지만 이익 실현하는 데 오랜 시간이 소요되기 때문에 규정 적용에서 제외된다.

적자가 지속되면 결국 자본잠식을 초래한다. 회사가 적자라는 얘기는 연간 사업해서 번 수익보다 나간 비용이 더 많았음을 의미한다. 들어오는 자산보다 지불해야 하는 부채만 쌓이니 자연스레 자본도 줄어든다. 자본이 주주의 몫인데 이 부분이 점점 줄어 음수까지 되면 결국 주식의 가치도 0원이 된다. 기업이 적자에서 허덕이다가 드라마틱하게 흑자로 전환하는 경우도 있지만 미래에 대한 예측 자체가 쉽지 않기 때문에 이왕이면 이익이 잘 나고 있는 많은 기업 중에 투자처를 고르는 것이 더 나은 선택일 것이다.

실적이 좋지 않은 기업은 차입금 상환과 주가 하락 압박에 못 이겨 분식회계를 저지르기도 한다. 즉 수익을 부풀리거나 비용을 줄이고 자산을 늘리거나 부채를 축소시킨다. 그렇게 임시방편으로 손익이나 재무상태를 조작할 수 있지만 현금흐름까지 속이기는 쉽지 않다.

그래서 우리는 현금흐름표를 반드시 점검해야 한다. 기업이 연초에 보유한 현금과 연말에 남아 있는 현금 잔액 간의 증감을 보여주는 현금흐름표는 분식회계를 점검하는 좋은 잣대가 된다. 현금흐름표에서 영업활동 현금흐름이 매년 음수라면 피하는 것이 좋다. 사업을 통해서 돈을 못 벌고 있다는 것을 뜻하기 때문이다.

사업의 기본 목적은 돈을 버는 것이고 주식 투자의 취지는 그 기업과 이익을 공유하는 것이다. 사업해서 돈을 벌지 못하면 운영자금과 투자자금이 부족해진다. 주주들로부터 유상증자를 받으면 다행이지만 그렇지 않다면 결국 은행으로부터 차입을 하거나 채권 발행을 통해 자본 조달을 해야 한다. 그렇게 수혈받은 돈으로 사업을 다시 일으켜서 이익을 내면 다행인데 그렇지 않은 현금흐름이 지속된다면 역시 위험하다는 신호가 된다. 우리가 복잡한 회계 기준을 숙지하지 못해도 현금흐름만 잘 살핀다면 충분히 위험을 피할 수 있다.

테마나 재료에 혹해서 거액의 돈을 투자한 후 해당 회사의 재무제표를 보니 어이없게 돈 버는 능력이 없거나 자본이 말라가고 있음을 알게 된 때는 너무 늦는다. 투자에 앞서 재무제표부터 점검하는 습관을 갖기 바란다.[84]

53. 코딜리아의 입바른 소리

셰익스피어의 희곡 <리어왕>에서 막내딸 코딜리아는 아첨을 좋아하는 늙은 부왕 앞에서 입바른 소리만 하다가 땅 한 뙈기도 얻지 못하고 왕궁에서 쫓겨난다. 언니들처럼 입에 발린 소리로 재산을 얻어내기엔 그는 너무 맑았다. 그리고 리어왕은 입맛에 맞는 말만 골라 들었다. 칠판 앞에서 나이 지긋한 교수님이 툭 던진 말씀이 기억나곤 한다. “이 작품의 교훈이 뭔지 아는가? 사람은 늙어 죽는 순간까지 배워야 한다는 것이다.”

권력자는 바른말을 싫어한다. 일반적인 속성이다. 권력이 커지면 커질수록, 그의 자아는 나르시시즘으로 비대해진다. 체중을 감량하듯 매일같이 덜어내지 않는다면 나르시시즘은 권력자의 사고체계를 삼켜버리고, 자아성찰 능력을 마비시킨다. 권력을 쥔 이는 매일같이 홀로 자신과의 외로운 전쟁을 견뎌야 한다. <반지의 제왕> 속 ‘절대반지’의 유혹과 싸우느라 프로도가 겪는 고난은 선량한 이의 내면마저 잠식하는 권력의 속성을 상징한다. 주변의 선한 이들이 그를 도울 순 있어도 무거운 내면의 그림자는 오롯이 그가 짊어져야 할 몫이다.

게다가 권력의 크기가 커질수록 주변의 침묵은 깊어진다. 또는 리어왕의 다른 딸들처럼 ‘입 안의 혀’가 된다. 바른말을 했다가 ‘손해’를 보느니 차라리 아무 말을 않거나 비위를 맞추며 사익을 챙기는 것이다. ‘부장이 허심탄회하게 말해보랬는데’ 부장의 은근한 뒤끝을 겪게 된 이들 사이에 ‘말해봤자’라는 처세술이 구전된다. 사람은 쉽게 안 바뀐다고들 하는데, 마음에도 ‘마찰력’이 있어서다. 생물의 행동 메커니즘은 ‘에너지 보존과 절약’이 기본이라 현 상태를 바꿀 절박한 이유가 없다면 제자리에 안주한다. 많이 아프면 병원에 가지만 애매한 통증은 견디며 사는 것도 같은 맥락이다.

‘바른말’을 업(業)으로 삼은 경우는 조금 다르다. 구성원들이 각자의 역할에 충실한 다원사회는 일을 추진하는 사람도 필요하지만 훈수 놓을 사람도 필요하다. 한 사회가 공통적으로 지향하며 후세에 물려줄 가치를 집중적으로 고민하고 나아갈 방향을 잃지 않도록 돕는 이들이다. 시민사회 활동가들이 대표적이다. 이들의 말에 다른 구성원들이 귀기울이는 데는 이들이 사리사욕을 꾀하지 않으며 공익을 추구한다는 큰 전제가 깔려 있다. 이들은 ‘상징자본’을 사회로부터 위탁받는데, 이를 사유화해선 안 되고, 다음 세대의 활동가들에게 이어줄 책임을 갖는다.

하지만 시민사회 출신 인사들이 현 정부에 대거 기용되고 권력을 갖게 되면서 이 같은 전제는 틀어져버렸다. 엄격한 도덕적 잣대로 권력자와 기업들에 윤리적 책임을 준엄하게 물었던 이들은 자신이 권력을 갖게 되자 자기반성 능력을 잃었다. 낡은 가방 메고 경제민주화에 매진한 것으로 알려졌던 김상조 전 청와대 정책실장은 '5%' 전세가 상한제 시행 직전에 14% 넘게 올려 받았다. '세월호 변호사'로 응원받으며 국회에 입성한 박주민 의원은 '전·월세 인상률 5%' 법안을 대표발의하고도 정작 본인은 세입자에게 월세를 9% 넘게 올려 받았다. 앞에서는 성평등을 외치고 뒤돌아서 동료를 성추행한 경우는 또 어떤가.

권력을 가진 이들이 상황에 따라 이중잣대로 이익을 극대화하면서도 그 모순을 깨닫지 못한다는 심리학자들의 말이 생각난다. '바른말'로 상징자본을 사유화하는 동시에 자신의 사익(私益) 추구에도 최선을 다하는 이기심을 어느 누가 납득할 수 있을까. 어쩌면 '나는 옳은 일을 하는 사람'이라는 자기기만에 빠져버린 것일까. 세상에서 속이기 제일 쉬운 건 그 누구도 아닌 자기 자신이다. 과거의 선행은 현재의 잘못을 정당화하지 않는다.

이 같은 현 정부 인사들의 표리부동이 우리 사회를 좀 더 나은 곳으로 만들고자 애써온 모든 이들에 대한 냉소로 굳어질까 두렵다. 코로나19에 따른 산업재편과 양극화 위기 속에 정치가 제 기능을 하지 못한다면 그 피해와 충격을 보통 사람들이 고스란히 떠안게 될 텐데, 팔짱 낀 냉소로는 아무것도 대비할 수가 없다.

그러므로 국민으로부터 권력을 위임받은 이들은 권력에 도취되지 않기 위해 '백신'을 맞듯이 코딜리아의 입바른 소리 같은 비판에도 귀기울여야만 한다. 쉽지 않은 일이다. 리어왕은 가장 총애하는 막내딸의 직언인데도 끝끝내 귀를 닫고 마치 배신이라도 당한 양 불같이 화를 냈다. 불행 중 다행은 우리가 그런 리어왕의 최후를 알고 있으며, 그 비극을 피할 수 있다는 점이다.[85]

54. 정부부채와 신용등급

지난 6일 2020회계연도 국가결산보고서가 국무회의에서 통과됐다. 다수의 언론들은 국가부채가 국내총생산(GDP)을 넘어섰다면서 나라살림에 비상이 걸렸다거나 재정건전성에 빨간불이 들어왔다는 등의 기사를 쏟아냈다.

먼저 사실관계부터 짚고 가자. GDP를 넘어섰다는 국가부채는 재무제표상 부채총액이다. 여기에는 공무원·군인 연금 지급 등에 대비한 연금충당부채가 절반 이상이다. 만일 나라살림을 걱정하는 거라면 그 규모가 아니라 연금수지 적자를 지적할 일이다. 그러나 우리가 걱정하는 국가부채, 즉 재정여력을 평가하고 관리대상으로 삼는 소위 '나랏빚'은 중앙 및 지방정부가 갚아야 할 부채이다. 보고서에 따르면, 2020년 GDP 대비 정부부채 비율은 44%였다. 전년 대비 6.3%포인트 상승한 수치다. 작년에 국회예산정책처(NABO)에서 발표한 장기재정전망에 따르면, 현재의 제도와 경제환경이 유지될 경우 이 비율은 2025년에 60%, 2040년에는 100%를 넘어설 것으로 예상된다.

정부부채 증가에 대한 다양한 우려의 목소리가 존재하는 게 새삼스러운 일은 아니다. 그중에서도 최근에는 국가신용등급 하락에 대한 우려가 추가되고 있다. 2~3년 후에는 국가신용등급이 하락할 거라거나 외국인 투자자들이 썰물처럼 빠져나갈 것이라는 등 재정건전성 악화가 야기할 부정적 영향을 경고하고 있다. 국가신용등급은 정부의 채무상환능력을 평가하는 지표이자 정부를 비롯한 금융기관, 기업들의 해외조달비용을 결정하는 요소이다. 또한 외국인 투자자들의 국내 투자 여부를 결정하는 중요한 척도이기도 하다. 개인이나 기업과 마찬가지로 국가도 신용등급 관리는 중요할 수밖에 없다.

작년에 국가신용등급 및 전망 하향조정 사례가 107개국에서 발생한 것으로 알려졌다. 선진국 20개 국가 중에서 10개 국가가 여기에 포함되었는데 영국, 이탈리아, 캐나다 3개 국가는 국가신용등급이 하향조정되었다. 미국과 일본, 호주 등 나머지 7개 국가는 국가신용등급 전망이 하향조정되었다. 반면에 한국은 역대 최고 수준의 국가신용등급을 유지하고 있다. 무엇보다도 효과적인 정책 대응 덕분에 코로나19 팬데믹으로 인한 경제적 손실이 다른 국가들보다 크게 적었고, 상대적으로 건전한 정부부채 비율도 한몫했다는 평가다. 국가신용등급이 하락한 선진국 10개 국가들의 정부부채 비율이, 260%를 훌쩍 넘긴 일본을 제외하더라도, 적게는

110%에서 많게는 130% 수준임을 감안하면 당연한 결과이기도 하다. 일부에서는 규모 자체보다 증가속도가 빠른 게 문제라고 걱정하지만, 한국은 정부부채 비율이 전년 대비 6.3%포인트 상승한 반면, 이들 국가는 14~28%포인트 상승했다는 점에서 속도도 빠르다고 볼 수 없다.

또한 3대 글로벌 신용평가회사인 스탠더드앤드푸어스, 무디스, 피치는 다양한 정량·정성적인 기준을 이용해 국가신용등급을 평가한다. 여기에는 재정건전성 이외에도 정치적 안정성, 경제구조, 거시경제적 성과 등 다양한 지표들이 포함되어 있다. 예컨대 실질경제성장률 및 거시경제정책의 신뢰성과 같은 지표들이 들어 있다. 더 나아가 재정건전성도 단순히 정부부채 비율뿐 아니라 GDP나 정부수입 대비 이자 지급 비용과 같이 실질적인 부채상환능력을 판단하는 지표들도 평가에 활용된다. 미국의 래리 서머스 교수가 정부부채의 지속 가능성을 측정하는 지표로 GDP 대비 실질국채이자비용 2% 미만을 제시한 것도 부채 규모보다는 실제 상환능력을 봐야 한다는 의미다. 물론 중기적인 관점에서 신뢰할 수 있는 정부부채 관리 목표와 운영방안을 수립하고 준수하는 일은 정부의 중요한 책무이다. 하지만 확대재정을 통해 생산성을 높이고 고용과 성장률을 높일 수 있다면, 재무건전성과 국가신용등급에도 긍정적으로 작용할 터이다. 정부부채 관리 목표에만 매몰되기보다는 우리 경제의 성장잠재력을 높이기 위한 재정투자 방안을 분명하게, 또 뚝심있게 추진하는 게 우선이다.[86)]

지금까지는 "고신용이란 개인신용평가 1~3등급 수준에 상응하는 신용등급을 말한다" 고 돼 있었다. 고신용자 인정 범위가 넓어진 것이다. 이에 따라 개인 입장에선 신평사 신용등급 1~3등급, 또는 이와 비슷한 수준의 은행 신용등급을 받으면 시중은행이 제공하는 코로나19 초저금리 대출(연 1.5%) 대상이 될 수 있다(조선일보, 2020. 04. 08, 이윤정 기자).

55. “한・일해저터널 경제성 없지만…동북아 경제권 차원서 장기 검토해야”

우리나라 정부는 지난 1990년 5월 노태우 대통령이 한일해저터널의 필요성을 최초로 제기한 후 YS를 거쳐, 김대중 대통령이 1999년 9월 일본 방문 때, 노무현 대통령도 2003년 2월 한・일 정상회담에서 언급한 바 있다.

그러나 남북 철도 연결의 가장 중요한 남북관계가 이명박, 박근혜 정권에 이르러서는 최악의 국면이 되면서 이 문제는 수면으로 내려앉았다.

그 사이 일본과 주변국의 상황은 달라지고 있다. 러시아와 일본이 한반도를 패싱하고 유라시아 철도의 직통 노선인 러・일해저터널을 개통하면 어떻게 될까.

한・일해저터널은 ‘도쿄에서 런던까지’, 일본을 대륙으로 인도하는 도로망 구축이라는 오래된 꿈을 꾸어온 일본이 러・일해저터널이라는 또 다른 방안과 같이 국제관계를 통해 택일해야 하는 선택지 중 하나일 뿐이다.

러・일해저터널이 뚫리면 일본은 섬이라는 고립된 환경에서 벗어나게 되고 우리나라는 주변국에 갇힌 섬 아닌 섬으로 전락할 수도 있다는 위기의식의 출발이 된 사건이 있었다.

지난 2016년 10월 <산케이> 신문은 보도를 통해 한일해저터널 문제를 단순한 친일프레임이 아니라 한국의 경제적 고립, 세계화의 변방으로 전락할 수 있다는 위기감을 던졌던 적이 있다. <산케이> 신문은 러시아 정부가 시베리아 횡단철도(TSR, Trans-Siberian Railway)의 일본 연결을 제안했다고 보도했다.[87)]

안병민 한반도경제협력원장이 지난달 31일 경향신문사에서 한・일해저터널에 대해 설명하고 있다. 안 원장은 “한・일해저터널은 경제성과 기술 면에서 매우 힘든 과제이지만, 무엇보다 한・일 간 역사문제를 푸는 공감대 형성이 먼저”라고 말했다(김영민 기자).

한국교통연구원 선임연구위원 출신의 교통・물류 전문가다. 2004년 남・북・러 3각 철도회담 대표도 지냈다. 노무현 정부의 의뢰를 받아 2003년 국내 처음으로 한・일해저터널의 타당성을 살펴본 연구의 책임자였다. 일본 쓰쿠바대 대학원을 나온 안 원장은 청와대 국가안보실 정책자문위원, 대통령 직속 북방경제협력위원회 민간위원 등을 맡았다.

4・7 부산시장 보궐선거를 앞두고 지난 2월 김종인 국민의힘 비대위원장이 느

닷없이 한・일해저터널 카드를 꺼냈다가 여론의 뭇매를 맞았다. '친일매국노당' 이란 원색적 비난이 나왔고, 여당인 더불어민주당도 "일본의 대륙 진출 야심에 이용된다. 친일 DNA의 발동" 이라고 깎아내렸다.

처음으로 한・일해저터널 구상이 수면 위로 나온 건 약 80년 전 일제강점기였다. 그후 일본 민간기업에서 다시 제안한 시점도 40년이 지났다. 한・일해저터널은 단지 부산에 불리하냐, 유리하냐는 차원을 넘어선다. 한・일 갈등을 논외로 한다면, 동북아 국제질서가 다시 짜이는 원대한 사안이다. 역사의 뿌리까지 맥락을 짚어 내려가자면, 해양세력인 '섬나라' 일본을 대륙세력으로 편입시키는 대사건이 될 수도 있다. 다만 이런 국내외 정치・경제 문제를 넘어 기술상 걸림돌이 더 크다. 유로터널보다 몇배나 긴 해저를 관통해야 하는 한・일해저터널은 세계 최장이 될 것이다. 중간에 활성단층까지 있는 것으로 알려져 더욱 간단찮다.

경향신문은 지난달 31일 교통・물류 전문가인 안병민 한반도경제협력원장(62)을 만나 한・일해저터널이 동북아 경제협력 틀 속에서 갖는 의미와 기술적 난제 등을 물어봤다. 안 원장은 2003년 국내 처음으로 국토교통부 의뢰로 한・일해저터널을 깊이 들여다본 전문가다.

안 원장은 "지금 일본은 한・일해저터널에 별 관심도 없는 상태로, 장기적인 국가적 과제의 하나로 남겨둔 수준" 이라고 말했다. 무엇보다 그는 "건설비가 1980년대 당시 20조원 정도로 해도 비용・편익(B/C)이 가장 좋은 게 0.5 수준이었고, 지금은 100조원 정도 들어 한마디로 경제성이 없다" 고 평가했다.

한・일해저터널 비판론자들은 임진왜란 때 '정명가도' (명나라를 정벌하는 데 필요한 길을 빌려달라고 조선에 요구한 것)나 일제강점기 때 '대동아공영권' 같은 침략행위의 연장선으로 경계한다. 안 원장은 "한・일관계의 새로운 발돋움을 위한 역사적 공감대 없이는 해저터널은 전혀 할 수가 없다" 고 말했다. 해묵은 역사 갈등을 딛고 동북아의 '21세기판 실크로드' 를 이을 수 있을지부터 한・일 간 진지한 고민을 해야 할 것으로 보인다.

- 해저터널이 국내엔 생소하다.

"사실은 1932년 동양 최초로 해저터널이 우리나라에 만들어졌다. 바로 통영터널이다. 길이 483m로, 수심 13.5m 아래에 일제가 팠다. 양옆에 방파제를 쌓아서 바닷물을 뺀 뒤 거푸집을 만들어 콘크리트로 덮는 식으로 건설했다."

- 한・일해저터널은 언제 구상했나.

"우리랑 북한, 중국, 유럽, 미국 등은 좌우 철로 폭이 1435㎜인 표준궤를 쓴다. 러시아(1520㎜)는 그보다 넓은 광궤이고, 일본은 1067㎜로 협궤다. 일제가 중국을 먹으려고 하는데 표준궤니까, 우리한테도 그렇게 건설한 거다. 일본에서 열차로 서쪽으론 서울~베이징(중국)~투르판(신장위구르)~터키로 가고, 남쪽으론 베이징~싱가포르로 가자는 계획을 1938~1940년에 수립했다. 그 당시 규슈와 한반도를 해저터널로 연결하자는 제안이 나왔다."

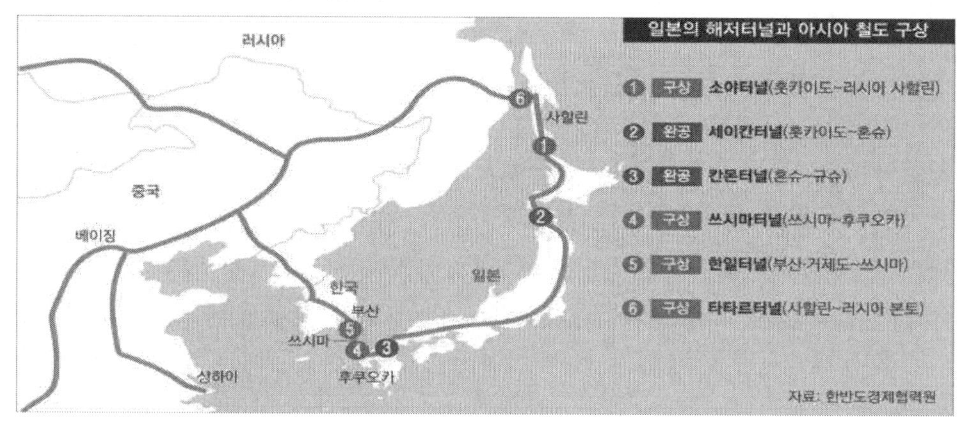

- 역시 일제 침략이 배경이군요.

"그 뒤 일본 정부 차원에서 1941년 계획을 수립하고 1954년까지 건설하려고 당시 거금인 5억5600만엔의 예산까지 책정했다. 기초조사를 하는 단계에서 일제가 패망했다."

- 당시 그런 구상을 했다니 놀랍다.

"그때 이미 중앙아시아 횡단철도 계획을 세웠다. 일본 본토와 규슈 연결지역에 칸몬터널을 건설하는 건 물론이고 홋카이도를 넘어 사할린, 러시아 본토까지 터널로 연결하려고 했다. 터널 5개를 만들어 동북아시아를 순환하는 철길을 잇는다는 구상을 1940년대에 했다. 물론 대동아공영권의 일환이다."

- 40년 지나 왜 다시 나왔을까.

"일제 패망 후 조용하다가 갑자기 최대 건설사인 오바야시구미가 기관지인 '길' 에서 '유라시아 드라이브웨이' 구상을 제안했다. 40년 만에 해저터널로 연결하는 구상을 민간기업이 내놓은 것이다. 당시 새로운 시장을 찾는 구상으로 보였다."

- 그 제안은 어떻게 됐나.

"1981년 통일교 문선명 총재가 서울에서 국제평화회의를 하면서 한·일해저터널 얘기를 했다. 통일교에서 일·한터널조사위원회를 설립해 규슈와 쓰시마의 육상과 해역을 조사했다. 1986년에는 일본 사가현의 해저 410m 구간의 굴착까지 해봤다. 2006년에도 2차 공사를 재개해서 547m를 팠다. 거제도에도 지질조사를 하느라 5군데 구멍을 뚫었다. 직접 현장에도 가봤다."

- 일본의 경제침략 도구일까.

"사실은 민간 차원에서 대마도(쓰시마)를 싱가포르처럼 동아시아의 십자로 역할을 하는 큰 거점으로 발전시킨다는 구상에서 나왔다. 대마도와 옆에 있는 이키라는 섬에 뉴아일랜드 구상이라고, 실리콘밸리를 만들자는 거였다."

- 터널 노선은 어떤가.

"1941년 일본이 노선 스케치를 했다. 하카다에서 대마도~거제도랑, 대마도~부산으로 그렸다. 1980년 일본에서 자체 제안된 노선도 거제도로 2개, 부산으로 하나 해서 3개 안이 나왔다. 거제도 쪽 노선 A는 209㎞, B는 217㎞, 부산 쪽 C는 231㎞ 길이다. 쓰시마 육상 구간을 빼면 해저 길이는 서로 비슷하다. 다만 수심이 깊은 곳은 C가 220m이다. A는 150m로 얕다."

- 수심이 중요한가. 어차피 해저인데.

"깊으면 수압도 크고, 건설비가 훨씬 많이 든다. 해저터널은 사고가 나면 큰일 난다. 20~30㎞마다 해수면 위로 환기 등 안전을 위해 연결되는 인공섬을 만들어야 한다. 한·일해저터널 구간이라면 인공섬이 3~4개 정도는 필요하다. 그래서 수심이 큰 문제다."

- 한국 내 논의는 어떤가.

"우리는 크게 3차례 있었다. 2003년 필요성이 있는지 제가 연구를 했고, 2009년 부산시 의뢰로 부산발전연구원에서 부산과 후쿠오카에 미칠 영향을 분석했다. 다음으로 통일교 의뢰로 김인호 전 청와대 경제수석이 있던 시장경제연구원이 2011년에 연구한 정도다."

- 연구 결과는 어땠나.

"나는 2003년 연구 책임자로 일본에서 나온 A·B·C 노선을 검토했다. 일·한터널연구회가 제시한 건설비 20조원으로 하더라도 가장 좋은 비용 대 편익이 0.4~0.5 정도다(1이 넘어야 경제성이 있다). 지금은 100조원은 들 텐데, 그러면 비용 대 편익이 0.2 정도 나올 거다. 즉 경제성이 없다는 뜻이다."

- 기술적으로 가능은 한가.

"아직 지형조사가 아무것도 이뤄지지 않았다. 대한해협과 쓰시마해협 두쪽 모두 활성단층이 있다. 그걸 어떻게 피하느냐가 가장 큰 문제다. 정확한 조사를 해야 한다. 활성단층이 있다면 거의 불가능한 상태로 본다."

- 일본이 해저터널을 원하나.

"부산시민도 반대가 많은 편인데, 일본은 2018년 조사 때 반대가 88%나 됐다.

'섬나라 순혈주의' 로 잘 살고 있는데 남한이 적화되면 공산주의가 바로 들어온다고 걱정한다. 병균이나 나쁜 것도 들어오고 해서 안 된다고 생각하는 일본인이 많다. (두 달 전) 김종인 위원장이 얘기하고 나서 일본 누리꾼 조사를 보니 98%나 반대하고 난리다."

- 의외다. 대륙 진출을 원하지 않나.

"자기네들은 동아시아 국가가 아니라 태평양 국가라고 생각한다. 남·북·중·러가 아니라, 호주·미국과 관련 있다고 여긴다. 역사적으로도 자긍심이 대단하다. 영국도 유럽이 아니듯, 일본도 아시아에서 같은 개념이다."

- 일본의 움직임은 어떤가.

"2003년 3월 자민당이 '꿈실현 21세기 회의' (나라만들기 꿈실현 검토위원회)의 국민제안으로 미래 100년의 꿈을 공모했다. 그중에 한·일해저터널이 있다. 그해 7월 자민당 외교조사회에서 한·일해저터널 건설 기술에 대한 청문회도 가졌고, 기술적으로 가능하다는 답이 나왔다."

- 과거사 때문에 어렵지 않나.

"터널의 일본 출발지가 사가현 가라쓰로 구상돼 있다. 한자로는 당진(唐津)이다. 여기에 나고야성이 있다. 바로 임진왜란 때 도요토미 히데요시가 조선 침략을 위해 배를 띄운 곳이다. 하필 왜 여기에 터널을 파려고 할까. 이러니까 일본에 혹 다른 뜻이 있는 게 아니냐고 의심한다."

- 부산에는 타격이 클 것이라는데.

"독일 시인 하인리히 하이네는 '철도를 통해서 공간이 살해됐다' 고 했다. 스웨덴 말뫼가 조선업 사양화 후 쪽박을 찰 뻔했다. 그러나 바다 건너 덴마크의 외레순과 터널, 교량으로 연결해 되살아났다. 이처럼 초국경 광역경제권 개념이 앞으로 중요해질 것이다. 부산은 서울이 아니라 후쿠오카와 가깝다. 앞으로 국경 개념이 점점 허물어지면서 광역경제권으로 뭉치며, 터널·교량 같은 교통망 역할이 커질 수 있다."

- 그래도 일본은 경계하자는 목소리가 높다.

"너무 감정적으로 접근하다보니 일본이나 우리나 본말이 전도돼 있다. 그러니 불필요한 정치적 논란 등이 자꾸 일어난다. 긴 시간을 두고 충분히 검토해야 할 사안 같다."

안 원장은 말미에 한마디를 덧붙였다. "성을 쌓고 사는 자 반드시 망하고, 끊임없이 이동하는 자만이 살아남을 것이다." 돌궐제국을 부흥시킨 명장 톤유쿠크의 비문에 적힌 글귀다.[88]

56. 불평등과 큰 정부의 시대… '증세' 가 다가오고 있다

미국이 법인세 인상 계획을 밝히고 있는 가운데, 재닛 옐런 미 재무부 장관은 다른 나라들에도 법인세 인하 경쟁을 멈추자고 제안했다. 이에 대해 독일과 프랑스가 동의를 표했고, 국제통화기금(IMF)도 환영 의사를 나타냈다. 이에 앞서 영국은 2023년부터 법인세 세율을 올리기로 결정했다.

코로나19 팬데믹(세계적 대유행) 국면에서 폭발적으로 늘어난 공공부채 때문에 증세가 불가피한 측면도 있지만, 경제 운용에 정부가 어디까지 개입해야 할 것인가라는 문제는 오래된 논쟁거리이다. 많은 이들에게 감세와 규제 완화로 대표되는 작은 정부 패러다임이 익숙하겠지만, 자본주의가 늘 그렇게 운영돼왔던 것은 아니다.

1930년대 대공황 국면을 기점으로 1960년대까지 이어진 시기는 큰 정부의 시대였다. 경제 운용에 있어 정부의 역할이 매우 컸고, 그러다 보니 미국의 최고 소득세율은 90%를 넘어서기도 했다. '요람에서 무덤까지' 정부가 책임져줬지만, 이를 위해 세금은 많이 걷었다. 반면 1980년대부터는 가능하면 정부의 역할을 줄이고, 시장의 자율권이 커지는 흐름이 자본주의의 주류로 자리 잡았다.

패러다임의 변화는 직전 시대에 대한 부정에서부터 비롯된다. 큰 정부 시대의 방종과 무능이 1980년대 이후 작은 정부의 시대를 불렀다. 케네디 대통령 사후 집권한 존슨 대통령의 '위대한 사회(great society)' 건설은 미국 진보주의자들의 로망이었지만, 이때부터 미국 경제는 쇠락기에 접어들기 시작했다. 방만한 재정지출과 중앙은행의 통화 증발로 만성적 인플레이션이 나타났고, 기축통화 달러의 권위도 심각하게 훼손됐다. 가능하면 많은 것을 경쟁과 시장에 맡기는 1980년 이후의 흐름은 이런 과정에서 잉태됐다.

이젠 다시 큰 정부의 시대가 열리고 있다. 이번에는 작은 정부 시대의 어떤 그림자들이 부징되면서, 새로운 세상의 동력이 되고 있는 걸까. '불평등' 과 '경제적 자원 배분의 실패' 를 들고 싶다. 두 표현은 실은 동전의 양면이다. 불평등은 실물경제와 자산시장의 괴리로 설명할 수 있다. 많은 한계가 지적되고 있지만 그래도 국내총생산(GDP)은 실물경제 활동을 평가하는 가장 권위 있는 지표이다. 주식시장 시가총액은 금융영역에서 평가받는 경제(기업)의 가치로 볼 수 있다. 한국과 미국을 비롯해 많은 나라에서 최근 10여년간 주식 시가총액 증가 속도가

GDP 증가율보다 훨씬 빠르게 나타났다. 2020년 말 기준 한국과 미국의 GDP 대비 시가총액 비율은 각각 119%와 234%이다. 직전 사상 최고치는 양국 모두 글로벌 금융위기 직전이었던 2007년에 기록됐는데 한국이 99%, 미국이 195%였다.

주가 상승이 국가 경제에 문제를 불러일으키는 건 아니다. 주식시장이 버블인지 아닌지에 대해서는 별도의 논의가 필요하겠지만, 설사 버블이 붕괴되더라도 그 손실이 주주 이외의 다른 경제주체들에게 파급될 가능성은 매우 낮다. 문제는 실물경제의 정체 속에 나타나는 자산가격의 상승은 불평등을 강화시킨다는 점이다. 주식이건, 부동산이건 기본적으로 투자는 여윳돈을 가진 사람들이 하는 일이기 때문이다. 시드머니가 많건, 적건 관계없이 말이다.

방법론에서 비판을 받기도 했지만 프랑스의 경제학자 토마 피케티는 저서 <21세기 자본>에서 역사적으로 근로소득의 증가율보다 자산가격 상승률이 높았고, 이런 점이 불평등의 원인이라고 주장했다. 필자는 그래서 생활인의 관점에서는 어떤 식으로든 투자하고 사는 게 좋다고 본다. 토마 피케티가 투자를 장려하려고 글을 쓴 건 아니겠지만 말이다. 작년부터 나타나고 있는 주식투자 붐에 대해서도 긍정적인 평가를 내리고 있다. 다만 어떤 경우든 실물이 정체된 가운데 주가만 오르면 버블에 대한 논란과 별도로 불평등이 강화된다. 투자를 하는 사람보다 안 하는 사람이 훨씬 많기 때문이다. 작년에 주식투자 붐이 일면서 한국의 주식투자 인구는 913만명까지 늘어났다. 2019년의 613만명에서 폭발적인 증가세를 나타냈지만, 경제활동인구 3735만명과 비교하면 2020년 말의 주식투자 인구 비율은 24%에 불과하다.

1980년대 이후의 시장과 경쟁 중시 패러다임으로 능력 본위에 따른 불평등이 강화돼 온 가운데, 2008년 글로벌 금융위기 이후에는 실물경제와 자산시장의 괴리가 극단적으로 확대되고 있다. 주식이야 투자를 안 하고 살 수도 있지만, 의식주를 구성하는 필수 항목인 주택가격 급등 앞에서 많은 이들이 느끼는 절망감은 불평등의 생생한 증거이다. 민간에서 이뤄진 경제적 자원 배분이 실물경제보다 자산시장에 편중돼 이뤄진 데 대한 성찰이 큰 정부의 시대를 불러오고 있다고 본다.

정부가 시장보다 더 잘한다는 보장은 그 누구도 할 수 없지만, 부정해야 할 상은 비교적 명백한 게 아닌가 싶다. 장기적으로 주식시장의 가장 큰 리스크는 투자자들이 전유했던 부를 정부가 가져가 경쟁에서 뒤처진 사람들에게 분배하는 일련의 과정이고, 이는 증세의 형태로 모습을 드러낼 것으로 보인다.[89]

57. 부동산 내전을 끝낼 용기

소득주도성장의 요리가 집에 배달되기 전에 주거안정 대들보가 먼저 무너져 내렸다. 집값과 월세가 폭등하면서 근로자 가구의 일상은 갈아 뭉개졌다. 2018년에 최저임금을 16.4% 올려 집중적으로 지원하려 했던 바로 그 계층이다.

개인적인 이야기이지만, 서울 근교에서 자기들 힘으로 열심히 알뜰하게 사는 맞벌이 조카 부부가 있다. 볼 때마다 고맙고 예쁘다. 그런데 여섯 살 아이를 둔 결혼 7년차 부부는 올 초에 참으로 힘든 결정을 했다. 아이와 그 동네에서 계속 살기 위해 자신들과 주변의 모든 것을 끌어 모아 집을 사야만 했다. 그들이 59㎡(23평형) 아파트를 매입한 가격을 들었을 때 가슴이 턱 막혔다. 내가 상상할 수 있는 가격이 아니었다. 30대 후반의 근로자 부부가 단지 자신의 자녀에게 익숙한 동네, 아이의 친구가 있는 동네를 떠나지 않기 위해 그렇게 무거운 짐을 져야 하다니! 조카 내외가 땀 흘려 저축한 돈, 그리고 집 안팎에서 손끝이 닳도록 당기고 끌어 모은 돈은 누구의 불로소득이 되었을까 생각하니 화가 났다.

근로자 70%가 월급 300만원 이하로 사는 경제에서 지금의 집값과 월세는 구조적 착취이다. 특히 월세로 보통 50만원이 넘는 돈을 내는 청년세대에게는 더 그렇다. 청년을 위한 집을 지을 땅이 부족하다고 하여 땅을 수입할 수는 없다. 착취는 뿌리 깊다. 체계적이다. 부동산 값이 올라야 돌아가는 경제가 '정상'이 된 지 70년째이다. '판자촌'이 상징하듯이 1960년대 경제개발시대 때부터 주거안정을 위한 공공서비스가 없었다. 민간 회사가 주택 공급을 주도하려면 주택 가격이 쉬지 않고 올라야 했다.

아파트 건설이 '공익사업'이라면서 농민에게 농지를 '빼앗아' 놓곤 막상 땅은 건설회사에 팔아버리는 한국토지주택공사(LH)의 모순이 일상이 되었다. 이 경우, 국가는 도로나 댐과 같은 공적 사회기반시설이 아니라 건설회사의 사적 돈벌이에 농지를 던져주는 폭력장치에 지나지 않는다. 여기에 1가구 1주택 양도세 면제 제도가 부동산 불로소득을 지켜주면서 부동산 불패 신화가 완성되었다.

집값이 올라야 이로운 사람들이 많다. 그러나 그들의 눈치를 보게 되면 결국 집값은 폭등하고 주거안정은 깨진다. 그러면 정권을 유지하기 어렵다. 역설적으로, 집값이 오르면 오를수록 오히려 집을 가진 소유자들은 똘똘 뭉쳐 세금 증가 반대 투표에 나선다. 집이 없는 사람들은 피해자의 입장이 되어 투표를 하지 않거나 항의하는 투표를 할 것이다. 부동산이 정치를 삼켜버린다. 부동산 내전이다.

부동산 전쟁을 끝내려면 용기가 필요하다. 부동산 불로소득의 오랜 구조를 근본적으로 해결하겠다는 강단이 필요하다. 부동산 불로소득을 환수하고 모든 국민이 토지에 평등하게 접근할 수 있도록 해야 한다. 이와 함께 대규모 택지를 민간 건설사에 팔지 말고 공공이 택지를 보유하는 주택 공급을 늘려야 한다. 거주자에게 일정 지분을 제공하는 다양한 방식의 공공택지주택을 더 많이 보급해야 한다.

여기에 가장 잘 맞는 정책이 부동산보유세, 특히 토지보유세다. 부동산 가격은 결국 땅값이다. 전국의 모든 토지를 인별 합산하고, 공시지가를 과세표준으로 해서 모든 토지에 비과세 감면 없이 과세한다. 이 돈을 재원으로 하여, 공공이 택지를 보유하는 주택 공급을 늘려야 한다.

참여정부의 부동산정책에 대한 평가는 다양하지만, 보유세 강화 정책을 최초로 궤도에 올린 점은 높이 평가할 만하다. 그러나 이명박 정부는 참여정부의 보유세 강화 정책을 무산시켰다. 만일 이명박·박근혜 정부에서 보유세 강화가 자리 잡았다면 부동산 문제를 더 일찍 해결할 수 있었을 것이다. 그러나 2018년 7월 재정개혁특별위원회와 기획재정부가 내어놓은 보유세 개편 방안은 주거안정을 원하는 국민적 여망에 미흡했다. 겨우 약 7400억원의 종부세 증가에 지나지 않았다. 같은 해 '9·13 대책'도 주거안정을 위한 본질적 접근이 되지 않았다. 종부세 세수 증가 효과는 약 1조원에 불과하였다. 여기에 1가구 1주택 양도세 면세가 맞물려 '똘똘한 한 채'로 표현되는 집값 폭등이 시작하였다. 그해 시작했던 소득주도성장의 열매를 태워버렸다.

조선시대 실학자 최한기는 그 시대의 백성들이 좋아하는가 싫어하는가가 도덕적 선악을 결정한다고 보았다. 지금 집이 있는 국민들은 대부분 집값이 오르기를 바란다. 1가구 1주택 양도세 면세를 계속 누리려 한다. 그러나 더 많은 국민들은 주거의 안정을 원한다. 더 많은 국민들이 좋아하는 일을 용기 있게 해야 한다.[90]

58. '세금폭탄'과 '내로남불'

세금폭탄(稅金爆彈)은 세금 부담이 너무 가혹할 정도로 큰 경우를 비유적으로 이르는 말이다.

내로남불은 '내가 하면 로맨스, 남이 하면 불륜'이라는 뜻으로, 남이 할 때는 비난하던 행위를 자신이 할 때는 합리화하는 태도를 이르는 말이다.

불과 1년 전 총선에서 개헌선에 가까운 지지를 받은 여당의 보궐선거 몰락은 한국토지주택공사(LH) 사태와 연이은 '세금폭탄'과 '내로남불'이 결정타였다. 집값폭등과 불공정의 주범이 투기꾼이 아니라 정부와 공직자라고 확신하게 했다.

선거 후 도종환 더불어민주당 비상대책위원장은 '내로남불 수렁에서 빠져나오겠다'고 다짐했다. 민심을 좇아 정부와 여당이 뼈를 깎는 쇄신을 다짐하는 것은 당연하다. 하지만 부동산 정국이 계속된다면 국민생활과 경제에 맞닿아 있는 세금폭탄과 내로남불은 대선까지도 되풀이될 수 있기에 그 실체와 진실을 좀 더 살펴볼 필요가 있다.

먼저 세금폭탄. 지난 3월 국토부는 전국 아파트 공시가격을 평균 19% 인상하는 조정안을 발표했다. 세금고지는 물론 과세기준일도 멀었지만 언론은 온 국민이 곧 세금폭탄을 맞게 될 것처럼 대서특필했다. '강남 은마 40년 거주 은퇴자 보유세 폭탄에 집 팔아야 할 판' 기사는 공시가격 1억원이 올라도 종부세가 거의 변동 없는데도 거의 두 배로 오른다고 부풀려 1주택자와 은퇴자의 '분노'를 유도했다. 선거일 직전 서초구청장은 야당당사까지 찾아 '정부의 불공정 공시가격 정상화'를 위한 기자회견을 통해, 공시가격이 실거래가액보다 높은 곳이 3%에 달하고 같은 면적인데도 서로 다르거나 분양주택이 임대주택보다 낮은 사례가 다수 발견되었다고 주장했다.

사실은 달랐다. 공시가격 인상에도 전체의 90%에 달하는 6억원(시세 약 8억~9억원) 이하 1주택자는 재산세까지 줄어든다. 9억원 초과 1주택자 종부세도 80%까지 높아진 장기보유·고령자공제와 부부공동명의인 주택까지 1주택 혜택을 새로 받는다. 하반기 재산세·종부세 세금고지서를 받아든 국민 대부분은 '세금폭탄'이 아니라 '1주택 혜택'에 놀랄 수 있다.

세금폭탄을 주장하고 싶을 지자체장도 그렇다. 공시가격보다 낮은 실거래가액의 적정성을 소명받아 부정거래라면 세금과 처벌을 받게 하고 정당거래라면 이의 신청을 밟도록 안내하는 것이 지금 마땅한 본분이다. 결국 다주택자에는 중과세하고 1주택자에게는 대폭 경감하게 된 진실은 외면하고 나온 세금도 아닌 부풀려진 예상세액으로 만든 보유세 폭탄론에 불과하다.

'내로남불'은 어떤가. 작년 주택임대차보호법이 시행되기 전 전·월세가를 인상한 김상조 정책실장과 박주민 의원이 주인공이다. 박 의원의 경우 주택임대차보호법(주임법) 개정안을 대표발의하며 임차인 주거안정을 강조했던 장본인인데, 전·월세상한인 5%를 넘겨 9%나 임대료를 올려 이익을 챙겼다는 것이다. 주장의 오류는 심각하다. 임차인의 주거권을 보호하기 위한 '임대료 5% 인상 제한률'이나 법적 근거처럼 제시한 '전·월세환산율'은 계약갱신 시에만 적용되는 것일 뿐 새 임대차계약엔 해당될 수 없다. 임대료 인상의 적정성은 시세나 주택시장의 임대료 상승률과 비교할 일이니, 결국 내로남불의 전제인 '임대료 9.1% 인상'은 허위사실이 된다.

도덕적으로 비난받을 일은 아닐까. 1년에도 수십만채의 갱신되거나 새로 맺는 임대차에서 다른 이들은 어떻게 했을지 살펴봐야 맞고, 자신이 평생 손해가 되는데 주임법을 앞장서 내놓으면서 자기이익을 위해 시행직전에 임대료를 올렸다는 가설도 어불성설이다. 오히려 황당한 것은 어렵사리 주임법을 개정할 때 시장원리에 어긋나고 사회주의 발상이라며 반대하고 자산가와 임대인의 이익을 대변하던 세력이 지금 서민과 무주택자 편인 양하고 있다는 사실이다.

투기와 정책실패로 인한 집값폭등에 LH 투기 사태로 인한 국민의 실망과 분노는 정당하고 집권세력은 응당 책임을 져야 한다. 하지만 진실을 호도하려고 '세금폭탄'과 '내로남불' 프레임을 씌우고 경제·사회개혁엔 반대하고 특정계층만 대변해온 세력이 이익을 보는 우는 범해서는 안 된다. 진실 아닌 세금폭탄과 내로남불의 희생 제물은 결국 국민이 될 수 있기 때문이다.[91]

59. 2022년 체제를 위하여

4·7 재·보궐 선거 결과가 나왔다. 국민들은 정부·여당을 단호하게 심판했다. 그리고 2022년 대선 레이스가 시작되었다. 4·7 선거는 정권 심판의 성격이 강했지만, 대선은 미래를 선택하는 의미도 있다. 그래서 2022년의 시대정신과 화두로 '공정사회'와 '해결사로서의 국가'(김호기 교수), 기후위기, 양극화, 미·중 신냉전(안병진 교수) 등이 거론되고 있는 중이다.

필자는 시대정신을 '체제' 관점으로 응결시키는 것이 중요하다고 본다. 과거·현재에 대한 체제적 인식이 있어야 이행을 위한 비전·정책이 체계화된다.

체제 관점은 전체와 부분, 정치와 경제 영역 간의 상호작용에 관심을 둔다. 오래전부터 도덕철학, 정치경제학, 사회과학에서는 상위체제와 하위체제의 관계에 관한 학문적 논의를 발전시켜 왔다. 한반도의 경우 1953년의 세계체제를 상위체제로 두면서 국내적으로는 1987년 체제를 하위체제로 두고 있다고 할 수 있다.

1987년 체제는 당시 4개 정당이 타협하여 의회주의와 자유주의의 형식을 제도화함으로써 형성되었다. 그러나 1987년 체제는 점차 적대적 양당제도로 운영되면서 승자독식과 배제의 정치를 강화했다. 박근혜 정부에서는 1987년 이전으로 퇴행하는 조짐이 나타나자 촛불 시민항쟁이 나타난 바 있다.

문재인 정부는 2017년 체제로 이행시킬 수 있는 기회를 가지고 있었다. 그러나 촛불연합보다는 적폐청산 프레임을 우선시했고, 양대 정당 제도를 편법적·기형적 형태로 재생산했다. 2020년 4월 총선 승리에 취한 여권은 입법 독주를 강행했다. 성공이 정점에 이르면 위기가 오는 법이다. 균형감각이 발달한 스윙 보터들은 독선·독점의 정치를 심판하는 편에 섰다.

2022년의 정치체제는 1987년 체제와 촛불연합의 균형점을 회복하는 데에서 출발할 수밖에 없다. 더 나아가 양당 제도에서 대표되지 않는 시민들의 정치 참여를 확내하는 방향으로 체제 개편이 이루어져야 한다. 혁신경제 이론에 의하면, 기존 기업은 신규 기업에 비해 혁신에 소극적이다. 기존의 적대적 양당제하에서는 혁신적 의사결정이 이루어지기 어렵다.

여권에서 4·7 선거의 패배 원인을 놓고 많은 논의가 벌어지고 있다. 조국 사태가 문제였는지, 부동산 정책이 문제였는지를 놓고 논쟁하고 있다. 이 논의를 체제 관점에서 종합하면, 도덕경제와 시장경제의 균형 붕괴라고 할 수도 있다.

아리스토텔레스는 도덕경제를 상정했다. 그는 도덕과 정의를 중시했으며, 경제는 이를 위해 인위적 관리를 행하는 것이었다. 현 정부는 정의로운 도덕경제를 실현하려는 것처럼 말했지만, 도덕의 기준을 스스로 감당하지 못했다. 비정규직의 정규직화, 최저임금 인상, 소득주도성장 등은 선의로 가득 찬 정책이었지만, 시장경제와 조화를 이루지 못했다. 부동산 정책은 투기를 잡고 적폐를 청산한다는 관점에서 접근했지만, 결과는 대다수 국민의 괴로움으로 나타났다.

2022년 체제는 도덕경제와 시장경제의 균형점을 회복하는 데서 출발해야 한다. 여기에 대해서는 경제학 사상의 단초를 연 애덤 스미스의 성찰을 참고했으면 한다. 스미스는 인간 세상을 두 개의 대립적 관념으로 제시했다. 하나는 인간의 이타적 본성 또는 동감의 세계(도덕철학)이며, 또 하나는 인간의 이기적 본성에 기초한 교환의 세계(정치경제학)이다. 경제의 목표는 분배(복지)와 성장(안정성)의 영역으로 구분된다. 도덕과 시장이 각자의 역할에 맞게 작동하도록 해야 한다.

또 한 가지 잊어서는 안 될 문제가 있다. 일련의 남북, 북・미 정상회담을 통해 2018년 체제를 출범시킬 기회가 있었으나, 2019년 2월 하노이 노딜 이후 한반도 평화 프로세스는 중단되었다. 남북 및 북・미의 양자관계 차원에만 몰두해서는 해법을 찾기 어렵다. 미・중 간 갈등의 세계체제하에서 한・일관계의 전략적 전환을 모색할 필요가 있다. 넓은 체제 관점에서 입체적인 연결전략을 준비해야 한다.[92]

도덕 경제(道德經濟)는 법적・제도적으로 규정된 것이 아니고, 자본주의 사회와 같은 이윤 추구 동기에 따라 나타나는 것도 아닌, 도덕적 가치와 행위들을 통하여 유지되는 경제 체제. 사회주의 국가가 지도자의 은혜나 사회주의적 도덕을 강조함으로써 대중을 동원하고 통제할 때에 이용된다.

시장 경제(市場經濟)는 자유로운 경쟁 속에서 시장에서의 수요와 공급을 통해 상품의 가격이 형성되는 경제이다. 1980년대 이후, 사회주의 국가들은 시장 경제를 도입하기 시작했다.

60. 한때 대도시의 자동차는 '말똥 지옥'의 구세주였다

코로나19 이후 가장 급성장하고 있는 산업을 하나 꼽으라면 많은 사람들이 전기자동차를 꼽는다. 세계적인 신용평가회사인 피치의 전망에 따르면, 2040년 전 세계 자동차 중 전기차 비중은 45%에 달한다. 전기차 시장이 이처럼 급성장하는 가장 큰 요인은 단연코 환경보호에 대한 인식 고조이다. 기후변화, 코로나19 등의 이슈가 연이어 불거지면서 더 이상 친환경 자동차로의 전환을 미룰 수 없다는 국제사회의 인식 때문이다. 자동차는 대기오염과 온실가스를 유발하는 주범 중 하나이다. 교토의정서에서 확인된 6개 온실가스에 대해 '유럽연합도로연맹(EU Road Federation)'이 수행한 연구결과에 따르면, 교통 부문의 배출량(19%)은 에너지(30%), 제조 및 산업 부문(20%) 다음으로 많은 것으로 조사되었다.

그런데 한 가지 흥미로운 점은 원래 자동차는 도시 환경을 개선하는 구제주였다는 사실이다. 100여년 전까지만 해도 인류의 가장 보편적인 교통수단은 말과 마차였다. 말과 마차를 교통수단으로 활용한 것은 훨씬 이전부터지만, 인류가 말과 마차로 인한 부정적 현상에 주목하기 시작한 것은 17세기 후반부터로 추정된다. 1605년 런던에 처음으로 요금을 지불하고 이용하는 마차가 등장했고, 1640년에는 역마차를 대중교통수단으로 이용하기 시작했다. 이처럼 대도시를 중심으로 마차를 다각적인 교통수단으로 활용하기 시작한 지 100년도 지나지 않은 17세기 후반에 말과 마차로 인한 교통 혼잡 현상이 목격되었다.

가장 큰 문제는 무엇보다 말똥이었다. 당시 유럽의 주요 대도시와 뉴욕의 도로는 말똥 등 분뇨로 가득 찼다. 20세기 초 뉴욕시에서는 말 20만마리가 교통수단 등으로 활용되었다고 한다. 일반적으로 말 한 마리당 하루 평균 10kg 내외의 배설물이 나온다는 사실을 고려할 때, 당시 뉴욕의 말들은 하루 평균 2000t에 가까운 배설물을 거리 곳곳에 쏟아내고 있었던 것이다. 말똥은 온실가스 효과가 이산화탄소보다 25배나 높은 메탄 배출의 주범이다. 말이 트림을 하고 방귀를 뀔 때도 메탄 성분이 배출된다.

사실 당시 말똥으로 인한 가장 커다란 불이익은 온실가스 효과보다는 건강 문제에 있었다. 말똥이 건조해지며 부서지는 과정에서 유발하는 말똥 먼지가 시민들의 기관지를 오염시켰기 때문이다. 또한 1900년대 초까지만 해도 매년 뉴욕 시민 2만명 정도가 파리가 옮기는 각종 질환으로 사망했다. 장티푸스를 비롯해 당시 대도시 거주자들의 건강을 위협하는 가장 직접적인 원인 역시 말과 말똥이었다. 비 오는 날 똥물이 흐르는 도로 위를 걷지 않도록 안아서 원하는 곳까지 데려다주는 직업이 생겨났는가 하면, 뉴욕에서 국제회의를 개최하여 말똥으로 인한 피해 등에 대해 논의한 바도 있다.

이처럼 심각했던 말똥으로 인한 피해를 한 번에 해결해준 것은 다름 아닌 자동차였다. 1900년 초기부터 유럽과 미국에는 수백개의 소규모 차량 제조회사들이 등장했고, 이들이 서로 경쟁하면서 자동차 관련 기술 수준이 높아짐과 동시에 자동차 가격은 점차 하락했다. 이 과정에서 자동차의 가격과 유지비가 점점 저렴해졌다. 뿐만 아니라 무엇보다 자동차는 분뇨를 치울 필요가 없었기 때문에 많은 사람들이 자동차를 크게 선호하기 시작했다. 그 결과 영국의 경우 1904년 자전거를 제외한 자동차 생산대수가 1만7810대였는데 1910년에는 10만7635대, 1918년에는 33만518대로 급격히 증가했다.

이러한 자동차의 보급이 확대되면서 유럽의 대도시와 뉴욕의 거리에는 차츰 말의 숫자와 함께 말의 분뇨로 인한 피해도 줄어들었다. 당연히 이 과정에서 말똥으로 인한 대기오염 및 위생 문제 등도 차츰 개선되기 시작했다. 100년 전만 하더라도 도시 환경을 개선시킨 기술은 자동차였다. 이제 또다시 자동차가 환경 개선에 도움을 줄지 지켜볼 일이다.[93]

사람이 '부정관(不淨觀)을 닦으면 곧 오온(五蘊)의 몸의 부스럼을 고칠 수 있다' 고 하는 말을 듣고 말하기를, "나는 여색(女色)과 다섯 가지 탐욕을 관하리라" 고 한다.

그러나 그 더러운 것은 보지 못하고 도리어 여색에 홀리어 생사에 흘러 다니다 지옥에 떨어진다. 세상의 어리석은 사람도 실로 이와 같다.

61. 주목할 가계부채 대응책 경기대응완충자본 제도

가계부채(家計負債)는 가구의 빚을 말한다. 가계는 가구의 수입과 지출 상태를 뜻하는 말이며 부채는 빚을 뜻한다. 2000년대에 들어와서 가계의 부채는 주택의 구입과 연동하는 측면이 있다. 주택을 구입하기 위해서 은행에 빚을 지는 일이 늘어나고 있다. 특히 한국에서는 그것이 주택가격의 상승을 부추기는 측면이 있어서 많은 전문가들의 우려를 낳고 있다.

가계부채는 가구나 개인의 부채이지만 국가의 부담으로 작용할 수도 있다. 사채가 아닌 이상 은행이나 카드사, 캐피탈, 상호금융에서 돈을 빌릴 수밖에 없는데 이곳들도 맨입으로 어디서 돈을 만들어다가 꿔주는 게 아니기 때문이다.

이곳들은 국내외에서 채권을 발행하고 예금을 받은 것으로 돈을 꿔 준다. 그런데 여러 가지 외부상황에 의해 금융회사가 채권을 제때 상환하지 못하고 예금을 지급하지 못할 것이라는 루머가 돌거나 실제로 그렇게 되면 대량의 자금이탈이 발생하게 되고, 대부분 여기까지 오면 채권을 상환할 능력도 예금을 지급할 능력도 없는 경우이므로 이 금융회사는 그냥 망하는 것이다. 은행만 망하는 게 아니고 대출금을 못 갚은 개인과 기업, 채권을 산 개인과 기업도 함께 망한다.[94]

지난달 29일 정부는 가계부채 관리방안을 발표했다. 환영할 일이다. 한국은행에 따르면 가처분소득 대비 가계부채비율이 170%를 훌쩍 넘어섰다. 이는 2019년 대비 10% 이상 증가한 수치다. 국제결제은행(BIS)이 발표하는 국내총생산(GDP)-민간신용 갭이 작년 하반기에 경고단계에 들어섰고, 3분기 기준 16.9까지 상승했다는 사실은 전문가들이 누누이 지적해온 바이다. 가계신용 규모는 작년 말 기준으로 GDP 규모를 추월했다. 또 국내 은행의 가계대출 증가율은 작년 말 기준 전년 대비 10.7% 상승했다. 정부는 가계부채 증가율을 중기적으로는 4%대로 억제하겠다고 한다. 차주별 총부채원리금상환비율(DSR) 규제도 확대 시행하기로 했다. 주목할 만한 사항은 하반기에 가계부문 경기대응완충자본을 도입하기로 했다는 점이다.

글로벌 금융위기 이후 은행의 건전성 규제 강화 방안으로 바젤 III가 도입되었다. 여기에서 개별 은행의 유동성 및 최저자본비율 규제 강화에 더하여 최초로 신용사이클에 대한 거시건전성 감독수단으로 도입된 게 경기대응완충자본이다. 이 제도는 경기순응성, 즉 실물경제의 흐름을 과도하게 증폭시키거나 위축시키는 신용사이클을 억제하고, 과도한 신용팽창기에 뒤따르는 스트레스 상황에서 은행들이 손실을 적절히 흡수할 수 있는 자본을 사전에 적립하도록 하는 제도이다. 규제 수준이 일정한 최저자본비율 규제와 달리 이 제도는 경기 및 신용 상황에 따라 규제 수준을 조정하도록 하고 있다. 이러한 경기대응완충자본 규제를 은행대출 전체가 아니라 신용의 과잉 팽창이 우려되는 특정 부문, 예컨대 가계대출에만 적용하는 게 가계부문 경기대응완충자본 제도이다.

현시점에서 이 제도가 가진 장점이 몇 가지 있다. 우선 통화정책과 금융안정정책 간 상충 문제를 줄이거나 해소할 수 있다. 물가 안정 혹은 경기 대응을 위해 금리 조절을 주된 수단으로 하는 통화정책과 신용공급의 주된 주체인 은행의 대출에 영향을 주는 경기대응완충자본 모두 대출시장에 영향을 미치게 된다. 문제는 지금 우리 경제상황처럼 물가 수준이 정책목표를 하회하고, 실물경제가 온전히 회복되지 못한 상황에서 신용 팽창과 자산가격 급등과 같은 금융 불균형이 발생하는 경우이다. 완화적인 스탠스를 유지하는 통화정책과 달리 경기대응완충자본 규제는 신용 및 유동성 공급을 억제함으로써 두 정책 간 상충 문제가 발생할 수 있다. 이런 상황에선 경제 전체가 아니라 리스크가 커지는 특정 부문에만 적용하는 경기대응완충자본이 상충 문제를 완화하고 좀 더 유효한 정책수단이 될 수 있다. 둘째, 주택담보인정비율(LTV), 소득 대비 부채비율(DTI), DSR 등 차입자를 대상으로 하는 대출규제 수단이 주로 신규 대출을 억제하기 위한 것이라면, 이 제도는 은행 대출의 상대적 비용을 변화시킴으로써 기존 대출 구성 전체에 영향을 주게 된다. 따라서 두 정책은 대출 증가세 억제와 함께 중기적으로 가계부채비율을 하락시켜 가계부문의 건전성 개선에 상호보완적으로 활용될 수 있다.

향후 이 제도 운영에서 유의해야 할 점을 두 가지만 지적하고자 한다. 우선 국내 은행들은 평균적으로 자본비율이 높고, 자본여력이 충분한 상황이기 때문에 이 정책의 효과를 거두기 위해서는 현 자본비율 수준을 기준으로 추가 적립을 유도하는 방안이 필요하다. 아니면 BIS가 권고하듯이 추가 적립 비율을 2.5% 이상으로 정하는 방안도 검토할 필요가 있다. 규제비율 산정 시에 적용하는 위험가중자산의 대상은 가계부문 자산이기 때문이다.

두 번째로 이 규제의 운영과 관련한 정책당국의 의사결정 과정에 대해 적기에 투명한 커뮤니케이션 프로세스가 확립되어야 한다. 즉 정책당국은 가계부채에 관한 전반적인 상황과 리스크에 대한 판단·평가 등을 분기별로 시장과 이해관계자들에게 발표하고, 또 시장의 의견을 청취하는 프로세스를 공식화해 적극 운영할 필요가 있다.[95]

62. 기본소득의 비용

기본소득(basic income, 基本所得)은 중앙정부나 지방정부가 모든 개인에게 자산조사나 근로취업에 대한 요구 등의 조건 없이 지급하는 소득. 노동과 소득을 분리하고, 구성원 모두의 인간다운 삶을 보장한다는 의미의 '기본권' 차원에서 출발하며, 기초생활수급이나 실업수당과 같은 기존 사회보장제도와 달리 공동체 구성원이라면 평생 동안, 충분한 금액을 규칙적으로 지급하는 복지 정책이다.

슬슬 내년 대선을 향한 경주가 시작될 모양이다. 많은 평론가들이 이번 대선의 최대 화두는 공정과 기본소득이 될 것이라고 한다. 지위와 소득이 부모 힘이 아니라 자신의 소질과 노력에 의해 결정되는 사회, 그러나 가장 가난한 사람도 자존심을 지키고 살아가기에 충분한 소득이 보장되는 사회. 캠프의 브레인들은 이런 사회를 꿈꾸게 하는 공약을 만들어내느라 골머리를 앓을 것이다.

사회안전망이라는 단어가 시사하듯 선진국들을 정치적 파국으로부터 지켜낸 소득보장 프로그램은 조건부 기본소득의 개념을 중심으로 발달했다. 소득이 일정 수준 이하인 사람에게만 기본 생계를 유지하기 위해 필요한 보조금을 지급하는 제도다. 이 제도가 호응을 얻은 것은 누구나 밧줄에서 떨어지는 곡예사의 불운을 경제적으로 겪을 수 있으며, 따지고 보면 능력이라는 것도 하늘이 정하는 운에 따르는 것이니 공동체가 약자를 보호해야 할 의무가 있다는 공감대가 형성되었기 때문이다. 여기에는 재원 확보를 위한 세금에 대한 저항 때문에 당장은 가장 고통받는 사람부터 얇게, 그러나 경제가 성장함에 따라 혜택의 깊이와 범위를 더해 나가자는 실용주의도 깔려 있다.

최근 상황이 변하고 있다. 아무 조건 없이 부자를 포함한 모든 성인에게 동일한 금액의 기본소득을 지급하자는 주장이 인기를 얻고 있다. 빈부격차의 심화와 로봇과 인공지능의 발달로 국민의 태반이 실업자가 될 것이라는 공포가 주요 원인이다. 기존 복지 시스템의 느린 속도와 사각지대를 피하기 위해 여러 국가가 시행한 보편적 코로나 재난지원금이 복지도 이렇게 하면 좋겠다는 생각을 강화했다. 작년 이맘때 전 국민 재난지원금 100만원을 받고 좋아하던 부자 친구의 모습이 생각난다. 역시 공짜는 좋다는 것이다. 많은 세금을 내고 있으니 받을 권리도 있고. 그런데 이걸 반복하려면 앞으로 부자는 세금을 200만원쯤 더 내야 할 것 같다고 하니 그건 싫다고 한다.

25세 이상의 모든 성인에게 월 50만원의 기본소득을 지급하려면 약 250조원의 예산이 필요하다. 우리나라 국내총생산의 13%, 정부 총지출의 절반에 해당하며 사회복지 총지출을 초과하는 거액이다. 이 돈을 확보하려면 국민이 그만큼 추가적 세금을 내야 하고 누진세제하에서 그 대부분을 부자들이 부담해야 한다. (기축통화를 갖고 있지 않은 소국 개방경제에서 정부채권이나 돈을 계속 찍어내면 증세를 피할 수 있다는 이야기는 하지 말자.) 즉 보편적 기본소득의 요체는 여유 있는 사람들이 자기 자신에게 돈을 주기 위해 정부에 세금을 더 내는 것이다. 필요한 세금이 엄청나다고 보편적 기본소득에 반대하려는 것이 아니다. 부자들로부터 세금을 걷었다 되돌려주는 데 큰 비용이 발생하지 않는다면 필자는 무조건적 기본소득을 두 손 들고 환영할 것이다. 조건부 기본소득의 큰 문제는 수혜자가 되기 위해 가난을 증명해야 한다는 것이다. 이 과정에서 시간과 비용이 소요되고, 수혜자의 자존심이 손상을 입는다. 또한 일부러 가난해진 사람과 허위로 가난해진 사람, 그리고 제도가 포착하지 못한 사람이 생길 수밖에 없다. 무조건적 기본소득은 이런 문제를 일거에 해결한다.

4차 산업혁명이라는데 이런 문제를 해결하는 방법은 기본소득이 아니라 복지행정의 디지털혁명이 되어야 한다는 반박이 타당하게 들린다. 그런데 매우 놀라운 것은 기본소득을 둘러싼 언론의 논쟁에서 조세의 왜곡효과라는 경제학 기초 개념이 등장하는 경우가 거의 없다는 것이다. 세금을 더 걷으려면 근로소득과 자본소득에 대한 세율을 증가시켜야 한다. 그러면 노동과 저축의 인센티브가 감소하여 생산이 줄어든다. 이러한 주장은 보수의 경제학이라고 생각하는 사람이 있는데 그렇지 않다. 보수는 조세의 왜곡효과가 매우 크고, 진보는 작다고 생각할 뿐 모든 경제학자가 조세의 왜곡효과가 존재함에 동의한다.

학자마다 추정치가 다르지만 250조원의 세금을 걷으면 적게는 수십조, 많게는 수백조원어치의 생산이 증발한다. 이 큰 낭비를 막기 위해서는 부자에게도 기본소득을 지급하는 사치를 피하고 세율 인상을 최소화하기 위한 선택과 집중의 복지 제도가 필요하다.

그래도 토지세를 부과하여 액수가 작아도 기본소득을 지급하자는 안에는 솔깃하다. 토지는 세금을 매겨도 어디로 도망가지 않기 때문에 조세의 왜곡효과와 타인으로의 전가가 발생하지 않기 때문이다. 이 경우에도 세수를 가장 어려운 사람에게 집중하는 것이 상책이다. 그러나 선거에서 진 진보 표방 정부가 주택보유세 몇% 올린 것부터 반성하고 있는 정치현실에서 보편적 기본소득이 보유세 저항의 대항마가 될 수 있을지 궁금하다.[96)]

63. 미・중 갈등 시대의 한・일

문재인 대통령이 굵직한 외교 일정을 앞두고 있다. 5월21일의 한・미 정상회담에 이어 6월11~13일 주요 7개국(G7) 정상회의에 참가할 예정이다. 이번 한・미 회담은 바이든 정부로서는 일본에 이은 두 번째 정상회담이다. 보도에 의하면, 지난 12일 일본에서 한・미・일 3국 정보기관장 회의가 열렸고, 회의 직후 애브릴 헤인스 미국 국가정보국장은 한국으로 건너와 문재인 대통령을 만났다. 이미 물밑에서 큰 줄기가 잡히고 있는 것 같다.

미국의 발걸음을 보면, 인도・태평양 벨트를 연결하면서 한・미・일 협력구도를 복원하려는 것으로 여겨진다. 현시점은 바이든 정부의 정책기조가 드러나면서 미국을 축으로 한 정책 톱니바퀴가 강력한 구동력으로 작용하는 국면이라고 할 수 있다.

한말의 유길준은 당시 조선이 처한 복합적이고 비대칭적인 상황을 '양절체제'라는 개념을 사용하여 인식한 바 있다. 조선과 청의 관계는 전통적 조공관계와 근대적인 국제법 관계를 공유하는 이중적 양절관계라는 것이다. 당시에 비추어 보면, 현재는 한・미, 한・중, 한・일, 남북한 등 몇 개의 양절관계가 겹쳐진 체제라고 할 수 있다.

한반도에 겹쳐진 관계들의 톱니바퀴는 잘 맞물리지 않고 마찰을 일으킬 때가 많다. 현재는 미・중 갈등이 다층적인 충격을 가하고 있는 시기다. 그러나 한국이 미・중 사이에서 양자택일을 해야 하는 순간에 직면하고 있다는 주장은, 현실을 너무 단순화한 것이다. 군산복합체나 국가 차원이 표준 경쟁이 치열한 분야에서는 미국과 중국이 빠른 속도로 분리될 것이다. 또 다른 한편으로, 중국의 소비시장과 연결된 산업에서는 디커플링이 쉽게 이루어지지는 않을 것이다.

미・중 갈등 격화가 한국의 안보・경제에 큰 부담인 것은 분명하다. 그러나 미・중 갈등의 범위와 심도를 가늠하는 것은 어려운 일이다. 작년까지 유럽연합은 독자적 이익을 위해 중국과의 투자협정을 추진했다. 최근에는 흐름이 바뀌어 유럽의회 비준이 중단되었다. 미국 내에서도 논의가 분분하다. 미국의 항공, 반도체, 화학, 의료기기 등 첨단산업에서 분쟁 피해를 입을 것이라는 것이 미국 업계의 시각이다. 한국이 복잡한 미・중 갈등에 선제적・주도적으로 대응하겠다는 것은 위태로운 과욕이다. 한국 입장에서는 충격에 유연하고 기민하게 반응하려는 준비 태세가 필요하다. 충격을 흡수하는 방책의 일환으로 남북관계 안정과 한·일관계 진전이 중요하다. 남북관계와 한·일관계가 서로 맞물리는 작용에도 주목할 필요가 있다.

2018년은 남북관계와 북·미관계가 극적으로 호전된 시기였다. 그러나 2019년 2월 북·미 회담은 결렬되고 말았다. 회담 결렬의 이유로 여러 논의가 있겠지만, 일본의 역할에도 주목할 필요가 있다. 이 중요한 시기에 일본은 북핵 문제에 대한 최대한의 압력, 납치자 문제에 대한 해결을 집요하게 요구했다. 하노이 노딜의 배경에는 아베 외교의 영향력이 어른거린다고 할 수 있다.

일본은 중국의 부상에 대해 가장 먼저 심각한 위기감을 느낀 나라다. 일본은 일찍부터 미·일동맹을 토대로 주요 국가를 포함하고 확대한 인도·태평양 전략을 추진했다. 그리고 또 한편으로는 신냉전 구도를 활용하면서 중국·러시아와 독자적 외교를 전개했다. 2020년 말에는 중국이 추진한 역내포괄적경제동반자협정(RCEP)을 수용한 바 있다.

현재 한·일 간, 북·일 간에 누적된 불신은 미·일동맹을 강화하고 동아시아 네트워크의 진전을 제약하고 있다. 한·일관계와 북·일관계 개선은 미·중 간, 남북한 간 갈등에 대응하는 중요한 방책이다. 이 지점에서 한국은 좀 더 적극적이고 대담한 역할을 수행할 필요가 있다.

반도체 등 생산 네트워크에서 한국 기업과 일본 기업은 분리되기 어렵다. 이제 한·일 간 상호 역할을 인정하는 외교적 비전을 만들어내야 한다. 북·일 간에도 납치자 관련 대화 채널이 마련되도록 돕는 창의적 방안이 강구되길 기대한다.[97]

미·중 정상은 이날 아시아태평양경제협력체(APEC) 회의가 열리는 캘리포니아주 샌프란시스코 인근 우드사이드에서 마주 앉았다. 바이든 대통령은 언론에 공개된 모두발언에서 "우리는 경쟁이 갈등으로 비화하지 않도록 해야 한다" 면서 "책임 있게 경쟁을 관리해야 한다" 고 밝혔다(세계일보, 2023. 11. 16, 박영준).

64. 진짜 인플레이션은 임금이 오를 때 온다

물가수준이 지속적으로 상승하는 현상을 인플레이션(inflation, 通貨膨脹)이라고 한다. 여기서 물가는 개별상품의 가격을 평균하여 산출한 물가지수를 의미한다.

요즘 금융시장의 화두는 단연 인플레이션이다. 인플레이션은 일반적으로 경기가 좋을 때 생긴다. 물가가 지속적으로 상승하는 현상인 인플레이션은 경제의 수요가 건실할 때 나타나기 때문이다. 투자자들이 두려워하는 것은 인플레이션이 경기회복의 산물이라고 할지라도, 물가 상승이 불러올 중앙은행의 통화정책 변화와 금리 상승이다.

다소 불안한 점은 미국 조 바이든 행정부의 과욕이다. 1조9000억달러의 경기부양책에 이어, 공화당의 반대로 규모가 줄었지만 1조달러의 인프라 투자 계획도 의회에 제출해 놓고 있다. 여기에 출산을 장려하기 위한 가족계획에도 1조8000억달러의 재정을 투입할 계획이다. 코로나19 백신 접종 확대와 가계가 축적해 놓은 막대한 저축으로 강력한 경기회복이 예상되는 상황에서 정부의 재정지출이 과하면 인플레이션 압박이 커질 수 있다.

그렇지만 일시적인 물가 불안을 넘어 구조적 인플레이션이 나타나기 위해서는 무엇보다도 노동자들의 임금이 올라야 한다. 물가가 지속적으로 상승하는 진성 인플레이션이 현실화되기 위해서는 높아진 가격에도 소비할 수 있는 구매력이 존재해야 하기 때문이다.

인플레이션은 임금 생활자들의 실질 구매력을 훼손시킨다. 구매력을 보전하기 위해 임금 상승이 시작되는 순간 '물가 상승→임금 상승→물가 상승'의 연결고리가 완성되게 된다. 한 번 오른 임금은 다시 하락하기 어렵기 때문에 일단 임금이 상승하면 이는 소비 여력의 거의 항구적 확충으로 귀결된다. 진성 인플레이션은 명목 화폐로 표시된 '사람의 몸값'이 상승하는 현상에 다름 아니다.

구조적 인플레이션을 경고하는 이들은 장기적으로 임금이 상승할 수 있다고 주장한다. 1분기 미국의 고용비용지수는 2007년 2분기 이후 가장 높은 폭으로 상승했다. 코로나19 팬데믹(세계적 대유행) 이후 아직 회복되지 않은 일자리가 850만 개에 달하는데 어떻게 임금이 올랐을까. 미국 댈러스 연방준비은행 총재인 로버트 캐플런은 코로나19 팬데믹이 은퇴를 망설이던 다수 노동자들의 퇴장을 불러왔다고 주장한다. 노동시장의 유휴인력 규모가 지표로 보는 것보다 훨씬 적기 때문에 임금이 오를 수 있다고 본다.

런던 정경대 교수인 찰스 굿하트도 선진국의 인구구조가 구조적인 인플레이션을 불러올 수 있다는 주장을 내놓고 있다. 굿하트는 고령화의 진전으로 은퇴자가 많아지면, 경제 전체적으로 생산하는 사람보다 소비하는 사람이 더 많아져서 물가가 상승할 것이라고 주장한다. 또한 저출생으로 신규 노동시장에 유입되는 노동자의 수가 줄어들면 노동자들의 교섭력이 높아져 임금이 상승할 것으로 봤다.

일리가 있는 주장들이지만 필자는 임금 상승에 회의적인 시각을 가지고 있다. 캐플런의 주장에 대한 반론으로는 코로나19 팬데믹이 닥치기 이전 미국의 실업률이 3.5%까지 떨어지면서 거의 완전 고용이 달성됐음에도 불구하고 미국의 임금이 오르지 못했다는 사실을 지적하고 싶다.

아마존으로 대표되는 4차 산업혁명을 주도하는 기업들에서 만들어지는 일자리가 인간의 노동이 아닌 데이터 중심이라는 점, 현재의 교육제도가 산업 패러다임 변화에 맞는 인력을 공급하지 못하고 있다는 점, 전 세계적으로 나타나고 있는 노동조합의 영향력 약화 등이 임금 상승을 막고 있는 요인이라고 본다. 기본소득이라는 의제 역시 인간의 노동이 제값을 받지 못하는 시대의 산물이라고 봐야 한다.

인구구조론의 관점에서 인플레이션과 임금 상승 가능성을 언급한 굿하트의 주장 역시 저출생·고령화의 길을 가고 있는 일본과 유럽 등에서 인플레이션이 생기지 않았다는 사실을 통해 반론이 가능하다. 특히 굿하트가 말했던 인구구조 변화를 가장 전형적으로 보여주고 있는 일본의 노동시장은 굿하트의 주장과 전혀 다른 모습이 나타나고 있다. 일단 고령자들도 노동시장을 떠나지 않고 있다. 일본의 정년은 올해 4월부터 70세로 연장됐다. 강제가 아닌 권고사항이지만, 정년 연장이 아니더라도 일본에서 65세 이상 고령자 취업비율은 계속 상승하고 있다. 희소한 노동력이 임금 상승을 가져올 것이라는 주장도 일본에서는 관찰되지 않는다. 일본의 산업역군이었던 단카이 세대가 대거 은퇴하고, 저출생 세대가 노동시장에 진입하고 있지만 임금이 오르지 않고 있다.

기대 여명 증가에 따른 추가 소득 필요성, 연금 시스템 유지를 위해 정년 연장이 필요한 정부의 의도 등이 노동공급을 늘리면서 임금 상승을 막고 있는 게 아닌가 싶다. 금융시장에서 우려하고 있는 임금 상승발 진성 인플레이션이 나타날 가능성은 낮다고 본다. 장기화되고 있는 저금리와 자산시장의 활황 역시 노동의 소외에서 비롯된 인플레이션 압박 약화의 산물이라고 생각하면 씁쓸한 느낌이 든다.[98]

65. 인플레보다 거품

세상은 미쳐 있나? 2007년 가을 필자가 경제지에 쓴 칼럼의 제목이다. 세계 금융의 중심 미국에서 절대로 거품이 아니라던 주택 가격이 계속 추락하고, 저소득층의 내 집 마련 꿈을 실현시켜주는 환상의 발명품이라던 서브프라임모기지 채권이 곳곳에서 파열하고 있을 무렵이다. 그래도 멀쩡하게 돌아가고 있던 세계 금융시장을 신기하게 바라보면서 "시장이 미쳤을 때 들어가서 깨어나기 전에 탈출하는 것이 벼락 갑부가 되는 유일한 방법"이라는 투자 격언을 소개하는 글이었다. 필자의 제목이 부담스러웠는지 편집자가 엉뚱한 제목으로 바꿔버렸지만.

1년 뒤 대공황 이후 최대 금융위기가 세상을 강타했다. 학계에서는 원인을 두고 백일장이 벌어졌다. 금융 세계화, 신종 파생금융 상품, 펀드매니저 보상체계에서부터 중국의 과잉저축에 이르기까지 수많은 대상이 범인으로 지목되었다. 몇 년 뒤 인간의 비합리성을 강조하는 행태주의 금융경제학으로 유명한 하버드의 슐라이퍼 교수가 한국을 방문했다. 그는 이런 진단은 모두 표피적이라고 하면서 근본 원인은 인간의 탐욕과 인지 능력의 한계라고 주장했다. 그리고 빠른 신용 팽창을 강력 규제하는 것이 유일한 해독제인데 이게 정치적으로 불가능하니 앞으로도 대규모 금융위기는 반복해서 발생할 것이라고 예언했다.

세계 경제는 지금 어떤 상태에 있을까? 그때처럼 거품 붕괴의 가능성을 염려하는 사람은 소수인 듯하다. 더 뜨거운 논쟁은 물가상승률이 일시적인지 아닌지에 대한 것이다. 하지만 자산시장에 거품이 끼여 있지 않다면 시장이 물가상승률 증가를 왜 그리도 걱정하는지 모르겠다. 세계 경제가 바이러스로 인한 비정상적 불황에서 탈출하면서 내려갔던 가격이 회복되고, 원자재 가격이 상승하고, 공급망 장애가 발생하면서 물가가 오르는 것은 당연한 현상이다. 그리고 일시적 현상일 가능성이 높다. 설사 과도한 경기부양으로 높은 물가상승률이 자리 잡고 금리가 인상된다고 해도 투자자들이 크게 두려워할 일은 아니다. 기업의 이윤과 건물의 임대료는 물가와 연동성이 높은 자산이다. 금리가 물가상승률에 비해 너무 빠르게 오르지만 않으면 주식이나 부동산 가격이 하락할 위험이 커진다고 할 수 없다.

문제는 자산 가격 거품 가능성이다. 세계 금융위기 이후 초저금리에서 통화량이 생산액에 비해 폭증하는 것이 일상화되었다. 돈을 계속 찍어내도 인플레라는 부작용이 발생하지 않으니 중앙은행은 환자가 반응할 때까지 계속 투약량을 늘렸고, 코로나19 사태가 발생하자 아예 병째로 부어버렸다. 하지만 물가는 안 올라도 자산 가격은 빠르게, 코로나19 이후 더 빠르게 상승했다. 물가에 연동된 기업 이윤과 주택 임대료는 천천히 증가하는데 주식과 주택의 가격이 급등하는 것은 거품의 전형적인 현상이다. 그러나 이번에는 그렇게 단정짓기 어렵다. 초저금리 때문이다. 제로에 가까운 금리가 장기간 계속된다면 먼 미래에 큰 이윤이 발생하는 기술 기업의 주식과 수명이 무한대인 땅의 가격이 현재의 이윤과 임대료에 비해 크게 높아지는 것은 이론적으로 얼마든지 정당화할 수 있다. 문제는 초저금리의 시간이 투자자들이 기대한 것보다 단축될 때 발생한다.

설사 금리가 오르더라도 선진국의 낮은 경제성장률 추세로 볼 때 1~2%밖에 안 오를 텐데 무슨 걱정이냐는 주장이 그럴듯하다. 그러나 문제는 초저금리와 자산 가격 상승의 달콤한 시간이 길어지면 사회 전체의 위험에 대한 감각이 변해버린다는 것이다. 늦겨울 용감한 아이가 호수 한가운데로 스케이트를 타고 들어가면 지켜보던 아이들도 하나둘 따라간다. 그리고 겁이 나서 호숫가를 맴돌던 아이들도 합류한다. 사람이 많아질수록 위험은 더해 가는데 많은 사람이 함께하고 있다는 사실에 안도감을 느끼면서. 그러다 봄이 오는 소리를 놓칠 때가 있다. 이때를 알려준다는 속설들이 있다. 동네 증권사 로비에서 이웃을 여럿 만날 때, 재무상태가 너무 다른 여러 기업의 주가가 동일 업종에 있다고 동반 상승할 때, 여러 종류의 자산시장에서 동시에 새로운 세상이 왔다는 소리가 들릴 때, 정치가들이 인플레나 거품 방지보다 일자리가 더 중요하다고 외칠 때 등. 요즘 풍경과 많이 겹친다.

슐라이퍼 교수는 역사적 패턴을 분석한 최근 연구에서 빠른 신용 팽창과 자산 가격 급상승이 동시에 발생하면 3년 안에 금융위기가 발생할 확률이 40%로 급증한다고 주장했다. 우리의 가계 부채와 집값을 보면 섬뜩해진다. 정부가 투기의 기회 균등을 위해 대출규제를 완화하고 중앙은행이 높은 인플레이션이 고착화될 때까지 금리 인상을 미루는 것이 현명한 일인지 고민할 때다.[99]

66. 기본소득과 조삼모사 윤형중씨에게 반론한다

오세훈 시장과 이재명 지사 간에 안심소득과 기본소득을 둘러싼 논쟁이 한창이던 6월2일, 나는 이에 대한 관전평('안심소득과 기본소득, 오해와 진실')을 경향신문에 기고하였다.

조삼모사(朝三暮四)란 자기의 이익을 위해 교활한 꾀를 써서 남을 속이고 놀리는 것을 이르는 말이다. 내 글이 불편했던지 이 지사는 '조삼모사' 라는 표현에 민감하게 반응하였고, 이 지사 쪽 교수들의 신문 투고도 줄줄이 이어졌다. 그 와중에 노벨상의 권위에 기대려다 망신을 당하기도 하였다.

지난 6월 11일에는 한국기본소득네트워크의 윤형중씨가 '기본소득과 안심소득 온당한 비교를 하려면' 이라는 글을 경향신문에 기고하여 내 글을 비판하였다. 윤씨는 내 비교가 온당치 않은 이유로 두 가지를 들었다.

첫째, 안심소득제에는 재원마련 방안이 없는데 내가 안심소득제를 마이너스 소득세로 오인하였다는 것이다.

둘째, 나는 안심소득과 기본소득을 재분배 효과와 재원 규모라는 두 가지 잣대로 비교했는데 양 제도의 순비용의 합은 같기 때문에 내 비교는 착시라는 것이다. 내 글에는 오인도 착시도 없다. 윤씨야말로 내 글의 요지를 전혀 이해하지 못했을 뿐 아니라 본인 자신의 말이나 예시가 무엇을 의미하는지조차 모르고 있다.

윤씨의 두 번째 주장부터 검토해 보자. 윤씨가 얘기하는 '순비용' 은 '순조세' 를 말한다. 즉 납부한 세금에서 받은 소득보조액을 차감한 액수를 말한다.

나는 기고문에서 갑, 을, 병 세 사람의 시장소득이 〈0, 100, 500〉일 때 안심소득이 시행되면 A=〈50, 100, 450〉이 되고 기본소득이 시행되면 B1=〈25, 112.5, 462.5〉가 되거나 B2=〈50, 125, 425〉가 된다고 하였다. 여기서 순조세를 계산해 보면 A의 경우 〈-50, 0, 50〉이고 B1에서는 〈-25, -12.5, 37.5〉이며 B2에서는 〈-50, -25, 75〉가 되어 모든 경우 순조세의 합은 항상 0이다.

윤씨는 순조세의 합이 같기 때문에 안심소득과 기본소득의 효과는 같은 것이고 내가 주장한 '다름' 은 '착시' 라는 것이다. 정작 착각은 윤씨가 하고 있다. 나는 걷은 세금의 합이 지출된 소득보조액의 합과 정확히 일치하도록 예제를 그렇게 만든 것뿐이다. 이를 경제학에서는 '재정중립성' 이라고 하는데 윤씨가 이걸 두고 착시 운운하니 어이가 없다. 순조세의 합은 동일하더라도 개인별 순조세는 모두 다르고 각 경우의 유효세율, 노동공급에 대한 효과, 후생(복지)효과, 세수효과도 모두 다르다. 더욱이 윤씨가 나에 대한 반박이라고 '추가적으로' 만든 예제도 나를 반박하기는커녕 '선별과 보편의 대립은 겉보기일 뿐'이라는 나의 주장을 재차 확인해 주는 예일 뿐이다.

내가 '부자를 차별하지 않는다'는 이 지사의 주장을 '조삼모사'라고 한 이유는 바로 '순조세' 때문이다. 사람들은 자신이 받은 소득보조액만 고려할 만큼 어리석지 않다. 한국의 기본소득론자들이야말로 본인들이 '재정환상'에 빠져 있든지, 아니면 국민들을 재정환상에 빠트려 정책을 집행하겠다는 것 아닐까?

이번에는 윤씨의 첫번째 주장을 살펴보자. 윤씨에 의하면 안심소득제에는 재원마련 방안이 없으므로 결과는 A=<50, 100, 450>이 아니라 A'=<50, 100, 500>이다. 그런데 재원마련 방안이 없기는 이 지사 쪽도 마찬가지이다. 고작 예산 절감(단기)이나 조세감면 축소(중기) 정도만 언급하고 있을 뿐이다. 이러한 조건 하에서 기본소득이 시행된다면 B1'=<17, 117, 517>이거나 B2'=<50, 150, 550>이 되고, 애석하게도 분배효과는 재정중립성을 가정한 경우보다 더 '악화'된다.

기본소득이 가성비가 낮은 이유는 간단하다. 모두에게 '획일적으로' 지급하기 때문이다. 큰 액수의 돈도 많은 사람들에게 쪼개어 주면 푼돈밖에 안 된다는 것은 국민들의 기본상식이다. 나는 전 국민에게 일인당 월 4만원의 푼돈을 무차별적으로 나눠주기 위해 25조원의 국가예산을 '탕진'할 수도 있다는 이들의 대담함에 그저 놀랄 뿐이다. 25조원이 적절하게 사용되면 충분한 혜택을 누릴 수 있는 사람들의 '실질적 자유'가 박탈당해도 이들은 개의치 않는다.

한국의 기본소득론자들은 보편과 선별의 차이도 '왜곡'한다. 보편은 획일지급이 아니라 누구라도 '필요가 발생하면' 차별 없이 혜택을 누리는 것이다. 그렇기 때문에 중산층과 부자도 복지확장에 동의하는 것이다. 필요가 없는 사람에게 한 푼도 지급하지 않더라도 이는 보편성을 위배한 것이 아니다. 내가 자동차보험에 가입하는 이유는 사고가 발생하였을 때 충분한 액수의 보험금을 받기 위한 것이다.

사고를 판단하는 데 행정비용이 약간 든다는 이유로 사고 유무와 관계없이 매달 일정액의 푼돈을 돌려받을 거면 보험이 왜 필요하나? 내가 보편급식에 찬성하는 이유는 내 아이가 필요하면 친구들과 어울려 질 좋은 점심밥을 먹을 수 있기 때문이지, 밥 한 숟갈과 멸치 한 마리가 전부인 저품질 '기본도시락'을 모든 아이들에게 획일적으로 나눠주기 때문이 아니다. 정치적 세몰이로 과학적 검증을 이길 수는 없다.[100]

67. 내 맘대로 못하는 사유재산 '부동산'

사유재산이란 자신의 자유의사에 따라 마음대로 사용하거나 처분할 수 있는 재화를 의미한다. 그런데 소유주 마음대로 사용하지 못하게 제한하는 재화가 하나 있다. 그것은 바로 부동산이다. 다시 말해 내가 소유한 산이라고 해서 마음대로 개간해서는 안 되고, 농지에 마음대로 건물을 지어서도 안 되며, 자신의 빌딩이라고 해서 함부로 증축해서도 안 된다. 이는 국가가 국토 이용에 대한 기본법인 '국토의 계획 및 이용에 관한 법률' 등을 통해 전국의 모든 부동산을 여러 목적에 따라 구분하여 관리하고 있기 때문이다. 이로 인해 부동산 소유자들은 지정 목적에 적합한 형태로 토지를 이용해야 할 의무를 지게 된다.

일견 전국 각지의 모든 토지를 가장 효율적으로 사용하는 가장 손쉬운 방법은, 해당 토지를 소유하고 있는 사람들의 의견을 존중하고 그들의 바람대로 토지를 활용하게 하는 것이라 생각할 수 있다. 하지만 부동산이 갖고 있는 공공재적 특성을 떠올려본다면, 부동산 소유자 맘대로 사용하지 못하게 한 것은 불가피한 선택임을 쉽게 이해할 수 있다.

부동산(不動產)은 흔히 토지나 건물처럼 움직여서 옮길 수 없는 재산을 말하며, 동산의 반댓말이다. 민법상 물건의 정의는 '유체물 및 전기 기타 관리할 수 있는 자연력' (민법 제98조)으로서, 이 물건의 범주 안에 들어가는 것들 중, 토지 및 그 정착물을 부동산이라 하며(민법 제99조 제1항), 부동산이 아닌 물건은 동산이라 한다 (민법 제99조 제2항). 재산 중에서는 구매 및 거래과정이 가장 복잡하고 까다로우며 가격도 어마어마하다. 반대로 말하면 난이도에 걸맞게 안전은 확실하게 보장되며 벌수 있는 돈도 많아서 타이밍을 잘 맞춰서 팔면 큰 돈을 벌 수 있다.[101]

부동산은 세 가지 기능으로 분류할 수 있다. 생산요소로서의 기능, 투자나 자산으로서의 기능, 소비재로서의 기능이 그것이다. 먼저 생산요소로서의 기능이란, 해당 부동산을 무언가를 생산하기 위한 도구로 활용하는 것을 말한다. 농작물을 키우는 논과 밭, 제품을 생산하는 공장, 주차장으로 활용하는 공간 모두 생산요소로서 부동산을 활용한 사례라고 할 수 있다.

투자나 자산으로서의 기능이란, 국내에서 더욱 중요시하는 부분이다. 국내 가계의 자산에서 부동산 같은 비금융자산이 75.1%를 차지한다. 호주(60.4%), 영국(50.4%), 일본(39.9%), 미국(29.3%) 등과 비교했을 때 압도적으로 높다. 이는 국내에서 아직까지는 부동산이 자산 증식을 위한 투자 대상으로 여겨지고 있음을 확인해 준다.

마지막으로 소비재로서의 부동산은 국립공원이 대표적이다. 국립공원은 무언가를 생산하는 부동산도, 자산 증식을 위한 부동산도 아니다. 하지만 그 존재만으로도 큰 혜택을 가져다준다. 아름다운 경관, 공기 정화, 환경 보호 등의 기능은 우리가 무언가를 소비할 때처럼 많은 편익을 주기 때문이다. 앞서 언급한 부동산의 공공재적 특성 또한 여기에 기인한다.

소비재로서의 기능에 가까운 부동산을 소유한 사람들은 해당 부동산을 생산요소로서의 기능 또는 투자나 자산으로서의 기능을 가진 부동산으로 바꿀 유인이 충분하다. 우리 동네 뒷산을 소유하고 있는 사람을 떠올려보자. 그 사람이 소유한 뒷산은 인근 주민들에게 산책로, 그늘, 신선한 공기 등 다양한 혜택을 제공하고 있지만, 해당 소유주는 아무런 금전적 이득을 얻지 못한다. 그런데 만약 뒷산 주인이 산을 허물고 다가구주택이나 유료 주차장을 건설하거나 공장 등 산업 용지를 조성한다면, 적지 않은 금전적 이득을 얻게 될 것이다. 이러한 상황에서 부동산 소유자들이 자신의 부동산을 통해 얻을 수 있는 금전적 이득을 포기하고 공익적 편익을 제공하기 위해 해당 부동산을 그대로 둘 것을 기대하는 것은 무리다.

물론 부동산 소유자가 자유롭게 해당 부동산을 사용하게 한 뒤 추후 문제가 생기면 이를 조정하는 방법도 떠올릴 수 있다. 하지만 부동산은 '비가역성'을 갖고 있다. 쉽게 말하자면 갯벌이나 산림이 형성되어 있던 부동산을 산업 용지로 바꾸고 나면, 이를 다시 예전처럼 돌리는 것이 불가능한 경우가 많다. 북한산을 공업지대로 바꾸고 난 뒤, 잘못된 판단이라 하여 이를 다시 원상 복구하는 것은 불가능한 일이다.

이상에서 설명한 일련의 이유들로 인해 부동산은 분명 대표적인 사유재산이자 가장 값비싼 사유재산임에도 불구하고, 소유자가 마음대로 처분하거나 용도를 변경하지 못하고, 국가가 일정 사용 방식을 사전에 결정해주는 것이다.[102)]

68. LH 개혁, 미루지 말라

대선 예비후보 등록이 시작되었다. 대선은 그간의 국정 운영을 돌아보면서 미래의 구도를 잡아가는 과정이다. 지난 4월 재・보선에서도 나타났지만, 문재인 정부 평가의 주요 이슈는 조국 전 장관 이슈와 검찰개혁, 부동산 문제와 한국토지주택공사(LH) 사태 등이다. 부동산 문제는 이번 대선의 최대 경제문제이자 정치문제가 되었다.

부동산은 이질적인 재화다. 모든 토지는 특히 위치의 차이로 이질적이며, 주택은 더욱 더 이질적이다. 부동산의 공급은 제한적이며 오랜 시간이 걸린다. 복잡한 부동산시장의 가격 메커니즘을 국가가 통제하는 것은 원래 이루기 어려운 목표다. 경제학・정책학 관점에서 미래가격을 예측・공언하는 것은 납득할 만한 일이 아니다.

더불어민주당부터 대선 후보 경선에서 나온 부동산 해법에 대해서는 '더 센 규제'라는 비판이 나오고 있다. 정책이 센 것 자체는 문제가 아니지만, 작동이 될 것인지는 따져봐야 한다. 앞뒤가 맞지 않는 정책이 엉키면 시장의 혼란과 민생의 고통이 가중된다.

이재명 지사는 평소의 기본주택 주장에 더해 주택관리매입공사 설립을 거론했다. 기본주택이란 중산층 수준의 장기공공임대주택을 의미한다. 문제는 누가 어떻게 충분한 양을 공급할 수 있는가이다. 주택관리매입공사가 주택 물량을 직접 확보해 주택가격의 상한・하한을 조절하겠다는 것이다. 이것도 유의미한 물량을 확보하고 관리할 수 있는 능력이 관건이다.

이낙연 전 총리는 택지소유상한법・개발이익환수법・종합부동산세법 등 토지공개념 3법을 거론했다. 공개념 논의는 확대할 필요가 있지만, 정책으로 구체화하는 것이 어렵다. 보유세를 자연 이용에 대한 보편적 의무로 설정할지, 불평등 해소를 위한 누진적 자산세로 가져갈지에 대해서는 깊은 성찰과 토론이 필요하다.

일찍이 헨리 조지는 지대가 생산량보다 더 빠른 속도로 증가하기 때문에 이를 빈곤 문제의 본질이라고 보았다. 따라서 지대의 대부분을 조세로 징수하자는 처방을 내놓았다. 한편 토마 피케티는 자본수익률이 경제성장률보다 빠르게 증가하는 것을 불평등의 주원인으로 보았다. 그는 보유세보다는 누진적 자산세와 상속세를 통한 기본자산 형성을 강조했다. 헨리 조지의 지대세국가와 토마 피케티의 조세국가로 가는 길은 지향하는 방향과 수단에 차이가 있다.

전환의 방향을 잡기에 앞서 한국 주거체제의 지체 상태부터 파악해야 한다. 사민주의 주거모델에서는 주거권이 보편적 권리로 인정되고 주택의 탈상품화 정도가 높다. 한국은 자유주의와 조합주의가 혼합된 모델이다. 영미권처럼 시장에서의 자가 선호 경향이 높고, 공공임대 부문은 시장(자가 소유 포함)과 단절되어 있다. 공공임대 부문 내부는 지자체별·계층별로 분리·파편화가 진전되고 있다.

국가는 주거체제 속에서 어떤 역할을 하고 있는지부터 제대로 인식할 필요가 있다. 그간 한국의 주거체제는, 개발은 국가가 맡고 이후 생산과 소비는 시장이 주도하는 레짐이었다.

이제 국가는 개발 이익을 좇지 말고 복지와 공공재 공급에 주력해야 한다. 주거체제 속에서 국가의 역할은 주로 LH를 통해 실행하고 있다. 국가가 투기의 주체로 연루되지 않으려면, LH를 우선 개혁해야 한다.

LH법에 의하면, LH는 토지의 취득·개발·비축·공급, 도시의 개발·정비, 주택의 건설·공급·관리 업무를 수행하게 되어 있다. 민간의 토지를 수용하여 택지나 주택으로 개발해 이를 민간에 다시 판매해서 이익을 얻는 것이 업무의 기본 골격이다. LH를 개발이익을 추구하는 조직에서 국책사업과 주거복지 기능에 주력하는 조직으로 변경하는 것이, 부동산 개혁의 첫걸음이다. 기존의 개발·재생 사업은 지자체나 지방공사로 넘기는 것이 좋겠다.

정부와 국회는 LH 문제를 미봉책으로 덮어서는 안 된다. 대선 후보들도 LH가 주거 공공성을 높이는 전문기관이 될 수 있도록 힘을 보태주길 바란다.[103)]

서울 여의도 국회에서 열린 국토교통위원회의 LH에 대한 국정감사 자리에는 아파트 철근 누락 사태 및 전관 카트텔 문제가 도마에 올랐다. 사진은 국내 한 건설현장. 본문과 관련 없음(매일일보, 2023. 10. 16, 이소현 기자)

69. ‘빅테크’ 반독점 규제

대형 온라인 플랫폼 사업자, 즉 빅테크에 대한 반독점 규제가 점점 본격화되고 있다. 지난 6월 미국 하원에서 온라인 플랫폼 기업을 대상으로 하는 반독점규제 5개 법안이 민주당과 공화당 의원들 공동으로 발의되었다. 규제대상은 이용자 수와 시가총액을 기준으로 지정되며, 4대 빅테크인 GAFA(구글, 애플, 페이스북, 아마존)가 이에 해당된다. 독과점적인 시장 지위를 이용한 빅테크의 시장지배력 확대와 이의 남용을 막아야 한다는 목소리는 여러 국가들에서 점점 커져왔고 또 구체적인 입법으로 이어지고 있다. 유럽연합(EU) 집행위원회는 작년 12월 대형 온라인 플랫폼 사업자를 게이트키퍼로 지정하고, 이들의 반경쟁적 행위를 막기 위해 ‘디지털시장법’을 발표했다. 일본도 2020년 ‘특정 디지털플랫폼법’을 제정하여, 대형 디지털 플랫폼의 투명성과 공정성을 보장하기 위한 법제도를 강화했다. 우리나라도 ‘온라인 플랫폼 공정화법안’이 현재 국회에 계류 중이다.

미국 5개 반독점규제법안 중 특징적인 내용 몇 가지만 짚어보자. 우선 플랫폼 독점 종식법에서는 대형 플랫폼 사업자가 플랫폼 운영 이외에 자신의 플랫폼을 통해 자사의 재화와 용역을 판매하는 행위를 불법적인 이해상충으로 규정하고 있다. 만일 플랫폼을 이용하는 사업자들과 심각한 이해상충 문제가 발생하면 경쟁당국은 해당 기업을 분할하거나 강제 매각 명령을 내릴 수 있다. 또한 대형 플랫폼 사업자가 자신의 플랫폼을 이용해 자사 제품에 특혜를 제공하거나 플랫폼 이용 사업자들을 차별하는 행위도 금지된다. 진입방해 인수·합병 금지법은 지정 플랫폼 사업자에게 인수·합병이 경쟁 제한적이지 않다는 걸 입증할 책임을 부과하고 있다. 이는 빅테크가 강력한 자금력을 이용하여 잠재적 경쟁사를 선제적으로 인수함으로써 시장지배력을 확장하거나 강화하는 인수·합병을 금지하기 위한 것이다. 기존에는 경쟁당국이 이러한 인수·합병의 반경쟁성을 입증해야 했다.

반독점 규제 강화 흐름의 근서에는 디지털시장의 성장과 플랫폼화 그리고 규제철학의 전환이 놓여있다. 리나 칸 미국 연방거래위원회 위원장의 주장은 이를 상징적으로 또 명쾌하게 보여준다. 그에 따르면, 시장의 경쟁도를 단기적인 가격효과(즉 가격인상과 생산량 감소 여부)로 정의되는 ‘소비자 후생’만으로 판단하는 기존 규제레짐은 현대경제의 시장지배구조를 제대로 파악할 수 없다. 흔히 플랫폼 사업자가 저렴한 가격으로 재화와 서비스를 제공하는 것을 두고 소비자 후생의 증가나 혁신의 증표라고 보는 시각도 이에 기인한다. 그러나 이러한 시각은 빅테크의 약탈적 가격(비용이하 가격)전략과 다양한 업종에 걸친 수직적 통합의 위험을 과소평가한다.

온라인 플랫폼시장의 경쟁은 네트워크 효과와 데이터에 대한 장악력을 기반으로 하며, 이는 초기의 이점이 자기강화되는 특성을 지닌다. 이러한 시장에서 가장 효과적인 경쟁전략은 단기적인 이익 대신에 성장을 우선시하여 시장점유율을 높이고, 경쟁자들을 몰아내는 것이다. 이렇게 성장한 온라인 플랫폼은 경제활동에 필수불가결한 핵심 인프라로 기능하면서 경쟁자들조차 고객으로 삼게 되고, 이들과의 이해상충을 야기할 수 있다. 또한 이 과정에서 획득한 이용자 정보는 다른 비즈니스영역으로 진출할 때 중요한 경쟁무기가 될 뿐 아니라 그 자체로 진입장벽으로 작동한다. 이에 리나 칸은 단순히 소비자 후생뿐 아니라 생산자와 시장 전체의 건강성을 유지하는 게 규제당국의 책무라고 얘기하면서 '경쟁과정의 중립성'과 '시장구조의 개방성'을 유지하기 위한 규제개혁안들을 제시하고 있다.

우리도 기왕에 제출된 법안을 조속히 처리하고, 온라인 플랫폼에 대한 합리적인 규율체계 구축을 위해 좀 더 심층적이고 구체적인 논의를 시작해야 한다. 일부 공공재의 영역을 제외하면, 시장경제의 건강성은 지속적인 경쟁구조의 유지에 달려 있다. 선(善)한 독점은 존재하지 않는다.[104]

플랫폼 중심의 기술기업(빅테크)에 대한 규제가 국내를 넘어 전 세계적으로 이어지면서 해당 기업의 주가 흐름에 대해서도 귀추가 주목되고 있다. 빅테크 플랫폼 기업에 대한 규제가 강화된 것은 이들의 문어발적인 사업 확장이 자칫 시장경제의 독점화를 일으킬 수 있다는 가능성 때문이다. 또한 기업이 무한확장하게 되면 정부의 통제에 벗어날 수 있다는 우려도 영향을 미쳤다. 때문에 빅테크 규제 이슈는 단기적으로 끝나지는 않을 것으로 예상된다(쿠키뉴스, 2021. 9. 19, 유수환 기자).

70. 형평과 효율

경제학과 교수들은 첫 학기부터 신입생들에게 효율과 형평의 개념을 가르친다. 효율은 국민 전체가 먹을 수 있는 빵의 크기를 최대화하는 문제이고 형평은 이 빵을 어떤 비율로 나누어 각 국민에게 배분해야 옳은가의 문제라고. 그 후론 대개 과학적 접근이 불가능하다는 이유로 형평의 문제에는 입을 다문다. 마치 형평은 중요한 사회 문제가 아니라는 듯이.

반면 소득재분배를 둘러싼 언론과 정가의 논란에는 효율이라는 개념이 통째로 사라진 경우가 대부분이다. 이 또한 큰 문제다. 효율은 형평의 모습에 큰 영향을 미치기 때문이다. 많은 중도·진보 성향의 국민들이 명시적 혹은 암묵적으로 지지하는 두 가지 분배정의의 문제를 생각해 보자. 하나는 "최소 수혜자의 혜택을 최대화" 해야 형평이 실현된다는 존 롤스의 <정의론>을 따르는 경우다. 빵의 크기가 고정되어 있다면 모든 국민이 빵을 n분의 1 해서 먹어야 형평이 실현된다. 어느 한 사람이라도 n분의 1보다 큰 빵을 먹으면 누군가 n분의 1보다 작은 빵을 먹을 수밖에 없고 최소 수혜자의 혜택이 감소하기 때문이다. "국민총효용의 최대화"를 추구하는 벤담의 공리주의를 따라도 마찬가지다. 빵 1g을 더 먹을 때 발생하는 가치(효용)가 빵의 소비량이 증가할수록 감소하고, A의 빵이 B의 빵보다 크다고 하자. 그럼 빵 1g의 가치는 A보다 B에게서 더 클 것이다. 따라서 A에게서 빵 1g을 빼앗아 B에게 주면 국민총효용이 늘어난다. 모든 사람이 동일한 크기의 빵을 먹어야 국민총효용을 증가시키는 일이 불가능해진다.

그런데 빵을 n분의 1 해도 빵 전체의 크기가 변하지 않을까? 노력을 더해도, 교육을 더 받아도, 투자를 더 많이 해도 내가 먹는 빵의 크기가 변하지 않는다면 노력, 교육, 투자의 양이 감소할 수밖에 없고 빵의 생산량도 감소한다. 이게 공산주의가 망한 이유라고 귀가 따갑게 듣지 않았나? 이렇게 극단적 경우가 아니더라도 일반적으로 고소득층의 세율이 너무 크거나 저소득층의 보조금이 너무 두꺼우면 시장소득에서 세금을 빼고 보조금을 더한 가처분소득이 노력이나 축적에 반응하는 정도가 낮아진다. 그럼 노력과 축적의 인센티브가 저하되어 최소 수혜자의 혜택과 국민총효용이 감소할 수 있다. 따라서 형평의 이상을 실현하려면 효율의 현실과 타협하여 적당한 정도의 소득불평등을 유지하여야 한다.

새로운 복지를 꿈꾸지 말자는 얘기가 아니다. 형평이라는 가치를 위해 필요하면 효율을 희생해야 한다. 그러나 우리의 꿈에는 가격표가 존재한다는 사실을 잊지 말아야 한다. 조세의 효율 비용을 고려하지 않고 미래를 설계하는 전문가는 보석상에 들어가 가격을 묻지 않고 결혼반지를 구매하는 신혼부부와 같다.

필자는 지난 칼럼에서 이런 시각을 바탕으로 기본소득에 대한 부정적 의견을 제시했다. 기본소득은 최소 수혜자에게 혜택을 집중하는 복지제도에 비해 많은 양의 세금을 필요로 하고, 이는 현행 세제를 유지할 경우 세율을 크게 증가시켜 필요 이상으로 빵의 크기를 줄일 것이기 때문이다. 그런데 지난달 이재명 경기지사는 이런 부류의 비판을 의식한 듯 새로운 기본소득 재원 확보방안을 제시했다.

그 하나는 국토보유세를 도입하는 것이다. 세금을 맞은 토지는 크기를 줄이거나 회계장부 뒤에 숨거나 해외로 도피하지 않는다. 그래서 조세의 효율 비용이 거의 없다. 토지세가 임대료를 증가시켜 세금 부담이 임차인에게 전가될 것이라는 흔한 주장에는 심각한 문제가 있다. 경쟁적인 시장에서 토지처럼 공급이 고정된 재화에 부과한 세금은 타인에게 전가되지 않는다는 것은 기초 경제이론이다. 또한 재산에 대한 세금의 확대는 인구가 급속히 노령화하는 한국 사회에서 미래의 복지 수준이 급락하는 것을 막는 거의 유일한 방법이다. 축소하는 노동에 대한 세금으로 급속히 증가하는 노인들의 복지를 뒷받침하는 것이 점점 어려워질 것이기 때문이다.

둘은 탄소세를 부과하는 것이다. 탄소세는 눈에 보이는 빵의 생산을 감소시키지만 적정한 온도의 맑은 공기라는 눈에 보이지 않는 빵을 증가시킨다. 따라서 합리적 탄소세는 빵의 크기를 줄이지 않는다. 또한 앞으로 우리 기업이 유럽과 미국에 납부해야 할 탄소국경세를 덜어주는 효과도 갖는다. 국내에서 납부한 탄소세만큼 탄소국경세를 깎아 주기 때문이다.

이렇게 효율 비용이 낮은 세금을 통해 형평으로 한 발짝 다가가려는 시도는 높이 평가할 일이다. 한국의 정치 현실에서 의미 있는 크기의 세원을 확보할 수 있을까 하는 회의와 이런 효율적 재원이 최소 수혜자에게 혜택을 두껍게 하는 데 집중되면 더 좋지 않을까 하는 아쉬움이 있지만.[105]

우리 경제에 이렇다 할 성장동력 산업, 미래 먹거리 산업이 눈에 띄지 않고 있다. 우리 경제를 견인하던 자동차, 철강, 화학, 조선 산업의 부진이 뼈아프게 다가오고 있다. 경제 성장동력이 꺼질지도 모른다는 시그널을 보면서, 우리는 어떻게 이 상황에 대처해야 할까. 경제운용의 효율성이 담보돼야 글로벌 경제 전쟁에서 승리하고 좋은 성과를 내 그 결과물을 골고루 나눌 수 있다. 이 두 가지 목표는 어느 한 쪽을 앞세우기보단 상호 조화를 잘 모색해야 달성이 가능하다.[106]

71. '전환'과 일자리 보장제

지금의 대선 국면에서 여러 놀라운 일 중 하나는, 이미 우리의 사회와 경제에 심각한 내상을 입혔을 뿐만 아니라 장기화될 것이 분명한 코로나19 사태에 대한 대책 논의가 빠져 있다는 것이다. 그 내상의 규모가 전면적인 만큼, 그에 대한 대책도 사회 전체를 아우르는 전면적인 것이 되어야 한다. 그중에서도 가장 시급한 문제인 대규모 실업에 대한 대응책으로서, 일자리 보장제의 도입을 적극 검토해야 한다. 추곡 수매 정책으로 팔리지 않는 쌀이 없도록 만들 듯이, 노동시장에서 장기 실업에 빠져 있는 이들에게 정부가 직접고용자가 되어 일자리를 보장하는 정책이다.

일자리 보장제에 대한 비판은 크게 두 갈래로 정리된다. 첫째, 그 많은 인원을 고용할 재원이 어디서 나오느냐는 것이다. 결국 경제 회복이라는 미명하에 공공자원을 낭비하는 '퍼주기'가 아니냐는 비판으로 이어진다. 둘째, 그렇게 해서 고용된 이들에게 무슨 일을 시키느냐는 것이다. 기존 공공근로를 희화화한 나쁜 이미지가 여기에 겹쳐진다. 실업자들에게 돈 나누어 주느라고 '별로 필요도 없는 일'을 시늉만 하는 사업을 벌이겠다는 것이냐.

기존 경제학의 정태적 틀에서 나오는 이 익숙한 비판은 지금 우리 눈앞에 닥친 '전환'이라는 절체절명의 과제를 완전히 도외시하고 있다. 코로나19 사태 대응은 물론이며, 탄소중립과 구조적 불평등 해소라는 과제를 해결하기 위해 지금 우리는 산업과 사회 전체에 걸친 실로 거대한 '전환'을 이루어야만 한다. 이러한 전환을 시간표에 맞추어 제대로 이루기 위해서는 시장과 국가와 사회 전체가 한 몸이 되어 일사불란하게 한 걸음씩 나아가야 하며, 그 과정에서 엄청난 규모의 인적·물적 자원의 이동과 재배치가 벌어질 수밖에 없다. 하지만 이는 또한 전 지구적인 산업 재편과 맞물리면서 새로운 기회와 가능성을 열어내는 과정이기도 하다. 2020년에서 2050년까지 탄소중립의 산업 전환이 진행되는 과정에서 전 지구적으로 이동하게 될 자금의 크기를 150조달러로 추산하기도 한다. 이는 다가올 몇십 년의 미래를 형성할 두 가지의 분명한 조건을 내놓고 있다. 첫째, 정부가 대규모의 재원을 동원해야만 한다. 둘째, 지금까지의 사회와 경제의 구조에서 존재하지 않았던 새로운 과제와 새로운 일자리가 무수히 생겨나게 된다.

썩 마음에 드는 용어는 아니지만, '생태 산업'의 경우를 생각해 보자. 탄소중럽은 에너지원의 전환은 물론 전력의 생산 방식과 전력망의 작동 방식까지 송두리째 바꿀 것을 요구한다. 모든 건물은 단열은 물론 냉난방 환기 시스템과 전력 저장 방식까지 포함하여 새롭게 건축되어야 한다. 지금까지 환경운동가들만 떠맡고 있었던 생물종 다양성과 환경의 지속 가능성을 유지하는 작업은 이제 국가와 기업과 사회 전체가 인력과 자원과 지식을 투입하여 체계적으로 진행해야 한다. 그리고 이 과정에서 중앙정부와 지자체의 관계나 새로운 마을공동체의 건설 등 '거버넌스'의 근본적 전환까지 이루어지게 된다. 이 좁은 의미의 '생태 산업' 하나만 해도 우선 엄청난 규모의 재원 투입을 필연적으로 요구하게 되는 반면, 이전에는 존재하지 않았던 새로운 숙련과 경험과 마인드를 가진 무수한 인력을 창출하게 된다는 미래상을 품고 있다.

슘페터는 틀렸다. 이러한 규모의 일은 영리기업과 투자자들이 감당할 수 있는 것이 결코 아니다. 그들이 할 수 있는 혁신이란 스마트폰을 만들어내어 SNS 앱을 싣거나 끽해야 거기에 모터를 달아 자동차를 만드는 정도의 '쩨쩨한' 규모가 고작이다. 지금 우리에게 닥친 21세기의 혁신은 사회가 방향을 선도하고, 국가가 재원과 제도를 마련하고, 기업이 적극적으로 협력하는 거대한 '전환'이다. 그리고 일자리 보장제는 바로 이러한 '전환'을 이루어낼 수 있는 가장 강력한 도구이다. 전 사회적인 '전환'의 과제이지만 기업이 외면하고 국가 조직의 힘이 닿지 않는 부분을 타깃으로 하여 대규모의 고용과 사업을 공격적으로 조직해 나가는 것이 전 세계적인 흐름이다.

미국 바이든 정부의 공격적인 정책을 보라. 각국에서 추진되는 '그린 뉴딜'을 보라. 대규모의 재원 조달은 피할 수 없는 과제이며, '전환'이 요청하는 새로운 과제와 일거리들은 산더미처럼 쌓여 있다. 사실 노동시장의 기능부전과 자영업의 위기 등은 코로나19 사태를 계기로 급성 질환으로 전환했을 뿐, 이미 그 전에도 우리의 사회와 경제를 오래도록 괴롭혀온 만성 질환이었다. 이 상황에서의 일자리 보장제는 옛날의 일자리를 잃은 이들에게 새로운 일자리로 이동시켜 보다 지속 가능한 사회와 산업의 구조를 새로 만들어가는 공격적인 산업정책이다.[107]

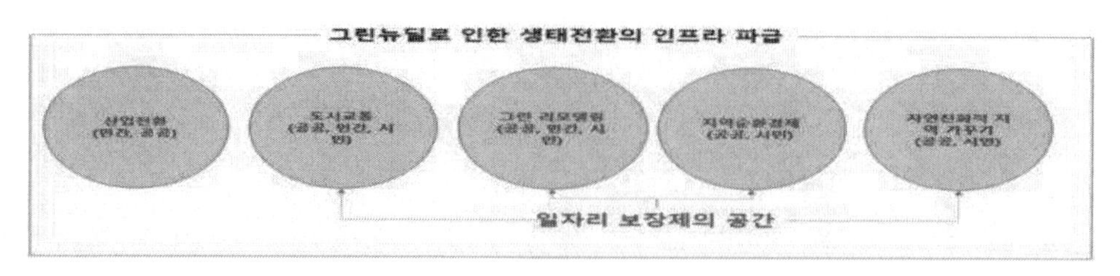

72. '발등의 불' 가계부채

일부에서는 과잉 부채로 인한 퍼펙트 스톰 우려마저 제기하고 있다. 총량 규모로 보면 가계부채는 올 2분기 말 가계신용 기준 1806조원으로 연간 명목국내총생산(GDP)에 육박한다. 개인사업자를 포함하면 2000조원이 넘는다. 올해 1분기 기준 전년 동기 대비 주요 국가들의 가계부채 증가율을 보면 한국이 9.5%로 가장 높고, 캐나다·스웨덴 6.0%, 독일 4.4%, 일본 3.9%, 미국 3.4% 순이다. 수많은 연구들이 입증했듯이, 가계부채 급증 이후의 주택가격 하락으로 나타나는 경기침체의 충격은 여타 경기침체보다 크다. 일례로 국제통화기금(IMF)이 OECD 국가 25개국을 대상으로 실제 발생한 주택가격 하락 사례 99건을 분석한 적이 있다. 이들 국가를 고부채 그룹와 저부채 그룹으로 구분하여 그 영향을 비교했다. 그 결과를 보면, 주택가격 하락 시 나타나는 가계소비 감소는 고부채 그룹이 저부채 그룹보다 10배 이상 컸다. 실질GDP는 -3%까지 떨어지고, 실업률은 1.5%나 상승한 것으로 나타났다. 게다가 이러한 영향은 최소한 5년 이상 지속되는 것으로 분석되었다. 가계부채발 금융불균형에 대한 선제적 대응이 반드시 필요한 이유이다.

최근 한국의 가계부채 증가에서 나타나는 몇 가지 우려되는 특징들에도 주목할 필요가 있다. 첫째, 가계신용대출이 고신용자 대출 위주로 증가했다는 점이다. 올해 1분기 말 기준 고신용자 신용대출은 전년 동기 대비 19.6% 증가한 반면, 저신용자는 9.7% 감소했다. 금융 접근성의 양극화라고 할 수 있다. 둘째, 고신용자 대출은 상당 부분 주택 및 주식 시장으로 유입되었다는 점이다. 한국은행에 따르면, 고신용자 대출 증가율과 주택가격 상승률의 상관계수가 작년에 0.75로 나타났다. 2019년에는 이 수치가 0.23이었다. 자산 증식 목적의 차입 수요가 증가했음을 의미한다. 셋째, 차주의 평균 연령대가 낮아지고 있다는 점이다. 코로나 위기 이후 신규 가계대출에서 30대 이하가 차지하는 비중은 40%를 넘어선다. 2020년 말 30대의 소득 대비 대출비율(LTI)은 262%로 전 연령대에서 가장 높다. 넷째, 금리 리스크가 큰 변동금리대출의 비중이 확대되었다는 점이다. 주택담보대출의 경우 고정금리 목표비중 관리 대상이나 신용대출 등은 변동금리로 운영되기 때문이다. 지난 6월 기준 예금은행 신규 가계대출 중 변동금리 비중이 무려 81.5%였다. 이는 2014년 1월 이후 최대치다. 다섯째, 비은행 가계대출이 급증하고 있다는 점이다.

전 금융권의 가계대출 증감 추이를 보면, 2019년 상반기에는 18조원 늘었으나, 2020년 상반기에는 36조4000억원, 올해 상반기에는 63조3000억원이 증가했다. 2019년과 2020년에는 은행이 각각 21조4000억원, 40조7000억원을 늘렸고, 제2금융권은 오히려 소폭 줄였다. 그런데 올해 상반기에는 제2금융권에서 21조7000억원이 증가한 것이다. 소위 풍선효과가 나타나고 있는 것이다.

가계부채 대응은 무엇보다 적절한 시기를 놓쳐선 안 된다. 일회성 충격요법이나 단일 처방으로 해결하기 어렵다는 점도 유의해야 한다. 금융당국이 얘기한 대로 중기적인 관점에서 접근해야 한다. 중기적인 정책은 결국 정책 신뢰가 관건이다. 가계부채 대책은 일관성 있고 강단 있는 정책 기조를 유지하는 가운데 경제주체들과 시장에 분명한 시그널을 제시해야 한다.

이와 함께 효과적인 가계부채 대응을 위해서는 중앙은행과 금융당국 간의 긴밀한 정책 공조가 반드시 필요하다. 다른 나라들의 사례에서도 과잉 부채에 대한 대응 실패의 주된 원인으로 정책당국 간 견해 차이와 정책 협조 실패가 공통적으로 지적된다.

지난 7월 금통위에서 코로나 위기 이후 처음으로 금리 인상 소수의견이 등장한 바 있다. 그 의견을 낸 금통위원이 이번에 신임 금융위원장으로 취임한다. 적극적인 정책 공조와 정책수단 활용으로 가계부채 문제에 성공적으로 대응하기를 기대한다.[108]

한국경제가 빚더미에 눌려 활력을 잃어가고 있는 것으로 보인다. 과도한 빚에 의한 고통은 정부와 기업, 가계 등 주요 경제주체들에게 공통적으로 나타나고 있는 현상이다. 과다 채무는 정부로 하여금 재정집행 여력을, 기업에 있어서는 투자 능력을, 가계의 경우 소비 능력을 제약함으로써 경제 발전에 큰 지장을 초래한다. 정부의 경제활동에서 발생하는 빚은 국가채무로 쌓여가며 종국엔 국가 신인도에 부정적 영향을 미치게 된다. 더구나 우리처럼 비(非)기축통화국이라면 그 심각성은 더 중대해진다(나이스경제, 2023. 09. 26, 최진우 기자).

73. 매의 탈을 쓴 비둘기

한국은행이 기준금리를 올렸다. 금리 인상의 명분으로 경기 회복과 물가 불안, 금융 안정의 필요성을 들었다. 필자의 소견으로는 경기 회복과 물가 불안은 구조적이라기보다는 일시적인 현상이 아닐까 싶다. 경기는 확장과 수축의 사이클을 반복하는데, 요즘이 경기 확장기인 것은 분명하지만 금리를 올려 통제해야 할 과잉 수요가 존재한다고 보기는 어렵다. 인플레이션도 기본적으로 경기가 좋을 때 나타나는 현상이기에 코로나 팬데믹 기저효과가 마무리되는 4분기부터는 물가 상승세가 진정될 것으로 보인다. 코로나 변이 바이러스의 확산으로 생산 차질에 따른 공급망 병목이 물가를 올릴 수는 있지만, 이런 경우에는 금리 인상이 적절한 처방이 아니다. 수요 과잉이 아닌 생산비용 상승으로 물가가 오르는데, 금리를 올리면 삶의 고통이 더 깊어질 수 있기 때문이다.

그럼에도 불구하고 이번 한국은행의 기준금리 인상에 공감하는 이유는 금융 안정의 필요성 때문이다. 지나치게 낮은 금리는 사람들의 위험선호를 자극한다. 부채가 늘어나고, 자산가격은 상승한다. 1800조원을 넘어선 가계부채와 천정부지로 오르고 있는 부동산 가격은 저금리의 그림자이다. 근본적으로 실물과 금융, 혹은 실물과 자산 시장의 괴리다. 경제가 성장하는 정도로 부채가 늘고, 자산가격도 실물경제를 반영해서 오르면 문제가 없다. 문제는 양자 간 불균형이 발생할 때이다. 지난 주말 미국에서 끝난 잭슨홀 미팅의 주제가 '불균등한 경제에서의 거시경제 정책(Macroeconomic Policy in an Uneven Economy)' 이었다는 사실은 전 세계 중앙은행들이 한국은행과 비슷한 고민에 봉착해 있다는 점을 보여준다.

금리 인상은 금융 불균형을 막는 가장 강력한 처방이지만, 여기에는 큰 비용이 따른다. 앞으로의 부채 증가는 금리 인상을 통해 제어할 수 있다손 치더라도, 이미 급격히 늘어나 있는 부채가 문제다. 금융비용의 증가가 경제에 부정적인 영향을 줄 수 있다. 특히 취약계층은 금리 인상에 따른 부담이 더 크다. 중앙은행으로서는 풀기 힘든 매듭이다. 그동안 장기간 저금리 기조가 유지돼 왔던 것은 실물경제의 취약함 때문이었다. 중앙은행이 집 가진 사람과 주식 가진 사람을 부자로 만들어 주기 위해 금리를 낮추지는 않았을 것이다. 허약한 실물경제 때문에 저금리 유지가 필요했는데, 풍선효과가 자산시장에서 극적으로 나타나고 있는 것이다.

이렇게 보면 중앙은행의 통화정책은 어느 정도 약점이 잡혀 있다고 봐야 한다.

'금리를 올려봐야 어디까지 올릴 수 있을까' 라는 시장의 냉소가 존재한다. 중앙은행의 행동에 대해 시장이 겁을 먹지 않으면 통화정책 집행에 큰 비용이 따른다. 경제에 유동성을 공급하거나, 흡수할 수 있는 권한을 가진 중앙은행은 존재 자체가 권력이다. 어떤 경우는 중앙은행의 구두개입만으로도 정책 효과를 거둘 수 있다. 2012년 남유럽 재정위기를 끝낸 것은 드라기 유럽중앙은행(ECB) 총재가 한, 유로존 안정을 위해 "무엇이든 할 수 있다(whatever it takes)" 는 말 한마디였다. 이 발언 이후 수년 동안 ECB가 실제로 한 일은 거의 없었지만 말이다.

글로벌 금융위기 이후 세계 중앙은행들은 '근엄한 감독자' 로서의 권위를 지켜내지 못했다. 온통 '다정한 비둘기' 들의 세상이다. ECB와 일본은행(BOJ)은 제대로 된 출구전략을 써보지도 못하고 제로금리를 뉴노멀로 만들었고, 미국 연방준비제도는 2019년 '보험용' 이라고 이름 붙인 금리 인하를 단행하면서 비둘기파 본능을 유감없이 과시했다. 정부와 중앙은행의 긴장도 거의 사라져 버렸다. 민간 부문의 성장 정체를 정부의 개입으로 보완하고, 정부의 뒤치다꺼리를 중앙은행이 하는 식이다. 정부와 중앙은행의 밀월 정도가 아닌 공개적 밀착을 의미하는 '현대화폐이론(Modern Monetary Theory)' 은 경제학의 변방에서 주류로 부상하고 있다. 시장에서의 경제적 자원 배분을 강조해 왔던 선진국들에서 더 그렇다. 다르게 보면 온몸 던진 중앙은행의 노력으로 글로벌 경제가 이나마 지탱돼 왔다는 평가를 할 수도 있지만, 금융 불균형 완화라는 목적을 수행하는 데 훨씬 효과적으로 작동할 수 있는 매파적 색깔은 매우 옅어졌다.

아무튼 금리를 공격적으로 올리기는 힘들지만, 역설적으로 겉으로는 금리를 올릴 수 있다는 결연한 의지를 나타내야 시장과 '밀당' 이라도 할 수 있다. 이런 점에서 보면 미국은 양적완화를 종결시키는 절차인 테이퍼링을 조기에 실시할 가능성이 높다. 금리 인상은 테이퍼링 다음 스텝인데, 테이퍼링을 계속 미루면 중앙은행이 쓸 수 있는 정책적 재량의 폭이 협소해진다. 금리 인상은 신중하게 고려하더라도 일단 양적완화는 끝내야 한다. 이제 중앙은행의 시간이다. 비둘기로 남기엔 금융 불균형이 너무 크고, 매로 변신하기에는 이미 늘어난 부채와 활력이 약한 실물경제가 눈에 밟힌다. 매의 탈을 쓴 비둘기의 모습이 아닐까?[109]

74. 신뉴딜과 한국 경제의 길

뉴딜(New Deal)은 1933년에 미국의 루스벨트(Roosevelt, T.) 대통령이 경제 공황에 대처하기 위하여 시행한 경제 부흥 정책. 종래의 무제한적인 경제적 자유주의를 수정하여 정부가 경제 활동에 적극적으로 개입해서 경기를 조정하여야 한다는 기본 방침하에 시행되었다. 은행에 대한 정부의 통제를 확대했고, 관리 통화제를 도입했으며, 농업 생산 제한제를 시행하였다.

1930년대 대공황의 와중에서 미국의 프랭클린 루스벨트 대통령은 뉴딜 정책을 시행했다. 정부지출 확대와 일자리 창출 사업을 통한 경기부양이 목적이었지만 동시에 노동권과 사회보장 강화, 반독점 규제와 같은 진보적 프로그램이 추진되었다. 뉴딜이 경기부양에 큰 효과가 있었는지는 논쟁의 대상이지만 경제 사상의 흐름에서 분수령을 만들었다는 데는 큰 이견이 없다. 뉴딜은 경제 사상의 주류가 정부를 최소화하고 시장을 최대화해야 인류가 행복해질 수 있다고 믿는 고전적 자유주의에서 개인의 행복추구권을 실현하기 위해서는 국가가 적극 개입해야 한다는 뉴딜 자유주의로 이동하는 계기를 만들었다.

1980년대부터 득세하여 신자유주의라고 불리게 된 고전적 자유주의로의 세찬 복귀는 21세기에 들어와 힘을 잃었다. 그러나 어떤 사조가 이를 대체하고 있는지 불분명하다. 2008년 세계금융위기가 촉발한 월스트리트 점령 운동은 세계가 진보적 자유주의로 회귀할 것을 암시하는 듯했다. 그러나 엉뚱하게도 주요 국가의 사회 분위기는 반대 방향으로 튀었다. 영국의 브렉시트 운동, 미국의 트럼프, 이탈리아의 오성운동, 프랑스의 국민연합 등 새로운 우파 세력의 득세는 세계가 다원주의에 기반을 둔 자유주의적 질서에서 이탈하여 포퓰리스트가 지배하는 인종적 민족주의의 혼돈으로 퇴행할지도 모른다는 불안감을 자아냈다. 동시에 중국과 일본에서는 부국강병형 민족주의가 부활하여 이 흐름에 가세했다.

최근 이러한 분위기에 큰 변화가 생겼다. 팬데믹에 대한 과감한 대응과 미국의 민주당 정부 출범과 함께 시작된 일련의 정책은 경제 정책의 중심을 좌측으로 성큼 이동시켰다. 선진국 정부들은 GDP의 16%에 이르는 막대한 재정을 팬데믹 대응에 퍼부었다. 그 결과 미국과 유럽에서 GDP 대비 정부부채 비중이 마지노선이라던 100%를 초과하는 일이 일상이 되었다. 또한 미국과 유럽의 중앙은행은 세계금융위기 당시에는 여러 해에 걸쳐 분산 매입했던 양의 정부채권을 단 1년에 매입하면서 거대한 양의 화폐를 시장에 쏟아부었다. 그 결과 유럽과 미국의 중앙은행이 보유하는 정부채권은 총발행액의 20%를 크게 초과하여 중앙은행이 정부부채를 사실상 화폐화하는 단계에 다가갔다. 또 하나의 거시정책 금기가 깨졌다.

이에 더해 미국의 조 바이든 정부는 장기간에 걸친 대형 재정지출 정책을 추진하고 있다. 이는 전통적 케인지언 수요 견인 정책과 함께 정부가 인프라 건설과 신산업 투자에 적극적 역할을 함으로써 민간 투자를 선도하겠다는 정부 주도 공급사이드 정책을 포함하고 있다. 동시에 바이든 정부는 반도체, 배터리, 전기차 등의 산업에서 보조금에 기반한 강한 산업정책을 추진하고 있다. 그동안 세계무역 질서를 유지했던 WTO 체제와 크게 충돌하는 정책이다. 탄소중립정책 또한 정부가 시장실패를 교정하기 위해 시장을 규제하고 민간 투자 유인을 적극적으로 형성하겠다는 강력한 형태의 산업정책이다. 그리고 공약했던 최저임금 상승, 노동조합 강화 법안은 상원에서 막혀 있지만 새로운 무역 질서 형성을 통해 인권과 노동권 강화를 도모하고 있다.

이러한 움직임이 지속된다면 루스벨트의 뉴딜에 못지않은 거대한 변화의 시작이 될 수 있다. 또한 신흥국은 선진국과 다르게 움직일 때 모난 돌이 되어 정을 맞기 쉬운 국제 정치와 금융의 현실에서 한국 경제가 정부의 역할을 강화할 수 있는 공간을 확장할 수 있다.

그러나 국제금융 시장에서 신흥국과 선진국 사이의 회색지대에 놓여 있는 한국 경제가 어디까지 움직일 수 있는지에 대해서는 냉철한 판단이 필요하다. 인구당 확진자 수가 우리의 수십 배에 달했고 성장률 하락폭이 우리의 4배에서 6배나 되었던 미국과 유럽의 상황을 고려하지 않고 한국이 작년에 기록한 GDP 대비 4~5% 재정수지 적자는 선진국에 비해 크게 낮았다고 주장하는 것은 냉철한 판단과 거리가 멀다. 선진국 중앙은행이 자산 가격과 부채가 크게 부풀어오르는 것을 방치하고 인플레이션과 고용 목표에 집중하는 것도 그대로 따라할 수 없다. 선진국의 재정정책과 통화정책 정상화 스케줄과 여파에 불확실성이 가득하고 미・중 무역갈등이 언제 다시 금융시장을 휘저을지 모르는 상황에서 더욱 그렇다. 탄소중립의 앞길도 험난하다.

서비스 중심의 선진국에서는 일부 산업이지만 한국에서는 주력 산업의 대부분이 큰 조정을 해야 한다. 더구나 선진국에 비하면 아직 시작도 못했는데 같은 시점에 종착역에 도착할 것이 요구되는 탄소중립은 재정과 성장에 선진국에서보다 큰 압박을 가할 것이다. 변화의 바람을 현명하게 타는 지혜가 어느 때보다 필요한 시점이다.[110]

75. 탄소중립 가로막는 전기요금 정책

지난 7월 캐나다와 미국 서부 지역의 열돔 현상으로 수백명이 사망했다는 보도가 있었다. 최근 '네이처 기후변화'에 발표된 논문에 따르면 지금과 같이 탄소 배출이 계속되면 폭염 발생 가능성은 2021~2050년에 2~7배, 2051~2080년에는 3~21배에 달할 것이라고 한다. 탄소중립은 단순한 기후 이슈가 아니라 우리의 생명을 좌우하는 문제로 다가오고 있다.

최근 선진국과 개도국 구분 없이 탄소중립을 위해 총력을 모으는 데 비해 세계 10위 경제대국인 우리나라는 탄소중립을 위한 대응에 크게 뒤처져 있다. 여러 이유가 있겠지만 '전기'라는 재화의 가치를 충분히 반영하지 못하는 낮은 수준의 요금 정책을 고수한 채 에너지 전환을 하려 하는 것이 큰 원인이다. 현행 낮은 수준의 전기요금으로는 석탄발전소 등 좌초자산의 보상비용을 마련하거나 실업에 처한 발전노동자들의 일자리 전환을 지원할 수 없으며, 재생에너지로의 전환을 위해 필요한 대규모의 투자를 감당할 재원을 마련할 수 없다. 이로 인해 에너지 전환이 답답하게 진행되고 있는 것이다.

국민들 사이에 전기는 당연히 싸야 한다는 생각이 만연해 있지만, 이는 그동안 전기를 만드는 데 들어가는 비용이 요금에 제대로 반영되지 않았기 때문이지 전기가 원래 싼 것은 아니다. 전기와 관련된 직접비용인 연료비 외에도 미세먼지, 공기 오염, 원자력 연료 재처리 비용 등 간접비용이 있는데 그동안 간접비용은 물론이고 반드시 반영해야 할 연료비마저도 제대로 반영하지 못한 채 전기요금을 책정했던 것이다. 그 결과가 한편으로는 과도한 탄소 배출과 생명의 위협, 다른 한편으로는 공기업의 적자 누적이다.

탄소중립의 핵심인 재생에너지도 싸지 않다. 기존 발전원보다 큰 부지가 필요하며 기술적 제약이 많다. 적당한 발전소 부지를 선정한 이후 부지 보상문제 해결 역시 녹록지 않다. 또한 어렵게 발전소를 건설해도 기후 여건으로 인해 발전량이 기대에 미치지 못할 수 있다. 게다가 재생에너지의 간헐성 문제로 인해 에너지저장장치도 대규모로 갖추어야 한다.

따라서 탄소중립으로 가기 위한 첫걸음은 전기란 비싼 것임을 국민들이 인식하는 것이다. 이러한 인식의 전환을 위해서는 전기 비용구조의 투명화, 전기요금의 정상화가 필수적이다. 이러한 맥락에서 볼 때 제9차 전력수급계획과 제3차 에너지기본계획에서 탄소중립과 관련한 비용 추계, 그로 인한 전기요금 인상 필요성에 대한 언급을 찾아볼 수 없어 안타깝다. 최근 국회를 통과한 '2030 국가 온실가스 감축목표(NDC)' 역시 재원 규모와 구체적 조달 방안은 나와 있지 않다.

최근 전기요금 연료비 연동제, 기후환경요금 분리고지 등이 도입된 것은 고무적이다. 그러나 여전히 갈 길은 멀다. 전기요금의 연료비 연동제를 도입해 놓고도 제대로 시행하지 못하고 있기 때문이다. 재생에너지 확대를 위한 신규 투자비는 고사하고 연료비도 제대로 반영하지 못하는 전기요금으로 인해 올해 상반기 한전은 1932억원의 영업손실을 기록했다. 한전이 적자를 기록할 정도로 낮은 전기요금으로 한국이 과연 2050년까지 탄소중립 사회로 갈 수 있을까? 탄소중립 달성은 인류의 생존이 달린 과제이다. 이를 위해서는 전기요금의 정상화가 절실하다.[111]

탄소 중립(carbon neutrality, 炭素中立)은 탄소 배출량과 흡수량이 균형을 이루어 탄소의 실질 배출량이 영(zero)이 되는 상태이다.

인류의 모든 에너지 및 비에너지 활동에서 발생되는 온실가스(GHG : GreenHouse Gas)는 태양에서 오는 가시광선은 통과시키고 지구 표면에서 복사되는 적외선을 흡수하여 대기의 기온이 급격하게 상승하는 기후 변화를 발생시킨다. 이러한 기후 변화에 대응하기 위해 탄소중립 사회로의 전환이 필요하다.

탄소 배출은 주로 화석연료 사용에서 기인한다. 따라서 탄소 배출을 줄이기 위해서는 화석연료 사용을 줄이고 무탄소 에너지원으로 에너지 시스템을 전환해야 한다. 에너지 부문 외에 농축산, 폐기물, 토지 이용, 토지 이용 변화 및 임업(LULUCF : Land Use-Land Use Change and Forestry) 등에서 탄소 배출이 일어난다.

대표적인 탄소 흡수원으로 식물(vegetation)과 토양, 해양 등이 있다. 산림 조성, 습지 보존, 농작 방식 변경 등으로 탄소 흡수를 높일 수 있다. 기술적인 해법으로는 직접 공기 포집(DAC : Direct Air Capture)과 탄소 포집 및 저장(CCS : Carbon Captuer and Storage) 기술이 있다. DAC는 대기 중 이산화탄소를 포집하는 기술이고 CCS는 가스 발전이나 석탄 발전에서 발생하는 탄소가 대기 중으로 배출되기 전에 추출하여 보관하는 기술을 말한다. 단, 이때 배출된 탄소는 전량 포집되지 않고 일부 대기로 흡수된다.

그 밖에 바이오 에너지 사용과 CCS 기술을 결합한 바이오 에너지 탄소 포집 및 저장(BECCS : Bio Energy Carbon Capture and Storage) 기술이 있다. 이들 기술은 포집된 이산화탄소를 저장하는 장소를 찾기 어려운 한계가 있다.[112]

76. 인간은 합리적인가?

근대 이후의 경제학은 인간을 합리적인 존재로 간주하고 이론을 발전시켜 왔다. 여기서 합리적이라는 말은 개인의 선호가 타인의 영향을 받지 않으며 오로지 자기중심적인 관점에서 자신의 경제적 이익을 극대화하기 위해 노력한다는 의미이다. 예를 들어 소비자는 자신이 가진 구매력의 범위 내에서 자신의 효용을 최대로 하는 방식으로 소비를 결정하고 생산자는 주어진 비용과 시장수요 하에서 이윤을 최대로 하는 산출량을 결정한다는 것이다. 그리고 이러한 개개인의 효용 및 이윤 극대화 노력은 가격이라는 인센티브의 작동에 의해 수급의 과부족이 없는 균형상태에 이르게 되며 모든 사람들이 만족한다는 것이 근대경제학의 요지이다.

그렇다면 과연 인간은 근대경제학이 상정하는 것처럼 합리적인 존재일까? 그런 경우도 있고 그렇지 않은 경우도 있을 것이다. 세일기간에 평소 갖고 싶은 물건을 사거나 흉작으로 가격이 오른 배추를 대신하여 무로 김치를 담그는 것은 분명 합리적인 결정이다. 반면 당첨 기대금액이 지불액보다 낮은 복권을 사거나 필요하지도 않은 비싼 물건을 남에게 과시하기 위해 사는 행위는 합리적이라고 보기 어렵다. 최근에는 경제학 내부에서도 인간의 합리성을 비판하는 연구가 진행되고 있는데 이를 행동경제학이라고 한다. 2002년 노벨 경제학상을 수상한 다니엘 카너만 교수가 대표적인 행동경제학자이다. 행동경제학에서는 인간의 합리성 전제를 비판하는 많은 사례와 실험을 제시하였는데 그중 하나를 살펴보자. A에게 100만원을 주고 이 중 얼마를 마음대로 B에게 나누어주되 만일 B가 수취를 거부할 경우 A와 B는 모두 한 푼도 받지 못하는 실험이다. B가 합리적이라면 얼마를 받더라도 한 푼도 받지 않는 것보다는 효용이 높으므로 수취를 거부할 이유가 없다. A의 입장에서는 합리적인 B가 아무리 적은 금액이라도 거부할 이유가 없음을 알고 있고 자신은 많이 가질수록 이익이므로 최소단위인 1만원만 B에게 지급하고 자신이 99만원을 가지며 B도 1만원을 받고 만족하는 것이 양자 모두에게 합리적이다. 그런데 실제 실험에서는 대부분의 사람들이 30만원 내지 50만원을 B에게 지급했으며 보다 놀라운 사실은 B가 30만원을 받고도 수취를 거부한 경우가 있었다는 것이다. 즉 사촌이 논을 사면 배가 아프고 배고픈 건 참아도 배 아픈 건 못 참는 심리가 작동한 것이다. 인간이 항상 합리적인 존재는 아니다.

사실 대부분의 정책이 인간의 합리성을 전제로 하여 추진되지만 모든 정책이 성공하는 것은 아니다. 실패의 원인은 다양하겠지만 이 중 인간의 합리성에 대한 잘못된 이해에 기반한 경우도 있을 수 있다. 두 가지 사례를 들어보자. 첫 번째는 어느 지자체에서 쥐를 박멸하기 위해 쥐를 잡아오면 1마리당 100원의 상금을 주기로 한 경우이다. 결과적으로 잡아오는 쥐의 숫자는 많았으나 도시의 쥐 숫자는 줄지 않았는데 이는 상금을 타기 위해 쥐를 키우는 사람이 늘어났기 때문이다. 두 번째는 어린이집에서 저녁 늦게 오는 학부모를 줄이기 위해 늦게 오는 사람들에게는 벌금을 매긴 경우이다. 결과는 보다 많은 학부모가 더 늦게 아이를 데리러 왔는데 이는 벌금을 냄으로 인해 늦게까지 아이를 맡기는 마음의 부담을 덜 수 있었기 때문이다. 정책실패라는 측면에서는 양자가 동일하지만 인간의 합리성 측면에서는 완전히 다르다. 첫 번째 경우는 사람들은 합리적으로 행동하였으나 정책당국이 합리성의 결과를 잘못 예측한 것이며 두 번째 경우는 사람들이 마음의 평화를 위해 손실을 감수한 것으로 경제적인 관점에서만 보자면 비합리적인 행동이 발생한 것이다.

결론적으로 인간은 반드시 합리적이거나 비합리적인 것은 아니며 합리적인 경우에도 그 합리성에 따라 나타날 결과를 정확하게 예측할 수 있는 것도 아니다. 미국의 국방장관이었던 럼스펠드는 사물에 대한 인간의 인지와 관련하여 모른다는 사실조차 모르는(unknown unknowns) 경우가 있음을 지적하였는데 실제 모른다는 사실을 모를 수도 있지만 모르는 것을 안다고 착각하는 경우도 많을 것이다. 인간의 본성은 매우 복잡다기하며 사전적으로 행동의 결과를 추론하는 것이 쉽지 않다. 정책결정자들은 보다 겸손하고 열린 마음으로 접근하여야 할 것이다.[113]

합리적 사고란 논리적이고 과학적인 사고방식이나 행동 양식을 의미한다. 합리론은 이성을 지식의 중요한 근원 및 검증 수단으로 보는 철학적 견해이다. 합리론자들은 실재 자체가 논리 구조를 갖고 있으며 이성으로 파악할 수 있는 진리가 존재한다고 주장한다. 모든 지식은 감각 경험에서 비롯된다고 주장하는 경험론에 맞서 이성이 감각 인식의 한계를 초월하여 진리를 파악할 수 있다고 본다.[114]

77. 플랫폼과 경쟁시장

국내외를 막론하고 대형 플랫폼사업자에 대한 규제를 강화해야 한다는 목소리가 커지고 있다. 이전 칼럼에서도 소개했듯이 지난 6월 하원에서 발의된 미국의 반독점규제 5개 법안이나 작년 말 발표된 유럽연합(EU)의 디지털시장법 등이 대표적이다. 알리바바와 같은 빅테크 기업에 대한 중국 정부의 규제 강화도 세계적인 규제 흐름의 변화를 반영하는 것으로 봐야 할 테다.

최근 한국에서도 택시호출시장 점유율이 80%에 달하는 대형 플랫폼회사가 이용자들에게 돈을 더 내면 택시가 빨리 잡히도록 우선권을 주거나 해당 서비스의 가맹 택시기사에게 배차 우선권을 주는 등 불공정 경쟁행위의 제재가 이슈가 되고 있다. 속칭 골목상권 침해 내지 갑질 논란이다. 국내에서 이용자나 입점사업자에 대한 대형 플랫폼회사의 차별적 대우나 불공정한 행위에 대한 우려가 새삼스러운 일은 아니다. 과거에도 특정 플랫폼이 자사의 비교서비스 검색결과에서 자사 플랫폼 입점사업자의 상품이 우선 노출되도록 한다든지, 입점업체로 하여금 자사의 서비스에 제공한 매물 정보를 타사의 유사 서비스에는 제공하지 못하도록 하는 등의 불공정 행위에 대한 제재 사례가 있었다. 그러나 온라인 플랫폼기업의 비즈니스 전략과 행동이 경쟁구조에 미치는 영향, 특히 반경쟁적 측면에 대해서는 체계적인 접근이 부족했다. 이번에 공정거래위원회가 온라인플랫폼공정화법 제정, 전자상거래법 개정, 플랫폼 분야 단독행위 심사지침 제정이라는 디지털 공정경제 3종 세트를 추진하는 것은 플랫폼 시장과 플랫폼사업자에 대한 규율체계를 정비하는 첫걸음으로서 시의적절한 일이다.

금융당국도 최근 온라인 금융 플랫폼의 광고행위와 판매대리 및 중개 행위의 구분을 명확히 하면서 금융상품 중개행위를 하려면 금융소비자보호법상 중개업자로 등록해야 한다는 방침을 밝힌 바 있다. 다행스러운 일이다. 물론 금융권의 경우 아직도 많은 부문에서 빅테크의 금융업 진출 확대를 둘러싸고 기존 금융회사와의 규제 차별, 소위 기울어진 운동장에 대한 우려가 존재한다. 결제 수수료율을 둘러싼 신용카드사와 간편결제업자 간 규제 차별 논란, 대환대출 플랫폼 도입을 두고 벌어진 기존 은행과 금융 플랫폼 간 갈등, 종합지급결제업자의 도입을 담고 있는 전자금융거래법 개정안에 대한 반발도 이러한 우려를 반영한다. 하지만 좀 더 근본적으로 온라인 플랫폼사업자의 (금융업 진출을 포함한) 수직적 통합전략이 시장경쟁에 미치는 영향과 바람직한 규율체계가 어떠해야 하는지에 대한 논의에서 출발할 필요가 있다.

온라인 플랫폼 시장의 경쟁은 네트워크 효과와 데이터에 대한 장악력을 기반으로 이루어진다. 단기적인 이익 대신 성장을 우선시하여 시장점유율을 높이는 방식으로 성장한 온라인 플랫폼은 경제활동의 핵심 인프라로 기능하면서 경쟁자들조차 고객으로 삼게 되고, 이들과의 이해상충을 야기할 수 있다. 또한 이 과정에서 획득한 이용자 정보는 다른 비즈니스 영역으로 진출할 때 중요한 경쟁무기가 될 뿐 아니라 그 자체로 진입장벽으로 작동한다. 이러한 대형 플랫폼사업자의 반경쟁적 특성을 어떻게 규율할 것인지가 정책당국이 풀어야 할 핵심 과제이다. 리나 칸이 제시하듯이, 이를 막기 위한 방법 중 하나가 수직합병에 대한 예방적 규제 도입이다. 즉 특정 수준의 지배력에 도달한 플랫폼이 수직통합하는 것을 사전에 제한하는 것이다. 이러한 사전규제는 금산분리 원칙처럼 플랫폼-상업 간 분리 원칙을 구현하는 것이다. 다른 하나는 지배적인 플랫폼을 일종의 자연독점으로 인정하되 그 지배력을 규율하는 방식이 있다. 예컨대 필수설비이론에 입각하여 자연독점 사업자가 인접 시장의 경쟁자를 봉쇄하기 위해서 핵심설비에 대한 접근을 거부하는 것을 금지하는 것이다. 이는 망 중립성과 유사하게 플랫폼 중립성 유지와 데이터 공유 의무화를 포함하게 될 것이다. 진정으로 경쟁친화적이고 혁신을 추동할 수 있는 시장구조와 규율체계에 대한 고민이 필요한 시점이다.[115]

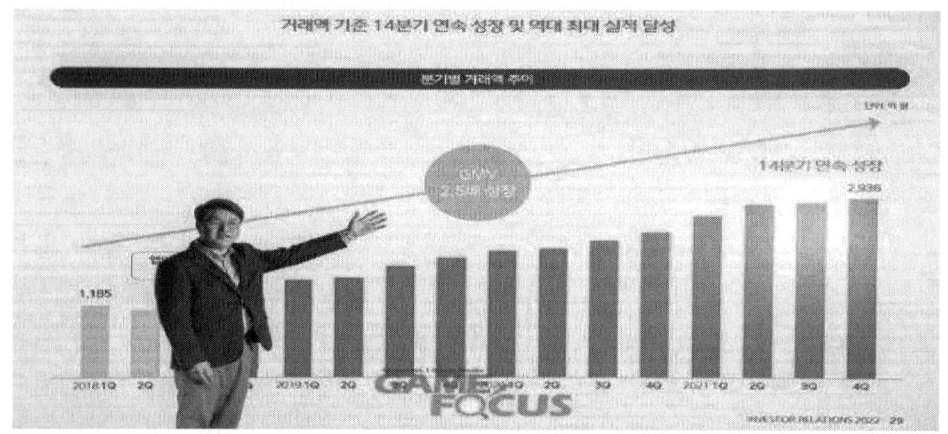

원스토어는 그간 국내사업을 통해 구축한 게임 생태계와 앱마켓 사업 역량을 기반으로 동남아, 유럽 등 글로벌 시장 개척에 적극 나설 계획이다. 현재 '글로벌 원스토어' 서비스 출시를 위한 플랫폼 구축을 완료했고, 시장별 차별화 서비스를 준비 중이다. 동남아 시장에서는 국가별로 이용자들이 선호하는 결제 수단을 제공하기 위해 현지 결제 사업자들과의 파트너십을 추진하고 있다.

또한 유럽 시장 진출을 위해 현지 통신사를 비롯해 대규모 고객기반을 가진 사업자들과 마케팅 협력을 논의 중이다. 원스토어는 글로벌 시장에서 지명도가 높은 게임과 K-콘텐츠를 앞세워 인지도를 높이고 고객 확보에 나선다는 전략이다(게임포커스, 2022. 5. 9, 김성렬 기자).

78. "균형재정은 틀렸다…경제위기에선 정부지출 과감하게 늘려야"

나원준 교수가 지난 21일 대구 경북대학교 자신의 연구실에서 경향신문과 인터뷰하고 있다. 나 교수는 "MMT는 기존에 갖고 있던 재정에 대한 인식을 근본적으로 전환하게 하는 인사이트를 준다" 면서 "위기가 닥쳤을 때는 재정지출을 보다 적극적으로 늘릴 필요가 있다" 고 말했다(우철훈 선임기자).

캐나다 토론토 라이어슨 대학교에서 2015년 열린 진보경제학포럼에서 '정부재정활동에는 어떠한 금융적 제약도 없다' 는 MMT 이론을 접하고 연구를 시작했다. 이후 국내에서 다수의 MMT 관련 논문을 발표했다. 지난 6월에는 동료 연구자 8명과 그간 학술지 등에 게재한 논문을 묶어 책 <MMT 논쟁>을 펴냈다. 소득주도성장특별위원회 소득재분배소위원회에서 활동하고 있다. 대통령 직속 국민경제자문회의 거시경제분과 자문위원을 지냈다.

국내에 현대화폐이론(MMT · Modern Monetary Theory)이 학술 논문으로 발표되기 시작한 것은 2010년대 후반이다. 비교적 역사가 일천하다고 할 수 있는 이 이론이 최근 부쩍 이목을 끌고 있다. 코로나19 국면이 장기화하면서 관심의 대상이 된 것이다. 감염병 창궐과 같은 위기의 시대에는 공공부문, 특히 국가의 역할이 부각될 수밖에 없다는 게 가장 큰 이유이다. 그 덕분에 학술적 논의 수준에 머물렀던 MMT는 최근 블로그나 사회관계망서비스(SNS) 등을 통해 대중담론으로 자리잡고 있다. MMT의 핵심은 조세수입과 관계없이 발권력으로 재정지출을 할 수 있다는 것이다. 균형재정과 재정건전성을 강조하는 시각에 맞서 정부의 적극적인 역할을 강조한다. 국내에서 이 이론을 앞장서 소개하고 있는 경북대학교 경제통상학부 나원준 교수에게 이론의 배경부터 물었다.

- 재정을 마구 풀자는 게 MMT인가.

"기본적인 시각은 정부의 재정활동에는 어떤 금융적 제약도 없다는 것이다. 다만 생산능력은 돈을 풀어서 해결할 수 없는 문제여서 실물과 관련한 제약은 어쩔 수 없다. 정부가 세금을 조금밖에 못 걷어서 재정지출을 못한다고 한다면 그건 사실과 다르다."

- 세금을 징수해야 정부가 지출할 수 있는 것 아닌가.

시승신청

"현실은 조세수입을 재원으로 재정지출을 하는데, 그게 부족하면 국채를 발행한다. 오랜 기간 재정관료들은 세입한도 안에서 지출하는 게 바람직하다는 원칙을 갖고 있다. 법 체계나 시민의 인식 속에서도 그런 부분이 굳게 자리 잡고 있다."

- 그게 잘못된 생각인가.

"MMT는 그런 시각에 근본적으로 비판적 입장을 견지한다. 경제학자들이 정립해온 기존 개념은 정부가 세금으로 걷은 돈으로 지출한다는 것이다. MMT는 그러나 정부 지출과 조세는 완전히 분리된 것이라고 본다. 주머니에 비유를 해보자. 전통 경제학에서는 주머니에 세금이 들어오면 정부가 거기서 돈을 꺼내 쓴다고 생각한다. 반면 MMT는 주머니가 한 개가 아니라 두 개가 있다고 본다. 한 주머니는 계속 세금이 들어오는 블랙홀이다. 조세수입으로 들어온 돈이 사라지기 때문이다. 지출을 하려면 다른 주머니에서 돈을 빼야 하는데, 이건 끊임없이 솟아나는 화수분이다. 정부는 그 주머니에서 원하는 만큼 돈을 빼내서 지출할 수 있다."

- 좀 더 상세히 설명해달라.

"MMT 입장에서는 세금은 그냥 걷는 것이고, 지출할 때는 항상 발권이 따라간다고 얘기한다. 실제 정부가 지출할 때 발권이 이뤄진다. 정부가 민간에서 물품을 구입할 때 판매자에게 수표를 준다고 하자. 판매자는 그 수표를 거래하는 A은행에 입금한다. A은행은 정부 재정대리인인 한국은행에 수표를 제시하고, 한은은 A은행에 입금한다. 여기서 한은이 A은행에 입금하는 행위는 지급준비금을 지급하는 것인데, 사실상 화폐가 시중에 발행되는 발권과 같은 효과가 있다."

- 한은의 계좌이체가 발권인가.

"사실 무리한 측면이 있다. 한은에는 시중은행뿐 아니라 정부 계좌도 있다. 본원통화는 금융기관에 대해 한은이 진 빚이다. 그런데 정부와 한은은 광의의 정부 구성원으로 볼 수 있어 정부 계좌를 본원통화로 분류하지는 않는다. 그래서 한은이 정부 계좌에서 A은행으로 계좌이체를 한 행위를 순수한 발권이라고 하기는 어렵다. MMT 이론에서 보완해야 할 부분은 적지 않다."

- MMT를 경제학의 이단이라고 보는 시각도 있다.

"새로운 이론은 정립됐더라도 보완·발전시켜야 하는 여러 과제가 있다. 그런 의미에서 포스트 케인지안 경제학자들은 MMT의 취약점이나 보완점을 개선해야 한다고 생각한다. 주류 경제학계에서는 기본적으로 세금을 걷어서 지출하는 게 당연하다고 생각하기 때문에 MMT에 대한 반감이 크다. 한국 경제학계는 훨씬 더 부정적 반응이 클 것이다. 왜냐하면 미국에서 교육받은 학자가 대부분인 데다, 소규모 개방경제로서 외환위기 경험까지 갖고 있어 반대 의견이 많을 수 있다. 다만 자세히 살펴보지도 않고 선입견이나 인상만 갖고 비판만 하는 것은 곤란하다. 이론적으로 지지할 것은 지지하고 비판할 것은 비판하는 분위기가 돼야 한다."

- 조세수입이 정부 재원이 될 수 없다는 말은 몹시 생소하다.

"MMT를 강력하게 밀어붙이는 분 중에는 법인세나 소득세를 없애자는 극단적인 주장도 한다. 그건 현대 국가체계를 부정하는 것이어서 대단히 우려스럽다. 조세는 다양한 기능이 있고, 국가의 공적 영향력을 결정하는 중요한 힘이다. 세금을 걷지 말자고 하는 건 부자를 위한 주장일 수도 있어서 조심해야 한다. 우리는 지금 누진적 보편증세를 과제로 생각하고 복지국가를 강화해야 한다고 얘기하는데, 그런 측면에서 MMT의 주장이 우려스러운 부분이 있기도 하다."

- 너무 낯설어서 허점이 있는 것 같다.

"MMT가 훌륭한 이론이고 세상을 변화시킬 힘이 있는 아이디어라고 볼 수 있는 측면이 있지만 취약점도 만만치 않게 있다. 한국에서는 관련 논문을 많이 쓴 편에 속하지만 '동지적 비판' 관점에서 작성했다고 할 수 있다. 긍정적인 기여점에 대해서는 충분히 받아들이되 그것을 맹목적으로 따를 수는 없다. 이론적으로 수긍하기 어려운 무리한 주장도 많다. 다만 그것이 가진 정치적 함의에 대해서는 성공하길 바란다."

- 재정에 대한 개념을 바꿔야 한다는 뜻인가.

"현대 국가 재정은 다른 방식으로 운용할 수 있다는 게 MMT의 입장이다. 전쟁 상황을 가정한다면, 정부가 모든 자원을 동원해 역량을 극대화해야 한다. 이런 상황에서 정부 적자와 잔액이 얼마인지, 세입은 어느 정도인지 등을 따져서 지출 규모를 정할 수는 없다. 평화 시기와 위기상황에서의 재정운용은 달라야 한다. 현재 재정운용은 머릿속에 만든 규칙이자, 스스로에 대한 제약일 뿐이라는 것이다. 현재의 재정운용은 상상의 산물일 수도 있다. 지금과 같은 코로나 시국에는 발권에 의한 지출을 얼마든지 할 수 있다고 생각해야 한다는 것이다."

- 지난해 한국도 재정준칙을 만들었는데(정부는 2025년부터 한국형 재정준칙을 도입하기로 했다. 국가채무비율을 국내총생산(GDP) 대비 60% 이내, 통합재정수지는 GDP 대비 -3% 이내로 관리한다는 게 주요 내용이다).

"경제협력개발기구(OECD) 국가 중 터키와 한국만 없다면서 재정준칙을 만들었다고 한다. OECD 구성원 상당수가 유럽연합(EU) 국가들인데, 그들은 1980년대 경제통합을 준비할 때부터 재정준칙을 논의했다. 당시 유럽 대표국인 독일, 프랑스, 이탈리아 등의 평균 경제성장률과 재정수지, 국가채무 등을 참고해 국가채무비율 GDP의 60% 이내, 재정수지적자 3% 이내 등 이른바 '60%·3% 룰'을 만들었다. 40년이 지나 상황이 달라진 지금은 성장률이 많이 떨어져 그 룰을 지키기 어렵다. 한국 정부가 그 수치를 그대로 가져온 것은 이해하기 어렵다."

- 왜 그런 수치를 도출했다고 보나.

"재정준칙 관련 자료를 공부해보니 기획재정부가 제대로 보지 않고 만든 것 같다는 생각이 들었다. 단순히 EU 기준이어서 60%·3% 룰을 가져온 것이다. 이걸 글로벌 스탠더드라고 본 것 같다. 한국의 여건을 보면 아직 여유가 있으니 이 정도 목표를 세우면 안정화시킬 수 있을 것으로 기재부나 한국개발연구원(KDI)에서 분석했을 것이다. 실제로 2022년 예산안을 보면 재정준칙 영향이 강하게 투영돼 있다. 현재 경제상황과 무관하게 외적으로 강제된 기준을 적용해서 국민경제의 활력을 떨어뜨리지 않을까 우려된다."

- 내년 예산은 본예산 대비 8% 증가한 확장예산이라는데.

"예산 적정성은 다양한 기준으로 평가할 수 있다. 그런데 어떤 기준으로 보더라도 내년 예산안은 국가가 처한 위험 정도를 과소평가한 것 같다. 지출 규모 총액은 추경 대비 줄었다. 내용별로도 공공병원이나 돌봄 국가책임 부분 관련 증액이 미미하다. 고용 유지 지원은 3분의 1 정도로 줄여 영세한 소상공인 중심으로 고용대란이 빚어지지 않을까 우려된다. 공공의료나 돌봄체계 관련 국가지출을 충분히 뒷받침하지 못한다면 어떤 희망이 있겠나. 본예산 대비 늘어난 것은 전략무기체계 도입과 관련한 국방비이다. 실망스러운 예산안이다."

- 내년에 GDP 대비 국가채무비율이 50%를 넘어간다고 한다는데.

"국가채무비율 갖고 호들갑 떨 필요는 없다. OECD 국가들과 비교하면 당장 답이 나오는 문제이다. 한국과 비교 대상이 될 만한 나라들은 훨씬 높은 국가채무비율을 보인다. 지금 한국이 50%라는 숫자에 부담감이 크다고 하면 곤란하다. 사실 한국의 국가채무비율은 전혀 문제 될 게 없다고 보는 게 당연하다."

- 국가채무 갚기가 만만치 않은데.

"실제로 발행한 국채를 상환하는 정부는 거의 없다. 물론 정부가 의도적으로 재정준칙을 지키기 위해 상환하는 경우도 있을 것이다. 그게 아니라면 국채는 보유하고 있던 금융기관들이 만기가 가까워지면 다시 산다. 국채는 매력적인 금융투자 자산이자, 의미 있는 무위험 저축수단이다. 정부도 만기가 된 국채는 롤오버(차환발행) 하는 게 일반적이어서 사실상 만기가 없는 셈이다. 국민연금이나 교원

공제처럼 장기적으로 자금을 운용하는 기관이 국채에 많이 투자한다. 만기가 됐으니 정부에 갚으라고 요구하지 않는다.”

- 국채는 일반 대출과 다른가.

“그렇다. 일반 채권(회사채)이나 금융대출의 이미지를 국채에 투영해서 반드시 갚아야 한다는 오해가 생긴다. 지금은 정부가 국채를 발행하면 미래세대에게 부담을 지운다는 내용이 경제학 교과서를 지배한다. 하지만 옛날 교과서를 보면 그렇지 않다고 보는 측면도 만만치 않다. 국채는 한편으로는 저축수단을 제공하는 것이고, 실질적으로는 상환해야 할 경제적 필요성이 존재하지 않는 측면이 있다.”

- 재정적자는 얼마나 위험한가.

“MMT 입장에서 재정적자는 전혀 위험하지 않다. 과거 수십년간 선진국 대부분은 재정적자를 경험했다. 한국은 얼마 전까지 계속 재정흑자였다. 재정적자는 사실 정부가 민간에 소득을 이전한 것이다. 재정흑자는 정부가 쓴 것보다 더 많이 거둔 것이다. 경제가 좋지 않은 상황에서는 당연히 정부지출이 늘어날 수밖에 없다. 정부지출 확대에 따른 재정적자는 자연스럽고 그렇게 해야만 경제에 가해지는 충격을 흡수할 수 있다. 코로나가 잦아들지 않는 현시점에서 한국이 재정균형을 고집한다면 거시경제학적으로 봤을 때 대단히 비극적 결과를 가져올 수 있다.”

- 그렇다고 재정적자를 무한대로 방치할 수는 없지 않은가.

“스펙트럼 차가 있다. MMT를 주장하는 분들 중 전혀 걱정할 것 없이 정부가 빚을 얼마든지 내도 된다고 말하는 학자도 있다. 다만 정부가 어디에 어떻게 지출하는지가 중요하다. 지금 같은 상황이라면 사회안전망에 투자하고 디지털 전환이나 그린뉴딜 같은 전략적 분야에 투자하는 방향이 바람직하다. 정부지출을 충분히 해야 건강한 경제회복을 가져오는 힘의 바탕이 된다. 긴 흐름에서 보면 경제상황이 개선돼 조세수입이 늘어나고 재정수지가 다시 좋아질 수 있는 것이다. 부채의 역설이라고 할 수 있는데, 빚을 안 내려고 긴축하면 오히려 빚이 더 늘어난다. 제대로 지출하지 않으면 소득이 만들어지지 않는다. 경제위기를 돌파하려면 적극적인 재정지출로 사회안전망을 강화하고 전략적인 부문에 공공투자를 늘려가야 한다.”

- MMT가 자산가격 상승을 일으킬 것이라는 지적이 있다.

“인플레이션은 MMT에서 심각하게 고민해야 할 문제이다. 과격한 이들은 인플레가 문제 되는 상황에서는 증세를 하면 된다고 주장한다. 증세는 시중 돈을 정부가 빨아들이는 효과가 있어 수요가 줄어들고 인플레 압력이 줄어든다는 것이다. 그러나 그건 지나치게 단순한 생각이다."

- MMT는 최종 고용자로서의 정부 역할이 중요하다고 하는데.

"일자리는 시장이 만든다고 하지만 그렇지 않다. 시장에 전적으로 맡기면 일자리가 과소생산될 수밖에 없다. 지금처럼 고용이 큰 어려움을 겪는 상황에서는 정부가 적극적으로 일자리를 만드는 작업에 나서야 한다. 물론 MMT에서 주장하는 잡 개런티(일자리 보장)라고 할 때 보장이라는 게 누구에게나 해줘야 한다는 뜻이어서 곤란한 측면이 있다. 보장 약속을 정부가 하기는 어렵지만 경제위기가 닥쳤을 때는 정부가 공공부문에서 최대한 일자리를 만들어야 한다."

- 공공 단기 일자리는 비판이 많다.

"노인 단기 공공 일자리 사업 등에 제기되는 비판에는 일부 수긍한다. 하지만 경제에 문제가 생겼을 때 국가가 직접 고용하고 임금을 지급하는 접근법에는 문제가 없다. 다른 시각에서 보면 노인 일자리 사업에 취업한 노인은 충분히 가치 있는 일을 한다고 여길 수 있다. 그만한 가치가 있다면 재정을 제대로 지출한 것이다. 오히려 정부가 제공하는 직접 일자리 사업은 내용을 잘 구성하는 방향으로 그 규모를 더 늘려야 한다고 생각한다."

- 자영업자 사정이 딱하다.

"한국에 산업예비군이란 표현이 있는데 지금 자영업자가 거기 해당한다. 한국은 수출대국이라지만 몇몇 대기업 이야기다. 수출 대기업은 일자리를 많이 만들지 않는다. 하청으로 재하청으로 내려가면서 노동조건은 점점 더 악화한다. 문제는 거기서 떨어져나온 사람들이다. 그런 사람들은 이윤이 발생할 수 없는 완전경쟁 상태에 내몰린다. 좋은 일자리에서 노동 저수지로 떨어져 산업예비군 같은 역할을 그들이 하는 것이다. 여기는 과당경쟁이고 진입장벽도 전혀 없다. 경제학 교과서에서 말하는 이상적 완전경쟁 시장이지만 거기만큼 비극적인 데가 없다."

- 정부가 어떤 역할을 할 수 있나.

"정부가 일종의 고용 버퍼(완충장치)를 조직해야 한다. 정부가 공공부문에서 직접 일자리를 창조하는 것이다. 시장에 맡기면 산업예비군 역할을 하는 자영업자들이 얼마나 힘들어지겠나. 죽어나가는 사람들이 그런 부분을 보여주는 증거 아닌가. 공공부문에서 일자리를 많이 확대해서 고용해야 한다. 어떤 형태로든 일자리를 만들어 충격이 덜하게 해야 경제가 회복될 때 건전한 방식으로 살아날 수 있다. 그 과정에서 비효율이 어느 정도 있더라도 사회가 시간을 갖고 개선해 나가면 된다."

'주권통화' 를 가진 정부의 적극적인 재정 활동(지출과 조세)을 제안하는, 재정건전성 강조 이론에 대한 대안적 시각이다. 1930년대 대공황의 해법을 체계화한 영국 경제학자 존 메이너드 케인스의 유효수요이론과 케인스를 계승한 포스트케인지언 경제학자들의 내생화폐이론 등에 영향을 받았다. 주권통화란 미국 달러화처럼 다른 나라의 통화나 귀금속과 고정된 비율로 교환해줄 의무가 없는 고유의 화폐단위로 발행된 통화를 일컫는다.

MMT는 주권통화를 가진 정부의 재정지출은 조세 수입에 의존하지 않으며 발권으로 재원이 조달되고 있음을 주장한다. 기후변화와 불평등이 초래한 위기적 현실 앞에서 MMT는 전환적 재정지출을 옹호하고 재정건전성에 함몰된 인식을 비판하는 새로운 시야를 제공함으로써 최근 세계적인 각광을 받고 있다.[116]

<균형재정론은 틀렸다>는 엠엠티가 진보 정치인들을 끌어당긴 이유를 비교적 쉽고 자세하게 풀어놓는다. 전통적으로 진보 정치인들은 큰 정부, 과감한 정부지출, 공공 서비스 확대를 강조해왔다. 그러나 이런 구상은 번번이 '정부 부채나 재정 적자를 늘려 국가 경제를 불안케 한다' 거나 '시장에 과도한 통화를 공급해 물가 급등을 초래한다' 는 반박에 힘을 얻지 못했다. 엠엠티는 이런 반박이 얼마나 허구적인지를 짚으며, 오히려 균형재정론이 때로는 국가 경제를 망가뜨리고 가장 어려운 계층의 삶을 피폐하게 만든다고 주장한다.

엠엠티 이론이 깨부수는 주류 담론의 핵심 명제는 '정부 지출은 세수를 넘어설 수 없다' 이다. 주류 경제학자나 정부는 물론 일반인들에게도 '진리' 로 널리 퍼져 있다. 정부도 수입(세수)을 넘어서 돈을 쓰게(지출) 되면, 가계나 기업 등 민간 부문과 마찬가지로 파산한다고 사람들은 믿으며, '피 같은 세금' 을 허투루 써서는 안 된다고 생각한다. 시민단체와 언론은 정부가 세금을 낭비하지 않는지에 관심을 쏟는다(한겨레, 2018. 1. 4, 김경락 기자).

79. 공유경제 위협하는 청소년 무면허 운전

최근 정부에서 발표한 한국판 뉴딜 2.0은 코로나19의 장기화에 따라 '비대면 인프라 고도화' 부문이 강화되었다. 비대면 트렌드가 첨단 스마트 기술의 산업 경쟁력을 좌우하는 중요한 열쇠가 되고 있는 가운데 우리의 일상은 급변하고 있다.

이런 시대적 변화를 예측이라도 한 듯 조기에 온라인 플랫폼을 구축하고 비대면 방식의 경제활동이 활발하게 이루어지고 있는 분야가 있다. 바로 카셰어링이다. 최근 국내 카셰어링 점유율이 가장 높은 한 기업은 가입회원이 약 700만명에 이른다고 밝혔다. 우리나라 전체 운전면허 소지자 수가 3300만명인 점을 고려하면 약 5명 중 1명 수준으로 카셰어링을 이용한다는 얘기다.

뿐만 아니라 카셰어링 가입률이 연평균 66%로 비약적으로 성장하며 동기간 자동차 등록대수 증가율(3%)을 크게 앞지르고 있다. 그만큼 차량공유 서비스는 국민들에게 유용하고 각광받는 서비스임에 틀림없다.

그러나 편리하고 트렌디한 비대면 경제의 이면에는 간과해서는 안 될 문제점이 나타나고 있다. 2019년 5월에 남해고속도로를 시속 180㎞로 질주하다 경찰에 단속된 운전자와 동승자는 앳된 얼굴의 16세 고교생들이었다. 온라인 플랫폼에서 아버지의 면허를 이용해 차를 빌린 것으로 드러났다. 같은 해 3월에는 동네 아는 형 명의로 카셰어링을 이용한 10대 청소년 5명이 강릉에서 운전미숙으로 바다에 추락하여 전원이 사망했다. 지난해 무면허로 다른 사람의 명의를 이용해서 차를 빌려 운전하다 발생한 교통사고 사망자 8명 중 6명은 10대였다.

카셰어링을 포함한 렌터카는 최근 3년간 무면허 교통사고가 연평균 380건이 발생했고, 이는 매년 4.4% 증가하고 있다. 이 중 20세 이하 운전자로 인한 사고 비율은 38%, 사망자는 60%를 각각 차지한다. 게다가 이들의 음주운전 치사율은 전 연령대 평균 치사율보다 약 5배 높은 6.0%로 매우 치명적이다. 이렇게 치사율이 높은 이유는 운전이 미숙하여 도로에서 발생하는 돌발상황에 대한 대처능력이 떨어지고, 유흥을 위한 목적으로 렌터카를 이용해 집단적으로 이동하기 때문이다. 따라서 이들의 음주운전은 다수의 사상자가 발생하는 대형사고로 이어지기 쉽다.

이렇듯 직접 대면을 통해 확인하지 않는 온라인 거래의 허점을 악용하는 청소년 범죄로 인해 안타까운 생명이 반복적으로 희생되고 있다. 최근에는 메타버스와 같은 가상세계를 통해 청소년의 사회활동과 경제적 거래까지 이루어지고 있다. 제도적 법규 또는 사회적 통념상 허락되지 않는 일들이 온라인에서는 가능한 점을 이용해 범죄로 이어지는 것이다. 청소년임을 알면서도 차량을 대여해주는 이른바 '카셰어링 브로커'까지 등장해 범죄를 부추긴다. 이러한 정보는 청소년들이 쉽게 이용하는 사회관계망서비스(SNS)와 텔레그램 메신저 등에서 접근할 수 있고 결과적으로 무고한 시민을 다치거나 죽게 하는 교통사고로 이어진다.

무면허 운전자의 불법 대여를 막기 위해 지난 3월에 개정된 여객자동차운수사업법은 명의대여를 금지하고 있으며, 운전자확인의무를 위반하여 불법대여 행위를 한 업체에 부과하는 과태료를 기존 50만원에서 500만원까지 상향하도록 강화했다. 하지만 온라인 플랫폼상에서 활개를 치고 있는 청소년들의 불법 명의도용 행위를 막기 위해서는 보다 현실적인 대안 마련이 필요하다.

이러한 온라인 거래상의 범죄는 면허정보 관리를 통한 운전자 자동식별 및 음주여부에 따라 시동이 제어되는 첨단 시스템 부착으로 해결이 가능하다. 그러나 이를 위해서는 일반 카셰어링 이용자들이 인상될 수 있는 대여요금을 감수해야 하며, 운전자 식별을 위한 개인정보 활용을 위한 사회적 합의 및 정보보안을 위한 막대한 제반비용 소요라는 우리 사회의 숙제까지 등장한다.

도용된 누군가의 이름으로 온라인 플랫폼을 한껏 즐기며 누비고 있는 10대들이 저지른 범죄는 청소년이라는 이유로 형벌이 가볍다. 반면에 피해자 가족의 아픔과 사회적 문제의 무게는 한없이 무겁다. 이는 단순히 카셰어링 서비스에서 해결해야만 할 문제가 아니다. 카셰어링은 시장경제의 원리에 기반하여 사회적으로 공동의 이익을 추구하는 공유경제의 개념으로 시작되었다.

공익을 누리고자 했던 우리의 경제는 또다시 공익을 위해 이러한 문제를 공유하고 고민해야 한다. 더 이상 젊은이들이 플랫폼이라는 보이지 않는 온라인 세상을 이용해 현실에서 끔찍한 대형사고를 일으킨 뉴스를 접하지 않길 바란다.[117][118]

80. 커지는 대출난민 우려, 서민 실수요자 부담 줄일 방안 찾아야

시중은행에 이어 인터넷전문은행과 제2금융권에서도 잇따라 대출 조이기에 나서고 있다. 인터넷은행 케이뱅크는 지난 2일부터 일반 신용대출과 마이너스통장 대출 최대 한도를 각각 1억원씩 축소했다. 앞서 카카오뱅크는 연말까지 마이너스 통장 신규대출을 중단키로 했다. 대부분 시중은행은 신용대출 한도 축소와 함께 대출금리도 한 달 새 0.4%포인트 가까이 올렸다. 금융당국은 은행뿐 아니라 저축은행과 카드사, 상호금융 등에도 가계대출 관리 강화를 요구하고 있다. 보험사가 해약환급금 범위에서 대출하는 보험약관대출 금리도 최근 오름세를 보이고 있다. 금융회사에서 돈 빌리기가 점점 더 어려워지면서 이른바 대출 절벽 우려가 현실화하고 있는 것이다.

한국의 가계부채는 지난 6월 말 기준 1805조9000억원이다. 1년 새 10.3% 급증했다. 같은 기간 가계소득은 0.7% 줄었다. 소득감소 와중에 늘어난 부채는 상당 부분 주택과 주식, 가상통화 등 자산에 대한 투자에 쓰인 것으로 추정된다. 빠른 속도로 불어난 부채는 실물 성장과 무관하게 자산가격 거품을 초래했다. 시한폭탄과 같은 거품을 선제적으로 제거하는 게 옳다. 가계대출 증가율을 올해 6%대에 이어 내년에는 4%대로 낮춰 관리하기로 한 정부 결정은 적절하다. 실물경제 성장을 저해할 지경까지 가계부채가 팽창했으니 위험을 낮추는 조치가 필요하다.

금융당국은 이달 중순쯤 고강도 가계부채 관리대책을 내놓겠다고 예고한 바 있다. 총부채원리금상환비율(DSR) 규제 강화, 전세대출 규제 등을 종합적으로 고려할 것으로 알려졌다. 지난 8월 기준금리를 인상했던 한국은행 금융통화위원회는 오는 12일 또는 다음달 추가 금리 인상에 나설 것으로 보인다.

그렇게 되면 금리는 오르고 대출받기는 까다로워진다. 영세 자영업자나 저소득층은 당장 만기를 앞둔 대출 연장을 걱정해야 한다. 전셋값이 급등해 대출로 전세자금을 마련해야 하는 세입자로서는 전세대출 규제 강화가 큰 부담이 될 수밖에 없다. 은행권에서 대출을 거절당해 금리가 더 높은 제2금융권을 찾거나 대부업체, 불법 사금융을 전전하는 상황이 생길 수도 있다. 정부는 금융약자가 대출난민으로 전락하지 않도록 보호해야 한다. 획일적 규제만 할 것이 아니라 실수요자의 대출이 막히지 않도록 취약계층 등을 배려하는 정밀한 대책이 필요하다.[119]

81. 자영업자에게 폐업이란 것

때로는 희망을 갖는 게 독이 되기도 한다. 미국과 베트남이 전쟁을 벌일 때의 일이다. 전황은 베트남의 승리로 기울었고 미국은 서둘러 베트남을 떠났다. 많은 미군이 포로로 남았다. 포로들은 석방 협상으로 곧 자신들이 풀려날 것으로 기대했다. 그러나 부활절이 지나고 추수감사절, 크리스마스가 됐지만 진전은 없었다. 희망을 품었던 포로들은 더 큰 좌절에 빠졌다. 그들은 희망에 지쳐 죽어갔다. 미군 장교 제임스 스톡데일은 7년을 버티며 살아남았다. 헛된 희망을 포기하고 냉정한 현실을 받아들였기 때문이다. 이를 스톡데일 패러독스라고 한다. 되지도 않는 희망을 불어넣은 것은 고문이나 다름없다.

코로나19 팬데믹으로 인한 물리적(사회적) 거리 두기가 지속되고 있다. 지난해 3월 시작해 연장 또 연장이다. 그때마다 '이번이 가장 중요한 시기' 라고 했다. 이번만 버티면 상황이 나아질 것이라는 희망을 불어넣었다. 상황은 나아지지 않았고 규제는 강해졌다. 거리 두기 규제는 일반 직장인에게는 '불편함의 감수' 에 그치지만 자영업자나 소상공인들에게는 '생계의 위협' 이다.

자영업자들의 불만이 쌓여갔지만 정부 대책은 제자리를 맴돌 뿐이었다. 정부의 난맥상은 지난 7월에 그대로 드러났다. 정부는 거리 두기 체계를 바꾸면서 "감염 상황에 따른 사회적 거리 두기 단계 조정으로 외국과 달리 전면봉쇄 없이 효과적으로 유행을 차단했다" 고 자랑했다. 그러면서 자영업자·소상공인의 규제를 최소화하겠다고 했다. 그러나 바로 다음주 "대유행이 확산되었다" 며 거리 두기 단계를 가장 높은 4단계로 올렸다. '2주간의 짧고 굵은' 규제를 말했으나 '길고 굵은' 방역이 지속되고 있다.

"차라리 기대가 없으면 손해가 늘어나기 전에 장사를 접었을 것이다. 그런데 '곧 좋아지겠지' 하는 생각에 가게 문을 닫지 못하고 손실을 감수했다." 그 결과는 잔뜩 늘어난 빚이다. 월세가 밀리다 보니 보증금으로 충당했고 이도 모자라 집을 담보로 돈을 빌렸다. 처음에는 은행권에서 빌렸으나 한도가 차자 보험이나 증권사, 이어 캐피털이나 사채시장에 손을 벌렸다. 올해 1분기 자영업자의 대출 잔액은 832조원으로 전년 1분기보다 132조원 증가했고 새로 빚을 낸 자영업자도 50만명에 달한다.

모르는 사람들은 '장사를 그만두면 될 것 아니냐' 고 말한다. 그러나 이미 상당수 자영업자는 폐업할 수준을 넘어섰다. 폐업도 아무나 하는 것이 아니다. 폐업을 하게 되면 금융권 부채를 한꺼번에 갚아야 한다. 사업자대출을 받았기 때문에 사업장을 닫으면 채무도 상환해야 한다. 사업장을 인수하면서 냈던 권리금이 사라진다. 그리고 망해서 나가는데 원상복구비마저 내야 한다. 가장 두려운 것은 '재기의 불씨'가 꺼진다는 사실이다. 일단 버티면 코로나19 이후에 복구할 기회라도 있는데 사업을 접으면 미래가 송두리째 날아가는 것이다.

정부는 자영업자들에게 지난 7월의 4단계 거리 두기 이후 발생한 손실의 80%까지 보상해주겠다고 발표했다. 자영업자들은 코로나19로 장기간 피해를 입었다. 정부의 대책은 팬데믹에 따른 영업제한으로 인한 피해에는 턱없이 부족하다. 미국, 프랑스, 독일, 캐나다, 일본 등은 지난 20개월간 손실보상과 소득보장을 위해 1억~2억원씩 지급했다.

이런 미흡한 손실보상에도 불구하고 재원이 부족하다고 한다. 적어도 2조~3조원이 필요하지만 현재 정부의 재원은 1조원이다. 이 지점에서 지난 9월 전 국민 재난지원금 지급을 소급하지 않을 수 없다. 정부는 11조원을 투입해 전 국민의 약 88%에 지급했다. 직접 피해를 본 자영업자나 소상공인들에게 집중 투입돼야 할 돈이 추석을 앞두고 민심 달래기에 쓰였다. 코로나19 피해자들에 대한 '넓고 두꺼운 보상'은 말뿐이었다. 혈세가 포퓰리즘으로 신기루처럼 날아갔다. 불 끄는데 써야 할 소방수가 관상용 잔디밭 뿌리는 데 다 사용된 것이다.

자영업자들은 최저임금의 급격한 인상으로 타격을 입은 데 이어 코로나19로 결정타를 얻어맞았다. 한 감염병 전문가는 "정부가 코로나19 초기 대응 성공에 도취해 정작 중요한 대응에 실패했다"고 말했다. 정치적 목적을 위해 코로나19를 이용한다는 말도 나온다. 코로나19로 자영업자 20여명이 극단적 선택을 했다. 희망고문은 좌절로 끝나고 있다. 대책도 분명해 보이지 않는다. 각자도생하라는 것 같다. 국민이 국가에 묻는다. "도대체 당신의 계획은 무엇입니까."[120)121)]

82. 기본소득 논쟁, 노벨 경제학상 수상자들로부터 배워야 할 것

한동안 노벨 경제학상 수상자인 아비지트 배너지(Abhijit Banerjee) 교수의 기본소득에 대한 입장에 대하여 논란이 있었다. 대가의 입장을 한 줄로 요약하는 것은 무리가 있지만, 그는 발전도상국에서의 기본소득에 대해서는 적극 지지하지만, 선진국에서의 기본소득에 대해서는 유보적인 입장이라고 볼 수 있다. 선진국은 가난한 사람을 선별할 수 있는 행정 능력이 있다는 것, 자영업자의 비중이 낮다는 것 등이 그 이유이다.

선진국에서의 기본소득을 지지하는 노벨경제학상 수상자들은 훨씬 많이 있다. 2021년 열린 경기도 기본소득 국제 컨퍼런스에서 노벨경제학상 수상자인 스티글리츠(Joseph Stiglitz)는 경기도에서 실시한 재난기본소득에 대하여 극찬을 하였다. "소멸성 지역화폐 카드로 지급되는 경기도의 프로그램은 제대로 설계된 프로그램이라고 할 수 있다. 미국에도 이런 프로그램이 있으면 좋겠다."

코로나 재난이 닥쳤을 때 미국은 부자를 포함해서 거의 모두에게 재난지원금을 지급하였다. 행정 능력이 있는 선진국이지만 배너지의 의견과 다른 선택을 한 것이다. 40년 가까이 기본소득을 받고 있는 미국 알래스카 주민들은 기본소득을 없애려는 몇 차례의 주민투표를 모두 부결시켰다. 선진국 주민들이 기본소득이 필요하다고 인식하고 있다는 것을 보여주는 대표적인 사례이다.

가. 새뮤얼슨과 솔로우의 기본소득 촉구

거슬러 올라가 보면, 제1회 노벨 경제학상 수상자인 얀 틴버겐(Jan Tinbergen)은 네덜란드 노동당에서 기본소득 운동에 헌신하였다. 폴 새뮤얼슨(Paul Samuelson)과 제임스 토빈(James Tobin)은 1968년 보장소득(기본소득 또는 음소득세)의 도입을 촉구하는 경제학자 1,200명의 성명서 발표를 주도하였다. 음소득세(negative income tax)는 밀턴 프리드먼(Milton Friedman)이 제안한 정책이다. 제임스 토빈은 정치에 직접 참여하여 민주당 대통령 후보의 기본소득 공약을 만들기까지 했다.

케인즈의 제자인 제임스 미드(James Meade)는 기본소득 네트워크를 창립하여 현대 기본소득 운동의 기초를 놓았다. 인공지능 교과서에 인공지능의 아버지로 소개되는 허버트 사이먼(Herbert Simon)은 가장 급진적인 주장을 하였다.

그는 모든 소득은 지식이라는 공유부를 활용해서 만들어지는 것이므로, 70%의 세율로 과세해서 그 중 절반(35%)을 기본소득으로 지급하자고 제안하였다. 거시경제학 교과서에 빠짐없이 소개되는 로버트 솔로우(Robert Solow)는 노동유인이 작고 포착률이 낮은 선별소득보장 대신 과세대상이 되는 기본소득의 지급을 제안하였다.

나. 뷰캐넌, 기본소득으로 조세 저항 극복

우리나라는 이미 경제적으로 선진국이고, 코로나 대응에서 보았듯이 행정 능력이 뛰어난 나라이다. 그러나 복지 측면에서 보면, 복지비 지출 비중이 OECD 최하위권에 속하는 복지 개도국이다. 자살률과 노인빈곤률 지표를 보면 복지 후진국이라고 불리는 것이 마땅하다. 우리는 하루빨리 복지 선진국이 되어야 한다.

우리나라가 경제 선진국이면서도 복지 선진국이 되지 못한 데에는 중대한 이유가 있다. 그것은 우리가 낮은 신뢰 - 낮은 조세 - 낮은 복지라는 악순환에 빠져 있기 때문이다.

우리 국민들은 정부에 대한 신뢰가 아주 낮다. 자기 세금이 올바른 데 쓰이고 있다고 믿지 않는다. 그러니까 세금을 많이 내는 것을 싫어한다. 세금을 적게 걷다보니 국민들이 체감할 만한 수준으로 복지를 확대할 수 없다.

기본소득은 이 악순환의 고리를 끊는 수단이 될 수 있다. 공공경제학 분야 노벨 경제학상 수상자인 제임스 뷰캐넌(James Buchanan)은 정률(비례세)로 걷어서 정액으로 지급하는 기본소득(demogrant)이 미국 헌법의 이념인 일반 복지(general welfare)에 잘 들어맞는 제도라고 주장하였다. 그는 일반성 있는 기본소득을 위하여 큰 액수의 세금을 걷는 것이 일반성 없는 복지를 위하여 작은 세금을 걷는 것보다 훨씬 용이하다고 주장하였다. "시민들은 일반 복지를 증진시키는 프로그램에 재정을 뒷받침하기 위해 부과되는 높은 세율의 강제적인 조세를 참아 낼 수 있다. … 그러나 시민들은 변화하는 정치 연합이 자신의 권한을 사용하여 특정한 집단의 특혜적인 편익을 위해 다른 집단을 착취하는 것을 보면 복지 국가에 대한 지지를 매우 빨리 철회할 것이다." (뷰캐넌, "민주주의가 일반 복지를 증진시킬 수 있을 것인가?")

뷰캐넌의 이런 통찰은 우리나라의 경험에서도 확인할 수 있다. 1차 재난지원금이 지급되었을 때 시민들의 43%는 "내 세금이 제대로 쓰인다고 믿게 되었다" 고 응답했다. 세금 관련 신뢰도 질문에서 좀처럼 일어나기 힘든 일이 일어난 것이다. (한겨레 21, 2020. 6. 12)

경기도에서는 기본소득이 과연 낮은 신뢰 - 낮은 조세 - 낮은 복지의 악순환 고리를 끊는 수단이 될 수 있을지 2차례에 걸쳐서 숙의 토론(공론화 조사)을 실시한 적이 있다. 숙의 토론을 거치고 나니 기본소득 목적 소득세에 대해서는 찬성률이 43% → 64%, 토지세에 대해서는 39%→ 67%, 탄소세에 대해서는 58% → 82%로 늘어났다. 합리적 토론과 숙의를 거치면 기본소득 목적 과세가 가능하다는 것을 보여주는 결과였다.

다. 루카스와 사전트, 당신들마저도

노벨 경제학상 수상자 중에서 가장 보수적인 입장이라고 할 수 있는 루카스(Robert Lucas)와 사전트(Thomas Sargent)까지도 기본소득을 도입을 촉구했다면 믿을 수 있을까?

2019년 1월, 28명의 노벨 경제학상 수상자, 15명의 대통령 경제자문위원회 전임 의장, 4명의 연방준비위원회 전임 의장은 3,589명의 경제학자들의 서명을 받아, 탄소배당(carbon dividend)을 촉구하는 경제학자들의 성명서를 발표하였다. 성명서의 내용은 탄소중립과 관련된 복잡한 논쟁과 수많은 논문을 종합하는 의미가 있으므로 잘 새겨들을 필요가 있다(성명서 전체와 발기인 명단은 부록으로 첨부).

성명서 첫번째 조항은 탄소세의 효율성과 필요성에 관한 것이다. "탄소세는 필요한 규모와 속도로 탄소 배출량을 줄이기 위한 가장 비용효율적인 수단이다. 잘 알려진 시장실패를 시정함으로써, 탄소세는 저탄소 미래를 향해 경제 행위자를 조종하기 위해 시장의 보이지 않는 손을 이용하는 강력한 가격 신호를 보낼 것이다." 탄소세 없이 탄소중립을 달성할 수 있다고 믿는 사람들은 진지하게 재고해야 할 것이다.

탄소세가 필요하다고 생각하면서도 정치적 저항 때문에 도입하기를 꺼리는 사람이 있다면 다섯번째 조항에 주목해야 한다. "상승하는 탄소세의 공정성과 정치적 존속가능성을 극대화하기 위해 모든 수입은 동일한 금액으로 모든 미국 시민에게 직접 되돌려주어야 한다. 가장 취약한 사람들을 포함한 대부분의 미국 가정은 에너지 가격 상승으로 지급하는 것보다 탄소 배당을 더 많이 받음으로써 재정적으로 이익을 얻을 것이다."

탄소세의 정치적 저항은 탄소세 수입 전체를 기본소득으로 되돌려줌으로써 극복할 수 있다. 탄소세와 탄소기본소득을 결합하면, 탄소중립도 달성하고 정치적 지지도 잃지 않을 수 있다. 대부분의 시민들은 탄소 가격 상승보다 더 많은 금액의 탄소배당을 받음으로써 재정적으로 이익을 얻게 된다.

라. 노벨 경제학상 수상자들에게 배워야 할 것

탄소세는 탄소를 많이 배출하는 행위를 교정하기 위한 교정과세이다. 탄소중립이 목표이고 탄소세라는 교정과세는 그 수단이다. 기본소득은 교정과세의 정치적 저항을 극복하는 보조수단이다.

똑같은 방법이 부동산 문제 해결에도 적용될 수 있다. 부동산 투기를 억제하고 부동산 불로소득을 환수하고 부동산 가격을 하향 안정화시키는 데 가장 효율적인 수단은 토지보유세이다. 그러나 토지보유세는 정치적 저항이 크다. 이 때 토지 보유세 수입 전체를 토지배당으로 나누어 주면 대부분의 가구가 토지보유세를 내는 것보다 받는 것이 많아지기 때문에 정치적 저항이 줄어든다.

부동산 불평등 축소가 정책 목표이고, 토지 보유세라는 교정과세는 목표를 달성하는 수단이다. 기본소득은 교정과세의 정치적 저항을 극복하는 보조수단이다. 교정과세와 기본소득을 묶음으로써 경제개혁 목표를 달성하게 되는 것이다. 바로 이것이 기본소득 논쟁에서 노벨경제학상 수상자들에게 배워야 할 것이다.

죽음에 이르는 병을 치료할 수 있는 약이 있는데, 약에 독성이 있어서 약을 쓰면 병은 낫지만 약의 독성 때문에 죽게 된다고 가정해 보자. 실력 없는 의사는 환자에게 병으로 죽을 건지 약으로 죽을 건지 선택하라고 할 것이다. 실력 있는 의사라면 약의 독성을 중화시키는 또 다른 약을 찾아내서 두 약을 한꺼번에 처방할 것이다.

부동산 투기라는 병이 있을 때 병을 방치하면 경제가 망하고 보유세라는 약을 처방해면 정치가 망한다고 가정해 보자. 경제를 망하게 할지 정치를 망하게 할지 고민하는 정치 세력은 무능한 정치 세력이다. 보유세와 토지 기본소득이라는 두 가지 약을 함께 써서 경제도 살리고 정치도 살리는 것이 유능한 정치 세력이다.

마. 야당에 거는 기대

최근 여당의 이재명 지사에 이어서 야당에서도 기본소득을 제1정책으로 정하고, 오세훈 시장이 안심소득을, 유승민 의원이 공정소득을 공약으로 내걸어서 기대를 갖게 하고 있다. 백지장도 맞들면 낫다. 그리고 공정성 차원에서 기본소득을 지지하는 이준석 대표가 선출되어 새로운 바람을 일으키고 있다.

다만 이준석 대표가 이재명 지사의 기본소득형 토지세와 기본소득형 탄소세에 대해서는 반대한다는 입장을 보여서 매우 유감이다. 기본소득형 토지세와 기본소득형 탄소세는 단순한 소득보장이 목표가 아니다. 경제개혁이 주된 목표이다. 지구를 살리는 것이 목표이다. 그리고 지구를 살리는 것이 우리를 살리는 일이다.

해적질이 수익성이 가장 높은 나라에서는 가장 뛰어난 인재가 해적이 된다. 부동산 투기를 막지 못하면 인재가 투기꾼이 되어 우리 경제는 쇠퇴할 수밖에 없다. 탄소중립을 달성하지 못하면 우리 후손 세대의 상당수는 기대 수명을 채울 수 없게 된다. 탄소국경세가 곧 도입될 가능성이 큰데 우리 기업은 수출길도 막히게 된다. 두 가지 경제 개혁 모두 교정과세가 가장 효율적인 수단이다. 이준석 대표가 교정과세와 기본소득을 결합시키면 시대적 과제를 해결할 수 있다는 노벨경제학상 수상자들의 성명서를 다시 한번 읽고 생각을 바꾼다면 우리 나라의 미래가 무척 밝아질 것이다.

부록: 경제학자들의 탄소배당(Carbon Dividends)에 관한 성명

지구 기후변화는 즉각적인 국가 행동을 요구하는 심각한 문제이다. 건전한 경제 원칙에 따라 우리는 다음과 같은 정책 권고안에 동참한다.

I. 탄소세는 필요한 규모와 속도로 탄소 배출량을 줄이기 위한 가장 비용효율적인 수단이다. 잘 알려진 시장실패를 시정함으로써, 탄소세는 저탄소 미래를 향해 경제 행위자를 조종하기 위해 시장의 보이지 않는 손을 이용하는 강력한 가격 신호를 보낼 것이다.

II. 탄소세는 배출 감축 목표가 충족될 때까지 매년 증가해야 하며, 정부의 규모에 대한 논란을 피하기 위해 수입에 중립적이어야 한다. 탄소 가격이 지속적으로 상승하면 기술 혁신과 대규모 기반 시설 개발이 촉진될 것이다. 또한 탄소효율적인 제품 및 서비스의 확산을 가속화할 것이다.

III. 충분히 견고하고 점진적으로 증가하는 탄소세는 덜 효율적인 다양한 탄소 규제에 대한 필요성을 대체할 것이다. 성가신 규제를 가격신호로 대체함으로써 경제성장을 촉진하고 기업이 청정 에너지 대안에 장기 투자를 하기 위해서 필요한 규제 확신을 제공할 것이다.

Ⅳ. 탄소 누출을 방지하고 미국의 경쟁력을 보호하기 위해 국경 탄소 조정 시스템을 구축해야 한다. 이 시스템은 글로벌 경쟁사보다 더 에너지 효율적 미국 기업의 경쟁력을 향상시킨다. 또한 다른 국가들도 비슷한 탄소 가격 정책을 채택할 수 있는 인센티브를 창출할 것이다.

Ⅴ. 상승하는 탄소세의 공정성과 정치적 존속가능성을 극대화하기 위해 모든 수입은 동일한 금액으로 모든 미국 시민에게 직접 되돌려주어야 한다. 가장 취약한 사람들을 포함한 대부분의 미국 가정은 에너지 가격 상승으로 지급하는 것보다 "탄소 배당" 을 더 많이 받음으로써 재정적으로 이익을 얻을 것이다.

초기 서명자들의 명단은 다음과 같다.

George Akerlof(Nobel Laureate Economist), Robert Aumann(Nobel Laureate Economist), Martin Baily(Former Chair, CEA), Ben Bernanke(Former Chair, Federal Reserve), Former Chair, CEA), Michael Boskin(Former Chair, CEA), Angus Deaton(Nobel Laureate Economist), Peter Diamond(Nobel Laureate Economist), Robert Engle(Nobel Laureate Economist), Eugene Fama(Nobel Laureate Economist), Martin Feldstein(Former Chair, CEA), Jason Furman(Former Chair, CEA), Austan Goolsbee(Former Chair, CEA), Alan Greenspan(Former Chair, Federal Reserve), Former Chair, CEA), Lars Peter Hansen(Nobel Laureate Economist), Oliver Hart(Nobel Laureate Economist), Bengt Holmström(Nobel Laureate Economist), Glenn Hubbard(Former Chair, CEA), Daniel Kahneman(Nobel Laureate Economist), Alan Krueger(Former Chair, CEA), Finn Kydland(Nobel Laureate Economist), Edward Lazear(Former Chair, CEA), Robert Lucas(Nobel Laureate Economist), N. Gregory Mankiw(Former Chair, CEA), Eric Maskin(Nobel Laureate Economist), Daniel McFadden(Nobel Laureate Economist), Robert Merton(Nobel Laureate Economist), Roger Myerson(Nobel Laureate Economist), Edmund Phelps(Nobel Laureate Economist), Christina Romer(Former Chair, CEA), Harvey Rosen(Former Chair, CEA), Alvin Roth(Nobel Laureate Economist), Thomas Sargent(Nobel Laureate Economist), Myron Scholes(Nobel Laureate Economist), Amartya Sen(Nobel Laureate Economist), William Sharpe(Nobel Laureate Economist), Robert Shiller(Nobel Laureate Economist), George Shultz(Former Treasury Secretary(Christopher Sims(Nobel Laureate Economist), Robert Solow(Nobel Laureate Economist), Michael Spence(Nobel Laureate Economist), Lawrence Summers(Former Treasury Secretary), Richard Thaler(Nobel Laureate Economist), Laura Tyson(Former Chair, CEA), Paul Volcker(Former Chair, Federal Reserve), Janet Yellen(Former Chair, Federal Reserve. Former Chair, CEA).[122][123]

83. 구조적 담합과 부패

카르텔은 같은 업종의 기업들이 가격 결정 혹은 생산량 결정과 같은 공동행위를 통해 독점 이익을 획득하려고 할 때 형성된다. 독점 가격을 책정하거나 공급량을 제한하는 공동행위는 카르텔에는 이익이 되지만 소비자나 다른 기업에 더 큰 손해를 입혀 사회적으로는 해악을 끼친다. 카르텔은 담합의 일종이다. 담합의 통상적 의미는 여러 사람이 '부당한' 수익을 목적으로 협력하는 것을 말한다. 공정거래법에서 부당성의 기준은 경쟁제한과 효율성이다. 담합으로 공동행위자들 간의 경쟁 혹은 다른 시장 참여자들과의 경쟁이 제한되면 공동행위자들의 이익은 커지지만, 시장의 총잉여는 감소하여 비효율성이 발생한다.

공권력을 필요로 하는 시장에서 권력기관의 전·현직 관료들이 '뭉치면' 재화(권력)의 독점 공급자의 지위를 얻을 수 있다. 검찰카르텔, 사법카르텔, 토건카르텔 등의 표현은 단순한 수사가 아니라 학술적으로 적법한 표현이다. 공권력은 만인에게 공평하게 행사돼야 하니 사적으로 거래돼서는 안 된다. 따라서 공권력 시장은 마땅히 불법 암시장이 돼야 하지만 현실은 그렇지 않다. 고위직 검사로 퇴임한 전관 변호사가 한 사건에서 10억원의 수임료를 받고 한 해 100억원에 가까운 소득을 버는 것은 별일 아닌 것이 됐다. 지금 온 나라를 시끄럽게 하는 대장동 토건비리 사건에서도 검찰 출신 의원의 아들이 받은 50억원을 푼돈같이 취급한다. 전관이 파는 것이 뭐길래 그렇게 비쌀까? 바로 공권력이다. 이런 몰상식한 관행이 상식이 돼버렸다.

공정거래법이 규제하는 담합이나 카르텔에는 검찰, 사법, 토건 등 이른바 권력기관 엘리트들의 카르텔은 포함되지 않는다. 공권력을 사고파는 시장은 존재하지만 그 시장을 인정하는 순간 합법은 불법이 되고 불법은 합법이 되는 자기모순에 빠지니 당연하다. 그래서 공권력 시장은 부패에 관한 법이 규제하지만 허술하기 짝이 없다. 게다가 검찰과 사법부를 아우르는 법조계가 힘을 합치면 법의 잣대는 고무줄이 된다. 부패가 부패를 낳는 악순환이 만들어지는 것이다. 금융카르텔의 금융사기 수입이 토건카르텔의 종잣돈이 되고, 토건비리의 거금이 법조카르텔의 종잣돈이 된다. 바로 대장동 토건비리에서 드러난 팩트다.

오랜 관행, 허술한 법과 제도, 시장과 권력의 편향적 구조 등의 영향 속에서 의식적으로든 무의식적으로든, 도덕적 책임을 느끼거나 느끼지 않거나, 소속 집단에 이익이 되는 공동행동들이 이루어진다. 이런 담합은 개인이 의도하지 않더라도 그 개인을 지배하는 사회구조에 기인하므로 구조적이다. 이런 구조적 담합이 우리 사회를 병들게 하고 있다. 검찰카르텔, 토건카르텔, 모피아, 관피아, 이런 조어들이 필요할 만큼 권력형 비리 사건·사고가 흔하게 일어난다. 한국이 아직도 다른 선진국들보다 부패한 사회라는 국제기구의 조사결과도 이런 구조적 담합이 만연하기 때문이다.

전직 대통령 두 사람이 중형으로 감옥에 갇힌 것도 바로 중대부패 때문이다. 수백만명의 국민들이 분노의 촛불을 들고 광장에 모일 수 있었기에 대통령의 '초' 중대부패를 처벌할 수 있었다. 그러나 사회 곳곳에서 공권력을 매매하는 중대부패는 아랑곳하지 않고 성업 중이다. 수억, 수십억원의 전관 수임료는 그 권력의 가격이고 부패로 겪는 국민 고통의 크기다. 권력형 부패사건이 발발하면 무엇을 탄핵해야 할지 정치는 국민을 오리무중으로 이끈다. 문제를 해결하기보다는 정치적으로 이용하는 것이 주 목적이다. 그래야 정치권력도 사고팔 수 있기 때문이다.

구조적 담합과 부패 척결이 우리 사회의 중대과제가 돼야 한다고 생각한다. 이를 위해 검찰, 사법 등 권력기관에 대한 개혁이 지속돼야 한다. 검사와 판사들에 대한 징계는 다른 공직자들과 비교할 때 터무니없이 허술하다. 권력기관의 인사제도에 대한 전면적인 개정이 필요하다. 아울러 강력한 독립 반부패기구를 만들어야 한다. 고위관료의 퇴임 후 취업활동과 소득에 보고 의무를 강화하고 이를 데이터베이스화하여 전관예우에 대한 상시적인 실태조사가 이루어지고 공개돼야 한다.

개발사업과 부동산투기, 금융투기 등 불로소득은 구조적 담합과 부패의 온상이다. 공공의 토지수용권이 동원된 개발사업의 이익을 공공이 최대한 환수할 수 있도록 개발이익환수법을 강화해야 한다. 토지는 공공이 소유하고 건물은 민간에 분양하는 토지임대부 주택공급을 대폭 확대하는 것도 부동산 투기과열을 막는 좋은 방법이 될 수 있다. 근본적으로는 헌법에 토지공개념 조항을 명시하여 부동산 투기와 불로소득에 보다 적극적으로 대처할 수 있는 길을 열어야 한다.[124)125)]

84. 단군 이래 최대규모 가계부채…충격 없는 브레이크 가능할까

한국 경제의 가장 큰 위험요소로 꼽히는 가계부채 문제가 벼랑 끝에서 시험대에 오른다. 금융위원회가 오는 26일 가계부채 관리 방안을 발표할 예정이고, 한국은행 기준금리 인상도 본격화할 것으로 전망된다. 대출 환경은 엄격해지고 금리 부담은 높아질 것이 확실시된다. 그간 경기회복세의 부침, 금리의 오르내림 속에서도 줄곧 늘기만 했던 가계부채가 '디레버리징(부채 축소)'의 길을 갈 수 있을지 주목된다.

전문가들은 이 과정에서 취약계층이 피해를 입지 않도록 지원이 병행돼야 하고, '빚투'(빚내서 투자)에 나선 청년세대의 신용위험이 자산가격 변동에 따라 확대되지 않도록 면밀히 살펴야 한다고 조언한다. 대출 규제의 사각지대를 없애는 정책이 나올 수 있을지도 관심이다.

가. 위기에도 늘어난 부채, 축소 첫걸음

20일 한은 통계를 보면 한국의 명목 국내총생산(GDP) 대비 가계부채 비율은 2008년 1분기 69.2%에서 올 1분기 104.7%까지 높아졌다. 가계가 지고 있는 빚이 나라 전체의 경제 규모를 웃돌고 있다는 뜻이다. 특히 한국은 금융위기를 겪으면서도 가계부채가 멈추지 않고 늘었다. 올 2분기 가계대출 규모는 1705조3000억원에 달한다. 지난해 코로나19 발생 이후 초저금리와 부동산, 주식 등 자산가격 급등이 맞물리면서 증가율은 더 가팔라졌다. 지난해 연간 가계부채 증가율은 9.2%, 올해 상반기에는 더 가팔라져 올 6월 말 가계부채는 전년 동기 대비 11.3% 증가했다.

이 같은 증가세를 억제해야 한다는 데에는 이견이 없다. 가계부채 증가가 누적될 경우, 원리금 상환 부담이 커지고 금융불균형이 쌓이면서 실물경제 전체에 악영향을 줄 수 있기 때문이다. 하준경 한양대 교수는 "미국이 곧 자산매입 축소(테이퍼링)에 나설 것으로 보이고 한국의 금리 인상도 불가피한데, 이렇게 되면 당장 변동금리 부담이 커지면서 문제가 생길 수 있다"면서 "한국은 거품이 꺼질 것이 두려우니까 계속해서 폭탄 돌리기처럼 빚을 키워왔는데 지금은 어떻게든 가계부채 증가 흐름에 제동을 걸어야 하는 시점"이라고 말했다.

그러나 한국은 지금까지 정책 대응을 통해 가계부채 총량을 축소해본 경험이 없다. 미국, 영국 등이 글로벌 금융위기 이후 규제를 강화해 부채 총량을 줄였던 것과 대조적이다.

미국의 경우 금융위기 이후 은행이 대출 심사를 강화하고, 가계 역시 상환능력에 맞춰 부채를 줄이면서 디레버리징이 급격히 진행됐다. 미국의 가처분소득 대비 가계부채 비율은 위기 이전인 2007년 3분기 134.4%로 최고치를 찍은 이후 2013년 1분기 111.6%까지 하락했다. 총부채원리금상환비율(DSR)도 같은 기간 20.9%에서 13.0%까지 떨어졌다.

금융위가 다음주 발표할 가계부채 관리 방안은 부채 총량 관리와 DSR 규제 강화 등이 골자가 될 것으로 보인다. 정중호 하나금융경영연구소장은 "그동안 고정금리 비율을 늘리고, 분할상환 의무를 강화하는 등 규제가 강화돼왔으나 이번처럼 당국에서 강력한 수단으로 가계부채 관리에 나서겠다고 예고한 적은 처음이라고 봐야 한다" 고 말했다.

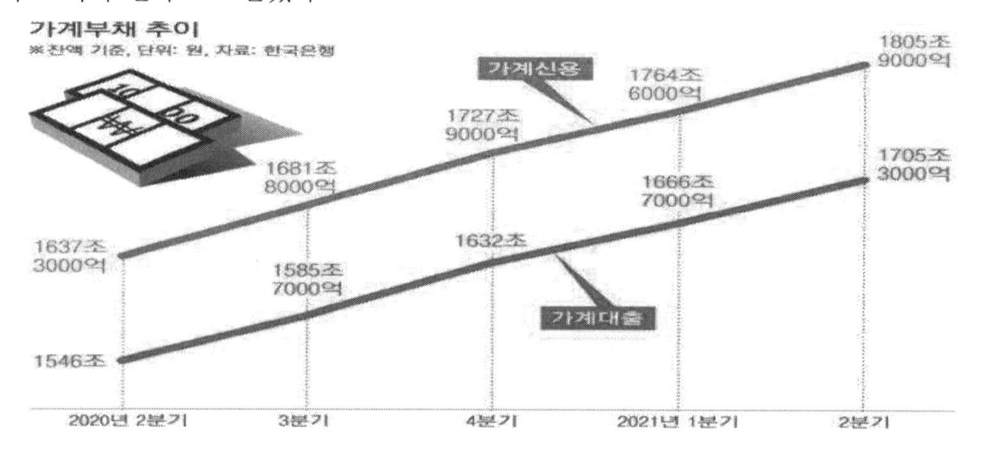

나. 소득은 제자리인데

가계부채의 절대 규모가 가파르게 늘어난 점도 문제지만, 가계소득이 제자리걸음인데 부채만 가파르게 늘었다는 점도 우려를 더하는 문제다. 가계부채 증가는 단기적으로는 가계소비 증가에 긍정적 영향을 미치지만, 현재 국내의 상황은 누적된 가계부채가 오히려 소비여력을 떨어뜨리고 금융불균형 문제를 심화시키고 있는 상태로 풀이된다.

지난해 가계의 소득대비 부채비율은 201%에 달한다. 그나마도 재난지원금 등 정부가 가계에 지원한 이전소득이 가계소득 증가의 상당부분을 차지했음을 감안하면 빚 부담은 더 무거워졌을 것으로 추산된다. 정화영 자본시장연구원 연구위원은 “이전소득 효과를 제외할 경우 소득 대비 가계부채 비율은 208%에 이르는 것으로 추정된다”면서 “가계부채 증가는 단기적으로 소비를 늘리는 효과가 있겠지만, 중기적인 시계에서는 오히려 소비를 위축시키는 영향이 큰 것으로 나타난다”고 지적했다.

특히 소득 하위 20%에 해당하는 1분위 계층의 소득 대비 대출이 다른 계층에 비해 가파르게 늘어난 점은 우려스럽다. 한은의 국정감사 자료를 보면 지난해 1분위의 처분가능소득은 1009만원으로 전년보다 5.3% 늘었고, 금융부채는 1182만원으로 19.9% 늘었다. 큰 타격을 받은 임시일용직, 대면서비스, 자영업자 등의 고용이 코로나19 사태 이전 수준을 회복하지 못하고 있는 점은 저소득계층의 소득 회복이 더딘 주요한 이유로 꼽힌다.

다. 전세대출은 정말 죄가 없나

당국이 강력한 가계부채 관리 의지를 밝히면서도 끝까지 고민했던 부분은 전세대출과 제2금융권에 대한 규제 강화 방안이다. 상대적으로 느슨한 규제를 놔둘 경우 풍선효과가 발생할 수 있기 때문에 실수요를 보호하면서도 대출 규제의 사각지대를 없애는 것이 중요하다는 지적이 나온다.

최근 대출절벽 사태를 겪으면서 문제가 됐던 전세자금대출의 경우 금융당국이 실수요가 대부분인 것으로 보고 총량 규제에서 제외하겠다고 밝혔다. 그러나 전세보증금 제도 자체가 일종의 ‘사금융’ 역할을 하는 게 사실이어서 현재의 보증부 대출 구조를 고쳐야 한다는 의견도 나온다. 집주인 입장에서는 세입자의 대출을 가지고 갭투자에 나서기 쉬웠던 게 사실이기 때문이다. 특히 전세대출 대부분이 금융회사가 책임을 지지 않고 주택도시보증공사, 주택금융신용보증기금 등에서 보증하는 형태여서 금융사의 리스크 관리가 상대적으로 취약하다는 지적이 나온다. 하준경 교수는 “보증부 전세대출은 주거 취약계층에 정책적 배려 차원에서만 엄격하게 적용하도록 하고, 무분별하게 전세대출에 대해 정부에서 보증하는 것은 문제가 있다”고 말했다.

대출 총량을 관리하면서도 대출절벽이 발생하지 않도록 세부적인 방안도 강구돼야 할 것으로 보인다. 줄을 세워서 한도 내에서는 대출을 다 내주고, 이후부터는 아예 대출을 받을 수 없게 돼 버리는 현재의 관행 때문에 최근의 혼란이 빚어졌기 때문이다.

라. 여전한 취약계층·'빚투' 청년세대

빚을 내기 어려워지고 이자 부담이 늘면 가계 고통은 커질 수밖에 없다. 가계부채 축소 과정에서 발생할 수 있는 문제점들에 대한 대비도 필요하다.

코로나19 충격을 가장 크게 받아 빚을 낼 수밖에 없었던 소상공인·자영업자의 경우 어려움이 더해질 수 있다. 코로나19 대응 차원에서 실시됐던 각종 금융지원 조치 종료가 다가오는 상황에서 이자까지 오르는 형국이 될 수 있어서다. 정중호 소장은 "대출 규제를 주체별로 달리하기가 어렵기 때문에 현재의 총량 규제는 불가피한 측면이 있다" 면서도 "이 과정에서 중소 자영업자를 비롯한 취약계층부터 피해를 보게 되기 때문에 별도의 지원책이 반드시 있어야 한다" 고 말했다.

지난해 자산투자 열풍이 불면서 '빚투' 에 나선 20~30대의 부채 급증 역시 취약한 고리로 꼽힌다. 아직 소득 기반이 탄탄하지 못한 젊은 계층이 주식, 부동산 투자에 대거 뛰어든 것이 통계로 확인되기 때문이다.

올 2분기 20~30대 가계부채는 전년 동기 대비 기준 12.8% 늘면서 나머지 연령층의 증가율(7.8%)을 크게 웃돌았다. 전체 가계부채에서 청년층이 차지하는 비중도 2분기에 26.9%로 지난해 동기(26.0%)보다 0.9%포인트 늘어났다. 지난해 4분기 주택담보대출의 연령별 증가율을 보면 20대(27.0%)와 30대(9.6%) 증가율이 전체 증가율 3.7%보다 월등히 높았다. 특히 금리 인상이 본격화하고 대외 악재가 불거지면서 자산시장의 변동성이 높아지고 있는 점도 불안요인이다. 하준경 교수는 "부채 축소 과정은 고통을 수반하겠지만 지금은 반드시 필요한 상황" 이라면서 "2030세대가 소득이 충분치 못한 상태에서 빚을 지게 되면서 결혼이나 출산에도 부정적 영향이 심화될 것" 이라고 말했다.[126)]

연령대별 주택담보대출 증가율 추이 단위: %, 자료: 한국은행

	전체	20대 이하	30대	40대	50대	60대 이상
2020년1분기	0.8	9.8	-1.0	-1.1	-2.2	10.5
2분기	1.9	8.9	2.8	1.4	-2.3	7.7
3분기	2.9	16.9	-0.2	3.0	0.4	8.4
4분기	3.7	27.0	9.6	-0.3	-2.9	12.3
2021년1분기	4.8	8.8	6.9	5.7	2.6	3.7

85. 국제결제은행이 본 빅테크

빅테크(big tech)는 구글, 애플 등 플랫폼을 주도하는 대형 정보기술(IT) 기업을 뜻한다. 미국에서는 보통 빅테크로 가장 크고 지배적인 아마존, 애플, 구글(알파벳), 메타(페이스북), 마이크로소프트 등 5개 기업을 꼽는다. 이들을 테크 자이언츠tech giants), 빅파이브(big 5)라고도 한다. 우리나라에서는 네이버와 카카오 등 온라인 플랫폼 제공 사업을 핵심으로 하다가 금융시장까지 진출한 업체를 지칭하는 말로 주로 쓰인다.[127]

국제결제은행(BIS)은 지난 10월6~7일 이틀에 걸쳐 '빅테크 규제'를 주제로 콘퍼런스를 개최했다. 빅테크 규제 방안 모색은 국내외를 막론하고 관련 기업 및 정책당국 모두에 가장 뜨거운 화두이자 활발하게 논의되고 있는 어젠다이기 때문에 콘퍼런스 자체가 새로운 일은 아니다. 다만 두 가지 점에서 주목할 만하다. 하나는 BIS가 개최했다는 사실이다. 잘 알려져 있듯이, BIS는 회원국 중앙은행의 통화 및 금융 안정 노력을 지원하는 걸 사명으로 하는 국제금융기구이다. 바젤협약으로 대표되는, 은행의 건전성 규제와 감독을 위한 국제표준을 제정하는 바젤위원회가 BIS 산하 조직이기도 하다.

간단히 말하자면, 금융회사, 특히 은행의 건전성 감독과 규제를 관장하는 BIS가 빅테크로 불리는 대형 플랫폼회사를 대상으로 하는 규제 방안을 논의했다는 점이다. 다른 하나는 금융시스템 안정이 아니라 경쟁 및 독과점 이슈에 대해 논의하는 자리였다는 점이다. BIS는 각국의 금융당국들이 입법화하거나 추진 중인 규제 방안들을 체계적으로 소개, 제안하고 있는데 그중에서 우리도 검토할 만한 몇 가지만 살펴보자.

첫째, BIS는 동일행위-동일규제 원칙을 강조함과 동시에 기업체 기반 규제의 보완적 도입을 제언하고 있다. 우리나라의 경우 전업주의 원칙에 입각한 업권별 규율체계를 가지고 있기 때문에 산업의 융복합화 내지 이업종 간 결합 현상에 대응하기 위해서는 행위 중심의 기능별 규율체계, 즉 동일행위-동일규제를 도입하는 게 필요하다. 그런데 BIS는 이러한 기능별 규제만으로는 빅테크에 일률적으로 적용하기 어려울 수 있으며, 제대로 작동하지 않을 우려가 있다고 본다.

그래서 소위 문지기(gatekeeper)로서 시장 경쟁을 저해하거나 소비자와 경쟁자들을 차별할 수 있는 대형 플랫폼 사업자에 대해서는 별도의 사전적인 기업체 기반(entity-base) 규제가 필요하다고 주장한다. 금융산업에서 시스템적으로 중요한 금융회사나 금융복합기업집단을 지정해 별도의 규제를 적용하는 방식이 대표적인 예가 될 터이다. 사실 미국의 반독점패키지법이나 유럽연합(EU)의 디지털시장법, 중국의 플랫폼 경제 분야 반독점지침 등은 이미 이러한 내용을 포함하고 있다.

둘째, BIS는 데이터 보호 및 공유의 중요성과 가치를 다시금 강조하고 있다. EU의 경우 이미 개인정보보호규정(GDPR)을 마련해 데이터 공유의 기준을 제시한 바 있다. 또한 2022년 중반까지 오픈파이낸스 확대를 위한 입법안을 만들 계획이다. 게이트키퍼의 데이터 독점을 방지하고, 사용자들의 활동으로 생산된 데이터의 효율적인 이동성을 제공하도록 규정함으로써 데이터의 비대칭성을 해소하겠다는 뜻이다. 한편, 미국의 바이든 대통령도 지난 7월 행정명령을 통해 소비자의 금융거래정보의 이동성을 촉진하도록 지시한 바 있다. 기존 금융회사 이외에 애플, 페이스북, 구글, 마이크로소프트 등 기술기업들도 모든 개인들이 본인이 원하면 온라인 서비스 제공자들 사이에서 자신들의 데이터를 쉽게 이동시킬 수 있도록 데이터 이동 플랫폼 구축을 위해 작업 중인 것으로 알려져 있다.

셋째, BIS는 디지털 시장 및 빅테크에 대한 효과적인 규제와 감독을 위해서는 관련 부처 간에 긴밀한 협조가 필수적이라고 제안하고 있다. 더 나아가 아예 전담 감독기구를 설치해야 한다는 의견도 일부에서 제시되었다. 빅 블러(Big Blur), 즉 경계의 종말 현상은 산업 영역에서만 일어나는 게 아니다. 정책과 제도 운영의 영역에서도 동일한 문제가 발생하기 마련이다. 예컨대 공정거래위원회, 과학기술정보통신부, 금융위원회가 각각의 기존 영역에서 규제 공백 없이 빅테크에 대한 효율적인 감시와 감독이 가능할 것으로 기대하기는 어렵다. 바람직한 규율체계의 설계와 운영을 위해서는 관련 부처들 간 정책 공조를 공식화, 제도화할 필요가 있다.[128]

〔미국 빅테크 업체 로고〕

86. 홍남기 부총리, 상속세를 뭘 어떻게 고치겠다는 것인가

상속세(death tax, 相續稅)는 사망으로 재산이 가족이나 친족에게 무상으로 이전되는 경우에 해당 재산에 대하여 부과되는 세금. 증여세와 마찬가지로 재산의 무상양도에 매기는 세금이다. 상속세는 부의 보다 균등한 분배를 실현하는 데 이바지하지만, 대부분의 나라에서는 그 효과가 크지 않다. 상속세는 통상 누진세이다. 일부 나라에서는 고소득 계층에 100%에 가까운 상속세를 부과 하지만 대부분의 사람들에게는 전혀 상속세가 부과되지 않는다. 상속세의 과세에는 사망인의 총유산을 과세대상으로 하여 상속세를 계산하는 방식과 각 상속인이 얼마만큼의 재산을 취득했는가에 따라 상속세를 계산하는 방식이 있으며, 나라에 따라 상속세의 세율에도 차이가 있다.

사망에 의해 재산이 법정 상속인이 되는 유족이나 지정한 상속인에게 이전되었을 때에 부과되는 세금. 상속세는 사망자의 유산이 갖고 있는 담세능력 또는 상속에 의해 재산을 무상취득함으로써 생긴 취득자의 담세능력을 세부담의 원천으로 한다. 따라서 캐나다 등 일부 국가에서는 소득세와 같은 맥락으로 간주하여 상속세 제도를 폐지하고 종합소득세로 포함하여 과세하기도 한다. 즉 소득의 개념을 자산의 증가로 생각하는 순자산증가설의 입장에서 보면 상속재산의 취득은 불로소득과 같은 성질의 것이라 할 수 있다.

상속으로 받은 재산과 권리에 대한 세금. '상속'은 사람이 사망한 경우 그가 살아있을 때의 재산상의 지위가 법률의 규정에 따라 특정한 사람에게 포괄적으로 승계되는 것으로, 상속에 대한 규정은 〈민법〉 제1005조에 명문화되어 있다. 상속세 신고 · 납부의무가 있는 납세의무자에는 상속을 원인으로 재산을 물려받는 '상속인'과 유언이나 증여계약 후 증여자의 사망으로 재산을 취득하는 '수유자'가 있다.[129]

홍남기 경제부총리 겸 기획재정부 장관이 6일 국회 국정감사에서 "상속세 과세체계에 대한 개편방안을 만들고 있다"고 밝혔다. 기획재정부는 상속세와 관련한 연구 용역을 조세재정연구원에 맡긴 상태이며 이후 이를 바탕으로 구체적인 개편안을 마련한다는 방침이다.

그런데 도대체 상속세의 무엇을 어떻게 고치겠다는 것인가? 보나마나 개편의 방향은 상속세 부담을 낮추는 쪽일 텐데, 가속화하는 한국 사회의 불평등을 감안할 때 이는 그야말로 최악의 정책이 될 가능성이 높다.

기본적으로 상속은 전형적인 불로소득이다. 각종 복지 정책을 펼칠 때마다 보수주의자들이 내놓았던 주장은 "일을 안 하는 자들에게 혜택을 주면 게을러진다"는 것 아니었던가? 도대체 부모가 돈을 많이 번 것에 자녀가 무슨 기여를 했다고 상속세를 깎아준다는 것인지 이해할 수 없다. 그리고 상속세 감면의 이유로 늘 제시되는 "우리나라 상속세율이 세계적으로 높다"는 주장도 전혀 사실이 아니다. 상속세율을 볼 때에는 명목세율과 실효세율(각종 공제 후 실제 내는 세금의 비율)을 함께 봐야 한다. 우리나라 상속세제에는 기초공제, 인적공제, 일괄공제 등 각종 공제가 있어서 실효세율이 결코 높지 않다.

상속세 세율

과세표준	세율	누진공제
1억원 이하	10%	
1억원 초과 ~ 5억원 이하	20%	1,000만원
5억원 초과~ 10억원 이하	30%	6,000만원
10억초과 ~ 30억원 이하	40%	1억6,000만원
30억원 초과	50%	4억6,000만원

국회예산정책처에 따르면 우리나라의 2018년 상속세 실효세율은 27.9%로 경제협력개발기구(OECD) 국가들의 평균 상속세율 26%와 별 차이가 없었다. 게다가 이를 상속 재산 상위 10%로 좁혀서 살펴보면 한국의 실효세율은 16%대에 머물러 OECD 평균에도 미치지 못한다.

감면 혜택이 너무 많아 과세 대상자 숫자도 턱 없이 부족하다. 2018년 기준으로 상속을 받은 35만 6,109명 가운데 실제로 상속세를 낸 이들은 고작 8,002명뿐이었다. 피상속인 중 겨우 2.25%만 상속세 부과 대상이 된 셈이다.

또 2019년 상속세 과세 현황 자료에 따르면 피상속인 9,555명의 1인 당 평균 상속재산은 22억 5,400만 원인데 비해 1인당 낸 상속세는 475만 원 수준이었다. 이게 어디를 봐서 과한 수준인지 당최 이해를 할 수 없다.

상속세는 불로소득에 대한 사회적 환원과 불평등을 완화하는 재분배 정책으로서 갖는 의미가 작지 않다. 지금의 한국 사회는 자산 불평등이 심각해 시간이 지날수록 빈부격차가 더 커지는 추세다. 이런 상황에서 상속세를 완화하는 것은 부의 세습을 구조화시키겠다는 말과 다르지 않다. 정부가 추진하는 상속세 완화 계획은 즉각 철회돼야 한다.[130]

87. 규제 강화된 가계부채 대책, 서민 실수요자 보호책 더 내놔야

정부가 급증하는 가계부채의 위험을 줄이기 위해 새로운 가계부채 관리방안을 26일 내놓았다. 소득 대비 갚아야 할 원리금의 비율, 즉 총부채원리금상환비율(DSR)을 더욱 엄격하게 적용함으로써 가계부채 급증세를 막겠다는 취지다. 하지만 강력한 대출규제는 고소득층보다 저소득층, 또 실수요자와 중·저신용자 같은 금융 취약계층에 더 큰 충격을 준다. 정부는 이번 실수요자 보호 방안에 더해 금융 취약계층의 피해를 최소화할 보완책을 추가로 내놓아야 한다.

이번 가계부채 관리방안의 핵심은 DSR 규제로 금융권의 대출액 규모 자체를 줄이는 것이다. DSR 규제를 예정보다 앞당겨 내년 1월부터 시행하고, 개인별 DSR 산정 때 카드론을 포함시켜 카드론 규제도 높였다. 제2금융권의 DSR 기준을 강화하는 동시에 분할상환 압박의 강도도 높였다. 서민 실수요자 보호를 위해 DSR 산정 때 전세자금대출과 정책금융상품의 제외, 결혼과 장례 등 실수요로 인정될 경우 신용대출 한도에서 일시 제외 등의 방안도 밝혔다.

가계부채 관리대책의 필요성은 새삼 거론할 것도 없다. 계속되는 저금리와 부동산시장의 과열 양상 속에 가계부채는 가파르게 증가하고 금융불균형도 확대되면서 위험수위를 넘어섰다. 국내총생산(GDP) 대비 가계부채 비중은 지난 2분기 104.2%로 높아지는 등 주요 국가들과 비교해도 증가세가 너무 가파르다. 과도한 가계부채 증가는 자산시장의 거품 생성과 붕괴 등 실물경제에 악영향을 끼칠 수밖에 없다. 여기에 금리 인상 압박까지 높아지고 있어 가계부채의 잠재적 위험에 대한 선제적 대응이 시급하다. 정부는 우선 이번 방안의 효율적 집행으로 과도한 대출 수요 억제 등 정책적 효과를 거둬야 한다.

문제는 서민 실수요자들의 피해를 어떻게 최소화하느냐는 것이다. 정부는 이번 방안이 대다수 대출자에게 큰 영향이 없다고 말했다. 하지만 DSR 규제는 소득을 중심으로 상환 능력을 따지는 방법이다. 고소득층보다 저소득층·젊은층의 피해 가능성이 높다. 가뜩이나 자산 격차가 큰데 대출에서조차 부익부 빈익빈 현상이 벌어지면 필연적으로 양극화를 부추길 수밖에 없다. 가계부채 급증의 요인 중 하나가 고소득자·자산가들의 저금리 대출 확대인데 그 부작용을 저소득층이 떠안아서는 안 된다. 정부는 재정을 토대로 저소득층을 위한 다양한 정책금융상품과

대출지원 방안 등 보완책을 마련해야 한다.[131]

이창용 한국은행 총재는 23일 "먼저 규제 정책을 다시 타이트하게 하고, 그래도 가계부채가 늘어나는 속도가 잡히지 않으면 그때는 심각하게 금리 인상을 고려해야 할 때" 라고 밝혔다.

이 총재는 이날 한은 대상 국정 감사에서 다수 의원이 가계부채 급증 대책을 묻자 이렇게 답했다.

가계부채를 억제하기 위해 금리를 올려야 하지 않느냐는 의원들의 추궁에 대해서는 고금리에 따른 금융·부동산 프로젝트파이낸싱(PF) 불안 등까지 고려해야 하는 어려움을 토로했다.

이 총재는 "저희(한은)가 금리를 더 올릴 경우 물론 가계대출을 잡을 수 있다" 며 "그러나 이에 따른 금융시장 안정 문제는 어떻게 할지 생각해야 하고, 물가(소비자물가 상승률)도 한 때 2.3%까지 내려갔기 때문에 기준금리를 동결한 것" 이라고 설명했다.

그는 금융당국이 지난해 말과 올해 초 부동산 규제를 완화한 것에 대해서도 "금융시장과 부동산시장 불안에 대응한 조치였다" 고 덧붙였다.

이 총재는 "한은이 이자율이나 정부와의 정책 공조를 통해 점차 가계부채의 국내총생산(GDP) 대비 비율을 100% 미만으로, 90% 가깝게 낮추는 게 제 책임이라고 생각한다" 면서도 "하지만 당장 너무 빨리 조절하려다 보면 경기가 너무 나빠지기 때문에 천천히 하겠다" 고 밝혔다.

이 총재는 지난 19일 한은 금통위가 기준금리를 동결한 이유와 관련해 "지금 이자율이 전세계적으로 높은 상태로 오래갈 것으로 예상하고 하마스 사태가 일어났다. 한은의 전망이 전망대로 갈건지 확인할 시간이 필요하다" 고 설명했다.[132][133]

〔더 세지는 가계부채 대책.. "총량관리 · DSR 강화" 〕

88. 꿈틀거리는 메가 FTA, 휘청거리는 농업

한국은 개방형 통상국가를 지향하며 지금까지 17개 자유무역협정(FTA)을 체결·발효시켰다. 일부 경제블록과의 협정도 있지만 대부분 양국협정으로 규모는 국지적이다. 그런데 최근 대륙 혹은 대양을 포괄하는 메가 FTA 확산 조짐이 보인다.

우선 작년 11월 정부가 타결한 역내포괄적경제동반자협정(RCEP)의 국회 비준동의 절차가 연내에 마무리될 것 같다. RCEP는 한·중·일·호주·뉴질랜드와 아세안 10개국 등 15개국이 참여하여 국제무역의 30%를 차지하는 세계 최대 규모의 FTA이다. 거기에 정부는 환태평양 11개국이 참여하여 국제무역의 15%를 차지하는 포괄적·점진적 환태평양경제동반자협정(CPTPP) 가입 결단도 곧 내릴 것으로 보인다. 최근 중국, 대만의 CPTPP 전격 가입 신청으로 환태평양 시장에서 한국의 소외 가능성을 정부가 우려하는 것 같다.

그런데 국내절차만 남겨둔 RCEP와는 달리 CPTPP 가입은 국내외에서 갈등을 빚을 것 같다. 지금 CPTPP를 주도하는 일본과의 외교·통상현안이 국외 갈등요인인데, 한·일관계에서 생긴 외교현안과 후쿠시마 수산물 등을 둘러싼 통상현안이 그것들이다. 더 큰 갈등요인은 국내 농업계에 있다. RCEP 발효는 낙농 가공식품, 열대과일 등의 수입 증가를 초래하고 그에 의한 국내 농업 피해 가능성을 줄곧 우려해 왔다. 그런데 CPTPP는 개방수준과 규정범위가 역대 최고 수준의 FTA라고 평가되며 RCEP보다 더 큰 충격을 줄 것이 예상된다.

CPTPP의 기존 회원국 전원합의 가입제도 역시 농업계의 우려를 키우는 한 원인이다. 회원국 가운데 캐나다, 호주, 뉴질랜드, 칠레, 베트남 등 농업 강국은 한국과 이미 양자 FTA를 맺고 있다. 그러나 이들은 양자 FTA의 개방수준이 상대적으로 낮다는 인식을 처음부터 해왔다. 따라서 이들은 한국의 CPTPP 가입요청을 기회로 활용할 수 있다. 이들은 한국의 기입 조건으로 동식물 검역조치 완화, 관세철폐 대상품목 확대, 쌀 같은 민감품목의 추가 시장개방 등을 요구하고 한국은 불가피하게 수용할 가능성을 농업계는 우려한다.

그렇다고 CPTPP 가입의 불가피성을 외면할 수는 없다. 국가의 경제·외교·안보 측면을 고려할 때 환태평양 경제블록에서 소외될 수는 없다. 그런 의미에서 농업계가 제기해 온 몇 가지 쟁점을 국회와 정부가 함께 해소할 필요가 있다.

첫째, 국회는 계류 중인 통상조약법 개정을 서둘러 통상조약 관련 정부 보고의무 대상에 외통위, 산자위, 통상특별위원회 외에 농해수위를 포함해야 한다. 많은 통상갈등이 농산업에서 제기되는 점을 고려할 때 필요한 조치로 판단한다.

둘째, 정부는 현행 FTA 관련 제도의 실효성을 높여야 한다. 우선 예산집행률이 낮고 농가당 지급액이 크지 않은 FTA 피해보전직불제는 발동요건을 완화하고, 직불금 상·하한액 설정 등을 재검토할 필요가 있다. 아울러 기금 조성이 부진한 농어촌상생협력기금은 민간 참여를 촉진할 수 있는 인센티브 제고와 민간 출연에 대한 정부의 매칭 지원 제도 개선이 필요하다.

아무쪼록 국회와 정부의 노력으로 메가 FTA 참여에 따르는 갈등 해소를 통해 통상강국 지향에 차질이 없길 바란다.[134]

최근 10년 동안 톤당 설탕 가격이 700달러를 넘어선 적은 없다. 그러나 지난 5월 700달러를 돌파했다. 이후 3개월 정도 주춤하더니, 이달 재차 700달러를 넘어섰다. 12년 만에 최고 수준이다.

유럽연합 통계국(유로스탯)은 "여러 식품 가운데 설탕이 가장 큰 폭으로 가격이 올랐다"며 "2022년 2월과 3월에는 각각 전년 같은 달보다 1.6%, 11% 올랐지만, 올해 2월과 3월에는 2022년 같은 달 대비 평균 61%가 올랐다"고 밝혔다.

백설탕과 설탕 원료로 쓰이는 원당(原糖) 가격도 상승세다. 원당 가격은 지난 8일 뉴욕상품거래소(NYBOT)에서 파운드당 26.31센트에 거래를 마쳤다. 1년 전(17.93센트)보다 47% 올랐다.

지난달 유엔 식량농업기구(FAO)가 발표한 세계 식량 지수를 보면 곡물과 유지류, 육류나 유제품 가격지수는 이전 달보다 모두 내렸다. 하지만 설탕 가격지수는 전달보다 2% 상승했다.[135]

89. 실물 경제의 시대가 돌아오는가

실물경제란 재화와 서비스의 생산, 판매, 소비활동 등과 관련된 경제활동을 말한다. 예를 들어, 실물경제가 악화된다는 것은 소비가 살아나지 않아 노동의 수요도 줄고 취업이 어려워지는 등 경제활동에 영향을 받는다는 뜻이다. 실물경제는 화폐시장 및 증권시장을 포괄하는 금융경제에 대비되는 개념으로 사용되고 있다.

청와대 경제수석으로 가장 기억에 남는 사람은 여전히 국민의 정부 초대 경제수석이었던 김태동일 것이다. 정말 세상 바뀌는 줄 알았는데, 얼마 지나지 않아 전격적으로 교체되었다. 그의 동생이 지금 서울주택도시공사(SH) 사장 후보로 청문회를 거친 김헌동이다. 김태동이 경제수석에서 밀려난 후, 국민의 정부 경제정책은 급격하게 보수적으로 바뀌기 시작했다. 누가 경제수석인가, 이걸 보면 그 정권의 경제정책의 기본 방향에 대해서 어느 정도는 알 수 있다. 대통령 임기 초에는 주로 교수 등 개혁성 인사가 들어왔다가 정권의 힘이 빠지면 기획재정부 출신의 공무원이 파견되어서 그 자리를 채운다. 그때부터는 대통령의 경제개혁은 끝이 났고, 사고나 나지 않게 마무리하는 수순으로 간다고 보면 거의 맞다.

박근혜 정권의 마지막 경제수석인 강석훈도 상당히 인상적인 인사였다. 국회의원에 출마하며 대학교에 휴직이 아니라 사표 내고 사직을 하면서, 적당히 하다가 다시 원래 자리로 돌아가겠다는 많은 학자들과는 확실히 다른 모습을 보여주어서 사람들에게 충격을 주었다. 그랬던 그도 촛불집회와 함께 비운의 경제수석이 되었다.

임기 6개월을 남긴 문재인 정부에서 전 특허청장인 박원주를 경제수석으로 임명하였다. 이미 여야 대선 주자 경선까지 끝나서 언론의 스포트라이트는 그쪽으로 옮겨간 상황이다. 청와대 현실은 윤석열 캠프의 본부장을 몇명이 하느냐, 누가 할 거냐, 이런 것에 비하면 정말 아무 뉴스도 아니다. 굳이 의미를 두자면, 산업통상 라인에서 경제수석을 맡게 된 것이고, 이게 처음이라는 사실이다. 이건 분명히 미묘하지만 분명한 변화다.

박정희 시절에는 흔히 이피비(EPB)라고 불렀던 경제기획원과 금융을 담당한 재정라인이 서로를 견제했었다. 경제협력개발기구(OECD) 가입과 함께 한국식 계획경제의 유물인 경제기획원이 사라지면서, 나름 실물을 챙기던 소위 '기획라인'이 사라지게 되었다. 여기에 또 하나 생겨난 변화가 국제통화기금(IMF) 경제 위기 등을 거치면서 통상산업부의 산업정책이 대거 약화되게 된 것이다. 신자유주의 시각에서 시장 패러다임이 강화되고 정부가 자의 반 타의 반, 산업정책을 포기했다

세계화가 강화되면서 '글로벌 가치 체인(GVC)' 이 강화되고, 한 푼이라도 싸게 만들 수 있게 하기 위해서 공장이 전 세계로 흩어지고, 부품 시장도 세계적으로 연결되게 되었다. 이렇게 하면 최종 제품의 가격이 낮아지는 장점이 있기는 하지만, 일본 반도체 사태나 이번에 벌어진 요소수 사태와 같은 특수 상황에서는 꼼짝 못하게 된다. 좀 더 위로 올라가면 해운 운송에서도 유사한 일이 벌어졌고, 코로나19 국면에서 수출에 막대한 타격을 받았다. 금융경제나 거시경제만 보던 사람들은 장부에 수치가 드러나는 순간에만 관심을 갖는데, 수치가 눈에 보이는 순간에는 이미 파산하고 법정 절차로 갈 것인지, 외부의 인수자를 찾을지, 막상 정책적으로 할 수 있는 게 별로 없다. 더 위로 올라가면 조선 산업이 과잉 생산으로 들어가고, 위기를 타개하기 위해서 해외 플랜트로 몰려 나갈 때에도 사실 정부는 민간이 하는 일이라고 그냥 수수방관했었다.

외환위기 이후로 경제는 재정 아니면 금융이라고 하는 시각이 강해졌고, 실물은 그냥 알아서 돌아갈 것이라는 실물 경시 풍조가 강했다. "공장 얘기는 그만", 그렇게 폄하하는 분위기였다. 그렇지만 실물도 그냥 내버려 둔다고 알아서 조정되는 그런 것은 아니다. 개별 기업이 예측하기 어려운 구조적 위기가 존재하고, 협회 차원에서 자율적으로 하기에는 투자 금액 등 벅찬 것들이 많다.

한국 경제가 이미 거둔 성과를 바탕으로 한 단계 더 위로 올라가기 위해서는 역시 한국의 강점이었던 각종 산업 등 실물경제의 성과가 더욱 높아져야 한다. 지난 20년 동안 금융을 포함한 거시경제와 복지 두 가지가 경제의 거의 대부분인 것처럼 얘기했지만, 국민 경제에서 이 밑을 받치는 디딤발 같은 것은 산업으로 대표되는 실물경제다. 게다가 한국 산업은 많은 분야가 독과점 형태라서 누군가 조율을 하느냐 마느냐, 어떻게 하느냐가 장기적 성과에 많은 영향을 미친다. 실물경제에는 정형화되지 않는 많은 상황 변수들이 개입하고, 세계 소비자들의 복잡한 취향 변화의 영향도 많이 받는다. 재정 변수나 주가 다루는 것과는 다른 종류의 지식과 경험이 필요하다. 임기 6개월 남은 산업라인의 경제수석이 무슨 엄청난 일을 할 것이라고 기대하지는 않는다. 아마 요소수 사태가 아니었다면, 이런 파격은 어려웠을 것이다. 그렇지만 이번 일을 계기로 정부가 산업정책을 비롯한 실물경제의 중요성을 새롭게 인식하는 패러다임 전환이 생겨났으면 한다. 우리는 너무 오래 실물경제를 방기하고 무시했다.[136]

90. 주 4일제와 정규직 중심주의

일부 대선 주자들이 북유럽 여러 나라에서 검토되고 있는 '주 4일제'를 공약으로 언급하고 있다. 노동과 일상의 균형을 회복하여 사람들의 삶의 질을 높일 뿐만 아니라 산업사회의 속도를 늦추어 탄소위기 대응으로도 큰 효과가 있다는 것이다. 이는 우리나라의 사회와 경제에서 작업장, 그것도 제대로 규제되고 있는 정규적 작업장이 차지하는 비중이 얼마나 되는지를 도외시한 무리한 주장일 뿐만 아니라, 우리나라의 '진보' 진영에 깊숙이 뿌리박은 정규직 중심주의가 표출된 극적인 예라고 생각된다.

이는 당연히 임금 삭감 없이 노동일만 줄어드는 조치를 뜻할 터이니, 이 제도가 제대로 시행되는 작업장에서 일하는 이들은 급격한 실질임금 상승을 얻을 뿐만 아니라 여가 시간의 증가로 인해 '워라밸' 개선 등 화폐로 계산되지 않는 다양한 실질적 소득 상승의 효과를 누리게 될 것이다. 하지만 주 52시간 노동도, 최저임금도, 심지어 작업장 안전조차 일률적으로 감시와 규제가 이루어지지 않는 작업장이 허다한 것이 우리나라의 현실이다. 이러한 작업장에서 일하는 이들에게는 그 혜택이 제대로 갈 리가 없다. 뿐만 아니라 각종 불안정 노동자, 프리랜서, 영세 자영업자 등에게는 완전히 무의미할 뿐만 아니라 오히려 삶의 불편과 상대적 박탈감만 늘어나게 될 것이다. 결국 은행, 관공서, 공기업, 대기업, 대학과 학교 등 정규적 작업장의 정규직 노동자들에게는 엄청난 혜택이 돌아가겠지만, 그 밖의 사람들에게는 돌아가는 혜택이 극히 불균등하거나 전혀 없거나 오히려 '벼락거지'가 되는 허탈함만 나타날 것이다.

그나마 일부 사람들에게라도 주 4일제의 혜택이 돌아가면 그게 어디이며 또 장기적으로는 사회 전체의 노동일이 줄어드는 계기가 되지 않겠느냐고 말하는 이들도 있다. 또 정규적 작업장의 정규직뿐만 아니라 거기에서 벗어나는 모든 이들이 소득의 감소 없이 노동시간을 줄일 수 있는 보완책을 함께 사용하면 된다고까지도 한다. 첫째, 지금 뜨겁게 논의되는 불평등의 간극은 1대 99에서 20대 80으로 이동한 상태이다. 가뜩이나 상대적으로 나은 상태에 있는 상위 20%에게 더 혜택을 주는 사회정책이 어떻게 정당화될 수 있는가? 장기적으로 사회 전체의 노동일이 줄어드는 것은 어디까지나 실질적인 소득이 전반적으로 상승할 때에만 가능한 일이며, 이는 거기에 역행하는 정책이 아닌가? 둘째, 모든 사람들의 노동시간과

소득을 그렇게 포괄적으로 공평하게 조절할 수 있는 그런 신박한 '보완책', 그런 환상적인 정책은 천학비재의 백면서생인 나로서는 듣지도 보지도 못했으며 상상하기도 힘이 부친다. 그런 방안과 제도가 있다면, 주 4일제를 차치하고 그것부터 우선적으로 시행할 일이다.

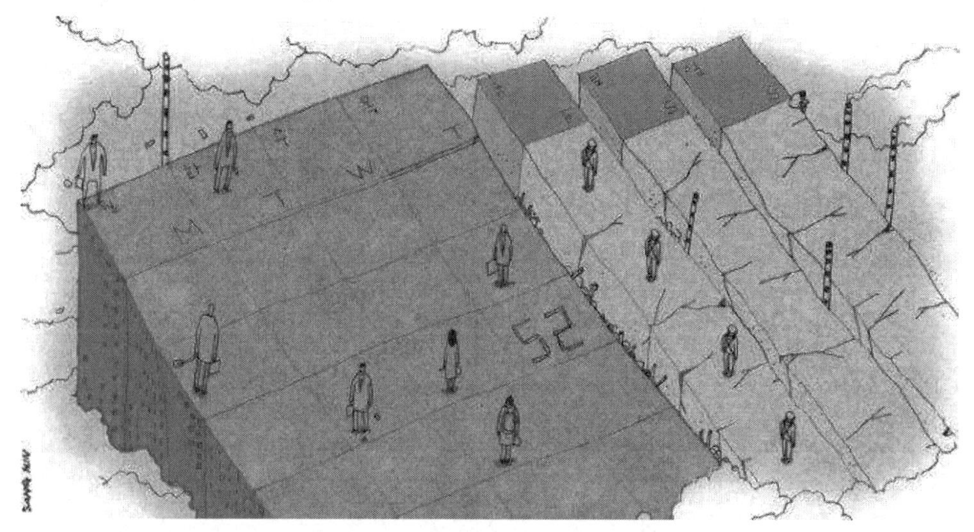

☞ 불평등 심화로 '정의로운 전환' 배치

이러한 우리의 조건에서 이 정책이 탄소 배출을 줄여줄 것이라는 주장도 신뢰가 가지 않는다. 첫째, 줄어든 노동시간을 보전하기 위해 큰 비용이 들어간다. 둘째, 앞에서 이야기한 대로 현실적으로 기존의 불평등을 심화시키는 정책이므로 '정의로운 전환'과는 거리가 멀다. 셋째, 한국의 조건에서 이 조치가 정말로 사회의 시계를 늦추는 효과를 낳을지 의심스럽다. 우리의 사회 경제는 이미 주 4일제를 시행한다고 해서 다 함께 멈추어 서는 잘 정돈된 한가한 사회가 아니다. 사람들이 놀 줄 모르고 쉴 줄 몰라서 밤낮으로 일을 하는 게 아니다. 현재의 분배구조에서는 도저히 삶의 견적이 나오질 않기에 이를 '몸으로 때우는' 수밖에 살 도리가 없기 때문이다. 이런 상황에서 관공서와 은행과 학교가 쉰다고 해서 과연 우리 산업사회의 숨가쁜 수레바퀴가 함께 멈추어 설까? 가게도 문을 닫고 택배도 음식 배달도 멈추고 그 바쁜 모든 이들이 갑자기 독실한 유대인들처럼 문 걸어 잠그고 안식일을 보내게 될까?

가설적 주장이지만, 차라리 원자력발전소를 대안으로 생각하는 게 낫지 않은가? 비록 큰 사회적 비용을 초래하고 엄청난 지역 불평등을 배태하기는 하지만 탄소 배출을 줄인다는 확실성에 있어서는 이쪽이 훨씬 더 확실하고 뛰어난 정책이 아닐까?

이 '주 4일제' 제안은 우리의 현실을 도외시한 채 유럽이나 서구의 진보정책을 그대로 가져와 '쿨하게' 보이는 데에 집착하는 우리 진보 진영의 버릇이 나타난 예라고 볼 수도 있다. 하지만 나는 여기에서 이 진영의 사고와 행동 방식을 은연중에 지배해 온 또 하나의 뿌리 깊은 편향을 본다. 바로 정규직 중심주의이다. 각종 사회 경제 정책을 생각하고 입안함에 있어서 정규적으로 관리되는 작업장의 정규직 노동자들을 그 사회를 대표하는 존재들처럼 여겨 이들을 표준으로 삼은 각종 요구를 진보정책으로 제시하는 편향이다.

기존의 예로 정년 연장제, 임금피크제 철폐, 육아휴직 강화 등의 요구를 생각해 보자. 우리나라 노동인구 중에서 정년이 보장된 이들의 비율은 얼마나 될까? 그 나머지 사람들에게 정년이 몇 세로 정해지는지가 무슨 의미가 있을까? 같은 이유에서, 임금피크제 철폐는 정년이 보장된 50대 후반의 직장인들 이외의 사람들에게 무슨 의미가 있을까? 육아휴직의 강화는 고용 안정성이 불안한 노동자들, 프리랜서, 영세 자영업자들에게 어떤 혜택을 주는가? 사실상 이런 정책과 요구는 상대적으로 유리한 위치에 있는 주로 상위 20%를 더욱 윤택하게 해주는 것들이 아닌가? 그런데 이런 것들이 과연 진보적인 사회 정책이라고 불리는 것이 온당한 일일까?

그런 착시 현상이 벌어지는 이유가 있다. 우리가 20세기에서 물려받은, '사회는 곧 작업장'이라는 통념 때문이다. 19세기 말의 2차 산업혁명 이후 대공장 체제가 들어서게 되면서 작업장과 생산 단위의 규모는 어마어마하게 커지게 되었다. 이에 좌파 진영(생디칼리슴)이나 우파 진영(기업 국가) 공히 사회를 작업장과 동일시하는 생각이 지배하게 된다. 이렇게 되면 대공장이라는 정규적 작업장에서 노조에 가입되어 있는 정규직 노동자들이 사회 전체의 일반 이익을 대표하는 존재들이라는 대표성을 가지게 된다. 자본 대 대공장 조직 노동자들의 구도는 어느새 자본 대 사회 일반이라는 구도처럼 보이게 된다. 그리하여 "GM에 이로운 것은 곧 미국에 이로운 것"이라는 유명한 말처럼, "조직된 정규직 노동에 좋은 것은 사회 전체에 좋은 것"이라는 생각이 마치 당연한 진리인 것처럼 진보 진영을 횡행하게 된다.

하지만 21세기 산업사회의 현실은 이러한 관념과는 이미 오래전에 유리되기 시작하였다. 인구 전체에서 블루칼라 노동자가 차지하는 비율은 1969년 스웨덴에서의 40%를 최고 기록으로 남긴 채 어느 나라에서나 꾸준히 줄어들었다. 디지털 혁명이 가져온 '초연결성'으로 인해 생산 과정은 이제 작업장과 완전히 분리되어 전 지구의 곳곳에 스며든 네트워크의 인드라망으로 퍼져버렸다. 근로계약서를 작성하는 고용 관계의 피고용인이 노동자의 정의라면, 이제 그런 노동자의 개념으로는 생계를 위해 땀 흘려 일하는 사람들 전체를 절대로 대표할 수가 없다. 그리고 지금 경제적 궁핍과 삶의 피폐화로 비틀거리고 있는 이들은 그렇게 대표되지 않는 쪽에 압도적으로 더 많다. 이것이 기본소득이나 기본서비스와 같은 대안적인 사회 정책이 나오게 된 배경이라는 것은 잘 알려진 일이다.

어찌 보면 이제 마르크스의 시대가 가고 프루동의 시대가 (되돌아)왔다고 말할 수 있을 것이다. 19세기 중반 이 두 사람은 대안적인 산업사회의 모습으로 전혀 다른 상을 제시하여 심한 논쟁을 벌였다. 프루동은 피고용자 혹은 자영업자 등과 같은 법적 형식을 초월하여, 자본이 없는 상태에서 자신의 정신적·육체적 능력을 발휘하여 삶을 꾸려나가고자 하는 사람들을 모조리 '생산자'라는 큰 범주로 포괄하여 이들이 자본의 독점과 횡포에 맞서 서로서로를 도와 협동조합과 은행과 시장 네트워크를 만들어나가는 사회의 모습을 제시하였다. 반면 마르크스는 이러한 프루동의 비전을 가게 주인과 같은 소생산자들의 '프티 부르주아 사회주의'라고 폄하하면서, 자본주의의 운동법칙은 사회 전체를 하나의 거대한 공장으로 만들어갈 것이며 이에 임노동자들이 대규모로 조직화되어 자본을 철폐하고 생산 전체를 사회화하는 것이 답이라고 주장하였다. 2차 산업혁명과 대공장 체제가 지배했던 20세기의 산업사회에서는 마르크스가 진리요, 프루동은 몽상가로 보이는 것이 당연했다. 하지만 시대는 변한다. 21세기의 산업사회에서는 마르크스가 아니라 프루동의 비전이 훨씬 더 현실에 가까워 보인다. 지금 내 옆에서 힘겹게 헐떡이고 흐느끼며 살아가는 다양한 이름과 직종을 가진 사람들의 신음과 넋두리를 듣는 데에는 후자가 훨씬 더 도움이 된다.[137][138]

기업들은 크게 두 가지 이유에서 주 4일 근무를 도입하고 있다. 먼저 일과 개인의 삶에서 균형을 찾는 '워라밸'이라는 시대적 요구를 받아들이려는 목적이다. 요즘 인재난을 겪고 있는 벤처·스타트업 업계가 대표적이다(조선일보, 2021. 05. 31, 송혜진 기자)

91. 토지 공개념과 개발이익 공공환원

존 로크는 <통치론>에서 '개인의 자기소유권은 천부적 권리이고 자신의 몸을 이용한 노동 또한 개인의 정당한 소유일 수밖에 없으며 모든 소유권은 노동과 신의 선물인 자연의 결합에서 발생한다' 고 주장했다. 노동과 공유자원인 자연을 결합하여 정당한 소유권을 획득하려면 타인에게도 충분한 공유자원이 보장돼야 한다. 이것이 로크의 단서조항이다. 분업과 거래로 뒤얽혀 사는 현대사회에서 이 조항을 충족하면서 토지를 획득하는 것은 쉬운 일이 아니다. 이를 엄격히 적용하면 헨리 조지가 말한 것처럼 토지에 대한 사적 소유권을 인정하기 어렵다. 그는 토지에서 얻는 모든 지대를 공공으로 환원해야 한다고 주장했다.

이런 소유권 이론은 '내 몸은 내 것' 이란 근대적 개인주의와 '신이 인간에게 하사한 자연' 이란 기독교적 세계관이 결합된 것이라 할 수 있다. 이보다 더 원초적인 출발점이 있을까? 현대인이 당연시하는 토지 소유권이 원초적인 관점에서 보면 사상누각으로 보인다. 토지 공개념은 바로 이런 출발점에서 형성됐다.

토지(土地)의 공적재화로서의 성질을 인정하여, 토지에 대한 사유재산권으로 인한 이득취득을 적절히 제한하여야 한다는 생각이나 주장을 의미한다. 대표적인 예가 절대농지, 그린벨트, 공공택지, 공공임대주택 모두 토지공개념에 속한 제도라고 볼 수 있다. 하지만 실제로 토지를 이용하는 사람을 보호하기 위한 포괄적인 토지 공개념보다 토지 이윤분배제도라는 말이 더 정확하며 적합하다는 학자도 있다.[139]

한국처럼 인구밀도가 높은 나라에서 대부분의 토지는 로크의 단서조항을 충족시키기 어려운 공유자원이다. 단위 면적당 공공투자 규모로 따지면 세계 최고라 할 수 있는 강남이나 명동 지역의 부동산 입지의 가치는 개인의 노력이나 투자가 아니라 공공의 투자로 만들어졌다. 이 지역에 사는 사람들이 누리는 토지와 공간의 효용도 마찬가지다. 따라서 이런 공유자원에서 얻어진 모든 불로소득은 마땅히 공공으로 환원돼야 한다는 것이 토지 공개념에서 얻어지는 결론이다. 부동산 투기로 부동산 가격이 오를수록 불로소득도 늘어난다. 한국의 국민소득 대비 부동산시장 규모는 다른 주요국들보다 월등히 크다. 그만큼 투기가 횡행하고 불로소득도 만연한 것이다.

부동산 개발사업은 토지로부터 불로수익이 창출되는 대표적인 사업이다. 토지

공개념을 가장 잘 구현하는 개발방식은 개발 참여자들에게 노력의 대가만큼 적정 수익을 보장하고 나머지 수익은 공공에 환원하는 방식이다. 공공이 부정부패 없이 목적에 따라 추진한다면 공공개발방식이 토지 공개념을 가장 잘 구현할 수 있다. 문제는 공공개발이 이런 목적에 반하는 방식으로 시행되는 경우가 많다는 점이다. 공공택지의 절반 이상이 민간사업자에게 매각되어 엄청난 개발이익이 민간사업자에게 돌아가고 있다. 국토교통부 자료에 따르면 지난 5년간 매년 4만~5만 호의 주택이 이렇게 매각된 택지에서 민간분양으로 공급됐다. 매년 같은 규모의 공공분양 혹은 공공임대 주택이 추가 공급될 수 있었다는 얘기다.

논란이 되고 있는 판교대장 개발사업의 경우도 LH가 2009년 무렵 공공개발을 추진했던 곳이다. 그러나 당시 정부의 정책기조 때문에 2010년 사업을 철회했다. 그 후 성남시가 우여곡절 끝에 민관합동개발로 추진할 수밖에 없었다. 따라서 공공개발에 비해 개발이익 환원에는 한계가 있었다. 그럼에도 불구하고 상당한 규모의 개발이익 환원이 이루어진 것은 부정하기 어렵다. 대법원 판결에서 인정된, 성남시가 환수한 확정이익은 5503억원이다. 선정 당시 예상됐던 개발이익과 비교하면 절반 이상을 환수한 것으로 볼 수 있다. 최근 부동산 경기 과열이 민간사업자의 개발이익을 기대 이상으로 키워 반감을 사고는 있지만 사후적으로 돈을 많이 번 것만으로 문제라 할 수는 없다. 개발이익 환원이 적정한 규모로 이루어졌느냐는 이 개발사업 평가에서 가장 중요한 부분이다. 사전적인 관점에서 평가돼야 하고 다른 개발사업과의 비교도 중요하다. 국민적 공분을 일으킨 또 다른 문제는 법조계 전관 고문들의 50억원에 달하는 뇌물수수 의혹과 공무원들의 비위 의혹이다. 끊임없이 되풀이되는 법조-금융-토건 카르텔의 부패가 연루된 사업이라는 의혹이 짙다.

최근 참여연대 자료에 따르면 3기 신도시 5곳에서도 민간에 판매한 공공택지에서 분양되는 아파트 한 채당 약 1억원, 총액으로 약 8조원의 개발이익이 민간사업자에게 돌아갈 것으로 추정되고 있다. 3기 신도시 개발이익에 대한 환원방안을 조속히 마련해야 한다. 기본적으로 지금처럼 공공택지를 민간에 매각해서는 안 된다. 공공택지에 공공주택만 공급해도 전체 시장에서 공공주택 비중은 30%를 넘지 못한다. 그래야 공공개발의 취지를 살릴 수 있다. 현행 개발이익 환수제도도 고쳐야 한다. 개발부담금이 실제 개발이익을 반영해야 하고 부담률도 높여야 한다. 부동산 공화국에 공분한다면 이제는 해결방안을 찾는 데 뜻을 모아야 한다. 투기가 판치는 사회에서 일하는 사람은 불행하다. 지금이 토지 공개념을 구현하는 법에 사회적 총의를 모을 기회다.[140)]

92. 요소수 넘어 에너지 위기 대비해야

한때 주유소에서 사은품으로도 주었던 요소수가 최근 귀한 물건이 되었다. 요소수 때문에 물류체계뿐만 아니라 사회 전반에 혼란이 우려되고 있다. 우리도 요소수를 생산할 수 있지만, 시장 원리에 따라 수입하는 것이 유리하다고 판단하여 2011년 이후 생산하지 않고 있다. 우리가 요소수의 대부분을 수입하고 있는 중국은 석탄발전을 줄이고, 호주 등으로부터 석탄 수입을 줄이는 탄소중립 정책을 추진하는 가운데 석탄으로 제조하는 요소 수출을 중단했다.

전기는 요소수와 마찬가지로 가스나 석탄 같은 연료를 재료로 만드는데, 이런 가스나 석탄의 대부분을 수입하고 있다. 코로나19로 인해 연료가격이 가장 저렴했던 작년 4월과 비교하면 두바이유나 뉴캐슬탄 가격이 4배 이상 급등했다.

전력생산 원가의 가장 큰 부분을 차지하는 연료가격이 상승하면서 전 세계적으로 전기요금이 오르고 있다. 영국의 경우 천연가스 가격상승과 북해의 풍력발전량 감소 등으로 9월 도매전기요금이 2월 최저치에 비해 67% 올랐다. 반면 판매사업자들의 소매요금 인상폭에 제한이 있어서 같은 기간 소매요금은 9.3% 상승하는데 그쳤다. 가파르게 오른 도매요금을 소매요금에 반영하지 못해 올해에만 16개 에너지 공급회사가 파산했고, 230만 고객이 새 회사를 찾아야 했다.

에너지위기는 유럽에 국한되지 않는다. 일본은 8월 도매 전기요금이 3월에 비해 36.1% 올랐고, 소매요금 역시 14.6% 상승했다. 일본 정부는 판매사업자의 부담을 완화하기 위해 도매요금 상한 설정, 구입전력비 분할납부 등의 조치를 취했지만 올 들어 11개의 소규모 판매사업자가 파산한 것으로 추산되고 있다.

우리는 한국전력이 대부분의 전력을 구매하는 동시에 판매하고 있어 소규모 민간 판매사업자들이 존재하는 영국이나 일본과는 상황이 다르다. 한국전력이 구매하는 전력구입비에는 연료가격 상승분이 반영되어 있으므로 판매요금에도 상승분을 적절하게 반영하는 게 바람직할 것이다. 정부로서는 소매요금 인상에 따른 고객 부담을 최소화하면서, 요금인상을 통해 판매회사의 급격한 경영 악화를 막을 수 있는 적정요금 수준 설정이 필요하다. 물론 전기요금 상승으로 압박을 받는 취약계층에 대해서는 에너지 바우처 등을 통해 지원해야 할 것이다.

요소수와는 달리 전기는 수요 측면의 관리가 가능하다. 탄소중립을 위해 화석연료 사용이 줄고 전기화(電氣化)로 전력사용량이 늘면 연료의 대부분을 수입하는 우리나라는 국제 연료가 변동에 더욱 취약해질 것이다. 이를 극복하려면 에너지 소비 효율을 높이고 꼭 필요한 전력만을 현명하게 쓰는 전력수요관리가 절대적으로 필요하다.

현재의 수요관리는 여름과 겨울철 피크 시간에 집중되는 전력사용량을 낮추면 지원금을 주는 피크관리 위주로 되어있는데, 앞으로는 원가를 반영하는 전기요금 체계에 따른 가격신호를 통해 효율적 에너지 투자를 유도하고 비효율적 에너지 소비를 줄이는 방식으로 전환되어야 할 것이다.

만약 요소수 사태 같은 문제가 전력 분야에서 일어난다면 어떻게 될까? 그 충격은 지금의 요소수 사태와는 비교할 수 없을 정도일 것이다.[141]

2021년 요소수 대란에 이어 최근 중국의 잇따른 갈륨, 흑연 수출 통제를 경험한 기업들은 원자재 확보에 사활을 걸고 있다. 실제로 포스코는 이 공장 바로 옆에 '포스코HY클린메탈'의 이차전지 재활용 공장을 세워 폐배터리에서 리튬을 재추출하고 있다. 남미와 중국에서 매일 30~40t의 리튬을 들여오고 있지만 자체적으로 배터리 소재 생태계를 만들려는 노력이다. 그러나 정부가 공급망을 안정시켜 기업들을 돕겠다면서 마련한 법은 1년 넘게 국회에서 표류하고 있다. 새로 만들어지는 공급망안정화위원회를 어디 산하에 둘지 등을 놓고 여야가 이견을 보이면서 입법이 차일피일 미뤄진 결과다.

동아일보가 정부가 주요 입법 과제로 삼고 있는 경제·민생 법안들 가운데 국회에 계류 중인 법안들을 살펴본 결과 총 17건이 평균 13.7개월째 국회 문턱을 못 넘고 있었다. 특히 국고 보조금에 대한 외부 회계검증 기준을 지금보다 대폭 강화해 보조금 부정 수급을 막겠다며 발의된 '보조금 관리에 관한 법률 개정안'의 경우 국회 상임위에서 3년 6개월째 공전 중이다.[142]

전남 광양 포스코퓨처엠 양극재 광양공장에서 김상무 제2공장 공장장이 양극재 제조 공정을 설명하고 있다. 리튬을 원료로 하는 양극재가 안정적으로 생산되지 않으면 이차전지 생태계 전체가 흔들릴 수 있다(동아일보. 2023. 11. 10, 송혜미, 김도형 기자).

93. 기재부가 자초한 '기재부 해체론'

지난 23일 기획재정부가 내놓은 '소상공인 등 민생경제 지원방안'은 재정건전성에 집착하는 기재부의 속성을 또다시 보여주었다. 코로나19에 따른 손실보상 비대상 업종에 지원키로 한 2000만원 한도, 연 1.0% 금리 대출은 기재부 설명대로 역대 소상공인 정책자금 금리로는 가장 낮을지도 모르겠다. 정작 정책 대상자인 중소상인자영업자총연합회는 입장문에서 소득 대비 부채 비율이 357%에 이르며 부채 폭탄이 언제 터질지 모르는 상황에서 금융 지원이 과연 해결 방법이 될지 의문이라고 반발했다. 빚으로 빚을 막는 처방이란 얘기다.

코로나 위기 속에 기재부는 늘 이런 식이었다. 속 시원한 정책을 별로 본 기억이 없다. 냉철한 의식은 갖췄을지 모르나 따뜻한 가슴과 민본경제 의식의 부재를 느끼지 않을 수 없다. 거시경제지표로 경제를 분석하고 운영하는 데 익숙한 기재부는 성장률 수치만으로 경제가 잘 굴러가고 있다고 생각하겠지만, 경제 운용 성과의 판단 기준은 결국 국민들이 얼마나 편안하게 경제생활을 하는가이다.

코로나 방역으로 벼랑 끝에 몰린 영세자영업자와 비정규직, 취업난에 신음하는 청년층이 도처에 깔려 있음을 본다면 올해 4% 성장률, 취업자 수 코로나 이전 99.9% 수준 회복 등은 그리 내세울 게 못된다.

기재부는 위기 속에서 적시에, 과감하게 행동하지 못했다. 한국의 재정건전성이 세계적으로 양호한 수준이라는 평가에도 코로나 추가경정예산(추경), 5차례의 재난지원금 편성 과정에서 늘 머뭇거렸다. 시민들의 삶이 무너지는데 재정적자나 국가채무 수준을 양호하게 유지하는 것 자체가 목표가 될 수는 없다. 재난지원금 지급대상을 하위 몇 %로 하느냐를 두고 소모적 논란으로 날을 보낸 게 어디 한두 번인가. 기재부는 형편이 어려운 계층을 선별 집중지원하는 게 낫다는 논리로 보편지급을 반대했지만 돌아보면 돈 풀기를 주저하는 생각에 다름 아니었다. 취약계층에 충분히 지원한 것도 아니기 때문이다.

얼마 전에는 올해 초과세수가 2차 추경 당시 세입 전망보다 19조원 늘어날 것이라며 기존 전망(10조원)을 몇 시간 만에 정정한 일이 있었다. 19조원이라는 사실을 청와대에 보고하고도 대외적으로는 10조원대라고 얼버무리다 여당에서 국정조사 필요성까지 제기되자 뒷북 실토를 한 것인데, '국가가 내 돈을 어떻게 쓰는가' 알 필요가 있는 국민은 안중에도 없었다는 얘기다. 표심을 얻으려 기재부를 찍어 누르려는 여당의 행태에도 문제가 있지만 관행에 의한 정책만 고집해 온 기재부 역시 답답하긴 마찬가지다. 일단 돈 없다고 버티고 보자는 식의 생각이 기재부에 만연해 있는 건 아닌가 싶기도 하다.

기재부는 2008년 이명박 정부 출범과 함께 발족했다. 외환위기 당시 공룡부처였던 재정경제원이 분해된 후 대(大)부처론을 등에 업고 등장했다. 경제정책 수립·조정, 예산, 세제, 금융 등 '경제4권'에서 금융을 제외한 3권을 갖고 있다. 예산권을 틀어쥐고 다른 부처와 지방자치단체까지 쥐락펴락한다.

문재인 정부에서 이런 기재부는 정책 실패에 책임지는 모습을 보여주지 못했고 신뢰에 많은 상처를 입었다. 철학과 원칙으로 승부하기는커녕 핀셋 대책, 땜질식 처방을 일삼은 결과가 부동산 실정이다. 홍남기 부총리 겸 기재부 장관은 역대 최장수 경제사령탑으로 일하고 있다. 이전 정부에서는 정책 실패에 도의적 책임을 지고 경제부총리가 물러나고, 새로 출발하려는 모습이라도 보여줬지만 그렇지도 못했다.

이쯤 되면 이재명 더불어민주당 대선 후보가 제기한 '기재부 해체론'은 그가 홍 부총리와 껄끄러운 관계이기 때문일 것이라고 퉁칠 수만은 없는 문제임을 알 수 있다. 그가 당선될지 미지수이고 기재부에서 예산권 분리만 제시했을 뿐 구체적인 조직개편의 윤곽은 내놓지 않아 현실화 가능성은 불투명하다. 그러나 전환기를 맞아 재정의 적극적 역할을 강조해온 경제전문가들과 정부로부터 보호받지 못하고 있다고 느끼는 시민사회에 쌓여온 불신을 감안한다면 기재부 쪼개기 목소리는 더 커질 수 있다.

개편의 회오리가 불더라도 어떤 정권이 들어서든 1~2년만 지나면 자신들의 뜻대로 끌고 갈 수 있다고 생각하는 기재부의 조직적 로비와 저항은 만만치 않을 것이다. 분명한 건 한국 경제의 근본적 개혁과 과감한 혁신을 위해 기재부가 환골탈태해야 한다는 것, 그리고 수술대에 오른다면 그건 기재부 책임이란 거다.[143)]

기재부를 이끄는 홍남기 경제부총리 겸 기획재정부 장관은 기재부의 해체론에 대해 운영상 큰 문제도 없으며 오히려 억울하다는 입장이다(데일리안, 2022. 1. 3, 박상인).

94. 다 같은 메타버스가 아니다

한국 증시는 사실상 올해 내내 조정세를 나타내고 있다. 코로나 팬데믹 이후 뜀박질하듯 달려온 종합주가지수는 올 1월에 고점을 기록한 이후 줄곧 횡보세이다.

경기선행지수의 하강이 보여주는 향후 경기 둔화 가능성, 주요 중앙은행들의 긴축 기조 강화 등이 주식시장을 압박하고 있지만, 이 와중에도 화려한 시세를 분출하는 종목들이 있다. 주로 성장에 대한 기대가 투영되는 종목들인데, 요즘은 메타버스 관련주들이 이런 흐름을 대표하고 있다.144)

메타버스의 부상은 매우 상징적 현상이다. 주식시장 참여자들은 늘 새로운 기술에 열광해왔지만, 메타버스 열풍은 아바타가 들어간 '가상의 공간'에 높은 가치를 부여한다는 점에서 독특하다. '가상의 공간'이라는 점이 핵심이다. 자동차와 컴퓨터, 스마트폰 등과 같은 위대한 발명품들은 물리적 실체가 있고, 현실의 행위에 기반하고 있지만 메타버스는 전혀 다르다. 디지털 기술의 발달이 허구와 실재, 상상과 현실의 경계를 허물고 있다.

어쩌면 성장의 한계에 도달한 자본이 가상의 공간에서 활로를 찾고 있는 것인지도 모르겠다. 4차 산업혁명이라는 개념도 새로운 기술의 발명에 기반한 것이 아니었다. 1차 산업혁명은 증기기관, 2차 산업혁명은 전기, 3차 산업혁명은 컴퓨터와 인터넷이라는 새로운 발명품이 있었지만, 4차 산업혁명은 기존 기술의 조합에 근거를 두고 있었다.

구글과 아마존, 메타(구 페이스북)와 같은 혁신기업들은 빠르게 성장했지만 이들이 존재하지 않았던 수요를 새로이 창출했다고 보기는 힘들다. 아마존이 보여주고 있는 위대한 성과의 그림자는 오프라인 유통업체들의 퇴출이었고, 광고시장을 장악한 구글과 메타의 부상은 광고시장의 강자였던 기존 레거시 미디어의 영향력 급감으로 귀결됐다.

새로운 수요를 창출하면서 경제의 총량적 파이를 키웠던 기존의 기술혁명과 4차 산업혁명은 본질적으로 다르다. 효율을 극한으로 높인 위너가 비효율적인 루저의 몫을 빼앗는 과정이었기 때문에 제로섬이라는 속성을 가지고 있다고 봐야 한다. 미국 증시는 4차 산업혁명을 주도하고 있는 기업들 주도로 사상 유례없는 강세장을 구가하고 있다.

S&P500지수는 글로벌 금융위기 직후였던 2009년 3월 이후 줄곧 강세를 나타내면서 153개월 동안, 595%의 상승률을 기록하고 있다. 미국 증시 120년 역사에서 상승률과 상승기간 모두 압도적인 1위의 기록이다. 직전의 상승률 최고 기록은 대공황 직전 자본주의에 대한 낙관론이 극에 달했던 재즈시대(1921~1929년)의 497%였고, 최장 기간 상승은 사회주의 블록 붕괴에 따른 세계화의 진전과 미국 주도의 정보기술(IT) 혁신이 있었던 1990년대(1990~2000년)의 113개월이었다.

주식시장은 최고의 활황이었지만, 경제 총량의 증가 속도는 매우 부진했다. 2009년 이후 연율화한 미국의 실질 GDP 성장률은 1.6%에 불과하다. 2차 세계대전 이후 가장 부진한 성장률이다. 자본주의의 장기 침체기로 불리는 1970년에도 미국의 GDP는 실질 기준 연평균 3.2% 성장했다.

경제 전반의 성장이 둔화되면 투자자들은 '성장주'에 높은 프리미엄을 부여한다. 저성장 국면에서는 성장에 대한 기대가 투영될 수 있는 일부 산업이나 기업의 희소가치가 높아지기 때문이다. 다만 특정 산업의 성장과 개별 기업의 성장이 일치하지 않을 수 있다는 점은 늘 고려해야 한다.

20여년 전 닷컴 버블 국면에서 투자자들은 '인터넷에서 소통하고, 엔터테인먼트를 즐기며, 상거래도 하는 세상'을 꿈꾸며 당대의 성장주인 닷컴주식을 매수했을 것이다. 투자자들의 이런 판단은 결과적으로 옳았다. 요즘 우리가 그런 세상에서 살고 있지 않은가. 그렇지만 닷컴 버블 국면에서 각광을 받았던 기업들 상당수는 지금 존재하지 않는다. 상당수 기업이 파산했기 때문이다. 인터넷 생태계의 최종적인 승자로 볼 수 있는 구글과 네이버는 닷컴 버블 국면에서 상장돼 있지도 않았던 종목들이다.

세상이 투자자들이 생각하는 방향으로 흘러간다고 하더라도, 현재 존재하는 기업들이 그 변화의 최종 승자가 될 것이라고 단언할 수는 없다. 옥석을 가리라는 진부한 조언은 하고 싶지 않다. 성장 산업에서 옥석을 가리는 건 매우 힘든 일이다. 시세에 편승하더라도 애초부터 계란을 한 바구니에 담아서는 안 된다는 원칙은 꼭 지켜야 한다는 생각이다.[145]

95. 종부세에 대한 몇 갈래 질문

종합부동산세(綜合不動産稅)는 부동산을 종합적으로 합산하여 과세되는 세금으로, 줄여서 종부세라고도 한다. 전국의 부동산을 유형별로 구분하여 세대별 또는 개인별로 합산한 결과, 일정 기준을 초과하는 보유자에게 과세되는 세금이다. 비생산적인 부동산 투기 수요를 억제하여 비정상적으로 급등하는 부동산 가격을 안정시키려는 목적으로 2005년 〈종합부동산세법〉 제정과 함께 도입되었다. 2008년 12월 개정안이 공포된 이후 몇 차례에 걸쳐 과세표준과 세율이 개편되었으며, 2022년 12월 23일에는 1주택 기준 과세기준이 12억 원으로 조정되는 등 전반적으로 완화 조정되었다.

개인이 소유한 부동산의 공시가격 합계액이 과세기준금액을 초과하는 경우 그 초과분에 대하여 과세되는 세금이다. 과세기준일 현재 전국의 주택 및 토지를 유형별로 구분하여 인별로 합산한 결과, 그 공시가격 합계액이 과세기준금액을 초과하는 경우 그 초과분에 대하여 과세되는 세금을 말한다.[146]

종합부동산세 논란이 뜨겁다. 세금 폭탄론은 예상되어온 반응이다. 이에 대해 기재부는 방어에 나섰다. 전 국민의 98%는 과세 대상이 아니다, 올해 고지세액의 88.9%를 다주택자와 법인이 부담한다고 한다. 이에 이런 숫자를 거론하는 데 대한 반박이 계속 이어지고 있다. 어쨌든 논란의 프레임은 세금 폭탄이냐 아니냐 하는 데 묶여 있다.

세금 폭탄론 공방이 지속되는 가운데, 종부세가 과연 이대로 유지될 수 있을까 하는 의구심이 커지는 중이다. 세금 폭탄론은 밀어두고도 현행 종부세 정책의 타당성을 묻는 몇 갈래 질문들이 있다.

첫째, 현재의 종부세가 보유세를 보편적 규범으로 정착시키는 방향을 취하고 있는가 하는 물음이다. 보유세를 강화하려면 보편적 과세기반을 강화해야 한다. 종부세는 보편적 과세기반을 강화하는가?

21대 국회는 부동산가격 안정을 위한 수단으로 종부세를 대폭 강화했다. 고가·다주택자에게는 최고 6% 세율을 적용하도록 하는 한편, 중저가 주택에는 공시가격을 조정해 재산세를 낮추기로 했다. 그런데 이러한 정치적 프레임은 조세의 정당성을 약화시킨다. 가격 상승에 반응한 조세정책은 가격 하락 시에는 또 다른 정치적 압력으로 이어진다.

보유세를 강화하려면 다른 선진국들처럼 비례세율 쪽으로 전환해가야 한다. 중저가 주택 소유주의 반발을 무마하는 임시방편으로는 과세기반을 넓힐 수 없다. 보유세를 서민과 부자를 대립시키는 정치 프레임에 넣지 말아야 한다.

둘째, 종부세를 부과하는 기준의 자의성에 대한 물음이 있다. 종부세는 공정한 세금인가? 세금은 국가가 민간으로부터 강제적으로 금전을 수취하는 것이다. 세금을 지속적으로 거두려면 정당성과 형평성을 분명히 해야 한다. 보유세를 매기는 기준은 공시가격이다. 정부는 공시가격을 산정하는 기준을 낱낱이 공개하지 않고 있다. 현재 공시가격이 시장가격을 반영하는 비율은 정부가 핀셋 방식으로 조정해 왔다.

정부는 민원을 이유로 공시가격 현실화율을 밝히지 않다가 2019년 12·16 대책을 계기로 고가주택 중심으로 현실화율을 강화하겠다고 했다. 이에 따라 소수 주택에는 중과세가 되지만, 주택 전체에 대한 실효세율이 정체·하락할 것이다. 과세기준의 형평성 문제는 더 악화되었다. 그간 정부는 공시가격 현실화를 차등적으로 진행해 왔다. 노무현 정부만이 예외여서 단계적 현실화 목표를 법에 규정했다. 문재인 정부에 들어와서는 다시 차등적인 공시가격 현실화 쪽으로 후퇴했다.

셋째, 종부세의 공동체적 지향성에 대한 질문이다. 종부세는 공동체 대안을 파괴하고 있지 않은가? 지금까지 주택공급은 민간기업이 주도하고 있다. 공공의 공급주체로는 LH와 광역 지자체의 공기업이 있다. 여기에 민간과 공공 사이에서 다양한 사회주택 또는 공동체주택에 대한 실험이 이루어지고 있다.

현재 서울시 사회주택은 오세훈 시장의 문제제기에 따라 위기에 처해 있다. 오세훈 시장은 사회적경제 주체의 영세성을 문제로 삼았고, 사업 운영주체들은 사회주택이 정치적 표적이 되었다고 반발했다. 여기에 종부세는 법인 형태로 공동체주택을 공급하는 실험에 결정적 타격을 입히고 있다. 개인들이 모여 공동주택을 만들고 공동체를 지속하기 위해 법인 소유로 등기를 한 경우 공시가의 6% 이상의 종부세가 부과된다. 종부세 때문에 주택협동조합은 해산하거나 주택을 멸실하는 수밖에 없다. 투기와 관련 없는 영세 임대사업자들도 사지에 몰려 있다.

현재의 종부세가 무엇을 지향하는지 잘 알 수가 없다. 지금의 종부세가 얼마나 지속될지도 모르겠다. 대선을 앞두고 윤석열 후보는 '종부세 전면 재검토'를 내걸었다. 이재명 후보는 국토보유세를 주장한 바 있다. 국토보유세는 토지세인데, 종부세는 건물에도 부과하며 모든 토지에 부과하지도 않는다. 정부와 민주당은 결자해지의 자세로 종부세를 보완하고 대안을 낼 책임이 있다.[147]

96. 토지세를 위하여

2008년 같은 제목의 칼럼을 일간지에 기고한 적이 있다. 노무현 정부가 우여곡절 끝에 도입했던 종합부동산세가 이명박 정부의 출범과 함께 철폐 대상 1호로 떠오르던 시점이었다. 종부세 무력화를 아쉬워하면서 왜 많은 주류 경제학자들이 부동산에서 건물을 뺀 토지의 가치에 세금을 부과하는 토지세를 지지하는지 설명하는 글이었다.

지금도 비슷한 상황에 있는 듯하다. 야당 대선 후보는 종부세 철폐를 시사하고 있고, 종부세를 토지세에 가깝게 재편하는 국토보유세를 공약한 여당 대선 후보는 한발 물러서는 모습이다. 사달은 급증한 종부세다. 작년에 1조8000억원이었던 주택분 종부세 수입이 올해 4조원가량 증가한다고 한다. 단일 세목의 세수가 이렇게 급증하는 것은 예외적이고 혼란스러운 구조 때문에 다수의 억울한 사람이 발생한 것도 안다. 그러나 4조원은 민간보유 건물부속 토지 가치의 0.1%에도 못 미치는 액수다. 이 정도의 세금을 재산권 과잉 침해로 규정하고 한국 자본주의가 내려앉을 것처럼 떠드는 사람들을 이해하기 힘들다. 박근혜 정부 당시 담배 세금과 부담금이 7조원에서 12조원으로 증가했을 때를 생각하면 더욱 그렇다.

지금도 필자는 종부세를 토지세로 수렴하고 강화해 나가는 것이 우리 경제가 끈질기게 추진해야 할 일이라 생각한다. 그러나 종부세나 토지세 주창자들의 수사나 접근방법에는 불만이 있다. 그중 하나는 추구하는 목표에 비해 지나치게 거대한 담론이다. 토지 가치에 평균 1%의 세금만 부과할 수 있다면 근로소득세나 법인소득세를 아주 없애도 될 만큼 큰 세수가 발생한다. 우리 현실에서 여기까지 가기 힘들 것이다. 그런데 많은 토지세 옹호론자들은 토지보유 상한제나 개발이익 전액 몰수를 위한 토지공개념의 도입과 개헌을 이야기한다. 또한 이론적 정당화를 위해 헨리 조지를 자주 인용한다. 헨리 조지는 토지 임대료 전액 과세를 주장한, 사실상 토지 사유 금지를 주장한 급진적 경세학자다. 이런 거대 담론을 뒤따른 것은 종부세 대상 주택 공시가격 하한을 9억원에서 12억원으로 올려 종부세 대상자를 절감한 진보 표방 여당의 초라한 선택이다.

또한 부동산에서 발생한 소득은 불로소득이니 전액 환수해야 한다거나 주택 투기는 죄라는 생각은 극소수 고가 주택 보유자를 세금으로 징계함으로써 주택 투기를 차단할 수 있다는 잘못된 믿음과 저가 주택을 두 채 보유하고 있다고 중과세하는 잘못된 정책으로 연결된다. 이런 사고를 주식과 코인에 투자하는 2030세대들이 받아들일까? 아무리 신성하다고 주장해도 토지는 주식, 채권과 경쟁하는 중요한 가치증식의 수단이다.

애덤 스미스와 밀턴 프리드먼을 포함한 많은 자유주의 경제학자들이 토지세를 지지하고, OECD와 같은 국제기구의 보고서와 자유주의 성향의 유력 경제지에 토지세를 강화하자는 주장이 반복해서 등장하는 이유는 두 가지다. 첫째로 토지세는 국민소득을 감소시키지 않는다. 노동 소득에 세금을 부과하면 노동 공급이 줄어들고, 자본 소득에 세금을 부과하면 자본 축적이 감소하여 국민 생산과 소득이 감소한다. 그러나 세금을 맞은 토지는 줄어들거나 해외로 이동하지 않는다. 따라서 토지세를 인상하는 대신 근로소득세나 법인세를 인하하면 생산과 소득이 증가한다. 그러나 학술적으로 강건한 이러한 정당화를 진보성향의 전문가들로부터 듣기 힘들다. 조세가 국민소득을 감소시킨다는 경제학의 보편적 이론을 들으면 신자유주의자의 논리라고 낙인찍고 고개를 돌리기 때문이다.

둘째로 공급이 고정된 토지에 대한 세금은 타인에게 전가되지 않는다. (반면 건물에 대한 세금이나 택지 개발에 영향을 미치는 토지세는 전가될 수 있다.) 따라서 토지세는 자산 불평등이 소득 불평등보다 심하고 토지가 가장 중요한 자산인 한국 경제에서 이상적 불평등 완화의 수단이다. 애덤 스미스의 국부론에서 시작해서 모든 경제원론 교과서에 등장하는 이 기초 이론에 반대되는 이야기가 유력 언론에서 반복되는 것은 신기한 현상이다.

소득이 아닌 재산에 세금을 매기는 것은 부당하다고 주장하는 사람이 많다. 그러나 인류는 고대부터 토지와 재산에 과세했고 소득세와 소비세가 등장한 것은 최근의 일이다. 토지세의 진짜 문제는 현금이 없어도 세금을 내야 한다는 것이다. 따라서 토지세를 강화하기 이전에 납세를 매각이나 상속 시점까지 연기하거나 납세 대신 토지 지분을 정부에 양도하는 것을 가능하게 해야 한다. 또한 토지세는 기본소득의 수단이 아니라 성장을 저해하는 소득세를 최소화하면서 양극화를 완화하기 위한 수단임을 국민이 이해하도록 노력해야 한다.[148]

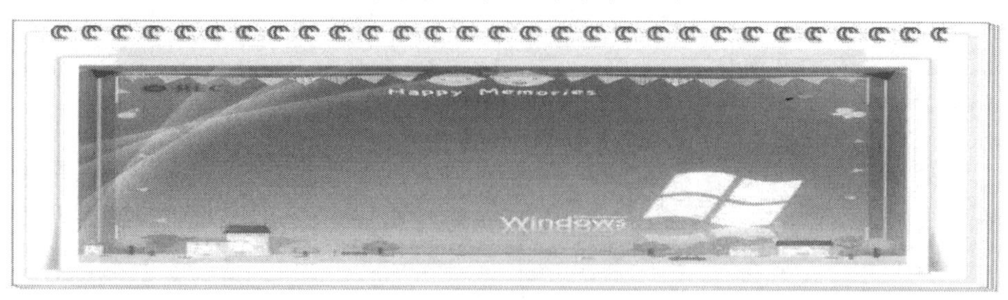

97. 한국과 세계, 보편주의의 길

19세기 말 군주제와 양반제의 토대 위에 서 있던 조선이 마지막 숨을 몰아쉬며 선택한 길은 구미 열강의 개항 요구에 저항하는 위정척사와 쇄국이었다. 그러다 명치유신을 통해 개항과 산업혁명의 길을 먼저 갔던 일본에 의해 국권을 강탈당하는 비참한 최후를 맞이하고 말았다. 식민지배가 끝난 뒤에도 불행은 사라지지 않았다. 해방과 함께 민족분단과 동족상잔이라는 새로운 불행이 찾아왔기 때문이다.

결국 조선 사회의 구조적 모순과 그 모순의 개혁을 회피하기 위해 선택했던 쇄국이 이 모든 불행의 근원이 됐다. 그렇다면 분단과 전쟁 다음에 한국에는 어떤 일이 벌어졌는가? 1960년대 이후 반세기가 흐르는 동안 세계에서 가장 폐쇄적이던 한국은 놀랍게도 세계에서 가장 개방된 나라로 변모했다.

우선 최근 10년 동안 한국의 무역 비중은 국내총생산(GDP) 대비 연평균 90% 정도로 매우 높았고 무역 대상 국가의 수는 무려 237개로 늘어났다. 재외동포의 수는 749만명이며, 이들은 전 세계 180개국에 거주하고 있는 것으로 알려졌다. 한국에 유학 오는 외국인 학생은 16만명 정도인데 이들은 모두 181개국에서 입국하고 있다. 지난 10여년 동안 한류의 빠른 확산으로 세계 98개국에 1835개의 한류 동호회가 구성돼 있으며, 여기서 활동하는 회원 수는 무려 1억500만명 정도로 추산되고 있다.

이것을 보면 1세기 전 세계에서 가장 고립돼 있던 나라가 해방 후 50년 남짓한 기간에 세계와 가장 넓게 연결된 개방 국가로 바뀐 것이 확인된다. 더욱 놀라운 것은 한국이 작년에 GDP 세계 10위, 글로벌 혁신지수 세계 10위, 대중문화 매력도 세계 2위의 놀라운 성적을 거뒀다는 것이다. 최근엔 '오징어 게임'과 '지옥', BTS의 아메리칸 뮤직 어워드(AMA) 올해의 아티스트상 수상 등에서 보듯 한류가 세계인과 공감·공명하는 놀라운 문화의 힘도 보여주고 있다. 쇄국과 수구로 식민지배를 받았던 나라가 개방과 개혁으로 천지개벽을 만들어낸 것이다.

이 과정에서 한국인들은 세계를 누비며 수출, 생산, 노동, 학업, 봉사 등 갖가지 일을 했고 활동 공간을 세계 곳곳으로 확장했다. 그래서 개방의 전 세계적 확장은 우리의 삶을 가능하게 하기도 하고 구속하기도 하는 결정적 생존 조건이 되기에 이르렀다. 이런 상황에서 우리의 삶에 중요한 영향을 미치는 세계가 과연 한국에 무엇이며 어떤 태도로 세계에 접근해야 하는가라는 질문을 던지지 않을 수 없다.

지금까지 세계는 한국인에게 대체로 공존과 공생의 동반자라기보다는 이용과 활용의 대상으로 인식됐던 것으로 생각된다. 이런 세계에 대해 한국인들은 열등감과 우월감의 잣대, 일반적 배제와 선택적 포용의 시각으로 접근했던 것은 아닐까. 이 관점에서 보면 우리보다 강한 나라와 국민에 대해서는 열등감을 느끼고 선택적으로 포용했으며, 반대로 약한 나라와 국민에 대해선 우월감을 느끼고 일반적으로 배제하는 접근을 했으리라. 세계에 대한 이런 이중적 인식과 태도는 고도성장기까지는 특별히 문제가 되지 않았을지 모른다. 그런데 전 세계 거의 모든 나라와 교역, 인적 교류, 재외동포 이산, 한류 확산 등으로 넓고 깊게 연결된 현 시기에도 과거와 같은 접근을 한다면 어떤 일이 일어날 것인가.

세 가지 경우를 생각해볼 수 있다. 첫째는 우리보다 경제력과 학력이 떨어지는 나라와 인종집단을 배척하며 국익을 최대한 추구하는 민족주의의 길을 가는 것이다. 둘째는 세계와 세계인들을 존중하고 인권·민주주의·평화·다자주의와 같은 보편적 가치를 추구하며 평화와 공동번영을 위한 보편주의의 길을 가는 것이다. 셋째는 이 두 가지 길을 병행하는 경우다.

이 중 첫 번째의 길은 가장 위험하며, 세 번째의 길은 불신을 초래할 가능성이 크다. 결국 가장 지혜로운 길은 두 번째의 길, 즉 세계의 공의를 따르고 공익에 헌신하는 보편주의의 길이다. 일찍이 김구 선생은 '나의 소원'에서 부력(富力)과 강력(强力)보다 문화의 힘이 세계에서 가장 높고 그것으로 세계의 평화가 실현되는 나라를 원한다고 했다.

단군사상의 핵심도 널리 인간세상을 이롭게 하는 홍익인간의 이상이었다. 전 세계와 연결된 대한민국의 생존 조건은 놀랍게도 우리가 좁은 민족주의의 한계를 벗어나 전 세계를 품고 세계 공익에 기여하는 보편주의와 세계공헌국가를 지향할 것을 요구하고 있다.[149]

98. 복고풍 신자유주의, 윤석열

복고풍(復古風)은 지나간 날의 모습으로 되돌아간 풍속이나 양식이다.

김영삼이 집권하면서 '문민 정부'라는 이름을 썼고, 김대중은 '국민의 정부'라고 했다. 노무현은 '참여 정부'라고 불렀다. 짧은 두 단어지만, 자신들이 지향하는 시대적 가치를 담았던 이런 명명은 좋은 전통이라고 생각했다. 이 전통은 이명박의 집권과 함께 깨졌다. 박근혜도 자신의 가치를 가지고 있지 않았다. 촛불집회와 함께 집권에 성공한 문재인 역시 자신의 가치를 내걸지는 않았다.

안 그래도 너무 대통령을 중심으로 움직이고, 청와대의 힘이 지나치게 센 나라다. 언제부터인가 대선에서 이기면 그냥 자기 이름으로도 충분히 통치할 수 있다고 생각하는 것 같다. 가치? 그런 것의 의미를 김영삼, 김대중, 노무현은 중시여겼고, 그 뒤의 대통령은 아닌 것 같다. 정권 말기, 청와대 수석이나 비서관들이 자기 전공분야도 아닌 곳에서 기관장 한다고 이력서를 내밀고, 청와대의 후임들의 전관예우로 이래저래 챙겨주는 것을 보면서, 문재인 정부는 좀 다를까 했던 약간의 환상마저 산산이 깨어져 나간다. 앞의 사람들은 문민, 국민, 참여, 이런 단어들을 남겼다.

'문재인' 정부는 과연 무엇을 남길 것인가? 세상 인심은 냉혹하다. '공정', 이 한 단어가 남을 것 같다. "공정하지 못했던 정부", 그런 의미다. 안타깝다. 뭐라도 좀 방어를 해주고 싶지만, 전직 청와대 직원들이 임기 말에 사방으로 자기 자리 챙기러 다니는 걸 눈앞에서 보면, 공정하지 못한 정권이라는 생각이 든다. 대통령은 무슨 생각을 하는지 모르겠지만, 집권이 결국 "다 먹고살자고 하는 짓"이라는 인상을 그를 따랐던 사람들이 온몸으로 세상에 보여준다. 위에서 뭐라고 얘기하든, 한국의 많은 청년들은 '불공정'으로 문재인 시대를 기억할 것 같다. 전직 청와대 간부들의 '한 자리' 행렬을 보면서 아래에서도 불공정, 위에서도 불공정, 그렇게 평가받아도 나중에 할 말이 없을 것 같다는 생각이 들었다.

지나간 시대는 그렇다고 하자. 지금 유력 대선 후보 두 사람이 만들고 싶은 세상은 어떤 것일까. 비주류를 별로 반겨하지 않는 한국 사회에서 이재명의 세상은 아주 거친 도전에 부딪힐 것이다. 이회창이 대선에서 '메인 스트림'이라는 표현을 썼는데, 특정 학교와 지배 계급의 위치, 이런 걸 포괄하는 한국식 자본주의의 주류라는 의미였던 걸로 이해한다. 그 대선에서는 비주류 중의 비주류인 노무현이 대통령이 되었다. 어떻게 보면 이번 대선 역시 그때랑 비슷하게 전형적인 주류와 전형적인 비주류의 충돌이 될 것 같다. 거칠고 종잡기 어렵지만능력 하나로 살아남은 사람과 직선적이고 남성적인 주류 중의 주류, '칼잡이' 라는 별명을 가졌던 메인 스트림의 대결이다.

이재명은 주류 중심의 한국에서는 보기 어려운 스타일이다. 그렇다면 윤석열은? 당사자는 본 적이 없지만, 그 부친에게 수업을 들었던 적이 있다. 매우 보수적인 사람이지만 "니들이 데모하는 게 이해는 간다" 는 따스한 얘기를 들었던 기억이 난다. '따뜻한 보수' 라는 단어를 볼 때마다 나는 늘 그분을 떠올렸다. 그렇다면 윤석열도 따뜻한가? 다른 건 모르겠는데, 그가 단편적으로 보여준 경제에 대한 인식만을 보면 따뜻하다고 느끼기는 어렵다. 열심히 일하고, 최선을 다 해서 성공하기 위해 노력하는 사람, 그런 세상을 이상형으로 생각하는 것 같다. 노동시간을 억지로 단축할 필요는 없고, 최저임금제는 없앨 수 있으면 없애고 싶은 비효율적인 제도라는 게 그가 한 얘기 아니겠나 싶다. 종부세는 그가 만약 집권하면 많이 수정되고, 변화하게 될 것 같다.

대선이 패러다임 사이의 충돌이라고 보면, 윤석열의 경제는 '복고풍 신자유주의' 정도의 이름으로 부를 수 있을 것 같다. 신자유주의야 워낙 뻔한 개념이다. 2008년 글로벌 금융위기 이후로 많은 나라의 경제는 이념 통합형으로 전개되는 중이라서 신자유주의라고 편하게 분석하기는 쉽지 않다.

그런 면에서 윤석열의 경제는 복고풍이다. 이 시대에 과연 그게 맞을지는 모르겠지만, 어쨌든 그가 단편적으로 보여준 경제관을 보면서 복고풍 신자유주의라는 개념이 떠올랐다. 마침 그의 캠프발 이승만, 김구 논쟁이 터져나왔다. 아마 김종인이 독일식 사민주의를 꿈꾼다면 윤석열은 일본식 패권정치와 월가식 효율주의가 적당히 섞인 복고풍 신자유주의를 꿈꾸는 것 같다.

작은 소망이 있다면, 유력한 후보들이 우리도 알아먹을 수 있는 짧은 단어로 자신들이 집권하면 만들고 싶은 정부의 이름을 제시하는 것이다. '윤석열 정부' 혹은 '이재명 정부', 이런 이름은 안 보고 싶다. 변증법이라는 오래된 단어를 꺼낸다면, 서로 다른 가치가 충돌하면서도 서로 조금씩 조절해서 더 나은 가치를 만드는 것, 그게 발전하는 길 아닌가 싶다.

지금처럼 뉴라이트도 아닌 극우파들과 선거를 치르면 복고풍 역사논쟁만 남고, 결국 퇴행의 길을 걷게 된다.[150]

99. 국부와 자산가격

국부(國富)는 한 시점에 존재하는 국가의 재화 총액을 나타내는 스톡(어떤 한 시점을 기준으로 파악한, 크기를 잴 수 있는 재화 전체의 양)이다.

국부를 집계할 경우에는 국내에 있는 외국인 자산을 넣지 않고 외국에 있는 내국인 및 국가의 자산을 포함시키게 된다. 넓은 뜻으로는 재생산이 불가능한 토지・천연자원 등과 무형자산도 포함한다. 보통은 자본의 개념 중 인적자본(人的資本)을 제외한 물적자본(物的資本)의 범주와 유사하여 기계장비나 공장・시설 등의 직접생산자본과 항만・도로・철도 등의 사회간접자본으로 분류된다.

그동안 우리의 국부를 조사할 때 국부의 내용으로는 개인이 소유한 자산을 그 대상으로 하였는데, 이것은 국민소득을 창출하는 원본으로서 경제발전의 중요한 요인이 되었다.[151]

한 국가의 모든 경제주체들이 일정기간 동안 이루어낸 경제활동의 성과를 기록한 것이 국민계정이다. 국민계정을 구성하는 5대 국민계정통계 중에서 국민대차대조표는 특정 시점에서 국민경제 또는 각 경제주체가 보유하고 있는 유・무형 실물자산과 대내외 금융자산・부채를 모두 기록한다. 즉 국민경제의 실물자산과 순금융자산 등 국부(國富) 또는 순자산의 변동을 종합적으로 파악할 수 있는 통계이다. 이 통계에 따르면, 2020년 말 기준으로 우리나라의 국민순자산은 1경7700조원으로 국내총생산(GDP) 대비 9.2배를 기록했다. 20년 전인 2000년에는 이 비율이 5.8배였다. 규모 측면에서 보면, 우리나라 국민순자산 즉 국부는 5배 가까이 증가한 셈이다. 같은 기간 동안 명목 GDP가 3배 증가했다는 사실에 비추어 보면 다소 의아한 일이다. 순자산이라는 게 결국 현세대와 과거세대가 창출한 소득 중 소비되고 남은 부분들이 축적된 결과라는 차원에서 보면, 순자산과 GDP는 증가 속도가 비슷해야 하기 때문이다. 물론 여기에는 축적된 자산의 시장가치 변동이 일정하다는 단서가 필요하다.

최근 매킨지(McKinsey)에서 글로벌 GDP의 60% 이상을 차지하는 10개국의 국민대차대조표를 집계해 글로벌 대차대조표를 작성해서 분석한 보고서를 발간했다. 이에 따르면, 2020년 말 기준 글로벌 GDP 대비 글로벌 순자산의 배율은 6.1배였다. 10개국 중에서 미국이 4.3배로 가장 낮고, 중국이 8.2배로 가장 높았다. 더욱 흥미로운 점은 1970~1999년 동안에는 순자산의 증가가 GDP 증가와 궤를 같이했으나, 2000년 이후 순자산의 증가는 GDP 증가 속도를 빠르게 추월하기 시작했다는 사실이다. 이러한 현상이 나타나는 원인은 주로 자산가격 상승 때문이다. 보고서의 분석에 따르면, 이들 10개국의 경우 순자산 증가의 77%는 자산가격 상승 때문이고, 저축과 투자는 28%만 기여한 것으로 나타난다. 우리나라의 경우 자료 부족으로 동일한 기간을 비교할 순 없으나 2009~2020년 말까지 국민순자산 증가의 64%는 자산가격 상승이, 36%는 저축과 투자가 기여한 것으로 나타난다.

다시 글로벌 대차대조표로 돌아가서 가계부문을 주목해 보자면, 거의 모든 순자산 증가는 주식가치와 부동산 가격 상승의 결과로 나타났다. 가계부문 순자산 증가의 90%가 주식가치와 주택가격 상승 덕분이었다. 우리나라 역시 대동소이하다. 가계 순자산 증가의 15%만이 순저축의 결과이고, 나머지는 부동산 가격 상승과 금융자산 가격효과 덕분이다.

이와 같이 높은 순자산-GDP 배율의 이면에는 낮은 자본생산성이 자리하고 있다. 자산의 운용 수익은 감소하고, 가치평가는 상승했다. 전통적으로 자금을 새로운 생산적인 투자로 유인하고 경영자들로 하여금 자산의 운용을 개선하도록 이끌었던 재무적 유인들은 감소했다. 그 대신에 투자자들은 가치평가에 의한 이득을 추구할 유인을 갖게 된 것이다. 이렇듯 저축과 투자보다는 자산가격 상승에 의한 부의 축적은 부의 집중을 한층 심화시킨다.

국민순자산의 증대가 전통적으로 경제성장을 견인했던 실물자산에 대한 투자 대신 가치평가의 상승으로 이루어지는 건 순자산 증가의 지속 가능성에 의문을 제기한다. 일부에서는 고령화의 진전, 상위소득계층의 높은 소비성향, 지속적인 저금리 그리고 무형자산에 대한 투자확대 등이 근본적인 경제 패러다임의 변화를 가져왔으며, 지속 가능하다고 주장한다. 만일 그렇다면 많은 경제학 교과서들이 다시 쓰여야 할 것이다.

반면에 역사적으로 GDP와 같이 움직였던 순자산의 증가 흐름이 상호 괴리되는 것은 자산가격 인플레이션의 신호이며, 결국은 조정될 수밖에 없다고 보는 견해도 존재한다. 한발 더 나아가자면, 생산적 자산에 대한 투자보다는 높은 주택가격이 성장의 엔진이고, 부의 증가가 기왕에 존재하는 부의 가격 상승에 의해 형성되는 경제가 과연 건강한 경제인지를 고민해야 할 시점이다.[152][153]

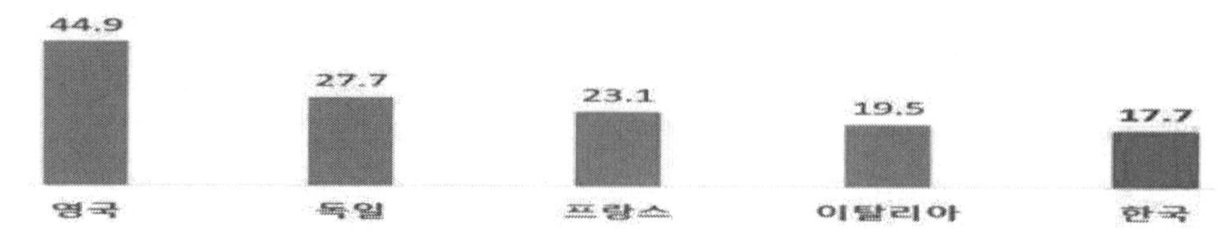

100. 국민들이 그렇게 우습게 보이나

이렇게 될 줄은 정말 몰랐다. 2016년 12월 박근혜-최순실의 국정농단이 발생하고 나서, 많은 국민들이 거의 매주 탄핵촉구 촛불시위에 나설 때 외친 말은 '이게 나라냐' 였다. 매서운 칼바람을 맞아가며 탄핵촛불시위에 동참한 많은 국민들은 당리당략을 뛰어넘었고, 이념과 정파를 떠나 국민들은 '최소한의 염치' 를 알았다. 그랬기에 일부 수구세력들의 극렬한 저항을 뚫고 대한민국은 불가능해 보이던 탄핵의 강을 건널 수 있었다. 부족주의 진영논리를 극복한 결과다.

정확히 5년이 지난 지금, 코로나19가 2년째 전 세계를 할퀴고 있는 와중에 우리는 새로운 대통령 선거를 목전에 두고 있다, 그런데 이 대선경쟁에 선 양강후보들 그리고 그 지지자들에게는 최소한의 염치도 없어 보인다. '공정' 이라는 말의 의미는 오염된 지 오래다. 두 후보에 대한 본인, 가족, 주변인사들의 비리의혹과 도덕성 시비가 연일 터지는데도 양쪽은 내로남불이다. 자신의 비리와 의혹을 물타기 하기 위한 목적으로 상대방에 대한 기획된 비리의혹도 다반사이다. 묘서동처(猫鼠同處)라 했던가? 편향된 평론가들과 지식인인 체하는 이데올로그들도 서로서로 한편이 되어 후안무치의 카르텔을 형성하고 있다. 역대 최악의 비호감 대선을 넘어 국민들의 정치에 대한 혐오감을 극한까지 밀어붙여 보려는 기세들이다. 예측건대 이번 대선의 투표율은 역대 최저가 될 가능성이 높고 당선자도 역대 최저의 득표율로 당선될 가능성이 높다. 어느 쪽이 당선되더라도 그 후유증이 만만치 않을 것 같다.

통상의 기준을 적용한다면 여태까지 터진 의혹, 비리, 언행만으로도 두 후보는 대통령은커녕 조그마한 공공기관의 장도 못할 사람들이다. 국민들의 평균적 눈높이에도 맞지 않는 사람들이 대한민국의 국가원수가 되겠다고 한다. 저잣거리의 많은 국민들은 이들이 통상의 청문회과정을 거친다면 진작에 사퇴했거나 지명철회되었을 후보들로 보고 있다. 대통령이 잘못하면 탄핵이라도 하면 되지만 후보들은 탄핵할 수도 없으니 답답할 뿐이다. 형의 부인에게 입에 담지 못할 욕을 하고 아들의 성매매 의혹까지 불거진 사람이 여성표를 구걸하는가 하면, 부인과 장모의 비리 의혹이 연일 터지는 사람이 공정과 상식을 말하고 있다. 대통령은 수만명의 공직자와 공공기관의 장들에 대한 인사권을 행사하는데 차제에 그들에게 유사한 비리의혹이 제기되면 어떻게 하려는지 모르겠다.

이들의 사과를 보면 진정성이 전혀 묻어나지 않는다. 입가에 미소를 띠면서 사과하는 후보가 있는가 하면, 사과하면서 기자와 국민들을 훈계하는 후보도 있다. 어차피 '우리 지지자들은 나를 지지하는 것 외에는 다른 대안이 없을 것'이라는 오만함이 구석구석 묻어난다. 경선과정에서도 여러 번 드러났지만 국민들과 지지자들을 진심과 논리로 설득하는 대신 교묘한 말장난으로 위기를 빠져나간다.

여당의 이재명은 조삼모사와 말 뒤집기를 여러 번 했다. '범주형 기본소득'이라는 말장난으로, '전 국민에게 무차별적으로 나누어주는' 게 핵심인 기본소득을 '특정계층을 대상으로 한' 현금수당으로 치환하였다. 불로소득을 근절하겠다고 하면서 다주택자를 대상으로 '과도한' 종부세를 경감시키고 양도소득세 '중과'도 추가로 유예해주겠다고 한다. 이는 먹튀를 공개적으로 인정해 주겠다는 말이다. 똘똘한 한 채로의 쏠림을 막기 위해 다주택자와 일주택자를 구분하지 말자는 주장은 이미 재정개혁특위 시절부터 제기되었던 내용이었다. 당시 이에 반대하면서 '다주택자=투기꾼'이라는 억지 공식을 적용하여 밀어붙였던 인사들은 지금 어디에 있는가? 캠프 내에 부지기수인 그들은 지금은 손바닥 뒤집듯 말을 바꾸고 있다. 이재명의 변신은 서울과 수도권에서 불리한 유주택자들의 민심을 만회해보겠다는 꼼수에 불과하다. 부동산 가격급등에 청년들의 빚은 급증하고 있는데 이들에게는 선거공학만 눈에 보인다.

야권의 윤석열캠프는 합리적 보수와 합리적 진보를 아우르는 경제정책을 하겠다고 공언하고 있지만 주변을 보면 정치적 복권을 노리는 박근혜키즈들의 그림자가 어른거린다. 부유세의 성격을 갖는 종부세를 순자산세로 바꾸겠다고 하면서 세율조정은 어떻게 하겠다는 것인지 총부채에 대한 규제는 어떻게 하겠다는 것인지에 설명은 전혀 없다. 약자와의 동행을 얘기하지만 반노동·반인권적 발언은 계속 나오고 있다.

후보들은 국민들이 그렇게 우습게 보이나? 이들이 꿈꾸는 세상은 어떤 세상인가? 중남미를 괴롭혀온 포퓰리즘의 망령들이 대한민국에 어른거린다.[154]

최근 논의되고 있는 포퓰리즘(대중주의, populism)은 주로 라틴아메리카 연구에서 발달한 개념이다. 일반적인 의미에서 포퓰리즘은 대중 기반과 다계급적(cross-class) 구성을 지닌 정당 또는 정치 운동을 포괄하는 개념으로 '소외된 엘리트들'에 의한 리더십, 대중에 대한 리더십의 직접적인 호소와 일방적 우위, 기존 정당의 취약성, 혁명적이라기보다는 개혁적인 경향, 단순하고 감정에 기반을 둔 대안 제시 등의 특성을 갖는다. 그 핵심은 '엘리트에 대한 불신과 대중에의 직접 호소'다.[155]

101. 재정정책, 이젠 달라져야 한다

기획재정부의 예산 기능을 포함한 정부 조직의 개편은 이번 대선의 쟁점 가운데 하나다. 기재부 예산실 주도로 예산편성이 실질적으로 이루어지면서, 정치적 책임을 지지 않는 관료들이 예산 관련 권한을 과도하게 행사하고 있다는 지적이 제기되어 왔다. 어지간했으면 "여기가 기재부의 나라냐" 라는 말이 전 총리와 여당 대선 후보의 입에까지 오르내리진 않았을 게다. 국정철학을 구현하는 수단이 바로 예산이란 점에서 책임정치를 위한 제도 개선은 분명 필요하다. 최근 들어 예산 기능을 미국처럼 대통령 직속 기구로 두자는 제안이 논의되는 배경이다.

그러나 조직 개편이 코로나19 이후 국가의 역할을 재정립하려는 뚜렷한 가치 지향 없이 기존 정부 업무의 재분류에 그친다면 그 한계는 명약관화하다. 특히 국가의 역할과 관련해 재정에 대한 당국의 관점이 변하지 않는다면 예산 기구를 청와대로 옮긴다고 달라질 것은 없다. 이를테면 '한국형 재정준칙' 같은 것이 문제다. 경제회복이 가시화된 것도 아닌데 경제부총리는, 이번만은 재정준칙을 꼭 법으로 만들어 강제하겠노라고 각오를 밝히는 중이다. 시민들의 경제적 존엄을 국가채무비율 60%, 재정적자비율 3%의 범위 내로 제한하려는 선전포고다. 준칙을 따르다보니 재정총량에 대한 재량의 여지가 거의 안 남은 예산 기구라면 청와대에 둔들 무슨 소용일까.

위기를 겪고도 달라지는 것이 없다면 위기는 반복된다. 포스트 코로나를 준비하는 정부의 재정정책은 이젠 달라져야 한다. 재정준칙 대신에 변화된 경제 환경이 제기하는 과제에 집중해야 한다. 급선무는 코로나19 후유증 해소다. 코로나19로 인한 손실과 빚은 계층별로 부문별로 불균등하게 누적되고 있다. 취약계층의 과잉부채는 잠재적인 경제 불안 요인이다. 재정당국으로서는 조급하게 재정건전화에 나설수록 민간부채 해결이 더욱 어려워질 수 있음에 유의해야 한다. 자칫 경제주체들이 부채 최소화에 나서면서 일본식 '대차대조표 불황'으로 번질 위험에도 대비해야 한다. 일본 정부가 버블 붕괴 후 적자재정으로 대차대조표 불황을 관리했음을 복기할 필요도 있다.

빚 문제는 한계가구와 취약부문부터 먼저 해결하고 국가채무는 우선순위에 있어 가장 뒤에 두는 원칙이 바람직하다. 그런 차원에서는 '코로나 국채'를 발행해 민간의 코로나19 손실에 따른 빚을 국가가 부담하는 것을 적극 고려할 만하다. 필자는, 작은 사업장 노동자와 특고, 자영업자 등 잠재적으로 피해가 집중된 계층을 대상으로 국세청을 통해 인별 손실액을 확정해 그 손실액만큼 지원하거나 부채를 탕감하는 국가적 대책이 이번 대선을 계기로 기획될 수 있기를 바란다. 틀림없는 사실은, 코로나19 손실과 빚을 해결하려면 향후 당분간 과감한 적자재정이 불가피할 수 있음이다. 증세 논의의 지연을 핑계로 지출을 미룰 일은 아니다. 여야와 정부는 추경 논의를 지금 시작해야 옳다.

정부는 또한 산업전환기 산업정책과 고용정책을 정비하는 과제에도 직면해 있다. 디지털·에너지 전환에서 인프라 조성 및 고용안전망 확충을 위해 정부가 돈을 더 써야 한다는 요구가 있다. 특히 내연기관 자동차나 석탄 화력발전 부문에서는 일자리 보호와 직무 전환을 위한 지원이 시급하다. 사회공공성 가치의 재발견이야말로 코로나19가 일깨워준 교훈이었음도 우리는 기억하자. 기간산업, 돌봄 및 보건의료, 공적자금 투입 사업장 등에 대한 공적 소유 확대가 대안으로 검토될 수 있다.

혹자는 확대재정이 거시경제 위험을 키울 수 있음을 경계하며 재정의 지속 가능성을 우려한다. 그러나 이는 과장된 경우가 적지 않다. 최근 IMF가 각국의 미래 국가채무비율을 비교한 바에 따르더라도 한국은 2026년 말 66.7%로 같은 시점 선진 35개국 평균 118.6%의 절반을 살짝 웃도는 정도에 그친다. 국가채무비율 상승이 국가신용등급을 떨어뜨린다는 주장도 조심히 따져야 하는데 예컨대 2000년부터 최근까지 한국의 국가채무비율은 상승했지만 신용등급은 향상되었기 때문이다.

사실은 적극적인 재정운용으로 경제 역량의 개선을 이끌어낼 수 있는지가 관건이다. 소극적이고 보수적인 재정운용이 초래하는 '축소 균형'의 거시경제 위험은 파멸적이다. 섣부른 재정건전화로 당면한 국가적 과제에 적절히 대응하지 못하고 때를 놓치면, 두고두고 경제에 짐이 될 수 있다. 이와 관련해 2년 전 IMF의 한 연구에서 24개 선진국 가운데 가장 적은 비용으로 적자국채를 지속해서 쓸 수 있었던 나라로 한국이 꼽힌 결과는 씁쓸했다. 역설적이게도 기재부의 그간의 보수적인 재정운용은 낭비였던 셈이다.[156)]

정부정책(government policy)중에 재정정책(fiscal policy)은 keynesian들이 주장하는 정부정책이다.

102. ‘쪼개기 상장’도 제재 받을까

한국에서 어떤 행위를 ‘쪼개기’로 표현한다면, 나누지 말아야 할 것을 나누어서 자신의 목적을 달성하거나 이익을 얻는 꼼수라는 의미를 내포한다.

최근 뉴스에 나온 예를 보자. 대장동 개발 의혹을 수사하는 검찰 수사팀은 지난달 사적모임 제한(10명)을 어기고 15명이 2개의 방에 나눠 ‘쪼개기 회식’을 하다 적발돼 과태료 처분을 받았다. KT 전·현직 임직원들은 1인당 500만원인 한도를 무시하고 국회의원 99명에게 4억원대의 정치자금을 ‘쪼개기 후원’한 혐의로 기소돼 재판을 받고 있다. 2년 고용 후 정규직 전환 의무를 피하기 위해 수개월에 한 번, 심한 경우엔 한 달에 한 번 ‘쪼개기 근로계약’을 하는 업주들의 관행은 법원의 판결에 의해 잇따라 제동이 걸리고 있다. 이렇듯 쪼개기에는 처벌과 제약이 뒤따른다. 방치하면 코로나19 방역, 투명한 정치후원 제도, 고용 안정 등 사회 제도가 목표하는 바를 무너뜨리기 때문이다.

최근 재계의 이슈인 ‘쪼개기 상장’은 어떨까. 쪼개기 상장은 미래 성장동력이 큰 알짜 사업부를 자(子)회사로 분리한 후 자회사를 따로 상장하는 것을 말한다. 그러면 자회사엔 투자가 몰리지만, 모(母)회사는 투자 매력이 떨어진다. 모회사는 알짜 사업을 직접 영위하지 않고 자회사 지분도 새 주주들과 나눠야 하기 때문이다. 실제 알짜 사업부를 자회사로 분리한 SK케미칼, LG화학, CJ ENM, 만도 등의 주가가 최근 급락했다. 그 피해는 고스란히 모회사 주주들이 떠안게 된다.

쪼개기 상장은 글로벌 스탠더드에 어긋난다. 미국에선 보통 지주사나 지배구조의 상단에 있는 회사를 상장하고 자회사는 상장하지 않는다. 모회사와 자회사 주주들끼리 이해가 충돌하면 거액의 소송에 휘말릴 수 있기 때문이다. 일본에선 한국과 반대로 모회사가 상장돼 있으면 자회사는 상장폐지하는 분위기다. 주주 간 이해 충돌을 막기 위해서다. 일본 최대 통신사 NTT도코모와 편의점 패밀리마트, 소니의 자회사 소니파이낸셜홀딩스가 그런 이유로 상장폐지됐다.

유독 한국에 쪼개기 상장이 많은 것은 드라마 <송곳>의 명대사처럼 “여기선 그래도 됐기 때문”이다. 소액주주의 목소리가 작으니 그들의 손해를 무시해도 별 탈이 없다. 경영권 방어에 민감한 모회사 대주주는 자회사를 상장함으로써 자회사 지분을 희석시키는 대신 모회사의 지분율(의결권)을 지켰다.

하지만 2021년 말 한국의 쪼개기 상장이 마주한 현실은 예전과 크게 다르다.

지난해부터 개인 투자자가 빠르게 늘어 1000만명을 넘었다. 이들은 권리의식이 강해져 손해를 참지 않고 목소리를 내기 시작했다. 게다가 지금은 '1주 1표' 의 자본주의보다 '1인 1표' 의 대선이 지배하는 국면이다. 다수인 개인 투자자의 목소리가 더 커질 수 있다. 당장 이재명·윤석열 대선 후보 측은 26일과 27일 연달아 자회사 상장 시 신주를 모회사 주주들에게 우선 배정하겠다는 대책을 내놓았다.

기획재정부가 내년에 MSCI 선진국 지수 편입에 도전한다니 증시 제도를 글로벌 스탠더드에 맞추려 할 유인이 크다. 쪼개기 상장에 의한 국민연금 손실은 개혁의 명분이 된다. 이래저래 쪼개기 상장도 쪼개기 회식, 쪼개기 후원처럼 법의 제재를 받을 날이 머지않아 보인다.157)

금융투자업계에 따르면 최근 4개월 사이 중복상장을 앞두고 있거나 완료한 기업은 총 5곳으로, 에코프로머티리얼즈, 한선엔지니어링, 두산로보틱스, 신시웨이 등이다(사진=아이뉴스24 DB)

상당수 투자자들이 국내 주식 투자에 회의적인 반응을 보이고 있다. 다수의 상장사가 기업 성장의 이익을 주주와 나누기는커녕 '쪼개기 상장' 등을 통해 오너가의 이익만을 추구하기 때문이다.

과거 LG화학에서 물적분할 후 증시에 상장한 LG에너지솔루션이 대표적이 예다. 당시 LG화학 주주들은 회사측의 행보에 강한 반대의사를 표했지만, 결국 회사는 쪼개졌고 증시에 상장됐다. 쪼개기 상장의 대표주자란 비난을 받고 있는 카카오의 주가는 그야말로 처참하다. 끊임없는 사업분할, 중복상장을 통해 카카오그룹을 키웠지만 그 과정에서 카카오 주가는 끝없는 하락세를 보였다.

최근에도 쪼개기 상장은 계속되고 있다.

16일 금융투자업계에 따르면 자회사의 상장을 앞두고 있는 회사는 총 4곳으로, 두산로보틱스와 신시웨이는 각각 유가증권 시장과 코스닥 시장에 이미 상장했으며, 에코프로머티리얼즈, 한선엔지니어링은 이달 상장 예정이다.158)

103. '건강 인프라'의 시대적 과제

코로나19 대유행은 2022년에도 이어질 기세다. 전 세계 확진자 수는 곧 3억명을 넘어설 것이다. 한국에서도 12월21일 확진자가 7455명에 이르면서 이후 위중증 환자 수가 1000명을 넘어섰다. 여기에 오미크론 변이가 새로운 위협으로 등장했다. 최근 연구에 의하면, 백신 2차 접종자나 기존 감염자의 항체가 오미크론을 중화하기 어렵다고 한다.

지난 2년을 돌아보면, 우리는 K방역에 의존하면서 유행이 잦아들기를 기대했다. K방역은 진단-추적-격리치료를 신속히 연결하는 것이다. 이 체계는 2015년 메르스 유행에 대응하면서 확립되었다. 메르스는 확진자 발생 후 2개월 남짓 만에 종식이 선언되었다. 제도 형성의 측면에서 보면, K방역은 몇 달간의 감염병 유행에 견딜 수 있는 체계로 볼 수 있다.

코로나19 유행 초기에 K방역은 성과를 거두었다. 그러나 이는 위기에 대한 발본적 대응을 방해한 측면이 있다. 시간이 길어지면서 위험의 최전선에 선 건강취약층, 소상공인·자영업자, 의료진에게 희생과 고통이 집중되었다. 코로나19는 메르스와는 차원이 다른, 종래의 체계로 미봉할 수 없는 위험원이다. 새로운 체계를 짜는 과감한 전략과 실천이 필요하다. 과거 개발 연대에 제조업과 국토 인프라를 건설했다면, 이제는 건강사회 인프라의 재구축이 시대적 과제다.

물론 감염 확산을 막기 위한 거리 두기와 백신 접종은 여전히 중요하다. 거리 두기가 제대로 되려면, 소상공인·자영업자들에게 일방적인 희생을 강요해서는 안 된다. 급박한 재난 상황에서 전 국민 또는 소상공인에게 피해 정도와 상관없이 정액의 지원금이 지급되긴 했다. 그러나 이런 식으로는 피해 집단에 충분히 지원할 수 없다. 지난 7월 손실보상제도가 입법화되었지만, 피해액을 제대로 산정할 근거는 아직도 미비하다.

공동체의 안전을 위해 감당한 손실은, 세금을 걷든 국채를 발행하든 재원을 만들어 보상을 해야 한다. 그것이 국가의 의무이고, 국가가 존립하는 이유다. 다만 허공에 재정을 뿌리지는 말아야 하고, 정교한 계산이 이루어져야 한다. 적절한 보상체계를 작동시키려면, 매출과 필수경비에 대한 신고를 통해 실시간으로 소득이 파악되는 체계가 필요하다. 실시간으로 소득을 파악하는 체계를 구축하는 일은 손실보상은 물론 전 국민 사회보험 제도 실시를 위해서도 필수적이다. 정부와 정치권은 실시간 소득파악을 최우선의 국가적 과제로 삼아야 한다.

오미크론 변이는 델타 변이에 비해 전파력이 높다는 것은 거의 분명해지고 있다. 오미크론의 중증화율은 크게 떨어지지 않을 가능성도 거론되고 있다. 이미 중증 환자를 치료할 병상 부족이 심각한 상태이고, 중증 환자 치료 여건이 더 나빠질 수 있다.

정부는 병상을 확보하기 위한 행정명령을 잇따라 발동하고 있지만, 그간 시설과 인력 배치를 위한 준비가 차분히 이루어졌다고 보기는 어렵다. 한국의 중환자실은 진료의 질과 효율성 측면에서 개도국 수준에 머물러 있다. 이번 위기를 계기로 중증환자 전담 시설과 의료 인력이 부족한 구조적 문제를 개선할 필요가 있다.

한국은 공공의료 비중이 특히 낮은 편이다. 2019년 기준 공공병원 병상 비중은 9.7%로 경제협력개발기구(OECD) 국가 중 최하위 수준에 있다(미국 21.4%, 캐나다 99.3%). 현재의 재정 여건에서는 의료 공공성 제고의 효과가 높은 중증환자 의료, 특히 감염병 질환 의료에 집중적으로 투자하는 방식으로 접근하는 것이 좋다. 우선은 민간병원의 모듈형 병상 확충을 지원하고, 중환자실 운영에 대해서는 준공영제를 도입할 필요가 있다. 공공의료의 수월성과 효율성 문제에도 적극 대응해야 한다. 원격의료 기술로 중환자실을 연결·통합하는 센터를 운영하여 최고의 의료 수준을 확보하게 해야 한다.

코로나19는 결코 만만한 상대가 아니다. 지금이라도 민생과 방역을 통합한 건강 인프라 구축을 위한 비전 수립과 단호한 실천으로 나아가야 한다.[159]

내일을 만드는 청년들! 청년 신체건강 인프라 확대(국민보험공단 누리집, 2022. 02. 27, 나우심리발달센터, 2022. 06. 03).

104. 16세 임미경씨가 행복한 나라

1977년 9월9일, 당시 16세였던 임미경씨는 봉제공장에서 같이 일하던 친구들과 후배들을 '꼬드겨' 농성 중인 작은 건물로 우여곡절 끝에 들어갔다. 경찰들은 그 건물을 둘러싸고 있었고, 임미경씨 동료들은 그 건물 안에 있던 노동교실의 폐쇄를 막기 위해 고군분투 중이었다. 그날 이후 임미경씨는 같이 갔던 가장 친한 친구를 다시 만나지 못했다. "미경이가 가자고 했어요", 그렇게 경찰에서 친구를 주동자로 몰았다고 생각한 친구는 미안함 때문인지, 아니면 공포 혹은 환멸감 때문인지 다시 나타나지 않았다.

9월10일은 건물주가 아직 임대차 계약이 남은 노동학교에 건물을 비워줄 것을 요구한 날이었다. 마침 9월9일은 북한의 주요 기념일인 건국절이다. 언론은 북한 건국절을 기념해서 이 어린 소녀들이 농성을 한 것으로 기사를 썼고, 그렇게 소녀들은 북한의 사주를 받은 '빨갱이'가 되었다. 마음속에 이 사건을 묻어놓았던 임미경씨는 다시 만나지 못한 친구를 만나기 위하여 <미싱 타는 여자들>이라는 다큐영화 출연을 결심하게 되었다.

1977년 하반기에 정권은 이제 막 자리를 잡으려는 한국의 노동조합을 제압하기 위하여 전태일의 모친인 이소선 여사를 전격 체포하여 경찰서를 거치지 않고 바로 구치소에 가둔다. 퇴근 길에 구치소 앞에서 "어머니를 석방하라"고 외치던 청계피복 노동자들의 정신적 구심점이 노동학교라고 생각한 경찰은 이 사무실을 문 닫게 했다. 자신들의 학교를 뺏길 수 없다고 생각한 노동자들이 폐쇄된 건물에 전격 진입하며 농성이 시작되었다.

가. 농성하다 빨갱이 된 '미싱 소녀들'

이 사건은 16세 소녀 임미경씨를 감옥으로 가게 만들었고, 그녀의 삶도 다시는 전으로 돌아가기 어려운 것이 되었다. 60대가 된 그녀가 카메라 앞에서 정말 해맑게 그날을 회상하면서 당시 24세이던 이숙희씨, 23세이던 신순애씨와 그날의 얘기를 하는 것이 영화의 기본 골격이다. 아주 푸른 벌판, 세 대의 미싱이 놓여 있다. 그날의 미싱사들이 천을 잡고 미싱 작업을 하면서 영화는 시작한다.

영화를 보고 나서 한국은행의 국민계정 통계를 잠깐 열어봤다. 1970년의 1인당 국민소득은 257.8달러였다. 전태일 열사 사건이 벌어진 해다. 1977년은 1000달러를 살짝 넘어 1052.9 달러였다. 불과 7년 남짓한 기간 중에 국민소득이 4배가 되었다. 지금으로서는 상상하기도 어렵게 빠른 속도로 세계 최빈국 중의 하나에서 개발도상국으로 한국 경제가 도약하던 시절이다. 근로기준법은 여전히 있으나마나 한 상황이었다.

다른 다큐 같으면 충분히 나왔을 당시의 진압 현장 사진이나 하다못해 경찰들이 건물 바닥에 깔았다는 매트리스 모습도 영화에는 나오지 않는다. 그렇지만 당시의 상황을 설명하는 출연진의 담담한 구술은 비주얼로 "보여주어야 한다"는 강박을 잠시 내려놓고 마음속에서 이미지를 만들도록 관객들에게 충분한 시간을 준다.

임미경씨는 그날 현장에서 "제2의 전태일은 여성이 되어야 한다"고 외쳤다. 현장의 언니들은 임미경씨의 다리를 잡고 투신을 말리느라 진땀을 흘렸다고 한다. 역사란 무엇일까? 그날 임미경씨가 현장에서 투신을 했다면 우리는 청계피복노조의 전설로 전태일 열사와 '임미경 열사'를 배웠을지도 모른다. 그날 임미경씨는 투신하지 않았고, 영웅이 되지는 않았다. 영웅? 그 대신 임미경씨에게는 그가 버티며 살아낸 삶이 남았다. 영화의 내적 다이내믹은 이 순간에 클라이맥스로 향한다. 너무 익숙한 영웅 서사와 과도한 역사적 의미에 대한 강조는 없다. 그날 이후 다시 보지 못한 제일 친한 친구를 다시 만나고 싶다고 얘기하는 임미경씨의 얘기를 들으면서, 사실 눈물이 좀 났다. 나에게도 오랫동안 보지 못한 친구가 있다.

우리는 외주 청년의 계속되는 사고사 등 수많은 청년 노동자라는 난제 앞에 서 있다. 국민소득 3만5000달러를 눈앞에 둔 지금, 1977년 노동학교를 지키려 했던 소녀들의 얘기가 우리에게 어떤 의미로 다가올 것인가? 예전에는 그랬지만 지금은 그렇지 않다, 이런 안도감으로 영화를 즐기기에는 지금의 현실은 여전히 팍팍하다. 1977년의 1000달러 남짓한 국민소득이 35배가 되는 동안, 우리는 과연 35배 행복해졌을까?

나. 지금 여기서 그녀는 행복할까

1977년에도 그랬지만, 지금도 일을 해야 먹고사는 사람과 그렇지 않은 사람으로 한국인을 나눌 수 있다. 비정규직, 플랫폼 노동, 프리랜서 등 노동시장은 분화되고 복잡해졌지만, 부모에게 자산을 물려받아 살아갈 수 있는 사람과 그렇지 않은 사람으로 여전히 한국 자본주의는 계급을 구분한다. 영화는 지금의 한국 자본주의가 16세 임미경씨에게 행복한 세상이 되었는가, 그런 질문을 던진다. 영화의 또 다른 미덕은 따뜻하게 재해석된 노동 현장의 음악들이다. 음악감독 박성도의 음악이 너무 좋았다. 잠시 내 마음도 따뜻해졌다.160)

옛날 옛적에 큰 귀를 가진 임금님이 살았다. 처음에는 보통 크기의 귀였는데 서서히 커져 버린 것이다. 임금님 귀가 커져 버린 것은 다 이야기 때문이다. 임금님은 매일 재미난 이야기를 듣고 싶어했다.

"오늘은 무슨 재미난 이야기가 없을까?"

임금님은 재미있고도 값어치 있는 이야기를 좋아했다. 훌륭한 이야기꾼에게는 큰 상을 내리기도 했다. 한때 궁궐은 방방곡곡에서 몰려든 이야기꾼으로 북적거렸다. 하지만 머지않아 이야기꾼의 발길이 뚝 끊기고 말았다.

이야기가 끊기자 살맛을 잃은 임금님은 직접 이야기를 찾아나섰다. 사람이 많이 모이는 시장에서 두리번두리번, 동네마다 기웃기웃, 길을 걸으면서도 두 귀를 쫑긋쫑긋 '어디 재미난 이야기 없을까?' 하고 이야기를 찾고 또 찾았다.

마침내 임금님은 무릎을 탁 치며 기뻐할 일이 생겼다. 그것은 바로 백성들의 이야기였다. "임금님이 나랏일을 왜 저렇게 하는지 모르겠어." "누가 아니래? 그 탓에 우리만 이 고생이지 뭔가?"

임금님은 귀를 쫑긋 세우고 백성들의 이야기를 모조리 들었다. 때로는 듣기 거북한 이야기도 있었지만 임금님의 귀는 이야기를 하나도 놓치지 않았다.

백성의 말을 귀에 담고 대궐로 돌아온 임금님은 곳간 문을 활짝 열어 가난한 백성들에게 곡식을 나누어 주었다. 죄 없이 감옥에 갇힌 백성은 풀어주고, 할 말이 있는 백성은 대궐에 와서 이야기하게 했다.

"아이고, 이제 살맛이 나는구나. 하하하!" 기분이 좋아진 임금님은 더욱 백성 말에 귀를 기울였다. 그럴수록 임금님의 귀는 더욱 커져 당나귀 귀처럼 되었다.161)

105. 경제민주화 공약 조속히 제시하시라

20대 대선이 불과 60일도 남지 않았다. 2012년 18대 대선에서는 경제민주화 바람, 19대 대선에선 국정농단으로 재벌개혁과 공정경제가 화두가 되었다면, 20대 대선에서는 '경제민주화' '재벌개혁' '공정경제' 이슈가 아직까지 부상하지 않고 있다. 물론 일부 대선 후보들이나 캠프 인사를 통해 간간이 언급되고, 향후 공약집에 담길 수도 있겠지만 후보들의 메시지에서 강조되지는 않고 있다. 이 때문에 관련 공약이 나오더라도 순위에서 밀리거나, 수준이 낮을 것으로 예측된다.

코로나19 팬데믹과 함께 기술 발전에 따른 4차 산업혁명이 가속화되면서 우리 사회는 불평등과 양극화가 더욱 심화되고 있다. 설상가상으로 부동산 가격 급등은 기업 간, 국민 간 자산격차를 더욱 벌렸다. 코로나19 상황에서도 경제력과 수출판로가 탄탄한 재벌들은 정부의 정책 지원까지 등에 업고 역대급 영업이익을 내며 승승장구하고 있으나, 중소벤처기업과 자영업자, 대다수 국민들은 심각한 경제적 어려움을 겪고 있다. 이 때문에 시민사회에선 대선 후보들이 불평등과 양극화 해소에 기여할 수 있는 경제민주화 공약을 조속히 제시하길 촉구하고 있다. 하지만 후보들은 부동산 세제를 포함한 조세제도 완화와 토건 개발, 선심성 복지정책 등 표심을 잡기 위한 자극적인 공약들만 제시하고, 정작 불평등과 양극화를 해소할 경제민주화 공약은 내놓지 않아 안타까울 따름이다.

대한민국 헌법 제119조 2항에는 "국가는 균형 있는 국민경제의 성장 및 안정과 적정한 소득의 분배를 유지하고, 시장의 지배와 경제력의 남용을 방지하며, 경제주체 간의 조화를 통한 경제의 민주화를 위하여 경제에 관한 규제와 조정을 할 수 있다" 고 명시되어 있다. 최근의 어려운 경제상황을 해결할 수 있는 실마리인 것이다. 지금 우리나라는 지속되어 온 재벌 중심의 경제구조로 인해 막강한 경제력을 쌓은 재벌들이 시장에서 무소불위의 권력을 휘두르고 있다. 자본력을 활용해 손쉽게 땅과 계열사를 늘리며 몸집을 키우면서, 기술 탈취와 단가 후려치기 같은 불공정행위로 중소벤처기업의 성장과 기술혁신도 가로막고 있다. 급기야 온·오프라인 골목상권 침해로 자영업자까지 어렵게 하고 있다. 재벌그룹 내부로는 총수가 황제처럼 군림하며, 사익편취를 일삼아 오너 리스크를 키우고 있다. 문재인 정부는 기울어진 운동장을 바로잡겠다며 '공정경제'와 '벤처 활성화'를 내세웠으나, 이와 반대로 이재용 삼성전자 부회장 특혜 가석방, 금산분리 훼손,

재벌 지주회사 벤처금융 허용, 복수의결권 허용 시도라는 친재벌 정책으로 선회해 버렸다. 결국 대·중소기업 간 격차는 더욱 벌어지고, 자영업자와 골목상권은 무너져 경제양극화와 불평등만 심화되었다. 그렇다면 향후 우리 경제를 이끌어가야 할 대선 후보들의 최우선 공약은 분명해진다. 제대로 된 경제민주화 공약부터 조속히 제시하시라.[162]

경제민주화(經濟民主化)는 요약 경제영역에서 민주적인 정책을 실현해 나가려는 사상이나 제도이다. 경제영역에서의 공정성과 형평성 달성을 말한다. 자본주의 경제 체제에서 국가의 역할과 관련해 등장하는 개념으로 공정한 시장경쟁질서 확립을 위해 국가가 적극적으로 개입해야 한다는 의미가 있다. 경제영역에서 민주주의를 달성한다는 의미로 경제민주주의라고도 한다. 정확하게는 경제민주주의라는 목표를 향해가는 과정을 경제민주화라 일컫는다.

경제민주화는 헌법에 근거한 개념이다. 「대한민국헌법」 119조 2항에서는 '국가는 균형 있는 국민경제의 성장 및 안정과 적정한 소득의 분배를 유지하고, 시장의 지배와 경제력의 남용을 방지하며, 경제주체 간의 조화를 통한 경제의 민주화를 위하여 경제에 관한 규제와 조정을 할 수 있다' 고 명시하고 있다.

헌법에서 설명하는 경제민주화의 핵심은 소득 재분배와 독점규제다. 소득 재분배는 조세나 사회 복지를 통해 정책적으로 소득 분포를 고치는 일이다. 자본주의 사회에서 소득 격차는 자연스러운 현상이지만, 경제적 불평등이 심해지면 시장경제에 부정적인 영향을 미치며 사회 문제가 될 수 있다. 특히 자본주의 경제 체제에서는 구조적으로 소득분배에 불평등이 발생하게 되므로 국가는 이를 해소하기 위해 여러 정책을 시행하게 된다.

한국에서는 공정거래위원회가 독점 및 불공정거래에 관한 사안을 담당한다. 공정거래위원회는 「독점규제 및 공정거래에 관한 법률」에 따라 경제활동의 기본질서를 확립하고 부당한 공동행위나 불공정거래 행위를 규제하는 기관이다. 주요 기능으로는 반경쟁적 규제 개혁이나 불공정거래 행위 금지를 통한 경쟁촉진과 소비자 주권 확립, 중소기업 경쟁기반 확보 등이 있다.[163]

〔헌법 119조 2항 '경제민주화' 〕

106. 대세가 된 빌려서 쓰기

가끔 졸업생들이 찾아오는 때가 있다. 그러면 요즘 고민, 회사생활, 그리고 경제생활에 대해 이야기하게 된다. 최근 들어 졸업생들이 이전과 달라진 이야기를 많이 하는데 바로 '빌려 쓰는 것' 에 대한 것이다.

비싼 것들부터 예를 들어보자. 20대에서 30대인 이들 초년 직장인은 보통 집과 자동차를 빌려서 사용한다. 집을 빌려 사용하기는 전세나 월세이므로 이미 익숙한 것이지만 자동차를 빌려서 사용한다? 이는 개인 자동차는 당연히 소유해야 한다고 생각하는 대부분의 기성세대에게 생소한 현상이다.

하지만 앞으로 빌려 쓰기는 더욱 발전해 가전제품이나 가구와 같은 모든 내구재(durable goods)는 빌려서 사용하는 시대가 펼쳐질 것으로 보인다. 미래에 빌려 쓰기 수요를 창출할 우리나라 젊은 세대는 이미 '쿨' 하기 때문에 빌려 쓰기에 대한 거부감도 거의 없다. 그런데 현재 제도와 규제는 이러한 빌려 쓰기 경제의 성장에 준비가 돼 있을까.

앞의 자동차 빌려 쓰기를 예로 들어보자. 현재 자동차를 빌려 사용하는 방법은 리스(lease)와 렌트(rent) 두 가지가 있다. 자동차를 빌리는 데 둘 중 어떤 방법을 택하더라도 소비자로서는 큰 차이가 없고 비용도 거의 비슷하다(사실 계약 시 작성하는 서류에 차이가 있지만 소비자에게는 그냥 단순 문서 업무일 뿐이다).

그런데 정부가 이 두 가지 자동차 빌리기를 보는 시각은 완전히 다르고 따라서 규제도 다르다. 자동차 리스는 차량 구입 비용을 빌리는 개념이기 때문에 금융계약이어서 금융위원회가 감독기관이고, 자동차 렌트는 차량 임대 계약으로 이해되므로 국토교통부가 감독기관이 된다. 좀 쉽게 표현하면 자동차 리스는 차량 구입하는 돈을 빌리는 것이고, 자동차 렌트는 그냥 차량을 빌리는 것이다. 2020년 현재 자동차 리스산업 매출은 약 12조원이고 자동차 렌트산업 매출은 그 절반인 약 6조원이다.

그런데 소비자에게 동일한 서비스를 제공하는 두 산업 사이에 흥미로운 일이 벌어지고 있다. 요즘 TV에 부쩍 많이 등장하는 자동차 렌트 광고에서 알 수 있듯이 원래 규모가 작았던 자동차 렌트산업이 급성장하고 있는 것이다. 두 산업 간 매출 성장을 비교한다면 지난 10년간 리스산업은 두 배, 렌트산업은 무려 300배 각각 성장했다. 같아 보이는데 이렇게 다르게 성장하는 이유는 무엇일까.

우선 자동차 렌트산업에 대기업이 진입하면서 더 나은 서비스로 자동차 렌트 수요가 급증한 면도 있다. 하지만 이러한 비대칭 시장 성장의 뒤에는 두 시장의 규제 차이로 인한 세제상 차이가 있다. 예를 들어 차량 가격이 2500만원인 쏘나타를 3년간 사용한다면 차량 인수 시 리스는 약 330만원, 렌트는 110만원의 세금이 부과되므로 자동차 렌트가 220만원 정도 세금을 덜 부담한다. 소비자 입장에서는 동일한 쏘나타를 사용하는데 그 초기 비용에서 차이가 나는 것이다. 리스와 렌트는 동일한 효용을 소비자에게 주지만 정부 규제로 인해 서로 다른 원가비용이 발생하는 불공정 경쟁(unfair competition)이 발생하는 것이다.

리스사나 렌트사 모두 대기업이고 소비자들은 무관심하니 그냥 내버려둬도 될까. 여기서 한 번 생각해봐야 하는 것이 두 가지 있다. 첫째는 앞으로 빌려 쓰기와 공유경제는 카셰어링이나 구독경제와 같은 다양한 모습으로 급속하게 성장할 거라는 것이고, 둘째는 이 시장에서 구글이나 네이버 같은 플랫폼 회사들이 다양한 빌려주는 산업을 선점할 수 있다는 것이다. 지금의 리스나 렌트업체는 이러한 플랫폼 회사에 단순하게 납품만 하는 회사가 될 수도 있는 것이다.

그러면 빌려 쓰기 산업의 정책 전환은 어떤 방향으로 가야 할까. 규제는 공급자 중심에서 소비자 편익 중심으로 전환하는 것이 정답이다. 즉 소비자가 같은 효용을 느끼는 상품을 공급하는 회사들끼리는 동일한 규제를 받는 것이다. 자동차 빌려 쓰기에서 예를 들어본다면 자동차 리스업이나 렌탈업에 동일한 규제와 세제를 적용하는 것이다. 지금부터라도 빌려 쓰기 산업의 성장과 소비자의 인식 변화에 맞춰 규제를 하나씩 풀어가면 어떨까. 단 1000여 개에 이르는 중소 자동차 렌트 업체들에 대한 보호정책은 동시에 시행돼야 할 것이다.[164]

107. 반가운 소식은 좀처럼 오지 않는다

미국 연준(Fed)의 통화긴축에 적극적인 매파적 태도가 점점 강도를 더해가면서 국내외 금융시장의 불안정성이 점점 확대되고 있다. 주요국 주가가 큰 폭으로 하락한 반면에 미국 달러화와 국채 및 금과 같은 안전자산 가격은 상승세를 보이고 있는 것이다. 산유량 제한과 우크라이나 사태 등 지정학적 리스크의 영향을 크게 받고 있는 원유나 공급 병목 현상을 보이고 있는 주요 원자재 가격은 예외로 높은 수준을 유지하고 있지만 말이다.

국내 금융시장도 예외는 아니다. 주식시장은 코스피와 코스닥 모두 큰 조정을 받고 있다. 지난 연말 3천선을 깬 코스피는 벌써 2천660대로 10% 이상 하락했고, 코스닥도 올해 초 1천30대 후반에서 870대 초반으로 15% 이상 하향 조정 중이다. 외환시장 역시 마찬가지다. 상대적으로 견조한 경제 펀더멘털에 역대 최고 수준의 경상수지 흑자 속에서도 원달러 환율은 1천200원대를 넘나들고 있는 실정이다. 여기에 더해 한국은행의 기준금리 인상 여파로 시장금리도 상승세도 이어가고 있다.

하지만, 국내 여건만 보면 크게 우려하지 않아도 될 것 같은 기대가 없지는 않다. 오미크론 변이 바이러스 등 코로나19 향방에 따라 변동성이 확대될 여지는 크지만, 여전히 우리 경제는 타국에 비해 견조한 회복세를 유지하고 있는 것으로 볼 수 있다. 이와 함께 기업 실적도 상향 전망이 우세한 상황이어서 경제 펀더멘탈 측면에서는 양호한 평가를 할 수 있다. 통화정책 측면에서도 미국 연준에 앞서 수 차례 금리 인상을 단행함으로써 한미 양국 간 금리 격차에 따르는 불안정성 확대 요인도 크지 않다. 단기적으로 볼 때 경제주체들의 심리적 불안감도 연휴를 지나면서 점차 안정화되지 않았나 하는 생각이 든다.

그럼에도 불구하고 국내 금융시장의 안정성 회복은 당분간 기대하기 힘든 것이 사실이다. 특히, 미국 연준의 통화정책 전환 속도와 강도에 대한 불확실성 해소 없이는 더더욱 그렇다. 가장 먼저, 테이퍼링 종료 시기에 관한 것이다. 3월말까지로 예정돼 있긴 하지만, 인플레(물가 상승) 수준과 금리 인상 시기를 고려하면 테이퍼링 종료 시점은 또 한번 빨라 질 수 있다.

미국 연준의 금리 인상 시기와 강도도 문제다. 시장에서는 이미 3월초 테이퍼링 종료와 동시에 금리 인상을 예상하고 있다. 더군다나 금리 인상 수준도 0.5%p

까지 가능하며, 이를 통해 연준이 인플레 파이터로 복귀한다는 신호를 시장에 확실히 보여 줄 필요가 있다는 의견도 나오고 있다. 심지어는 현재와 같은 높은 물가 상승 압력이 해소되지 않는다면 앞으로 있을 7차례의 연방공개시장위원회(FOMC) 개최 때마다 금리 인상 결정이 있을 것이라는 전망도 있을 정도다.

지금까지 언급되지 않았던 자산 매각을 통한 통화 긴축이 언제부터 얼마나 진행될 것인지는 더 큰 문제다. 시장 전망에 따르면 이는 금리 인상이 어느 정도 이뤄진 6월 이후부터 실행될 가능성이 큰 것으로 보이지만, 그 규모는 누구도 알지 못한다. 다만, 연준이 보유하고 있는 자산 규모가 코로나19 이전에 비해 2배 이상 늘어났다는 점을 고려한다면 시장에 주는 충격은 예상 밖으로 클 수 있다는 점만큼은 분명하다.

한편, 지난달 26일 올 해 첫 연방공개시장위원회 개최 후 열린 회견에서 제롬 파월 미 연준 의장은 최근 자산시장에서 발생한 충격이 연준의 기준금리 인상 결정에 영향을 주지 않았냐는 질문에 자산시장은 기준 금리 결정에 있어서 변수가 아니라고 단언했다고 한다. 다시 말해 현재로서는 주식 등 자산시장이 다소 피해를 입더라도 경제 펀더멘탈의 약화가 우려되지 않는 한 통화 긴축을 지속할 방침이라는 뜻으로 이 역시 리스크다.

물론, 다음달에 있을 미국 연준의 연방공개시장위원회까지 미국 경제 여건이 어떻게 변할 지는 아무도 모르기 때문에 너무 부정적으로 생각할 필요는 없을 것 같기도 하다. 하지만, 최근의 미국 연준의 통화정책 방향 전환에 관한 논의를 종합해보면 당분간 모든 경제주체들에 대해 국내외 금융시장 환경이 지금보다 훨씬 더 불리한 방향으로 향해 갈 것이라는 점만큼은 분명해 보인다. 개인투자자들 역시 오매불망 기다리는 반가운 소식도 좀 더 기다려야 될 것 같다. 안타깝게도 말이다.[165)]

〔손님이 오지 않는 집은 천사도 오지 않는다〕

손님이 오지 않는 집(수봉공원, 2023. 9. 30, 이문재)

108. 노동 전환기, 일자리는 국가 책임

재작년 12월, 노후 석탄발전소인 보령화력 1·2호기가 폐쇄되면서 에너지 전환은 우리에게도 당면한 현실이 되었다. 정부 발표에 따르면 2050 탄소중립을 위한 산업재편 과정에서 석탄 화력발전 관련 1만4000명과 내연기관 자동차산업 관련 88만6000명의 노동자들이 고용 충격에 고스란히 노출될 것으로 전망된다. 경제 전체의 최근 공식 실업인구 100만명과 비교해도 결코 적은 숫자가 아니다. 그 노동자들 상당수에게는 일터 상실이라는 예정된 미래가 기다리고 있다. 정부는 온실가스 감축목표를 정할 땐 국제사회의 압력에 내몰려 허둥대더니, 체감할 만한 고용 대책을 요구하는 노동자들의 절박함 앞에서는 느긋해 보인다. 어차피 그 모든 것들의 결정에서 노동자들이 목소리를 낼 수 있는 자리는 없었다.

최근 5개 진보정당과 시민사회단체들이 참여하는 기후대선운동본부는 대선에서 기후의제가 실종된 현실을 개탄하며 기후대선 토론회를 제안했다. 기실 주요 정당의 대선공약을 살펴보면 후보 넷 중 둘은 노동전환을 위한 대책이 아예 보이지 않는다. 투표일이 한 달도 안 남은 시점인데 그렇다. '정의로운 전환' 이라는 용어가 더 이상 낯설지 않은 시대다. 그런데 그 의미는 점점 오리무중이 되어간다. 그것을 원전 확대의 기회쯤으로 여기는 경우마저 등장했으니 말이다. 실은, 본래 급진적인 사회운동에서 유래한 정의로운 전환 개념이 국제적으로 수용되어온 과정 자체가 그 개념이 변용되는 과정이기도 했다. 지금은 체제 전환을 지향하는 이들도, 사회적 대화와 관리형 개혁을 강조하는 이들도, 심지어는 신자유주의적인 녹색성장을 주장하는 이들도 서로 다른 의미로 각자 정의로운 전환을 말한다. 그래도 문재인 정부의 '공정전환' 은 근본적인 구조개혁과는 거리가 멀기에 나름 색깔이 분명한 것 같다.

정부의 탄소중립 추진전략은 신산업 육성에 초점을 맞추고 있다. 사용자가 신산업으로 사업을 전환하는 것을 적극 지원한다. 반면에 일자리를 잃게 될 노동자들과 관련해서는 실직을 기정사실화한 후에 전직을 알선하는 사후관리에 그친다. 각자 취업역량만 키우면 새로 만들어질 일자리에 얼마든지 취업할 수 있다는 장밋빛 미래를 그려준다. 하지만 기름칠만 수십 년 해온 노동자가 어느 날 갑자기 인공지능을 운영할 수는 없는 노릇 아닌가. 고용 단절의 고통은 오롯이 노동자들과 그 가족의 몫이다. 그렇다고 직무전환을 위한 교육훈련체계가 제대로 갖추어진 것도 아니다. 올해는 1만명 대상 장기유급휴가훈련 사업과 2만5000명 대상 노동부 직무전환교육 사업에 2000억원이 배정된 정도다. 더욱이 사업 수행기관인 '인적개발위원회' 는 재계의 입김이 강하게 작용하는 기구로 알려져 있다. 생계 기반마저 흔들리는 사람들에게 과연 이런 공정전환은 공정하기는 한 걸까.

한국경제는 2010년대 이후 제조업 과잉축적에, 최근 코로나19 확산을 계기로 전면화된 디지털 및 에너지 전환이 겹치면서 향후 구조조정과 대규모 탈탄소 산업전환이 예견되는 복합적 위기상황에 직면해 있다. 당장은 아니더라도 중장기적으로 재생에너지 중심의 발전부문 재구성과 탄소집약형 산업에서의 기술 변화 과정에서 일자리의 대규모 재편이 수반될 것이 예상된다. 일자리의 양과 질, 고용관계 특성이 모두 크게 변할 것이다. 노동이 부문 간에 이동하고 재배치되는 과정은 막대한 사회적 비용을 초래하기 쉽다. 한국경제의 대전환기를 열어갈 새 정부는 이와 같은 일자리 위험을 국가적으로 관리하고 조절하는 시대적 과제를 부여받게 될 것이다.

문제는 그와 같은 전환과 구조조정에 수반되는 비용을 사회적으로 어떻게 나눌 것인가이다. 한국 독점자본은 저임금 장시간 노동의 고탄소 생산체제에서 여태 가장 큰 이득을 누려왔다. 그러나 그에 따르는 부정적 외부효과는 공동체와 생태환경에 전가시켜 왔다. 눈앞에 닥친 산업전환에서도 그들은 정부 지원에 편승해 신산업 분야를 중심으로 새로운 이윤 기회를 확보할 것이다. 이번에도 또 과거 생산체제의 수혜자들은 비용을 분담하지 않고 노동자들과 고용취약계층만 희생을 강요당하는 상황이 반복될지 모른다. 과거 구조조정 사례처럼, 다시 사회적 합의와 조율 없이 시장만능주의에 근거해 일방적인 고용 조정이 추진될지 모른다.

더는 안 된다고 이제 우리가 말하자. 전환기 노동의 희생을 최소화시켜야 한다. 오늘 민주노조운동은 정의로운 산업전환을 위한 노동의 대안으로 '일자리 국가책임' 을 제기하고 있다. 일자리 국가책임을 강화할 수 있는 구체적인 방안을 본격적으로 논의할 때다.[166][167]

경기 안산시 옛 반월·시화공단 모습(2023. 10. 18, 한겨레)

109. 이재명 · 윤석열의 '경제교사'가 궁금하다

대선에서는 국가 지도자로서의 도덕성과 경륜이 유권자들의 중요한 선택 기준이 된다. 이재명 더불어민주당 대선 후보와 윤석열 국민의힘 대선 후보는 이런 점에서 좋은 평가를 받기 어렵다. 누가 대통령이 되어야 하는지 결정짓는 다른 요소는 공약이다. 그러나 공약의 질은 미흡하고, 일부 외교 · 안보 정책을 제외하면 경제 · 사회 분야에서 후보별 공약 색채도 뚜렷하게 구분되질 않는다.

부동산 문제만 해도 현 정부와 반대로만 하면 된다는 생각에 공급 물량 숫자놀음과 세금 깎아주기 경쟁뿐이다. 보유세를 높였다 낮췄다, 투기지역으로 묶었다 풀었다, 대출규제를 강화했다 말았다를 밥 먹듯 해 온 결과가 오늘날 부동산 시장 난맥상의 원인임에도 차기 정부에서도 냉 · 온탕식 정책은 달라질 것 같지 않다. 지속 가능한 국가재정 전략의 수립은 지출 구조조정 같은 지엽적 방안에 머물러 있을 뿐 증세는 고사하고, 소득 있는 곳에 과세한다는 원칙조차 오간 데 없다.

유권자들은 공약을 통해 나라의 미래상을 보며 자신의 가치관에 부합하는 정책을 제시하는 후보를 선택한다. 하지만 자질과 능력은 성에 안 차고 공약으로 눈을 돌려도 헷갈리기만 할 뿐이어서 유권자들은 누가 국정운영 능력을 갖고 있는지 확신하지 못한 상태에서 투표장으로 향할 가능성이 크다.

오로지 승리만을 위한 정치공학적 접근이었든, 결과적으로 막대한 폐해를 끼쳤든 간에 그래도 역대 대선에서는 치열한 논쟁을 부르는 후보들의 그랜드 공약들이 있었다. 행정수도 건설을 통한 국토 균형발전(노무현), 한반도 대운하(이명박), 경제민주화(박근혜), 소득주도성장(문재인) 등이 그것들이다. 이런 공약들의 배후에는 후보와 오래 교감한 브레인이 있었다. 노무현 · 김병준 교수, 이명박 · 백용호 교수, 박근혜 · 김광두 교수, 문재인 · 김상조 교수 등의 조합이 떠오른다. 평소 활발한 시민운동과 강연 등으로 인지도를 갖춘 이들 경제교사는 대선 과정에서 언론 인터뷰 등을 통해 후보의 정책 컬러를 제시했다. 화두를 던지고 공론의 무대조차 만들지 못하는 이번 대선은 세계 10위 경제대국의 대선이라고 하기엔 참으로 초라하다.

현재 이 후보와 윤 후보 캠프에서 정책을 매만지고 있는 사람들이 족히 수백명은 될 듯싶다. 전 · 현직 정치인, 관료 등을 제외하면 이 후보 캠프에는 국가의 역할을 강조하는 진보적 성향의 학자, 윤 후보 캠프에는 시장 중시론자들이 공약 설계에 개입하는 것으로 알려져 있다. 하지만 과문한 탓인지 핵심 브레인이나 키맨이 누구인지 잘 모르겠다. 어제 다르고 오늘 다른 공약에 대해 후보들의 설명이 좀 더 필요한데, 이게 잘 안 된다면 공약에 관여하는 핵심 인사들이 이런 역할을 담당할 필요가 있다. 정책의 정체성을 분명히 드러내고 집권 후 국정 방향을 제시하는 역할은 후보뿐 아니라 그를 둘러싼 인사들의 몫이기도 하다.

국정의 성패는 대통령 개인뿐 아니라 호흡을 같이하는 인사들과 어떤 팀을 만들어 내느냐에 따라 좌우된다는 점에서 후보들이 섀도캐비닛(예비내각)을 내놓을 수 있다면 더 좋겠다. 핵심 자리 몇 곳이라도 어떤 인물들이 후보에 올라 있는지 알 수 있다면 차기 정부의 움직임을 대략이라도 가늠해 볼 수 있지 않을까. 선거일에 유권자들은 투표용지에 이름이 올라 있는 후보 중 한 사람을 택하지만, 이는 국정을 함께 운영할 세력을 선택하는 의미도 갖고 있다.

이 후보의 경우 이미 30·40대 장관을 적극 기용하겠다며 가능한 분야로 과학기술·환경·에너지 등의 영역을 언급하기도 했다. 갑작스레 정치에 입문한 윤 후보의 경우 어떤 인물들과 국정을 이끌어갈지 궁금해하고 우려하는 유권자들이 적지 않다는 현실을 직시할 필요가 있다. 현재 구도대로라면 누가 당선되든 코로나19 이후 대전환기의 국가를 끌고 나가기 어렵다는 점에서 통합정부 구상을 통한 인물 제시라면 더 의미가 클 것이다.

미국발 긴축 움직임 속에 금융시장은 살얼음판을 걷고 있다. 인플레이션이 서민들의 실질소득을 깎아먹고 있는데 통상 정권교체기에는 생활물가가 더 들썩거리기 마련이다. 오는 3월 말 임기가 종료되는 임기 4년의 한국은행 총재 인사도 서둘러야 시장의 불확실성을 줄일 수 있다. 미리 준비하지 않으면 위기설을 증폭시킬 수 있다. 아무쪼록 누굴 찍을지 판단의 잣대가 더 많아졌으면 하는 바람이다. 선거를 둘러싼 유권자들의 좌절과 한숨이 더 이상 위험 수위에 다다르지 않도록 후보와 주변 인사들의 분발을 촉구한다.[168][169]

김현철 청와대 경제보좌관 보유 주식 *비츠로셀은 지난 4월24일부터 거래정지

종목	보유 주식 수	상장시장	21일 기준 주가	업종
비츠로셀	1만1067주	코스닥	1만4500원	배터리(1차전지 등)
농우바이오	5876주	코스닥	1만5500원	바이오(농업)
대정화금	4524주	코스닥	1만2400원	화학
KG이니시스	1533주	코스닥	1만1550원	전자결제
상아프론테크	1288주	코스닥	1만5900원	배터리(2차전지) 등
슈프리마	1247주	코스닥	2만5800원	바이오솔루션
포스코켐텍	780주	코스닥	2만9600원	화학
에코바이오홀딩스	603주	코스닥	1만400원	신재생에너지
S&T모티브	572주	코스피	4만5800원	자동차부품
동아에스티	255주	코스피	8만원	제약
유니드	243주	코스피	4만8800원	화학
SK바이오랜드	166주	코스닥	1만5950원	제약·화장품
메디포스트	123주	코스닥	9만8000원	제약·화장품
SK텔레콤	75주	코스피	24만9000원	통신

*자료: 22일자 관보
그래픽: 김지영 디자이너

110. 소 잃고 외양간 고칠 때가 지금이다

코로나19로 인한 국민의 피로도가 한계점에 다다른 상황에서 점차 위드코로나 이야기가 나오기 시작했다. 전 세계적으로 영국을 필두로 싱가포르, 프랑스, 독일, 덴마크 등 주요 국가에서 위드코로나 정책을 도입하고 있다.

관건은 의료대응 체계다. 위드코로나로 가기 위한 의료 대응체계는 진료체계와 방역체계로 나눠 볼 수 있다. 진료체계는 확진자가 증가하더라도 치명률을 낮춰 사망자 수를 최소화하는 것이 매우 중요하다. 방역체계는 확진 검사 및 역학 조사를 통해 감염자 수 증가를 억제하는 것이다. 필자가 중요하다고 생각하는 부분은 방역체계다. 국가가 방역체계를 잘 갖추고 있으면 어떤 감염병이 공격해 와도 감염자의 전파를 효과적으로 차단해 진료체계를 유지하면서 감염병을 퇴치할 수 있기 때문이다.

그러나 우리는 과연 제대로 된 방역체계를 갖추고 있었나 하는 의문이 든다. 한 세미나에서 발표된 자료에 의하면 코로나19는 감염 이후 증상이 발현될 때까지 평균 5일 정도 걸리는데 바이러스 전염 가능 기간은 감염 후 2일 뒤부터 시작돼 증상 발현 하루 전에 가장 바이러스 배출량이 많다고 한다. 개인이 감염돼 증상을 느끼고 검사받으러 가거나 타인과의 접촉을 자제해도 이미 늦었다는 것이다.

그러면 증상을 느끼기 훨씬 전에 감염 의심자가 검사를 받도록 해야 하는데 그렇게 하기에는 감염자 경로를 파악하고 그 당시 같은 장소에 있었을 것으로 추정되는 사람들에게 통보하는 데 5~10일이 걸리는 우리의 역학조사 시스템은 턱없이 느리다. 역학조사 속도가 느린 것뿐만 아니라 카드 결제내역, QR코드 정보, GPS 정보, 폐쇄회로TV(CCTV) 정보 등을 기반으로 종합적으로 판단해 밀접접촉자를 파악하는 방식은 무겁고 통제적이며, 개인정보 유출 문제도 내포하고 있다. 정확도도 떨어져 한 건물에 확진자가 나오면 건물 전체 인원이 검사받아야 하는 등 매우 비효율적인 것이 현실이다.

방역체계는 허술하지만 그래도 우리가 코로나를 통제할 수 있었던 것은 강력한 사회적 거리두기 정책 때문이다. 그러나 이는 국가 시스템이라기보다 방역체계의 책무를 국민에게 부과한 정책이라고 생각된다. 감염자의 실시간 추적과 차단이 어렵다고 판단하고 사람들 간의 모임과 이동을 엄격히 제한함으로써 감염자 수 증가를 억제하는 방법인 것이다. 한두 번이나 잠시 동안은 통제할 수 있어도 1년이 지나고 2년이 돼가는 상황에서 지친 국민들의 일상과 침체에 빠진 경제, 사회적 거리두기에 따른 막대한 비용을 더 이상 감당하기 어려운 현실이다.

이를 보완하기 위해 싱가포르는 'Trace together' 라는 앱을 전 국민이 필수적으로 설치해 사용하고 있다. 이 시스템은 블루투스라는 기술을 이용해 상점, 건물, 버스 등 한 공간에 있었던 사람들을 파악하고 확진자가 나왔을 때 그 공간에 있던 사람들에게 실시간 통보한다. 블루투스 기술의 한계가 있음에도 실시간으로 밀접접촉자 확인이 가능하다는 점에서 빠르게 바이러스 전파를 차단할 수 있는 국가 방역체계를 갖추고 위드코로나를 실행하고 있는 것이다. 정보기술(IT)을 전문으로 하는 필자의 눈에는 우리가 싱가포르의 방법보다 훨씬 좋은 하이브리드 비컨과 같은 역학 추적 기술을 보유하고 있고 개인 정보도 보호할 수 있는 블록체인 기술 등이 있으니 더 좋은 방역체계를 구축할 수 있지 않을까 생각된다.

코로나19로 인한 사회적 거리두기 정책으로 소상공인이 엄청난 피해를 보고, 사회적 취약 계층의 피해가 커지고 있는 등 이미 수많은 소를 잃은 상황이다. 위드코로나로 전환되면 더 이상 국가 방역체계가 필요한가 생각할 수 있으나 국민의 사회적 거리두기를 완화하면서 디지털 기술을 활용해 거리두기 효과는 더 촘촘히 해야 하는 시점이 된 것이다. 소 잃고 외양간 고칠 시기가 지금이다.[170]

"어른들이 지켜주지 못해 미안하고 가슴 아픕니다. 좋은 데 가서 편히들 쉬세요." "잊지 않겠습니다. 안전한 국가, 나라다운 나라 만들겠습니다."

158명의 생명을 앗아간 '10·29 이태원 참사' 가 발생한 이태원 골목은 다른 곳보다 유독 더 춥고 어둡게 느껴졌다. 이태원역 1번 출구와 해밀톤호텔 본관 서편 가벽에는 추모객이 붙여놓은 메모가 빼곡히 붙어 있었다.[171]

정상만 한국재난안전기술원장이 14일 이태원 참사 현장에 시민들이 남긴 메모를 보고 있다. 그는 "(사고 당시) 일방 통행만 시켰어도, 다른 골목으로 인파 분산만 했어도, 경고 사이렌만 울렸어도 상황이 달라지지 않았을까" 라며 "지난 재난들로부터 교훈을 얻어 다시는 유사 사고가 일어나지 않게 해야 한다" 고 했다(장은주 영상미디어 객원기자).

111. 코리아 디스카운트와 지배구조

'성장' 이라는 개념은 투자자들을 매혹시킨다. 미국 나스닥의 기술주에 열광하는 서학개미들과 몇 해 전에 나타났던 중국과 베트남 투자 붐은 이 땅에서 충족되지 않는 성장에 대한 욕구를 해외투자를 통해 발현했던 사례들이다. 빠르게 성장하는 국가와 산업에 내 돈을 투자해 증식을 꾀하는 건 자연스러운 일이지만, 역사적으로 보면 성장과 투자의 성과가 늘 비례했던 것은 아니다.

한국 경제가 요즘보다 훨씬 활력 넘쳤던 시기는 1980~1990년대다. GDP 성장률은 쉽게 10%를 웃돌았고, 생활인으로서의 체감경기도 훨씬 좋았던 때다. 그렇지만 당시 한국 증시의 성과는 부진했다. 1986~1988년의 3저 호황 국면에서만 반짝 강세장을 경험했을 뿐 이를 제외한 시기에는 코스피가 500~1000포인트의 박스권을 벗어나지 못했다. 오히려 성장이 둔화되면서 한국 경제에 대한 우려가 커졌던 2000년대 들어 코스피는 2000포인트를 넘어 3000포인트대로 도약했다.

3저 호황 이후 1989~2002년 한국의 명목 GDP성장률은 연평균 12.6%였지만, 코스피의 연평균 수익률은 -2.6%였다. 반면 2003~2021년에는 연평균 명목 GDP성장률은 5.3%에 그쳤지만, 코스피는 연평균 8.5% 상승했다.

중국에서도 비슷한 모습이 관찰된다. 최근 10여년간 중국의 명목 GDP성장률은 연평균 8%대로 글로벌 주요국 중 가장 높은 수준이지만, 상하이종합지수는 2007년에 기록했던 사상 최고치 6100포인트에 크게 미치지 못하는 3000포인트대에 머물러 있다.

가. 주식투자엔 지배구조가 매우 중요

성장이 주가와 관련 없다는 결론은 현상에 대한 오독이고, 성장이 주가 상승을 보장하는 충분조건은 아니라는 점을 이해할 필요가 있다. 장기적으로 주가는 기업이 벌어들이는 이익에 수렴하는데, 고성장을 하는 국가에 속한 기업은 이익을 늘릴 기회를 많이 가질 수 있다. 그렇지만 투자자들에게 최종적으로 중요한 것은 기업이 벌어들인 이익이 주주들과 잘 공유될 수 있을지 여부이다. 기업의 부와 주주들의 부를 연결하는 일련의 과정이 거버넌스(지배구조)이다.

주식투자에는 지배구조가 매우 중요하다. 주식은 출발점부터 지배구조와 관련된 이슈가 내재돼 있었다. 주식과 채권은 일종의 권리 또는 소유권에 대한 증서임과 동시에 가장 오랜 역사를 가지고 있는 자산들이다. 주식과 채권을 제외한 다른 자산들에 대한 투자를 모두 대체투자라고 부르는 것에서 알 수 있듯이 주식과 채권은 대표적인 금융자산으로 기능해왔다.

주식과 채권 중 더 오랜 역사를 가지고 있는 자산은 채권이다. BC 3000년 바빌로니아 때부터 채권의 맹아적 형태가 기록돼 있으니, 채권의 역사는 5000년에 달한다. 반면 주식회사의 기원은 1602년 네덜란드의 동인도회사이니, 주식은 400년 조금 넘는 역사를 가지고 있다. 채권이 주식보다 역사가 긴 것은 구조가 훨씬 단순하기 때문이다. 자금 대여자와 차입자, 만기와 이자율 정도가 채권 투자에 필요한 모든 것이다.

주식이 채권보다 복잡한 것은 지배구조 때문이다. 동인도회사의 예를 들어보겠다. 동인도회사의 소유권은 회사에 출자한 주주들에게 있지만, 주주들이 동인도회사의 구체적인 영업활동에 직접 개입하는 것은 아니다. 인도와 인도네시아 등지로 항해해 향신료 등을 싣고 오는 것은 주주들이 아니라 회사에 고용된 선장과 선원들이다. 이들이 아시아에서 싣고 오는 각종 물품을 빼돌리거나 감추는 것은 주주들의 부를 파괴하는 행위이다. 주식 투자가 성과를 내기 위해서는 기업을 실제로 운영하는 임직원들이 기업의 소유주인 주주들의 부를 잘 지켜줘야 한다. 상장된 회사들은 주요 경영사항을 외부에 알려야 할 공시 의무가 있는데, 공시는 경영진에 대한 주주들의 감시에 다름 아니다. 회사의 중요한 일을 감추지 말고, 기업의 주인인 주주나 투자를 고려하고 있는 예비 주주들에게 투명하게 알리라는 게 공시제도의 목적인 것이다

1980~1990년대 고성장 국면에서 한국 주식시장의 성과가 부진했던 이유도 지배구조에서 찾을 수 있다. 주식이라는 무형의 재산권이 보호받을 수 있는 사회·경제적 신뢰 인프라가 취약했다. 무엇보다도 정치권력이 시장을 지배했다. 1985년 10대 재벌이었던 국제그룹이 권력자의 눈 밖에 나자 곧바로 무너졌다. 또한 만연했던 분식 회계와 정보 비대칭성에 기댄 소위 작전은 주주들의 부를 파괴했고, 감시받지 않는 소수 지배주주들의 전횡도 주주가치에 반하는 결과를 가져왔다.

나. 기관투자가 주주행동주의에 주목

중국 증시의 장기 성과가 부진한 이유도 지배구조에서 찾아야 한다고 생각한다. 시진핑 정부가 말하고 있는 공동부유는 사회주의의 정체성을 추구하는 그들 나름의 결정으로 존중해야 한다고 본다. 그렇지만 이런 정책 기조가 주주친화적인 것은 아니다. 이미 빅테크에서 차량공유업체까지 중국의 정책 리스크는 광범위하게 주가에 부정적인 영향을 주고 있다.

한국 증시의 경우 분식회계나 내부자가 개입된 불공정 매매 행위 등은 많이 근절됐다고 생각한다. 또한 정치권력으로부터 기업과 시장이 가지는 자율성도 크게 높아졌다고 본다. 남아있는 과제는 적은 지분으로 기업을 지배하고 있는 소수 지배주주와 압도적 지분이지만 분산돼 있는 다수 소액주주의 이해관계 불일치이다. 배당과 기업분할 등에서 논란이 벌어지고 있다.

언제든지 주식을 팔고 나갈 수 있는 소액주주들의 이해관계가 기업의 장기 가치 제고의 방향과 늘 일치하는 것은 아니다. 주주들의 단기성과 지향이 장기적인 기업가치 제고에 걸림돌이 될 수도 있다. 또한 주주 이외 다른 이해 당사자들의 이익도 고려하는 ESG 경영이 화두가 되고 있기는 하지만, 한국에서 주주자본주의 과잉을 걱정하는 것은 사치라고 생각한다. 한국의 주식투자인구는 1000만명을 넘어섰다. 주주들이 제대로 된 대접을 받지 못하는 주주자본주의 결핍으로부터 발생하는 코스트가 더 큰 것 아닌가 싶다. 소액주주들의 이해관계를 대변할 수 있는 기관투자가의 적절한 주주행동주의가 코리아 디스카운트를 완화시키는 결정적 계기가 될 수 있다고 본다.[172)]

112. 양파 값과 집값

양파 도매가격이 지난해 이맘때의 30% 수준으로 폭락했다. 양파 값 하락의 큰 이유는 저장 물량이 늘어서라고 한다.

지난해 양파가 비싸져 저장업체들이 양파 값 상승을 예측해 저장을 많이 해뒀다 올해 풀었다는 것이다. 양파 재배 면적이 감소했다는 정부 발표도 가격 상승 심리를 부추겼다. 공급은 늘어난 반면 코로나19로 급식이나 식당 등의 수요는 감소했다. 공급과 수요 불균형으로 가격이 폭락한 것이다.

부동산 시장 동향도 어찌 보면 양파 값 사정과 비슷하다. 집이 비싸게 잘 팔리면 업계는 '물 들어왔을 때 노를 젓기' 위해 너도나도 집을 짓는다. 비싸다는 건 수요에 비해 공급이 부족한 것이니 정부는 공급을 늘린다고 이야기한다. 4~5년 뒤 공급이 입주로 현실화하면 공급 과잉이 가시화한다. 미분양이 발생하고 집값이 떨어지고 업체들은 보수적으로 사업을 벌인다. 서서히 공급이 부족해지고 집값은 오른다.

집값이나 양파 값이나 수요와 공급의 불균형으로 상승과 하락을 반복한다는 점에서 평균적인 움직임을 예측하는 것은 어렵지 않을 수 있다. 전망이 어려울 때는 천재시변이나 정책, 대외 경제 환경이 변수로 작용할 때다.

개인적으로 집을 살 때 더욱 난감한 것은 입지마다 사정이 달라 평균치를 갖다 대기 어렵다는 점이다. 최근 집값이 내린다는 전망이 많다. 오를 만큼 오른 데다 정부가 공급 신호를 보내기 때문이다. 집을 사려는 사람 입장에서는 반가운 이야기다.

그럼 집값이 하락한다고 내가 살고 싶어 하는 집의 가격도 떨어질까? 만약 떨어진다면 당장 집을 사러 달려갈 것이다. 문제는 나 말고도 그런 사람이 많다는 것이다. 즉 평균 집값이 하락하는 것과 사려는 집의 가격이 내리는 것은 별개라는 말이다.

그래서 집을 살 때는 인기 주거 지역 위주로 고르라는 조언을 많이 한다. 집값이 하락하면 집을 사려는 이들이 가장 먼저 몰려가는 곳이 인기 주거 지역이라, 집값이 떨어져도 낙폭이 크지 않기 때문이다. 특정 지역의 집값을 더욱 올리는 결과를 낳기도 하지만, 집값 상승이나 방어가 중요하다면 귀담아 들을 만하다.

인기 주거 지역을 고를 때는 현재 거주지에 대한 애정을 내려놓아야 한다. 대개 사람들은 자기가 사는 곳에 익숙해져 현재 거주지를 과대 평가하는 경향이 있다.

평생 이사를 하지 않을 계획이면 몰라도 중간에 이사를 해야 한다면 다른 사람에게 팔기 수월한 집인지 냉정하게 따져 볼 필요가 있다. 주변의 학교나 학원, 생활편의시설이나 개발호재 등이 주요 기준이 될 것이다.[173]

설을 앞두고 양파와 당근, 꽁치 등의 수입 가격이 지난해보다 많이 오른 것으로 나타났다. 관세청은 지난달 14일부터 이달 3일까지 농·축·수산물 66품목의 수입신고 가격을 지난해 설 4주전부터 3주간의 가격과 비교한 결과 33개 품목이 상승했다고 9일 밝혔다.

농산물 가운데 들깨가 102.7%로 올라 가장 많이 올랐고 이어 신선·냉장 양배추(86.0%), 신선·냉장 양파(39.3%), 건조 팥(32.3%), 신선·냉장 생강(31.5%), 신선·냉장 당근(23.3%) 등의 순으로 많이 상승했다.

축산물 중에는 냉동 닭날개(23.5%), 냉동 기타돼지고기(9.1%), 냉동 삼겹살(3.9%) 등이 지난해 설 대목보다 비싼 값에 수입됐다. 냉동 꽁치(64.2%), 신선·냉장 갈치(33.9%), 냉동 주꾸미(9.1%), 냉동 꽃게(9.1%), 신선·냉장 명태(5.5%) 등도 지난해보다 수입 가격이 상승했다.[174]

113. 연금개혁, 어느 길로 갈 것인가

시간은 미래로만 흐르고 누구나 소득을 벌 수 없는 시기를 맞는다. 따라서 후세대가 이전 세대의 노후를 돌보는 것이 경제적으로 최선이다. 그런데 현재의 근로세대로서는 미래세대로부터 노후부양을 약속받기가 어렵다. 경제이론에서는 세대 간 자원 이전을 위한 시장의 부재를 공적연금으로 극복할 수 있다고 본다. 공적연금은 모든 근로세대가 이전 세대의 노후소득을 부담하도록 국가가 보장하는 사회적 계약이다. 생산연령인구가 빠르게 늘수록 공적연금의 효과도 두드러진다. 반대로 생산연령인구가 정체되거나 줄면 후세대의 부양 부담과 함께 공적연금에 대한 회의도 커지기 쉽다. 최근 저출생, 고령화가 고착화되고 베이비붐 세대의 은퇴가 시작되면서 공적연금을 두고 논란이 재연되는 데에는 불가피한 측면이 있다.

그런데 공적연금을 비롯한 사회보험이 도입된 역사에서는 사용자들로 하여금 사회적 보호의 책임을 분담하도록 양보를 이끌어내는 과정이 필수적이었다. 예컨대 미국의 공적연금은 1935년 제정된 사회보장법에 근거한다. 뉴딜을 지원했던 노동과 자본 간 균형이 있었기에 제도화가 가능했다.

그와 같은 균형이 무너지는 상황에서 자본의 선택은 공적연금을 약화시키는 것이 되었다. 각국의 연금민영화나 사적연금 활성화가 증거다. 자본은 위장된 자영업과 비정형 고용을 확대시키며 사회보험 책임을 회피한다. 지금도 노동계는 적정급여 확보를 위한 보험료 인상을 대체로 수용하는 반면 발목을 잡는 것은 사용자 측이다.

공적연금을 공격하는 논리는 달라진 것이 없다. 적립금이 곧 고갈되면 지급이 중단될 것처럼 불안을 자극한다. 1990년생부터는 국민연금을 한 푼도 못 받는다는 재계의 세대 갈라치기가 그 정점이었다. '수익비'가 1을 넘어 수급자들이 낸 것보다 많이 받아간다는 비난도 최근 재등장했다. 하지만 공적연금의 제도 핵심은 세대 간 사회적 부양에 대한 국가책임에 있다. 오늘 적립한 개인의 기여금은 오늘의 노년세대에게 급여로 지급된다. 오늘의 기여금을 이자와 더해 나중에 해당 개인이 돌려받는 구조가 아니다. 누구나 은퇴하면 후세대로부터 적정한 사회적 부양을 받도록 국가가 약속했다. 부양의 적정성이 관건이고 국가가 역할을 제대로 하는지가 중요하다. 수지균형을 따져 자식한테서 받아낼 돈만큼만 부모한

테 돈을 들이는 게 공정하다면 공적연금의 존재의의가 부정된다. 그 빈틈으로 시장화라는 악마의 길이 열린다.

작년 말 OECD 발표에 따르면 노인과 유족에 대한 2017년 공공지출은 OECD 평균이 GDP의 7.7%였다. 한국은 3%도 안 됐다. 거의 꼴찌다. 대신에 노인빈곤율과 노인자살률은 1등이다. 평균소득자라도 2019년 국민연금 월 급여는 48만원에 그쳤다. 여기서 급여를 더 깎는 것이 노후소득보장이라는 제도 목적에 부합할까? 최근 OECD 연금보고서에서 한국의 소득대체율이 떨어진 것은 타당한 국제비교를 위해 상시고용 평균소득자 기준을 적용한 결과였다. OECD 평균도 저소득자가 고소득자보다 소득대체율이 높아 우리만 하후상박인 것은 아니다. 지급률이 1%라는 주장도 틀렸다. 일각에서는 한국의 소득대체율이 OECD 평균보다 높은 45.8%라고 하지만 현실의 노인빈곤을 감안하면 설득력 없다. 기준이 달라 그 수치로는 국제비교도 안 된다. 국민연금 대신 기초연금을 강화하면 된다고 하나 국민연금이 후세대 부담을 늘린다면 기초연금도 마찬가지다. 노인빈곤율에 미치는 비례급여의 영향을 주의 깊게 평가해야 한다. 중산층을 포괄할 때 복지재정의 정치적 지속가능성이 제고된다는 연구결과도 고려하자. 연금개혁을 위해서는 결국 미래 급여를 적정 수준으로 올리는 길과 더 깎는 길 중 하나를 골라야 한다. 어느 길이 제도 강화이고 어느 길이 제도를 약화시킬 수 있는지 분명하다. 우리는 어느 길로 갈 것인가.

지금은 국민연금이 가입자기반과 국민신뢰를 넓혀가는 과정에 있다. 급여삭감과 수급개시연령 연장의 기개혁조치도 이미 시행되고 있다. 곧 고갈된다는 적립금 규모는 GDP 대비로 OECD 1위다. 연금개혁을 둘러싼 숱한 논쟁점들은 찬찬히 제대로 논의해가자. 하지만 틀림없는 사실은 세대 갈등과 수지균형이라는 프레임이야말로 신자유주의가 공적연금을 공격해온 논리라는 점이다. 후세대를 위한 재정건전화 때문에 연금개혁에서 급여 인상이 가로막힌다면 공적연금의 제도 기초가 흔들리기 쉽다. 당장은 2030에 호소력이 있어 보여도 미래엔 그들도 그만큼 손해를 입는다. 재정확충을 위한 다른 방안이 없지 않다. 진보의 금기를 넘는다면서 뒷문으로 재정보수주의를 들여와서는 안 된다. 그 길은 진보의 길이 아니다.[175]

114. 암호화폐와 리스크

현대의 화폐는 공적화폐와 민간화폐 두 가지의 조합으로 구성된다. 중앙은행 화폐, 즉 현금이 공적화폐라면, 은행예금은 민간화폐이다. 선진국들의 경우 화폐(통화)의 95% 이상이 예금화폐이다. 중앙은행 화폐는 한 국가 내에서 이루어지는 거의 모든 거래에서 계산단위로 이용되며, 통화시스템의 기준(앵커)을 제공한다. 예금화폐는 거래의 지불수단이나 가치저장수단으로 널리 사용되지만, 그에 대한 신뢰는 예금화폐가 언제든지 중앙은행 화폐로 교환될 수 있을 것이라는 공공의 믿음에 달려있다. 즉 은행의 부채인 예금을 중앙은행의 지급준비금으로 바꿔준다는, 정부의 신뢰성 있는 약속이 현대 금융시스템의 안정적 작동을 위한 제도적 기초이다.

그런데 2009년 비트코인의 발행을 시작으로 다양한 암호자산 또는 암호화폐가 우후죽순으로 등장하기 시작하면서 이러한 금융시스템의 작동구조에 근본적인 변화를 야기하고 있다. 지난 10여년간의 발전과정을 거치면서 암호자산은 단순히 거래 가능한 새로운 금융상품의 등장을 넘어서 보편적으로 사용되는 지불수단의 지위를 얻고자 치열하게 경쟁하고 있다. 무릇 어떤 지불수단이 보편적으로 이용되기 위해서는 계산단위를 기준으로 안정적 가치를 가져야 하는 법이다. 2015년에 처음 도입된 스테이블코인이 법정화폐와 일대일 교환을 약속하는 것도 가치안정성을 담보로 지불수단의 지위를 얻기 위함이다. 2021년 기준으로 전 세계 암호자산의 시가총액은 2조5000억달러, 그중 스테이블코인은 1200억달러에 이른다. 그런데 스테이블코인의 거래량은 이미 다른 모든 암호자산의 거래량을 능가하고 있으며, 앞으로 더욱 증가할 것으로 예상된다.

이러한 암호화폐는 지불수단으로서 몇 가지 상대적인 장점을 가지고 있다. 우선 디지털공간에서 이루어지는 우리의 일상에 더 잘 통합되어 있다. 특히 국경 간 거래에서 더 빠르고 저렴하다. 디지털화된 다양한 자산들이 블록체인망 위에서 이동하면, 복잡한 결제 인프라가 없이도 끊김 없는 자동화된 결제가 가능하다. 또한 거래비용이 거의 들지 않고 실시간 결제가 용이하다 등등.

반면에 민간이 발행하는 지불수단 또는 화폐가 직면하는 여러 리스크에 동일하게 노출된다. 예컨대 소비자의 요구에 의해 상환을 해주기 위해서는 보유자산을 적기에 매각할 수 있어야 하는 유동성리스크, 암호화폐사업자가 파산하는 디폴트

리스크, 암호화폐 청구권이 외국화폐로 평가되는 경우 환율변동에 따라 가치가 급락하는 환율리스크 등등. 이러한 리스크에 대비하기 위해 암호화폐 사업자의 보유자산을 고유동성자산으로 제한하거나 내부통제나 공시 강화 등 법률적 의무를 부과하는 것만으로는 소위 인출요구쇄도 위험(run risk)에서 벗어나기 어렵다.

암호화폐의 제도화 여부 및 그 구체적 방안에 대한 논의는 이러한 효율성과 리스크 양 측면 간의 균형점을 찾으려는 노력 속에서 이루어지고 있다. 예컨대 스테이블코인 사업자에게 은행과 유사한 예금보호제도 가입이나 정리회생제도 도입 더 나아가 중앙은행 준비금에 대한 접근 허용 등과 같은 금융안전망을 제공하는 방안이 제기되는 것도 이러한 리스크에 대응하기 위한 것이다. 물론 그에 걸맞은 건전성 규제나 각종 내부통제, 공시의무 등도 동시에 부과되어야 할 것이다.

암호화폐의 제도화는 현대 금융시스템의 영혼을 바꿀 수도 있는 일이기에 좀 더 깊이 고려해야 할 게 있다. 무엇보다 암호화폐의 제도화가 은행화폐의 자금중개기능에 미치는 영향 또는 탈중개화가 신용의 공급량과 그 가격 그리고 은행시스템의 안정성에 미치는 영향이다.

만일 예금화폐의 암호화폐로의 전환이 은행을 통한 신용공급의 축소와 대출금리의 상승으로 이어지고 유사시 유동성리스크를 확대시킨다면, 금융시스템의 효율적 작동을 저해할 것이기 때문이다. 미래의 화폐시스템을 설계할 때 암호화폐, 은행화폐 그리고 CBDC(중앙은행 발행 디지털화폐) 3자의 관계와 기능을 어떻게 제도화할 것인지에 대해 진지하고 철저한 검토와 논의가 필요한 시점이다.[176]

☞ 바이든, 암호화폐 연구 행정명령 서명…디지털화폐 도입 검토 주목

조 바이든 미국 대통령이 9일(현지시간) 연방정부 차원에서 포괄적인 암호(가상)화폐 연구를 지시하는 행정명령에 했다.

이에 따라 기축통화인 달러화의 중앙은행 디지털 화폐(CBCD) 도입에 대한 검토가 본격적으로 이뤄질지 주목된다.

바이든 대통령은 행정명령에서 “2021년 11월 비국가 발행 디지털 자산은 시가총액이 2016년 11월초 약 140억 달러에서 3조 달러에 달했다” 면서 “통화 당국들은 세계적으로 CBCD를 살펴보고 있으며, 어떤 경우에는 도입하고 있다” 며 디지털 자산과 관련한 많은 활동에 대해 기존 국내 법률과 규정을 통해 다뤄지면서 일관성 없는 통제로 인해 미국 정부의 접근법의 발전과 조정이 필요하다고 지적했다.

백악관은 현재 미국 성인의 16%, 특히 18~29세의 경우 43%가 암호화폐에 투자하고 있다고 분석했다.

바이든 대통령은 "우리는 디지털 자산이 소비자와 투자자 및 기업 보호, 금융 안정성과 금융시스템의 완전성, 범죄와 불법 금융의 퇴치 및 예방, 국가안보, 인권 행사 역량, 금융 포섭과 형평성, 기후 변화와 오염에 가하는 위험을 줄이기 위해 강력한 조치를 취해야 한다" 고 밝혔다.

그러면서 바이든 대통령은 재무부를 비롯한 다른 금융 기관들이 금융 안정성과 국가 안보 차원에서 암호화폐의 영향을 분석할 것을 지시했다.

브라이언 디스 국가경제위원회(NEC) 위원장과 제이크 설리번 국가안보보좌관은 공동성명을 내고 "이번 행정명령은 소비자를 보호하고 우리의 민주적 가치와 일치하며, 미국의 글로벌 경쟁력을 높이는 방향으로 미국이 국내외 디지털 자산 생태계의 혁신과 거버넌스에서 주도적인 역할을 계속 수행하도록 도울 것" 이라고 밝혔다.

이들은 "이번 행정명령은 디지털 자산은 디지털 자산 영역에서 책임있는 혁신, 즉 모든 미국인을 위해 작동하고, 국가안보 이익을 보호하며, 우리의 경제 경쟁력과 성장에 기여하는 혁신을 촉진하기 위한 노력의 강화를 나타낸다" 면서 "기본적으로 디지털 자산에 대한 미국의 접근법은 혁신을 장려하지만, 소비자와 투자자, 기업, 광범위한 금융 안정성, 환경에 대한 위험을 완화하는 접근법" 이라고 설명했다.

이들은 "우리는 과거의 '금융혁신' 이 불평등을 악화시키고 시스템적 금융리스크를 증가시키면서 서민 가정에 혜택을 주지 못했던 게 너무 자주 있었다" 면서 "이러한 역사는 디지털 자산 개발에 강력한 소비자 및 경제적 보호 장치를 구축할 필요성을 강조한다" 고 밝혔다.

이어 "이번 행정명령에 약술된 접근법은 세계 금융 시스템에서 미국의 리더십을 강화하고, 자금세탁 방지 프레임워크와 같은 중요한 국가안보 도구의 장기적인 효과를 보호할 것" 이라며 "이를 위해 행정명령은 디지털 자산 생태계의 진화를 우리의 가치와 일치하는 방식으로 가도록 돕기 위해 암호화폐와 미래 미국 중앙은행 디지털 화폐에 대한 행정부의 정책 우선순위를 확인할 것" 이라고 말했다.

재닛 옐런 재무장관도 성명을 통해 바이든 대통령의 역사적인 행정명령은 디지털 자산 정책에 대한 조정되고 포괄적인 접근을 요구한다며 "이 접근법은 국가와 소비자, 기업에 실질적인 이익을 가져올 수 있는 책임있는 혁신을 지원할 것이고, 불법 금융과 관련된 위험, 소비자와 투자자 보호, 금융시스템과 더 넓은 경제에 대한 위협 예방을 다룰 것" 이라고 밝혔다.

백악관은 지난해 랜섬웨어 등 사이버 범죄의 위협이 커짐에 따라 행정명령 등 암호화폐 시장에 대한 광범위한 감독을 검토하고 있다고 밝힌 바 있다.

무엇보다 이번 조치는 우크라이나를 침공한 러시아가 서방의 가혹한 경제 제재를 회피하기 위해 암호화폐를 활용할 것이라는 지적이 나오고 있는 상황에서 발표돼 주목된다.

미 당국자들은 그간 러시아가 암호화폐를 이용해 제재를 우회하는 것은 불가능하다며 가능성을 부인해 왔다.

금융업계에선 '디지털 달러' 논의 여부에 주목하고 있다. 행정명령에는 CBCD 관련 내용도 포함돼 있다.

앞서 미국 연방준비제도(Fed · 연준)는 지난 1월 '디지털 달러화' 의 장단점을 설명한 백서를 발간하고 중앙은행 디지털 화폐 도입 논의에 착수한 바 있다.177)

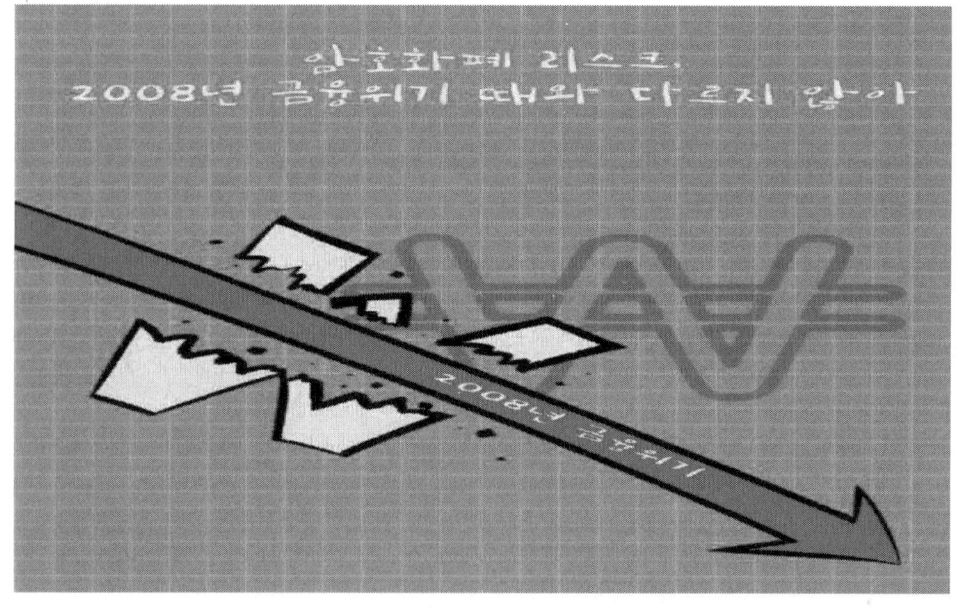

암호화폐 전문매체 코인데스크에 따르면 미국 상품선물거래위원회(CFTC) 위원 크리스티 골드스미스 로메로(Christy Goldsmith Romero)는 올해 봄 암호화폐가 2008년 금융 위기 당시와 동일한 리스크를 경험했다고 말했다. 그는 "규제되지 않는 암호화폐 시장이 올해 봄 2008년 당시 금융 위기와 비슷한 일을 경험, 금융 안정성 리스크에 대한 취약성을 드러냈다" 며 "의회는 업계의 리스크 대응을 위해 CFTC에 추가 권한을 제공해야 한다. 이를 통해 금융 안정성 리스크 문제를 해결할 수 있다" 고 전했다.178)

115. 항산이야 항심이라

맹자가 "항산이야 항심이라", 이런 말을 한 적이 있었다. 항상 산물, 즉 소득이 있어야 항상 같은 마음을 유지할 수 있다는 말이다. 그리고 소득이 항상 있지 않아도 마음을 유지할 수 있는 사람이 선비라고도 했다. 결국은 깨달음의 중요성을 얘기하는 구절이다. 경제가 중요하다고 할 때, 종종 이 구절이 인용된다.

문재인 정부의 시대는 가고, 이제 윤석열의 시대가 온다. 문재인 정부가 뭘 잘못했을까? 1인당 국민총생산을 살펴보니 2020년 기준으로 일본은 4만364달러, 한국은 4만1370달러, 한국이 추월했다. 2019년까지는 일본이 더 높았다. 우리가 흔히 쓰는 국민소득과 다른 점은, 해외 거주 한국인과 국내 외국인의 생산액을 넣을 것이냐, 뺄 것이냐, 그런 송금액에 대한 처리 방식이다. 생산 지표로는 문재인 시대, 한국이 일본을 넘어섰다. 한국 경제는 여전히 잘 나간다. 경제사에서는 한국 경제가 일본 경제를 추월하기 시작한 때로 문재인 정부를 기록할 것이다.

전체 규모에서는 문제가 없지만, 사람들의 마음은 그렇지 않다. 공정을 경제적으로 해석하면, 절대 규모가 아니라 상대 규모 그리고 결과가 아니라 과정을 중시하는 두 가지 요소로 분해할 수 있을 것 같다. 강남에 사는 사람들을 중심으로 잘살게 되는 것은 항산이 아니다. 정치학자들이 '민심 이반'이라고 부르는 일이 벌어진다. 과정도 중요하다. 이건 항심이 아닐까 한다. 비정규직 교사들을 정규적으로 전환할 때, 정규직 교사들의 반발이 컸다. 인천공항 정규직 전환 때에도 강한 반대가 있었다. 이건 상대적 박탈감과 함께 과정에서 생긴 문제다. 국회 청소노동자의 정규직 전환 때에는 길고 긴 과정이 있었다. 그래서 찬성하는 분위기였다.

가. '나눠먹기' 여부가 항산항심 지표

이제 우리는 선진국 진입을 얘기하던 지난 20년을 뒤로하고 선진국 중에서도 더 앞의 일부 그룹에 속하는 나라가 되었다. 군부를 등에 엎고 일부 경제 엘리트들이 "먹고살게 되잖아", 이렇게 얘기하면 국민들이 박수 치던 개발도상국 시대가 끝났다. 거시 수치가 아무리 좋아도 일상생활에서 개개인이 체감하지 않는 것은 이제 항산으로 안 친다. 전체적으로는 다 좋아진다고 하더라도 과정이 이상하면 항심이 생기지 않는다.

문재인 정부는 일부의 항산만 이루었고, 온 국민 경제의 항심은 못했다. 결국 집 없는 사람들의 가슴을 너무 아프게 했다. 이게 윤석열이 넘겨받은 국민 경제의 현재 상태다. 결과와 과정 다 중요하게 되었다. 그리고 비율도 중요한 게 경제다. 일부에서 검찰공화국의 도래를 우려하지만, 사법권이 국민 경제 운용을 불안하게 할 정도로 만드는 비상식적인 일을 하지는 않을 것이라고 본다. 대선은 5년 후에 또 온다. 통치자가 기분대로 원하는 것을 다 얻고자 하면, 항산도 없고, 항심도 없다.

윤석열이 과연 '항산 항심' 방향으로 갈지, 검사 출신답게 검사와 변호사가 국가를 운영하는 방향으로 갈지, 이걸 분별하기 쉬운 간단한 지표가 있다. 과연 정권교체기에 공기업 등 공공경제의 한 축을 담당하는 기관장이나 임원들이 자기 자리에 있을지, 아니면 '일신상' 혹은 '건강상'의 문제로 어느 날 갑자기 사퇴하게 될지? 새로운 정부 공작정치의 출발점은 자기 사람들을 앉히기 위해서 예전 사람들을 불투명한 방식으로 밀어내는 것으로부터 시작되었다. 불행하게도 문재인 정부도 예외가 아니었고, 결국 장관이 투옥되는 일이 벌어졌다. 금전·결탁·애정 관계, 이런 것들을 사정당국이 기관장에게 들이밀고, 이게 '일신상의 문제'가 된다. 대통령은 투표로 교체되지만, 기관장들은 '일신상'에 의해 교체되었다.

"나는 미신을 믿는 사람이오, 내 둘째 아들에게 사고가 생기거나 경찰에게 총을 맞거나 또는 감옥에 들어가거나 벼락이라도 맞는다면 여기 모인 사람들에게 책임을 묻고 또한 용서하지 않겠어."

나. 음란한 일방주의 땐 5년 후에 심판

영화 <대부>에서 큰아들 소니가 총에 맞아 죽고, 시실리아로 피신해 있는 둘째 아들 마이클을 다시 미국으로 데리고 오기 위해서 대부가 5대 패밀리 회합에서 한 대사다. 대통령 취임 이후 6개월이 지났는데, 지금의 기관장들이 그 자리에 있다면 그때야 검찰이나 사정당국이 부당하고 음침하게 공공경제에 개입하지 않았다고 인정할 수 있다. 분식회계나 중소기업 기술 갈취 등 명백한 재벌들의 범죄에 제대로 법이 작동하는지, 민간경제에는 음침한 게 없는지 살피는 게 두 번째 단계일 것이다. 지금까지의 정부는 앞으로는 경제 청사진이나 장엄한 계획 같은 거 내면서도 뒤에서는 다 이런 일들을 하였다. 과정의 실패다.

새로운 정부는 늘 항산이라야 항심이라는 말, 그리고 그 항산에 과정이 포함된다는 것을 생각하면 좋을 것 같다. 법치주의, 그게 경제로 오면 절차와 과정을 드러내어 토론하는 것이다. 음침한 일방주의로 돌아가면, 5년 후 정권이 다시 바뀔 것이다.[179]

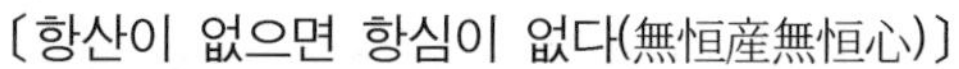
〔항산이 없으면 항심이 없다(無恒産無恒心)〕

어느 날 등문공이 맹자에게
나라 다스리는 법을 묻자
맹자는 이렇게 대답했다.

'농한기에는 집안일을 마치고
농번기에는 농사에 열중하는 것' 이라 하였다.

이를 다시 정리하여 알려주었는데
일반 백성이 살아 가는데는
꾸준히 일할 수 있는 생업,
즉 항산(恒産)이 있어야 한다.

그래야 항상 변치 않는 믿음
'항심((恒心)을 유지할 수 있다' 고 말했다.

- 목민심서 (다산 정약용) -

116. 공정경제 공약 보완해야

문재인 대통령은 지난 9일 '공정 경제 전략회의' 를 직접 주재하면서 "우리나라는 반세기 만에 세계 10위권의 경제 대국이 됐지만 성장 과정에서 공정을 잃었다. 함께 이룬 결과물이 대기업 집단에 편중됐고, 중소기업은 성장하지 못했다" 고 했다. "공정 경제는 경제에서 민주주의를 이루는 일" 이라고도 했다. 재벌(대기업 집단) 중심 경제가 경제·사회적 불평등의 주범이며, 경제성장까지 약화시키니 '공정 경제' 로 그걸 바로잡아야 한다는 것이다.

그런데 이런 인식은 위험하리만큼 현실과 동떨어져 있다. 올 9월 발표된 컨설팅 기업 맥킨지의 보고서를 보면 고소득 국가일수록 GDP(국내총생산)에서 차지하는 대기업의 매출 비중이 높다. 룩셈부르크에선 한 철강 대기업(아르셀로미탈)이 GDP 대비 160%의 매출을 올리고 있다. 스위스·네덜란드·노르웨이·홍콩 등에서도 한 대기업의 매출이 GDP의 20~50%가 된다. 이 국가들 대부분이 빈부 격차가 낮고 복지 수준이 높다는 점을 볼 때 대기업은 악의 근원이 아니라 성장 원천임을 알 수 있다.

우리나라는 어떤가. OECD(경제협력개발기구) 회원국을 통틀어 GDP에서 대기업이 차지하는 자산 비중이 낮은 순서로 넷째이다. 기업체 수는 GDP가 우리의 세 배 정도인 일본과 거의 같지만 개별 기업 규모는 일본의 3분의 1, 미국의 7분의 1 수준이다. 똘똘한 대기업은 적고 영세 기업이 많다는 얘기다. 그 결과 국내 총고용 인원에서 대기업의 비중은 OECD 국가 중 그리스와 더불어 최하위권에 속한다.

대기업 때문에 중소기업이 성장하지 못한다는 것도 편견이다. 세계 어느 나라에서도 대기업이 다른 기업을 위해 시장을 비워 놓는 경우는 없다. 한국 재벌들이 시작하지 않았던 커피 전문점만 해도 스타벅스라는 글로벌 대기업이 각국 시장을 장악하고 있다. 세계은행은 최근 보고서에서 '대기업은 영세 기업이 차곡차곡 성장해 만들어지기보다 대규모 자본을 기반으로 탄생부터 큰 규모' 라고 밝혔다. 20조원이 넘는 벤처 자금을 투자받아 창업 8년 만에 기업 가치 80조원이 넘는 글로벌 기업이 된 우버와 소프트뱅크 등의 자금 투자를 밑천으로 단기간에 도약한 중국 알리바바가 이를 보여준다.

소비가 고급화하면서 기업 간 격차가 크게 벌어지는 현상은 '수퍼 스타 경제화

(化)' 로 불리는 세계적 흐름이다. 한국 기업 간 이익 격차 확대와 양극화는 내부 구조 모순 탓이라기보다 치열한 기업 간 경쟁에서 성공 또는 실패한 데 따른 결과에 더 가깝다. 이를 무시하고 '경제에 민주주의를 적용' 하려는 현 정부의 발상은 착각이다.

제조업종 대기업이 고용 창출에 기여하지 못한다는 주장은 무지(無知)의 소산일 뿐이다. 반도체 · 석유화학 등 대규모 장치산업이 많고, 강성 노조가 득세하는 제조업 현실상 한국 대기업들은 생존을 위해 자동화와 해외 이전을 할 수밖에 없다. 더욱이 제조업의 고용은 1인당 소득 5000달러 부근에서 정점을 이룬다는 게 경영학계의 정설이다. 우리나라가 고용 문제 해결을 제조업에 기대는 시점은 이미 한참 전에 지난 셈이다. 서비스업에서 고용 창출이 활발해야 한데 영리 병원, 원격 의료 금지에서 보듯 한국 서비스업은 기업화 자체가 봉쇄돼 있다.

우리나라가 친(親)대기업 정책을 해왔으며 재벌 때문에 불공정 사회가 됐다는 것 역시 진실과 거리가 멀다. 우리나라는 기업 집단을 대상으로 한 규제가 가장 많고, 중소기업에 대한 정부의 신용 보증이나 지원금 등이 세계적으로 가장 활발한 나라에 꼽힌다. 최근 큰 국내 기업 부정(不正)은 산업은행 관리하에 있는 대우조선해양에서 이뤄졌고, 미국 엔론의 분식 회계 등에서 보듯 재벌이 없는 선진국에서도 기업의 일탈은 발생한다. 파업 중 사업장 점령이나 기업 투자가 이뤄지는 산업 현장 방해처럼 노조와 시민단체들의 갑질도 끊이지 않고 있다. 불공정 행위는 정권의 임의적 · 도덕적 판단이 아니라 합리적인 법과 엄정한 법치 집행으로 해결해야 한다.

우리나라에서 갑(甲)은 언제나 정부였다. 관치와 정치권의 압력이야말로 기업인들을 감옥에 보내는 최고 갑질의 원인으로 작용해 왔다. 경제적 자유도나 국제 경쟁력 지수에서 정부의 투명성 · 정직성이 매우 낮게 평가되고 있으며, 진정한 포용적 성장을 위해서는 정부가 우선 개혁 대상이라는 국제기구의 조언을 귀담아 들어야 한다. '공정 경제' 는 그 미사여구에도 불구하고 이념적 편견의 허구에 기초하고 있으며 경제를 망치는 관치와 규제 확대를 부추길 뿐이다.[180]

정책은 실종되고, 네거티브 선거로 치달았던 20대 대통령 선거가 끝났다. 윤석열 대통령 당선인을 비롯한 모든 후보와 선거캠프도 고생했지만 진흙탕 싸움과 엉성한 선거관리까지 지켜봐야 했던 유권자와 국민들이 제일 힘들었으리라 본다. 어쨌든 결과는 나왔고 이젠 다 같이 앞으로 가야 할 시점이다.

윤석열 당선인과 꾸려질 대통령직인수위원회에서는 공정경제정책도 힘을 쏟아야 한다. 지금 우리 경제는 재벌로 쏠린 불공정한 경제구조 속에서 지속되는 코로나19와 물가상승, 높디높은 부동산 가격, 러시아의 우크라이나 침공에 따른 무역위축 등으로 성장도 발목 잡혀 있고, 양극화는 더욱 심해져 있다. 이러한 상황에서 과거 정부와 같이 정부주도 재벌중심의 경제정책기조에 중점을 둔다면 경제가 더욱 어려워질 수 있다. 문재인 정부와 더불어민주당은 출범 초기 공정경제를 핵심으로 내세웠지만, 이를 내팽개치고 금산분리완화, 재벌 지주회사의 벤처금융 허용, 복수의결권 도입 시도 등 친재벌정책으로 선회했다. 결국 중소벤처기업들이 기술혁신과 성장을 할 수 있는 공정한 발판이 마련되지 않아, 재벌로의 경제력 집중만 심화되었다. 시장에서는 불공정행위가 만연하고, 대중소기업 임금격차도 좁혀지지 않고 있다.

곧 꾸려질 인수위는 이러한 문제를 면밀히 파악하여 새 정부 출범 전까지 공정한 시장구조를 만들 수 있는 실효성 있는 정책을 준비해야 한다. 하지만 공약집을 보면 과거 보수 정부가 취해왔던 친재벌 규제완화 경제정책 기조가 그대로 녹아 있어 우려되는 측면이 크다. 공약집 '좋은일자리' 분야에 '역동적 혁신성장을 위한 공정기반 조성' 이라며 관련 의제가 제시되어 있지만, 수단으로 '공정경쟁확립과 규제혁신' 이라는 추상적인 말만 적어 놓았다. 보수정부였던 박근혜 정부는 재벌기업들의 신규 순환출자를 금지시킨 바 있고, 2103년 반경제력집중법 제정으로 대대적인 재벌개혁을 단행했던 이스라엘도 당시 주도세력이 우파였다. 오래전 재벌개혁을 이뤘던 미국은 디지털 경제의 확대로 플랫폼 기업이 거대화됨에 따라 독과점방지 법안 제정을 위한 움직임을 보이고 있다. 따라서 필요한 정책에 대해서는 진영논리를 따지지 말고, 정책수단으로 활용해야 한다.

이번 20대 대선 과정에서는 정의당 심상정 후보만 재벌의 경제력 집중 억제 등 실효성 있는 공정경제 공약을 했다. 거대 양당 후보는 금융과 세제지원, 규제완화 중심의 공약만 잔뜩 나열해 놓았다. 이게 우리 정치의 현실이다. 민주당은 초심으로 돌아가 공정경제와 같은 개혁정책들을 챙겨야 한다. 윤 당선인과 국민의힘 역시 자만하지 말고, 개혁을 바라는 유권자와 국민들의 목소리도 수용해야 한다. 안철수 인수위원장은 당선인 공약을 세세하게 검토해서 수정과 보완을 해야 한다. 어느 한쪽으로 치우친 경제는 제대로 굴러갈 수 없음을 반드시 명심해야 한다.[181]

117. 한국장학재단 이사장께 호소드린다

한국장학재단은 대학생에 대한 학자금 지원을 하는, 교육부 산하 위탁집행형 준정부기관. 반값등록금 시위가 계속되던 이명박 정부 시절 그 대신 대학생의 부담을 조금이라도 덜어주려 정부에서 만든 재단이다. 학자금 대출과 상환, 장학금 선정 및 수혜 등의 업무와 지도자 코멘티, 지식봉사활동[182] 등을 수행한다.

제주 서귀포 강정마을을 출발한 '길 위의 신부' 문정현과 봄바람 순례단이 한국장학재단 대구 본사를 찾았다. 정규직 전환을 요구하며 117일째 천막농성을 이어온 장학재단 콜센터 노동자들이 본사 로비 점거에 나선 지 일주일째 되는 날이었다. 사제가 불러온 봄바람으로 가난한 노동자들 마음에 환한 꽃이 피어날 수 있을까.

그러나 최근 국가인권위원회가 주최한 콜센터 노동자 실태조사 결과 발표회에서 다시 드러난 우리 사회 비정규직 노동자들의 힘겨운 삶의 단면은 비유컨대 꽃이 필 만한 봄은 아니었다. 형편이 좀처럼 나아지지 않은 채로 인권의 사각지대에서 긴 시간을 견뎌온 그들은 또한 정부의 공공부문 비정규직 정규직화 정책에서 3단계 전환 대상으로 분류되었던 민간위탁 노동자들이기도 하다. 지난 5년을 기다렸어도 그들에게 정규직 전환의 소식은 여태 들려오지 않는다. 공공부문 비정규직 제로를 약속한 문재인 정부의 임기가 한 달 남은 지금, 피우지 못한 꽃처럼 노동자들의 마지막 기대도 지고 말까.

사정이 이렇게 된 가장 큰 이유는 정부가 첫 단추를 잘못 끼운 탓이다. 정부는 2018년 전수실태조사를 거쳐 정규직 전환 대상이 될 수 있는 민간위탁 노동자를 약 20만명으로 파악했다. 그러나 2019년 2월 발표된 3단계 정규직 전환의 내용은 1, 2단계에 비해 적극성이 현저히 떨어지는 것이었다. 민간위탁 사업의 직접 수행으로의 전환 여부는 사업장별로 사실상 원청이 결정하도록 맡겨졌다. 오분류로 정규직 전환에서 빠진 경우도 원청 사용자의 조정 신청 없이는 시정할 수 없게 했다. 그러면서도 정부는 원청의 의사결정에 적용할 일관된 기준을 제시하지 않았다. 전환의 방식이나 기존 정규직 설득 방안에 대해서도 정부는 손을 뗐다. 그러니 일각에서 이를 두고 민간위탁 존치 정책이라고 비꼰 것은 일리가 있었다. 상시지속 업무의 정규직 전환이라는 원칙은 사실상 폐기된 셈이었다. 일부 지자체는 직영 사업을 민간위탁으로 돌리는 일까지 버젓이 자행했다. 공공부문 정규직 전환 정책은 그렇게 정부 자신에 의해 무너져 내렸다.

공공기관도 상황 악화에 영향을 미쳤다. 한국장학재단은 2019년 3월 노・사・전문가 협의회를 거쳐 콜센터 업무의 민간위탁을 유지시키고 '정규직 전환 예외'로 결정했다. 당사자인 콜센터 노동자들은 당시 협의회에서 배제됐다. 민간 도급업체 중간관리자가 협의회에서 노동자를 대표하는 촌극이 벌어졌다. 결국 2021년 8월 노동부는 재단의 전환 예외 결정 과정에서 절차상 하자가 있었음을 인정했다. 하지만 그 이후에도 민간위탁 지속 여부를 둘러싼 논의는 내내 지지부진하다.

노조로서는 재단 측이 민간위탁 유지로 몰아가고 있다는 의심의 눈초리를 거두기 어렵다. 노동자들은 희망고문에 지쳤다. 한때는 새 이사장님이 오신다고 기다려야 했다. 그러다가 연말까지는 결정된다고 해서 기다렸다. 다시 대선 전까지는 타당성 검토가 마무리된다고 해서 또 기다렸다. 그럴수록 노동자들만 힘이 빠졌다.

실은 한국장학재단만의 문제도 아니다. 정권 말기에 접어들면서 공공기관들은 정규직 전환 정책의 취지를 점점 더 외면하는 모양새다. 경북 경산시는 폐기물 수집운반과 상수도검침 업무에 있어 민간위탁 방식을 고수하고 있다. 한국도로공사는 2019년 5월 대법원의 직접고용 판결에도 불구하고 그 이행을 앞장서 촉구해온 톨게이트 노동자들에게 거액의 손해배상 청구로 재갈을 물렸다. 국민건강보험공단 콜센터 노동자들은 작년 10월 정규직 전환이 결정되었음에도 불구하고, 전환 방식과 임금 체계를 논의할 협의체 구성을 두고 갈등을 겪고 있다.

최근 콜센터 노동자 실태조사 결과에 따르면 직접고용과 간접고용 간에는 노동조건에 있어 큰 차이가 있는 것으로 나타났다. 화장실 이용도 자유롭지 못한 콜센터 노동자들의 열악한 업무 환경을 개선하려면 노동 강도를 낮추고 인력을 확충하는 것이 중요하다. 최저임금에 묶여 있는 급여의 수준을 올리고 숙련이 반영되도록 임금체계도 바꿀 만하다. 감정보호 조치는 필수다. 하지만 단연 첫손에 꼽히는 노동조건 개선은 직영화로 고용불안을 덜어내는 것이다. 재단으로서도 실질적 사용자성을 부인하기 어려워 간접고용으로 기간제 계약을 반복 갱신하는 데에는 위법의 소지마저 없지 않다고 볼 일이다. 그러니 한국장학재단 정대화 이사장께 호소드린다. 콜센터 노동자들은 어떤 전환 방식이나 별도 직군 편성에 대해서도 열려 있으니 민간위탁만큼은 더 이상 없다는 약속만이라도 더 늦지 않게 꼭 해달라고. 문정현 신부의 말씀처럼 우리 노동자들은 "사람답게 살기 위해 힘을 합쳐서 목소리를 내는 것이라고".[183]

118. 한국 보수는 창피함을 모른다

지난달 윤석열 대통령 당선인은 경제 6단체장들과 회동을 가졌다. 이 자리에서 손경식 경총 회장은 기업규제 완화, 허창수 전경련 회장은 중대재해처벌법 보완, 김기문 중기중앙회 회장은 최저임금 차등화 필요성을 언급했다. 윤 당선인은 이에 화답하듯 기업의 자유를 방해하는 요소를 제거하는 게 정부의 역할이라는 것을 강조했다. 최근 이준석 국민의힘 대표 또한 경쟁, 능력, 효율 등을 상징하는 행보를 보이고 있다. 이 모든 것이 가리키는 방향은 그럴듯한 자유시장경제철학이다. 그러나 한꺼풀만 벗기면 한국 보수의 민낯이 있는 그대로 드러난다. 한국 보수는 창피함을 모른다.

이날 행사는 전경련이 주도적인 역할을 한 것으로 알려졌다. 전경련은 박근혜 정권에서 어버이연합 관제데모를 조장하고, 미르재단을 위해 재벌들의 기부금을 모집한 국정농단 연루단체이다. 정경유착의 핵심이 자유시장경제를 주창하는 정권에서 부활하기 시작한다. 한술 더 떠 이 전경련 산하의 한국경제연구원에서 대통령 집무실을 용산으로 이전할 경우 국내총생산이 약 3조원 늘어날 것이라는 보고서를 기가 막힌 시점에 내놓았다. 이런 보고서를 위해 돈을 쓰는 것이 그들이 그토록 주창하는 자원의 효율적인 배분인가? 이 정도 되면 자유시장이 아니라 유착과 연줄을 모토로 내건 단체로 전환해야 솔직한 것이다. 이런 전경련 부활과 겹치는 것은 전 세계적 화두인 ESG(환경 · 사회 · 지배구조) 경영을 의제로 만들려던 대한상의의 후퇴이다.

경제개혁연대(Solidarity for Economic Reform)는 대한민국의 경제전문단체이다. '참여연대 경제개혁센터'가 참여연대로부터 분화하여 설립되었고 소액주주 권익보호, 기업지배구조 개선, 정부의 재벌 · 금융정책 감시 등 1997년부터 '참여연대 경제개혁센터'가 해온 활동을 보다 전문화하고 발전시키려는 목적으로 2006년 설립되었다.

지난달 경제개혁연대 등 몇몇 시민단체가 윤석열 인수위 구성에 문제를 제기하였다. 추경호, 최상목 등 과거 불법 · 부적절 행위에 연루된 인사들이 다수 포함되었다는 것이다. 추경호 국민의힘 의원은 2003년 재경부, 2011년 금융위원회 관료로서 론스타의 외환은행 인수 및 매각과 관련이 있다. 최상목 농협대 총장은 2015년 청와대 경제금융비서관 재직 당시 안종범 경제수석의 지시를 받아 기업들로부터 미르재단 출연금을 모집하는 등 박근혜 정부의 국정농단에 관여되어 있다. 그런데 결국 이들이 경제부총리로 지명되고, 금융위원장 후보로 언급되고 있다. 족탈불급(맨발로 뛰어도 따라잡을 수 없을 정도로 뛰어남)이라는 낯 뜨거운 찬양까지 받으면서 말이다.

여기에 한덕수 국무총리 후보자는 최근까지 4년여 동안 김앤장에서 18억원이란 고액의 고문료를 받은 것이 드러났다. 자, 이게 청문회 낙마수준인지는 국민판단의 몫이라 치고 이런 내각을 구성하는 보수들이 진보의 내로남불에 대해 입에 거품을 물었던 거나 되짚어보자. 장삼이사들의 진보정권 권력자의 내로남불에 대한 분노는 이해나 간다. 보수엘리트들은 도대체 왜 분노하며 막말을 쏟아낼까? 대중에게 내로남불은 공정과 정의를 실현하기 위한 담론이지만, 자칭 족탈불급 보수엘리트들에게는 자기보다 능력 없어 보이는 경쟁자를 베어내는 칼일 뿐이다.

차기정권에서 재계와 보수관료의 화려한 부활은 이미 예견되었다. 윤석열 당선인은 이번 대선을 미래담론과 성장전략 하나 없이 정권교체와 대장동으로 치렀다. 경제에 관해서 기억나는 것은 노벨 경제학상 수상자 밀턴 프리드먼의 자유시장경제철학을 좋아한다는 것 정도이다. 이준석 대표는 어떤가? 대선기간 그의 비단주머니에서 나온 정책은 여성가족부 폐지라는 혐오조장이다. 어찌 보면 윤석열 당선인보다 이준석 대표가 더 문제일 수도 있다. 평생 검사로 있다가 1년 정치를 한 사람과 10년 넘게 정치를 한 사람이 누가 더 내공이 있어야 할까? 근데 이준석 대표는 모든 문제의 '야마'만 잘 따는 방송 패널로만 보인다. 여성가족부 폐지 이후의 그림도 없고, 장애인이동권이라는 본질보다는 효율이라는 본인의 정치적 자산 만들기에만 관심이 있다. 설마 그가 그리는 경쟁사회의 실제모델이 미국일까? 선무당이 사람 잡는다.

윤석열 당선인, 이준석 대표가 그렇게 좋아하는 자유시장경제철학의 본산이 미국 시카고 대학이고 거기에 조지 스티글러 센터라는 것이 있다. 프리드먼과 함께 자유시장이론의 거두인 조지 스티글러를 기념하여 만들어진 연구소이다. 거기 홈페이지 한번 가보자. 한 10여년 전부터 공정경쟁을 방해하는 정치, 경제, 문화적 요소, 정책담당자에 대한 포획, 천민자본주의 등에 연구가 넘쳐난다. 왜 그럴까? 그게 미국 시장의 현실이기 때문이다.

자유시장경제철학은 경제학원론 수준에서나 하는 얘기다. 정권의 핵심관계자들이 내용이 없을 때 모든 건 재계와 관료들에 의해 좌지우지될 수밖에 없다. 그들이 서랍 속 아이디어를 다 꺼내오면 청와대와 집권여당은 폼 잡고 앉아 그들에게 모욕감만 주지 않으면 그만이다.[184)]

119. 포털뉴스 개정 법안, 이대로는 안 된다

정권교체 이후 거대 야당이 될 더불어민주당 포털뉴스의 개혁법안 당론이 결정되었다는 소식이다. 인터넷에서 막강한 포털 영향력이 뉴스로 확장되면서 포털뉴스는 국민의 3분의 2가 접속하는 주요한 언론이 되었다. 이런 포털뉴스 관련 법안이 민주당 당론으로 결정된 것이다. 결론부터 이야기하면 이번 민주당 당론은 기대보다 우려감이 더 크다.

이번 개정은 '정보통신망법' 에서 포털뉴스를 재정의하는 것인데, 핵심은 4가지이다. 첫째, 포털사가 알고리즘이나 자체 추천 및 편집을 제한하는 것이다. 둘째, 포털 제휴 언론사를 차별하는 것을 금지한다. 셋째, 포털뉴스 내에서 뉴스 보기가 아닌, 언론사 홈페이지로 이동하는 아웃링크 의무화이다. 넷째, 위치 정보를 이용한 지역 언론사 노출 확대이다. 최근 논란이 있는 포털뉴스 의제를 많이 담고는 있지만, 개선의 여지도 많다.

첫째, 포털사가 알고리즘이나 자체 기준에 따라 기사 추천·배열·편집을 못하는 것은 고려할 부분이 많다. 포털사의 기사 추천·배열·편집이 단점도 있지만, 잘 활용하면 장점도 있다. 필자는 이미 포털 화면의 상단 부분을 할당하여 기념일, 역사적 사실, 심층, 탐사보도, 기자상을 받은 뉴스를 공적으로 할당, 노출하는 '포털뉴스 공적 할당제' 를 제안했다. 속보나 좋은 품질의 뉴스를 부각하는 추천이 가능하고, 네거티브 규제가 아니라 이용자가 좋은 뉴스를 많이 볼 수 있는 포지티브 진흥도 가능한 대안이 될 수 있다. 또 언론사만 뉴스를 추천·배열·편집할 경우 현재의 구독시스템과 결합하여 과거처럼 선정성 뉴스가 언론사 '클릭수 경쟁' 으로 재연될 수 있다.

둘째, 포털 제휴 언론사 차별 금지는 방향성은 맞다. 현재 '제휴평가위원회' 는 법적 지위가 없는데도 포털뉴스 제휴, 퇴출 심사권을 가지는 것은 문제가 있다. 그렇지만 퇴출이나 처벌조항에 대한 명확한 규정이 없다면, 허위조작정보 유포를 일삼는 이들이 언론사로 등록해 서비스한다면 큰 혼란이 발생할 수도 있다. 표현의 자유 확대라는 취지는 이해하지만 뉴스 품질 제고를 위해 보완이 필요하다.

셋째, 아웃링크가 의무화 사안인가도 고민해 봐야 한다. 광고 적고, 읽기 좋은 포털 인링크는 장점도 있다. 아웃링크가 강제되면 일부 언론사 홈페이지는 광고로 가독성이 떨어질 수 있고 민망한 광고에 노출될 수 있다. 또 방문자가 늘 때 중소 언론사는 서버증설 부담도 있다. 포털이 언론 구독시스템으로 가고 있는 상황에서 포털사와 언론사가 인·아웃링크를 선택해서 계약하면 된다. 무조건 인링크로 다른 선택지가 없는 것이 문제였기 때문이다.

넷째, 위치정보이용 지역 언론사 노출은 지금도 네이버에서는 서비스된다. 필자가 소속된 상지대는 강원도에 위치해 언론사 구독을 신청하지 않으면 강원권 뉴스가 첫 화면에 노출된다. 지역 언론뉴스를 확대하는 것은 맞지만, 강제하면 역시 중소포털사에는 또 다른 규제적 성격이 있다.

마지막으로, 해외사업자 적용이 어렵다는 문제는 여전하다. 네이버와 다음은 '인터넷뉴스서비스사업자' 이지만, 구글은 아니다. 2020년 구글이 문화체육관광부에 신청했지만, 국내 주소지가 명시되지 않아 승인되지 않았다. 규제를 피하려는 의도라는 비판도 나온다. 그런데 구글은 자체 뉴스서비스 배열을 하고 있어 법안이 통과되면 또 국내 포털의 '역차별' 논란을 피할 수 없다.

그동안 포털뉴스 비판이 많이 제기된 것은 사실이다. 그러나 이번 민주당 당론을 보면 지나치게 한국 포털뉴스 환경과 기술발전의 현실 인식, 이용자 편의성 고려 등이 부족하다는 생각이다. 포털뉴스를 규제하더라도 뉴미디어 상황을 반영하고 저널리즘 발전 측면에서 이용자들에게 긍정적 역할을 강화할 법안이 요구된다. 국회 논의과정에서 의견 수렴과 보완이 필요한 이유다.[185]

포털의 댓글이 여론을 왜곡할 수 있다는 경고등이 켜진 지 오래다. 포털이 뉴스 전달의 주요 매개체가 되면서 각 언론사의 기사는 댓글과 함께 소비되기 시작했다. 포털의 댓글이 무차별적인 혐오 확산과 정치 양극화에 적지 않은 악영향을 끼친 것이 사실이다. 우리에게도 악성 댓글의 확산을 막는 더 높은 '방파제' 가 필요한 때가 됐다(길진균 논설위원).

120. 볼커의 신화, 혹은 착각

세계 경제가 1970년대 석유파동을 극복하고 1984년 이후 최근까지 물가가 안정되어 있었던 이유에 대해서는 떠도는 '신화'가 있다. 폴 볼커(Paul A(dolph) Volcker)는 미국의 경제전문가로, 연방준비제도와 중앙은행의 독립성을 확고하게 다져 이후 미국뿐 아니라 세계 경제에서 연방준비제도 의장이 갖는 독보적인 위상을 확보했다는 평가를 받았다.

여러 경제학자들은 당시 연방준비제도이사회(이하 '연준') 의장 폴 볼커의 단호한 통화긴축이 경제주체들의 신뢰에 영향을 미쳐 물가안정을 가져왔다고 믿는다. 그러나 그런 믿음은 역사에 대한 무지이거나 비양심이다.

당시 볼커는 지급준비금(시중은행이 중앙은행에 예치해둔 화폐이며 본원통화의 한 부분)의 양을 일정 목표 범위 내로 묶어둠으로써 물가를 잡겠다고 했다. 돈의 양인 통화량을 줄이면 물가불안을 잠재울 수 있다는 통화주의 교리가 그 근거였다. 그러나 연준은 약속했던 통화량 목표를 단 한 해도 지켜내지 못했다. 그와 같은 역사적 진실 앞에서 볼커의 신화는 궁색하다.

볼커가 했던 일은 통화량을 조절한다면서 단기이자율이 20%를 넘나들어도 내버려 둔 것이었다. 금리가 급등하면서 처음에는 채권시장이, 그런 다음에는 실물경제가 영향을 받았다. 연준은 통화주의 실험을 위해 경제의 목을 조르는 선택을 했다. 사실 물가안정이 자리 잡을 수 있게 한 원인은 다른 데 있었다. 볼커의 실험이 실패했음은 이후 연준이 통화량을 관리하려는 통화량 목표제를 폐기한 데에서 여실히 드러난다.

볼커가 따랐던 통화주의는 이제 과거의 낡은 유습 이상이 아니다. 비록 한국에서는 2022년 오늘도 관료와 매체, 지식인들이 그것을 여전히 변함없는 진리인 양 여기지만 말이다. 통화량이 늘면 그 결과 물가가 오른다는 '화폐수량설'의 직관은 어쩌면 당연해 보인다.

그러나 화폐수량설은 역설적이게도 경제학의 역사에서 그 오류가 가장 많이 입증된 가설이기도 했다. 그 가설이 틀렸음은 가장 위대한 경제학자들에 의해 반복적으로 지적되었다. 중앙은행이 통화량을 의도대로 관리할 수 있다는 전제부터 사실과 다르다. 물가와 통화량이 일대일 관계인 것도 아니다. 인과관계가 반대여서 물가가 원인이고 통화량이 결과일 수도 있다.

돈을 풀면 물가가 오른다는 생각은 금본위제에서나 통하는 옛날이야기다. 금은 한정되어 있는데 금과 교환되는 지폐의 발행을 늘리면 지폐 가치가 떨어지는 것은 당연하다. 그런 낡은 생각이 지금도 여태 고집된다. 하지만 이를테면 베네수엘라가 인플레이션으로 고통받은 이유는 미국의 주도면밀한 개입과 유가 하락으로 석유에 의존해온 경제구조가 망가진 때문이지 복지 포퓰리즘에 돈을 너무 많이 풀었기 때문은 아닌 것이다.

현대자본주의가 경험한 주요 인플레이션 사례는 대개 공급 측면에서 생산비용을 상승시키는 요인에 의해 발생했다. 사람들이 돈을 너무 많이 써서, 즉 경제의 수요 측 요인 때문에 인플레이션이 현실화된 사례는 찾아보기 어렵다. 공급 측면에서 고비용을 수반한 병목 현상이 없는 한 인플레이션은 보통 문제되지 않는다. 볼커의 실험기간을 거치면서 물가가 결국 안정될 수 있었던 비결도 마찬가지로 공급 측면에서 발생한 변화에 기인했다.

석유파동으로 유가가 오르자 북해와 시베리아, 알래스카, 멕시코만에서 신규 유전이 개발되고 석유수출국기구에 소속되지 않은 나라들이 원유 공급을 늘린 것이 주효했다. 국제원유시장은 1980년대 중엽부터는 오히려 공급 과잉으로 반전되었다. 같은 시기에 세계화가 확산되면서 제조업 생산 공정이 저비용의 이점을 좇아 신흥국으로 이전한 것도 영향을 미쳤다. 그 과정에서 선진국 노동자들의 교섭력이 약화된 것도 생산비용 절감 요인으로 작용했다.

다시 우리 경제에 먹구름이 몰려온다. 미국의 3월 개인소비지출 물가상승률이 6.6%로 40년 만에 최고치를 기록한 가운데 1분기 성장률은 작년 4분기 대비 마이너스 1.4%(1년간 같은 추세가 이어질 경우의 연율)로 나타났다. 작년 4분기 성장률이 6.9%로 높았던 탓에 1분기 수치가 나빠진 효과도 있으나 그래도 예상을 밑도는 실적이었다. 이에 연준이 당장 이번주 기준금리의 대폭 인상과 함께 보유자산을 축소하는 양적긴축에 나설 것이라는 전망에 힘이 실린다. 오늘 다시 볼커가 소환되는 배경이다. 그가 했던 것처럼 과감한 조치로 민간의 물가예상을 꺾어야 하니 경제의 목이라도 조를 수 있다는 식이다.

그러나 공급 측 물가 압력은 통화긴축으로 해결될 일이 아니다. 한국은행이 기준금리를 올린다고 우크라이나 전쟁이 끝나고 중국 봉쇄가 풀릴 리 없다. 긴축에 나섰는데 물가를 못 잡으면 인플레이션이 경기침체를 수반하는 스태그플레이션 위험을 자칫 중앙은행이 나서서 키우는 격이다. 금리 인상으로 민간의 기대인플레이션을 진정시키겠다는 당국의 희망 역시 막상 실증적인 기초가 취약한 처방일 뿐이다. 볼커의 신화는 착각이다.[186]

121. 데이터경제와 마이데이터

지난 2일 대통령직인수위원회는 디지털플랫폼정부 추진방향을 발표했다. 디지털플랫폼정부는 '모든 데이터가 연결되는' 디지털플랫폼 위에서 국민·기업·정부가 함께 사회문제를 해결하고, 새로운 가치를 창출하는 정부를 의미한다. 통합적, 맞춤형 공공서비스 제공을 통해 공공서비스를 고도화한다는 계획 외에 특히 눈길을 끄는 점은 민간이 함께하는 혁신 생태계를 조성하겠다는 것과 부처 간 칸막이를 철폐하겠다는 것이다. 공공데이터를 네거티브 원칙하에 전면 개방하고, 정부 데이터와 서비스기능(API)을 제공함으로써 민간이 혁신적 서비스를 창출할 수 있도록 하겠다고 한다. 이와 함께 마이데이터 관련 개인정보 전송요구권을 법제화하겠다고 한다. 또한 부처 간 칸막이를 없애고 하나의 정부를 지향하기 위해 민관 협력 디지털플랫폼정부특별법 제정도 추진할 계획이다. 바람직한 일이다.

이전 정부에서도 데이터 3법 개정, 데이터기본법 제정, 마이데이터 발전 종합정책 추진 등 데이터경제 활성화를 위한 입법 및 제도 개선 노력들을 해왔다. 예컨대 마이데이터는 정보 주체가 본인 정보를 적극 관리·통제하고 이를 신용·자산·건강관리 등에 주도적으로 활용할 수 있도록 도입한 제도이다. 마이데이터산업이 작동하기 위해서는 정보 주체의 정보이동권, 즉 자료 전송 요구권이 법적으로 보장되어야 한다. 하지만 현재까지 국내에서는 공공 및 금융 분야에서만 마이데이터가 시행되고 있다. 공공 분야에서는 민원처리법과 전자정부법 개정을 통해, 금융 분야에서는 신용정보법 개정을 통해 공공 분야 또는 금융회사가 보유한 본인 정보의 이동과 활용을 법제화했다.

올해 1월 정식 출범한 금융마이데이터의 경우 2월 기준 39개 마이데이터 서비스가 출시되었고, 누적 125억건이 넘는 데이터가 전송되고, 가입자 수도 누적 기준 1840만명에 이르는 것으로 나타났다. 아직은 초기 단계에 불과하지만, 데이터 공유와 결합 등을 통한 산업적 활용의 가능성을 보여준 것이라고 할 수 있다. 마이데이터가 산업적으로 의미있는 규모로 성장하고 정보통신·의료·소매·교육 등 다양한 분야로 확대되게 하기 위해서는 개인정보 전송요구권을 규정하는 일반법으로서 개인정보보호법 개정안도 조속히 통과되어야 할 것이다. 물론 각 분야의 정보 제공 범위를 확대하기 위해서는 전송 범위에 대한 사회적 공감대 및 이해관계자 간 합의가 중요하다. 또한 해당 분야를 규율하는 관련 법들도 체계적으로 정비하고 일관성을 갖추는 게 필요하다. 따라서 부처별로 각각 추진하기보다는 전체적으로 제도 개선의 속도와 범위 등을 조율하고 가이드하는 기구가 필요하다.

한편 데이터의 공유, 결합 및 활용 확대를 위해서는 공공, 민간 및 기업 간 데이터 거래와 유통이 활성화되어야 한다. 우리나라는 데이터거래소가 출범한 지 2년 정도로 시작에 불과하지만, 활성화의 관건은 사용 가능한 양질의 데이터가 얼마나 풍부한지 여부이다. 정보 주체 및 데이터 보유자에게는 데이터를 제공할 유인이나 대가가 제공될 수 있어야 하고, 데이터 수취자는 데이터의 품질과 가치에 대해 믿을 수 있어야 한다. 그렇게 하려면 데이터에 대한 객관적인 가치평가 체계가 마련되어야 한다. 우리도 미국처럼 자격을 갖춘 데이터 브로커를 육성해 데이터 거래를 활성화시킬 필요가 있다.

끝으로 데이터 공유와 관련해 공정한 경쟁환경 조성이 중요하다. 예컨대 금융 마이데이터 분야의 경우 금융회사는 고객의 금융거래와 관련한 제반 개인 신용정보를 제공해야 하나, 빅테크가 보유한 전자상거래 내역 등 고객 분석에 필요한 각종 데이터는 개인 신용정보가 아니라는 이유로 금융회사에 매우 제한적으로만 제공되고 있다. 데이터 공유의 범위와 속도가 분야별로 상이하다 보니 예기치 못한 비대칭 규제가 발생하는 것이다. 이러한 데이터 비대칭 구조는 특정 분야 사업자의 경쟁우위를 심화시키고 공정경쟁을 저해한다. 새 정부에서는 좀 더 일관성 있고 투명한 데이터 정책을 속도감 있게 추진하기를 기대한다.[187]

마이데이터는 의료 분야에도 도입될 전망이다. 정부는 지난해 2월 의료 분야에 마이데이터를 도입하겠다는 방안을 발표했고 같은 해 8월 "의료 데이터를 단계적으로 민간에 개방하겠다"고 밝혔다. 그러나 민감한 정보에 속하는 개인 의료정보를 상품화한다는 논란이 있다. 보험사가 발생 빈도가 높은 질환에 대해서 보험가입을 거절할 수 있다는 우려도 제기되고 있다.[188]

122. 인플레이션 불평등

물가수준이 지속적으로 상승하는 현상을 인플레이션(물가상승, 통화팽창, 通貨膨脹))이라고 한다. 여기서 물가는 개별상품의 가격을 평균하여 산출한 물가지수를 의미한다. 인플레이션은 물가상승 지속기간 및 상승폭, 제품의 질적 수준 향상 여부, 정부의 가격통제에 따른 암시장 가격 상승여부와 같은 점을 고려할 때 언제 인플레이션이라고 정의할 것인가에 대해 이견이 있을 수 있다. 통상 연 4~5% 정도의 물가상승률이 관측되면 일반적으로 인플레이션이 발생했다고 판단한다.

전 세계가 인플레이션 공포에 휩싸였다. 최근 아르헨티나 물가는 살인적인 55%다. 미국 8.5%, 영국 7%다. 우리나라는 4.1% 올랐다. 2012년 이후 최고치다. 물가가 오르자 주택담보대출 금리는 연 7%를 뚫었다. 환율도 4월26일 달러당 1272원까지 치솟았다. 수입물가 상승 압력이 폭증하고 있다. 이미 3월 수입물가가 작년 대비 35% 뛰었다.

더 큰 걱정은 지금부터다. "물가상승은 앞으로 1~2년 계속된다고 본다." 4월 19일 이창용 한국은행 총재 인사청문회 답변이다. 망가진 글로벌 공급망은 쉽사리 복구될 것 같지 않다. 러시아의 우크라이나 침략전쟁도 조기에 끝날 낌새가 안 보인다. 세계은행이 50년 만에 최악의 인플레이션을 경고한 배경이다.

문제는 인플레이션 폭주 부작용이 저소득층에 쏠리는 데 있다. 저소득층 체감물가 상승률은 고소득층보다 1.4배 높다(한국경제연구원). 인플레이션 불평등 메커니즘이 작동한 결과다. 인플레이션은 눈에 안 보이는 세금 고지서다. 인플레이션 불평등은 조세 불평등과 다를 바 없다. 가난한 자가 더 많이 부담하는 역진적(逆進的) 세금이다.

인플레이션 불평등은 왜 발생할까. ①우선 저소득층은 소비지출에서 생활필수품(식료품, 주거·수도·광열비, 보건) 비중이 높다. 소득의 절반 이상(55.5%)이 생필품 사는 데 들어간다. 이에 비해 고소득층은 21.7%만 쓴다. 저수득층 생계비 부담이 여유 계층의 두 배 이상인 거다. 새 정부가 서민 생활물가 안정을 최우선 과제로 내건 이유일 거다.

②상품 구매할 때 저소득층은 선택 폭이 좁다. '장인라면' 마트 판매가격은 2200원, '농심 신라면'은 540원이다. 물가가 10% 오르면 장인라면 2420원, 신라면 600원이 새 가격이다. 장인라면을 비싸게 느끼면 고소득층은 대신 신라면 사

면 된다. 원래 신라면 사먹던 저소득층은 이것저것 고를 여지가 없다. 꼼짝없이 오른 가격을 부담한다. 라면 가격 인상이 고소득층에는 체감물가를 낮출 기회인 거다! 인플레이션 불평등의 역설이다.

③할인 이점이 큰 양판점(量販店) 대량구매도 기초생활자에겐 그림의 떡이다. 비싼 줄 알면서 소량구매에 매달릴 수밖에 없다. 생활이 어려운 고령층은 온라인 구매에 익숙지 않다. 싼 가격에 살 수 있는 온라인 쇼핑 기회는 매번 남의 일이다.

아르헨티나는 인플레이션 불평등에 맞서 서민 구매력을 지키는 정책을 도입했다. 고정소득이 없는 저소득층(비공식 노동자, 영세 자영업자)에게 특별지원금을 지급했다.

인플레이션 불평등 대응수단으로 미국식 '생계비 조정(COLA·cost of living adjustment)' 조항을 고려할 수 있다. 물가 상승분을 임금 인상에 자동 연계하는 방식이다. 2022년 미국 COLA는 5.9%다. 2021년 받은 공적연금이 1만달러면 올해는 1만590달러 받는다. 한발 더 나아가 저소득층에 더 높은 COLA를 적용하면 인플레이션 불평등 해소방안이 될 수 있다.

불평등 치유는 측정(measurement)에서 시작된다. 세금 매길 때 소득 파악이 기본이다. 인플레이션 불평등도 통계가 있어야 지원 대상자를 선별할 수 있다. 인플레이션 불평등은 '소득 불평등' 이슈보다 주목을 덜 받고 있다. 그러다 보니 통계가 빈약하다. '소득계층별 인플레이션 불평등'이 깔끔히 드러난 소비자물가지수 편제가 시급한 까닭이다.

통계(statistics)의 어원은 국가(state)와 정치가(stateman)다. 국가 통치·운영의 주춧돌이 통계다. 주춧돌이 흔들리면 집이 무너진다. 문재인정부에서 통계청은 통계 불신 논란에 휩싸인 바 있다. 소득분배지표 갈등 와중에 청장이 경질되는 수모를 겪었다. 소득계층별 인플레이션 불평등 통계는 저소득층 지원에 주춧돌이다. 통계청이 민생통계 최고권위 기관으로 우뚝 서기 바란다.

"불공평한 게 인생이다." 1962년 3월 미국 35대 대통령 존 F 케네디 연설 내용이다. 하지만 정부는 공평해야 하지 않겠는가. 5월10일 출범하는 새 정부에 이걸 기대한다.[189)]

123. 금융시장의 진짜 바닥은 언제일까?

지난주 금융시장은 가상화폐가 폭락하며, 가상화폐 보유자들의 시름이 깊었던 한 주였다. 채권 금리가 급등하고, 주식시장이 하락한 데 이어 가상화폐까지 폭락하며 공포심리가 팽배하다.

이러한 자산가격 하락의 배경에는 코로나19로 금리를 낮추고, 돈을 풀었던 각국 중앙은행의 변심이 크게 작용하고 있다. 특히 미국 연방준비은행이 기준금리를 인상하는 기조가 강해짐에 따라, 금융시장의 발작은 더 자주 나타나고 있다.

연방준비은행이 금리를 올리고 유동성을 회수하는 이유는 물가 상승이 전방위로 확산되고 있기 때문이다. 최근 미국 물가는 에너지 가격과 공산품 중심에서 서비스 부문으로 확산되고 있다. 4월 미국 소비자물가 상승률은 전년 대비 8.3%를 기록하며, 3월 8.5% 보다 누그러지는 모습을 보였다.

그러나 임대료를 비롯한 서비스물가는 전년 대비 상승률이 확대됐다. 코로나19 완화로 경제 재개방이 진행되면서 미국 서비스업이 확장세를 보일 전망인데, 이는 앞으로 서비스업 부문의 가격이 오른다는 의미가 된다.

그동안은 미국 물가 상승의 상징으로 중고차(재화)가 꼽혔는데, 이제는 항공운임(서비스)이 등장하고 있다. 중고차 가격 상승률은 둔화됐지만, 4월 소비자 항공운임료 상승률은 전년 대비 33.3%로 확대됐다.

한 가지를 막으면 다른 한 가지가 등장하는, 마치 오락실의 두더지 게임 같은 상황이 되고 있다. 당사 경제분석가(이코노미스트)는 연말 미국 소비자물가 상승률을 5.5%로 예상하고 있다. 비록 물가 상승률은 둔화되겠지만, 과거보다 여전히 높은 수준에 머물러 있을 것으로 전망하고 있다.

현실적으로 물가를 잡기가 쉽지 않다. 사회적 거리두기 완화로 외부 활동이 많아지며 여행, 숙박, 놀이공원 등의 수요가 늘어날 것임은 자명하다. 러시아와 우크라이나 전쟁은 언제 끝날지 장담하기 어렵다. 중국은 리오프닝보다 제로 코로나 정책을 고수하고 있고, 올해 10월 공산당 대회까지는 지속될 것으로 보인다.

미국이 중국과의 무역전쟁으로 부과했던 관세 인하가 이뤄지면 미국 물가와 전세계 물가를 낮추는 효과가 있겠지만, 이는 정치적으로 해결돼야 한다.

결국 미국 연방준비은행은 수요를 줄이기 위해 연내 금리인상을 지속하거나 강화할 전망이다. 금리인상이 지속되면, 결국 경기는 둔화 내지는 침체에 빠질 가능성이 높다.

래리 서머스 전 미국 재무장관은 1955년 이후 지금까지의 통계에 의하면, 미국의 임금 상승률이 5%를 넘고 실업률이 4% 아래면 2년 뒤에 침체가 왔다고 주장한 바 있다. 미국의 지난 1년 동안 임금 상승률은 6%가 넘고, 실업률은 3.6%에 불과하다. 경제 지표 상으로는 호황의 끝에 와 있는 셈이다.

금융시장의 진짜 바닥은 미국 경기침체를 겪은 후에야 만들어지지 않을지 걱정이다. 금융시장이 봄을 잊은 것 같다. 아직도 겨울이다.[190)]

미국발 고금리 장기화에 따른 3고(고금리·고환율·고유가) 현상이 국내 경제를 옥죄고 있다. 기업 실적 악화와 소비 위축을 초래해 경제 성장을 떨어뜨릴 수 있어서다. 정부는 물가, 성장, 금융 안정이라는 세 마리 토끼를 한꺼번에 잡아야 하는 국면을 맞아 진퇴양난에 빠졌다.

문제는 막대한 가계부채와 경기 침체 등 위기 상황에도 당국의 통화, 재정정책의 발목이 묶여 있다는 점이다. 경기 부양을 위해서는 금리를 내려야 하지만 한미 기준금리 격차가 사상 최대인 2%포인트에 달하는 게 부담이다. 반대로 환율 상승과 고물가에 대처하려면 금리를 올려야 하지만 가계부채와 경기 침체 우려가 걸린다. 최근 고금리 상황에서도 지난달 말 5대 은행의 가계대출 잔액은 682조 3294억 원으로 전달보다 1조5174억 원 늘었다.

경기 부양을 위한 정부 재정 확대도 세수 감소로 인해 여의치 않다. 국가채무가 올 7월 기준 1097조 원에 이르는 상황에서 올해 약 59조 원의 세수 결손이 예상된다. 실질적인 나라살림을 보여주는 관리재정수지는 올 들어 7월까지 68조 원 적자다. 강현주 자본시장연구원 연구원은 "3고 위기가 대외 요인에서 비롯돼 정부 대응이 쉽지 않지만 적절한 외환시장 개입 등을 통해 시장 안정화 조치를 취할 필요가 있다" 고 말했다.[191)]

124. ‘농특위’ 위상 끌어올려 농업 챙겨주길

제20대 윤석열 대통령이 취임하고, 새 정부가 출범했다. 대선 후보 시절 윤석열 대통령은 농업과 농촌을 위해 대통령이 직접 정책과 예산을 확실히 챙겨 “튼튼한 농업, 활기찬 농촌, 잘사는 농민”을 만들겠다고 약속했다. 지난 5년간 국정을 이끌었던 문재인 전 대통령도 19대 대선 후보 시절 “대통령이 농어업을 직접 챙기겠다”며 “대통령 직속 농어업특별기구”의 설치를 약속했다. 범부처적으로 협력과 조율할 사안이 많은 농정 관련 이슈를 논의할 대통령 직속 자문기구로 2019년 4월25일 ‘농어업·농어촌특별위원회(농특위)’가 출범한 배경이다.

하지만 아쉽게도 전임 대통령은 농정을 직접 챙기지 않았고, 농특위가 설치되었지만 기대만큼 제 역할을 하지 못했다는 것이 중론이다. 그럼 왜 기대를 안고 출범한 농특위가 농업계뿐만 아니라 국민들이 체감할 만한 큰 틀의 정책 전환이나 공감할 만한 가시적 성과를 보이지 못했을까? 무엇보다 대통령이 농정개혁과 농정 틀 전환을 위해 설치된 농특위에 힘을 실어주지 않았기 때문이다. 농특위가 정권 출범 3년차에 그것도 농업계의 지속적 요구에 마지못해 만들어 준 모양새로 발족된 것만 봐도 여실히 증명된다. 이에 농업·농촌 관련 복잡한 사안을 농특위와 함께 긴밀히 협의하고, 소통해야 하는 관련 부처들의 참여와 협력이 미약했다. 또한 늦게 출범하여 시간이 촉박한데도 불구하고, 너무 많은 의제와 이슈에 대한 시간 소모적 논의와 기존 정책과의 차별성 부족 등도 농특위의 활동이 국민적 관심을 끌지 못한 원인이다.

농특위가 자문기구라는 태생적 한계도 있으나 전임 대통령이 농업·농촌의 중요성과 발전에 대한 깊이 있는 농정철학을 바탕으로 농특위를 적극 활용하겠다는 의지를 보였다면 농특위의 역할과 결과는 크게 달라졌을 것이다. 사실 농특위는 개별 부처로는 어려운 농업·농촌 문제 해결을 위한 범부처적인 협력과 조율, 그리고 국민과 함께하는 농업·농촌을 위한 대안을 제시하는 협치적 농정 거버넌스 기구로 매우 의미 있는 조직이다. 대통령 직속 자문기구로서 농특위는 현행 법률상 2024년 4월까지 존속된다. 미국에도 2018년 ‘농업법(Farm Bill)’을 통해 5년(2019~2023)간의 농촌경제 활력 제고와 농촌 주민의 삶의 질 향상을 위한 범부처적 협력과 지원을 이끌어내는 특별위원회를 운영 중이다. 기후위기, 식량위기, 지역위기 등 국가적 해결 과제와 밀접히 연관되는 농업·농촌 문제 해결에 대통령이 강력한 의지를 갖고 리더십을 발휘한다면 농특위가 본연의 기능과 역할을 제대로 할 수 있을 것이다.

이런 측면에서 윤석열 정부는 농업과 농촌의 발전 없이는 진정한 선진국이 될 수 없다는 철학을 가지고, 민관 합동 협치기구인 농특위를 적극 활용해 농정을 직접 챙기겠다는 대선 후보 시절 약속을 지켜나가야 할 것이다. 물론 새 정부의 농특위는 너무 다양한 의제보다는 범부처적 협력 과제에 초점을 두고, 국민이 공감하는 농업·농촌 발전의 청사진과 로드맵 마련에 박차를 가해야 할 것이다.

모쪼록 농업계의 기대 속에 출범한 농특위가 앞으로 남은 2년 동안 윤석열 정부와 함께 한국 농업·농촌 발전에 초석이 되는 농정 틀 마련에 기여했다는 역사적 평가를 받을 수 있기를 기대해 본다.[192]

농업계 관계자는 "농특위의 발전방향은 존속기한 철폐를 통해 담보될 수 있으며 전문성 강화에 역량을 집중할 필요가 있다" 면서 "대표적 부처 협업 정책인 삶의 질 향상 정책이 보다 효과적으로 추진되기 위해서는 농특위의 정책 평가 조율 역량 강화가 절대적으로 필요하고, 보건복지, 문화, 지역개발, 환경, 교육 등 다방면에 걸친 전문 역량 강화가 필요하다" 고 강조했다. 이어 "농특위가 통합 추진체계로 변신을 시도한 만큼 중앙정책이 지자체와 주민까지 전달될 수 있는 거버넌스 구축이 필요하다" 면서 "농어촌 정책이 곧 삶의 질 향상 정책은 아니므로 삶의 질 향상 정책의 고유한 특성이 강조될 필요성도 있다" 고 말했다.

그러면서 "이런 역할과 기능을 하기 위해서는 존속기한 철폐가 필요하다. 존속기한이 있는 한 이런 기능과 역할을 제대로 할 수 없기 때문" 이라고 덧붙였다.

현재 국회와 정부 모두 농특위 존속기한 연장 또는 폐지를 추진해 위원회가 안정적 활동을 할 수 있는 기반을 마련하려고 법령 개정 등 움직임이 포착되는 것은 고무적이다.[193]

125. 그런데, 어떤 '자유 시민?'

윤석열 정부가 출범했다. 앞길은 첩첩산중인데, 어떤 지도를 갖고 있는지 뚜렷하지 않다. 대통령 취임사에 대해서도 '독특했다' 는 평가가 많다. 우선 발화의 상대가 국민, 재외동포, 세계시민이다. 반지성주의를 언급한 것도 화제였다. '자유' 라는 단어는 35번 나오는데, '통합' 은 한 번도 언급하지 않았다는 것도 많은 관심을 끌었다. 필자가 주목한 것은 '자유 시민' 이라는 단어였다.

우선 취임사에 등장하는 자유가 시장만능주의의 자유를 말하는 것 같지는 않다. 자유의 가치를 '제대로' '정확하게' 인식해야 하고 '재발견' 해야 한다고 거듭 강조했다. 자유로운 정치적 권리, 자유로운 시장이 번영과 풍요를 가져온다는 것은 제도를 중시하는 제도주의 경제학 전통의 논지이기도 하다. 자유가 결코 승자독식이 아니고 자유 시민의 기초임을 지적한 것은 자유를 규범적 가치에 근거한 적극적 자유의 틀 속에서 이해하고 있음을 드러내는 것 같다.

소극적 자유가 주로 19세기 자유주의와 연관되어 논의되는 개념이라면, 자유 시민 개념은 자기완성을 위한 적극적 자유, 공화주의적 자유의 주체로 해석될 수 있다. 로마적·공화주의적 해석에 의하면, 자유는 노예와 구분되는 자유 시민의 상태이다. 자유 시민이 되려면, 불개입의 상태에서 나아가 비지배 상태에 이르러야 한다. 예측 가능한 법의 지배에서, 그리고 일정한 경제적 기초 위에서, 비지배의 자유는 실현되는 것이다.

자유 시민에게는 시민적 덕성이 필수적이다. 로마 전통에서는 절제, 평정심, 강건함, 정의 등이 공화국 시민의 덕성이었다. 서구 근대가 형성되면서는 공동선을 추구하는 시민적 애국주의가 핵심적 덕목이 되었다. 공화주의 맥락에서 애국심은 자유와 정의가 살아있는 조국을 지키는 것이며 이것이 시민적 덕성의 요체라 할 수 있다. 자유 시민의 시민적 덕성은 르네상스 시기의 공화국, 그리고 영국 시민혁명과 미국 독립혁명의 원동력이 되었다

윤 대통령이 평소 사용하는 자유 개념에는 소극적 자유와 공화주의적 자유 개념이 혼재되어 있는 것 같다. 그런데 취임사에서는 주로 시민적 자유 개념이 전개되고 있다. 일정 수준의 경제적 기초와 공정한 교육과 문화의 접근 기회 등을 자유 시민에 필요한 조건으로, 규칙의 준수와 연대·박애의 정신을 시민적 덕성으로 이야기했다. "국민 모두 힘을 합쳐, 세계 시민과 힘을 합쳐" 문제를 해결

해야 한다는 것도, 양극화와 사회 갈등이 공동체를 위협한다는 인식도 공화주의 맥락의 인식이다.

그런데 취임사가 실천방향을 명료하게 드러내주지는 않는다. 현실 인식이 치열하지 못하기 때문이다. 역사적 명문으로 평가받는 문건들은 절박한 현실 인식이 기초가 되어 있다. 영국의 권리장전은 제임스 2세의 불법행위를 열거한 후 시민과 의회의 권리를 선언했다. 미국 독립선언은 영국 국왕의 역사에서 악행과 착취로 인한 고통을 열거한 후 정부를 변혁해야 할 필요성을 선언했다.

윤 대통령의 취임사가 힘을 얻으려면, 민주주의 위기의 원인을 곧바로 반지성주의로 규정하기 앞서 민주주의를 위협하는 구조적 현실을 좀 더 심각하게 다루어야 했다. 그래야 새 정부의 핵심 과제가 무엇이고 자유 시민이 어떤 역할을 할 것인지가 분명하고 구체적으로 드러날 것이었다. 그렇게 하면 "통합은 너무 당연"해서 취임사에서 빠졌다는 해명도 필요가 없다. 취임사에서 언급한 것처럼, 도약과 성장 없이는 양극화 문제를 해결하기 어렵다. 그렇지만 총량적 성장만으로 양극화가 해결되는 것도 아니다. 구조적 격차의 현실을 직시해야 생동감 있는 해법을 말할 수 있다.

현재 한국 사회에는 심화 일로의 구조적 균열들이 있다. 이 균열이 정치적 갈등으로 비화하면 민주주의는 위협을 받는다. 계층적 균열은 사회과학의 고전적인 관심사이다. 2010년대 이후 추세를 보면 소득 분배 상황이 악화되고 있지는 않다. 그러나 자산 측면에서는 격차가 크게 확대되었다. 지역 격차는 주로 산업구조와 부동산을 매개로 확대되고 있다. 4차 산업혁명에 의한 제조업 구조조정의 진전은 특히 지방의 일자리 기회를 축소하는 압력으로 작용한다. 산업, 일자리, 부동산 문제는 세대 간 격차를 구조화하고 있다.

지난 대선은 정치적 적대, 지역·세대 갈등에 젠더 균열까지 더해진 선거였다. 정치권은 그간의 페미니즘 공방 흐름을 정치적 쟁점으로 끌어올렸다. 젠더 균열이 정치 갈등으로 연결된 이면에는 청년층을 옥죄는 계층·지역·세대적 격차의 압박이 있다. 이 압박에서의 자유가 진전되어야 자유 시민의 애국적·공동체적 덕성도 증대할 수 있다.[194)][195)]

126. 인플레로 출렁이는 금융시장, 자산가치 폭락 등 대비해야

국내외 인플레이션 공포가 확산하면서 19일 금융시장이 크게 요동쳤다. 코스피는 전 거래일보다 33.64포인트(1.28%) 내린 2592.34로, 원·달러 환율은 11.1원 오른 1277.7원으로 장을 마감했다. 사진은 이날 명동 하나은행 본점 딜링룸 모습이다(연합뉴스).

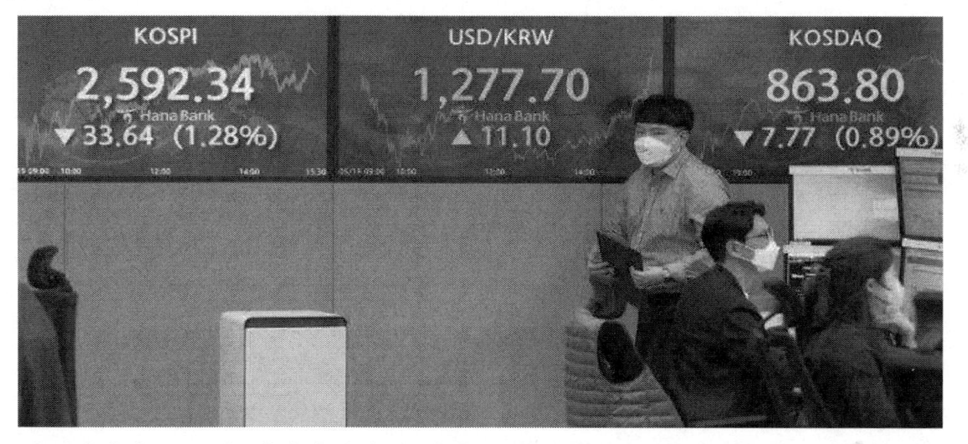

인플레이션 공포가 확산하면서 국내외 금융시장이 크게 출렁였다. 19일 주식시장에서 코스피지수는 33.64포인트(1.28%) 떨어진 2592.34에 마감했다. 사흘 만에 2600선이 무너졌다.

원·달러 환율은 달러당 11.1원 폭등한 1277.7원이었다. 경기가 둔화해 안전자산인 달러화 수요가 커질 것이라는 전망이 원화가치를 떨어뜨렸다. 일본 닛케이지수가 1.89% 떨어졌고, 인도 선섹스지수와 홍콩 항셍지수도 각각 2% 넘게 급락하는 등 아시아 증시가 동반 하락했다.

전날 미국 증시가 2년 만에 가장 큰 폭인 4% 안팎 하락한 충격이 영향을 미쳤다. 월마트와 타깃 등 대형 유통업체의 1분기 실적이 '어닝 쇼크' 수준으로 저조했고 2분기에도 암울하다는 전망이 투자자들에게 경기둔화 우려를 증폭시켰다. 고물가를 잡기 위해 금리를 인상하고 있는 미국이 경기 둔화 또는 침체에 빠질 것이라는 불안감이 유통업체의 실적 부진으로 현실화한 것이다. 소비 부진이 유통업체와 제조업체의 경영악화로 이어져 실물경제가 침체하고 자산가치마저 하락하는 악순환을 초래할 수 있다.

미국과 일본은 지난 1분기 국내총생산(GDP)이 전 분기 대비 마이너스 성장을 했고, 중국과 유럽은 성장률이 둔화했다. 10주 연속 배럴당 100달러를 웃도는 국제유가를 비롯해 유연탄, 니켈, 리튬 등 원자재와 곡물 가격은 좀처럼 안정을 찾지 못해 인플레이션 지속을 예고하고 있다. 재닛 옐런 미국 재무장관조차 "식품·에너지 가격 상승은 스태그플레이션 효과가 있다"며 고물가와 경기침체가 동시에 발생하는 스태그플레이션 가능성을 언급했다.

코스피는 3월 말에 비해 6% 가까이 하락했다. 미국 나스닥 낙폭이 같은 기간 24%가량인 것을 감안하면 앞으로 더 떨어질 가능성이 있다. 가상통화 대표 격인 비트코인 가격은 두 달 반 만에 50% 넘게 폭락했다. 주식이나 가상통화에 투자했던 자금을 부동산으로 돌리기도 어렵다. 수년 새 막대한 돈이 풀리면서 급등했던 자산가치에 끼었던 거품이 붕괴하는 상황이 닥칠 수 있다.

정부는 인플레이션이 실물경제에 주는 충격을 최소화하고, 자산가치 폭락을 막아 연착륙시킬 방안을 마련해야 한다. 환율은 이달 들어 두 차례 10원 넘게 폭등했다. 환율 급등락은 수출입 기업에 치명적인 만큼 변동성을 줄이는 대책도 시급하다. 금리 인상 시기에 고물가와 경기침체까지 겹친다면 서민 가계와 영세한 소상공인, 중소기업은 버티기 힘들다. 재정정책을 통해 서민과 한계기업 등 경제약자를 지원할 대책이 필요하다. 가계와 기업도 엄혹한 경제환경에 대비해 스스로 헤쳐나갈 전략을 세워야 할 것이다.[196]

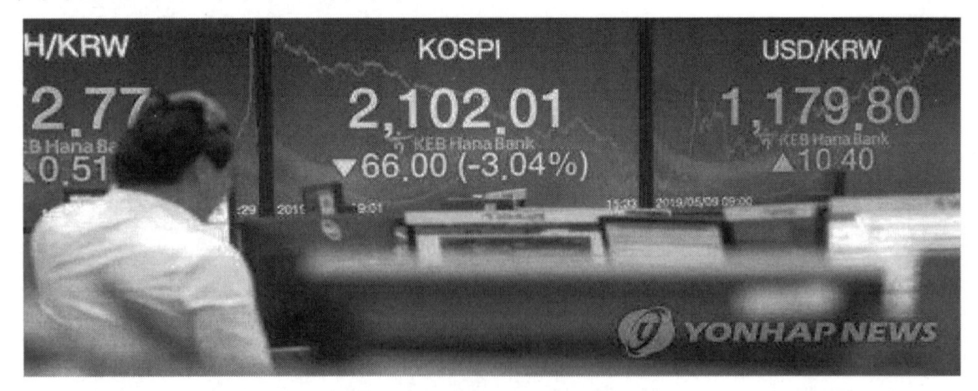

미국과 중국의 무역갈등 격화 우려에 9일 국내 금융시장에서 원화와 주식 가치가 큰 폭으로 하락했다. 이날 코스피는 전 거래일보다 66.00포인트(3.04%) 내린 2,102.01로 거래를 마쳤다.

종가 기준으로 지난 1월 15일(2,097.18) 이후 약 4개월 만에 최저치다.

지수 하락 폭과 하락률은 '검은 목요일'로 불린 작년 10월 11일(89.94포인트·4.44%) 이후 약 7개월 만에 가장 컸다.[197]

127. 언제나 거품은 고통으로 끝난다

거품과 고통은 동전의 앞·뒷면과 같다. 국가 경제가 감당할 수 없을 정도로 많은 돈이 시중에 풀리면 자산가격의 거품을 불러온다. 자산가격 급등이라는 마약에 취한 투자자들은 자신이 불 속으로 뛰어들고 있다는 사실을 알지 못한다. 거품이 터진 후에야 현실을 자각한다. 그러나 때는 너무 늦었고 그들은 감내하기 힘든 빚과 마주해야 한다. 역사적으로 반복돼 온 일이다.

1985년 일본이 미국을 넘어 세계 최고 국가로 올라설 것이라는 전망도 나올 때다. 심각한 무역적자를 겪던 미국은 일본, 독일 등 무역흑자국을 미국 뉴욕의 플라자호텔로 불렀다. 이 자리에서 일본 엔화의 평가절상이 이뤄졌다. 평가절상은 일본 수출경쟁력의 저하를 의미한다. 일본은 경기부진을 우려해 금리를 인하했다. 오히려 독이 됐다. 저금리로 풀린 자금은 자산시장으로 몰렸다. 부동산과 주식시장은 하늘 높은 줄 모르고 솟았다. 일본 도쿄 부동산을 팔면 미국을 살 수 있다는 말도 나왔다. 은행은 경쟁적으로 대출을 늘렸다. 급기야 부동산 가격보다 더 많은 돈을 빌려주었다. "어차피 부동산이 상승할 테니 문제될 것 없다"는 것이었다.

그러나 자산가격 폭등에 심각성을 느낀 금융당국은 금리 인상과 함께 부동산 대출규제에 나섰다. 1989년 일본은행이 금리를 올리면서 '거품경제 시대'는 종말을 알렸다. 주식과 부동산이 폭락했다. 전국 규모의 은행 13곳 가운데 10곳이 도산했고 일본 가계의 빈곤화를 불렀다. 이후 일본 경제는 30여년의 긴 경기침체의 늪에서 허우적대고 있다.

그로부터 10여년이 흘렀다. 2000년대 초 닷컴버블과 9·11 사태 등으로 미국 경제가 침체에 빠지자 당국은 저금리 정책으로 경기부양에 나섰다. 부동산 수요를 촉발시켰고 돈을 빌리겠다는 사람들이 몰렸다. 이때 금융전문가들은 기발한 아이디어를 냈다. 주택을 담보로 가계에 돈을 빌려줘 이자수익을 얻는 것에 더해 돈을 빌려주면서 확보한 부동산담보채권을 모아 만든 금융상품(자산유동화증권)을 발행해 추가로 돈 버는 방식을 고안한 것이다. 당초 대출은 신용도가 높은 우량등급(프라임)이 대상이었다. 돈을 갚을지 의심되는 저신용자(서브프라임)에게도 돈을 빌려주기 시작했다. 무슨 자신감이 있었냐고? 일본에서와 똑같다. 부동산은 오른다는 믿음에서다. 죽은 사람뿐 아니라 강아지 이름으로도 대출이 나갔다.

그러나 2004년 오르는 물가를 잡기 위해 금리를 인상하면서 모든 것이 바뀌었다. 대출금리가 오르자 저신용 대출자들은 원리금을 제대로 갚지 못하게 된다. 금융기관이나 채무자나 "집값이 오를 것이므로 집을 팔아 대출을 갚으면 된다" 고 생각했다. 그러나 집값이 급락하자 이런 계획은 망상이었음이 드러났다. 돈을 빌린 가계와 돈을 빌려준 금융기관이 모두 벼랑에 몰렸다. 파산의 도미노가 발생했다. 세계적인 금융기관 리먼브러더스가 2008년 파산했다. 리먼 사태는 미국뿐 아니라 세계 경제에도 침체를 가져왔다.

일본과 미국 모두 유사한 과정을 거쳐 거품이 꺼졌다. 정부가 경기부양을 위한 저금리 정책을 시작한 뒤 대출이 늘고 이는 자산가격 급등을 초래한다. 거품은 커지다가 결국엔 붕괴하고 가계·금융기관의 파산으로 끝난다. 부동산 거품을 키운 연료는 '부동산 우상향' 의 믿음이었다.

다시 10여년이 흘렀다. 달라진 게 있을까? 금융위기로 경제가 침체에 빠진 이후 세계는 다시 돈풀기에 나섰다. 이번엔 '양적완화' 라는 신무기를 들고나왔다. 초저금리에도 경기가 살아나지 않자 내놓은 극약처방이다. 여기에 코로나19는 기름을 부었다. 2008년 8000억달러에 불과하던 미국의 본원통화는 2021년 8조2000억달러로 늘어났다. 막대하게 풀린 돈은 거품으로 이어졌다.

한국이 예외일 수 없다. 2010년대 중반 이후 저금리에 돈은 부동산시장으로 몰렸다. '부동산 불패' 는 신앙이 되었다. 문제는 부채다. 지난해 말 가계신용 잔액은 1862조1000억원이다. 세계 주요국 가운데 증가 속도가 가장 빠르다.

31일 한국은행이 발표한 가계대출 평균금리는 연 4.05%다. 8년1개월 만에 최고다. 연말에는 연 8%에 달할 것이라는 전망도 나온다. '영끌' '빚투' 에 많은 이들이 올라탔다. 이번만은 다를 것이라고 희망회로를 돌리는 일은 부질없다. 핵주먹으로 불리던 전설적인 권투선수가 했던 말이 기억난다. "모두 계획이 있다고 말한다. 처맞기 전까지는…." 혹독한 시련의 계절이 다가오고 있다.[198]

영끌이란 '영혼까지 끌어 모은다' 를 줄인말로 '영끌 대출', '영끌 투자' 라는 식으로 많이 사용된다. 할 수 있는 모든 수단을 동원해 대출을 받아 부동산이나 주식에 투자하는 것으로 '빚내서 투자한다' 는 빚투의 또 다른 표현이다.

빚투란 유명 연예인이나 그의 가족으로부터 돈을 빌려주고 돌려받지 못했다는 의미다. 성폭력 피해 사실을 고발하는 약자들의 운동인 '미투(Me too)' 에 '빚' 을 갖다 붙여서 만든 신조어다. 코로나19가 불러온 저금리 기조로 개인투자자들 사이에서 주식투자가 유행하면서 '빚내서 투자하자' 라는 뜻으로 사용되기도 한다.[199]

128. 가상통화 시장, 금지·허용 행위 분명하게 해야

가상통화(virtual currency)는 중앙은행이나 금융기관이 아닌 민간에서 블록체인을 기반 기술로 하여 발행·유통되는 '가치의 전자적 표시'(digital representation of value)로서 비트코인이 가장 대표적인 가상통화이다. 비트코인 등장 이전에는 특별한 법적 근거 없이 민간 기업이 발행하고 인터넷공간에서 사용되는 사이버머니(게임머니 등)나 온·오프라인에서 사용되고 있는 각종 포인트를 가상통화로 통칭하였다. 그러나 2009년 비트코인이 등장하면서 가상통화의 개념이 변화되고 있다. 비트코인은 블록체인기술을 기반으로 하여 중앙운영기관 없이 P2P(peer-to-peer) 거래가 가능한 분산형 시스템을 통해 발행·유통된다는 점에서 발행기관이 중앙에서 발행·유통을 통제하는 기존의 사이버머니나 멤버십 포인트 등과 기반이 완전히 상이하기 때문이다. 현재 비트코인 거래가 크게 늘어나고 가격도 급등한 가운데 비트코인 이외에 많은 신종코인(Alt-coin)도 출현하면서 이들 가상통화를 구분할 필요성이 발생하였다. 이에 따라 최근 IMF 등 국제기구에서는 비트코인류의 가상통화를 '암호통화'(cryptocurrency)로 부르면서 종래의 가상통화의 하위 개념으로 분류하고 있는 추세이다.

한 은행의 예금금리가 연 20%인데, 대출금리가 연 15%인 경우를 상상해보자. 어떤 일이 벌어질까. 합리적으로 판단하는 사람이라면 그 은행으로부터 대출받아 그 은행에 예금을 맡길 것이다. 연 5%의 순수익이 보장되는데, 누가 마다하겠는가. 그렇다면 은행은 어떻게 연 20%의 이자를 지급할까. 다른 수익이 전혀 없다면 새로 예금을 맡긴 사람들 돈으로 대출이자를 지급할 수밖에 없다. 그 은행은 새로 예금을 맡기는 사람이 계속 유입되지 않는 이상, 언젠가 예금이자 및 예금지급 부족으로 파산할 것이다.[200]

실제 이런 일이 가상통화 시장에서 일어났다. 가상통화 테라는 그 가치를 1달러에 고정시키는 스테이블 코인이다. 가격은 수요에 비례하고 공급에 반비례한다. 그런데 테라는 사용할 곳이 없어 수요가 떨어지기 시작했다. '1테라=1달러'를 유지하기 위해 공급량을 줄여야 했고, 그래서 권도형 테라폼랩스 대표는 '앵커프로토콜'이라는 디파이를 신설해 테라를 예치하도록 했다. 예금금리는 연 19.4%였다. 동시에 루나를 담보로 예치하면 테라를 빌려주는 대출을 실시했다. 담보대출 이자는 연 12.4%였다. 사람들은 당연히 앵커프로토콜로부터 테라를 대출

받아 그 테라를 다시 앵커프로토콜에 예치하는 일을 되풀이했다. 연 7% 이상의 이자가 보장되는데 누가 그것을 마다하겠는가. 전형적인 폰지사기다.

현행 유사수신행위의 규제에 관한 법률은 인·허가를 받거나 등록, 신고 등을 하지 않고 출자금의 전액 또는 초과 금액 지급을 약정하고 출자금을 받는 행위를 유사수신행위로 처벌하고 있다. 권도형은 '출자금'이 금전을 의미하는데 가상통화는 금전이 아니므로 유사수신행위가 아니라고 주장할 수 있다. 그러나 법원은 일부 암호화폐의 경우 그 실질은 금전의 거래라는 점을 인정하고 있다.

테라와 루나의 가치를 인위적으로 부양하려고 한 여러 조치들은 자본시장과 금융투자업에 관한 법률이 정한 시세조종 행위나 부정거래행위, 시장질서 교란행위에 해당한다. 다만 가상통화도 이 법의 규율 대상인지가 문제가 된다. 하지만 투자자들을 속여 테라와 루나를 매수하게 해 권도형이 경제적 이익을 얻었다면 형법의 사기죄로도 처벌할 수 있다. 물론 그 과정에서 권도형의 구체적인 기망행위가 무엇인지, 투자자들이 그 기망행위에 속아 테라와 루나 코인을 매수했다고 할 수 있는지, 투자자들이 입은 손실과 권도형이 얻은 이익 사이에 인과관계가 있는지 등이 문제가 될 수 있다. 진작 가상통화 시장에 대해서도 부정한 방법으로 시장을 교란하는 사람들에 대한 처벌 규정을 두었다면 이러한 문제는 없었을 것이다.

일부 사람들은 테라-루나 사태가 가상통화와 블록체인 기술 발전의 발목을 잡지는 않을까 걱정한다. 그러나 적정한 규제의 설정은 금지 및 허용 행위를 분명하게 해서 시장을 건강하게 할 수 있을 것이다. 혹자는 "가상통화로 번 돈을 가상통화로 날린 것이 무슨 피해냐"고 묻는다. 범죄의 피해자가 입은 피해의 책임을 피해자에게 돌리는 이러한 '피해자 비난'이 계속되면 가상통화 시장의 미래는 어두울 수밖에 없다. 이번 사태로 가상통화 시장이 정화되는 계기가 마련된다면 입에는 쓰지만 몸에는 좋은 약이 될 것이다.[201]

129. 취약계층 저버린 재정당국의 꼼수

기획재정부는 경제정책을 총괄 조정한다. 세제실은 조세를 통해 재정을 마련하고 예산실은 예산을 편성하여 재정을 집행하는 역할을 담당한다. 지난 7월 말, 2023년 조세와 복지 정책에서 국민 모두에게 적용될 두 가지 중요한 기준이 발표됐다. 하나는 '소득세 과세표준 구간'으로, 세전 소득에서 비과세와 소득공제·세액공제 항목을 제외한 과세표준 금액의 구간마다 누진적 세율을 적용하여 세금을 부과하는 기준이다. 또 다른 하나는 중앙생활보장위원회가 결정한 '기준중위소득'으로, 기초생활보장제도뿐만 아니라 중앙정부와 지자체가 시행하는 대부분의 복지제도에서 가구원수별 기준중위소득의 일정비율로 선정기준 설정에 활용된다. 그런데 기획재정부는 두 가지 기준과 관련하여 이중적 태도와 꼼수로 저소득층을 외면하고 있다. 한편에서는 세제개편안을 통해 대기업과 부자의 세금을 크게 줄여주려는 반면, 다른 한편에서는 재정상황을 핑계로 저소득층 지원제도의 선정기준과 급여수준에 영향을 미치는 기준중위소득 인상률을 원칙에 따라 합의된 수준보다 최대한 낮출 것을 주장한다.

먼저 이번 세제개편안은 발표 당시부터 사상 최대 규모의 대기업과 부자 감세라는 비판이 제기되었고, 국회 기획재정위원회에서 여야가 충돌하는 등 논란이 심화되고 있다. 특히 법인세와 종합부동산세는 말할 것도 없고 소득세의 과세표준 구간 조정으로 인한 감세 혜택이 소득계층별로 누구에게 더 많이 돌아갈지를 두고 해묵은 논쟁을 반복 중이다.

세율이 가장 낮은 두 개 구간을 중심으로 과세표준을 상향 조정했지만, 정부안에 따르면 연봉이 7800만~1억2000만원인 고소득층의 소득세가 54만원 줄어 가처분 소득이 증가하는 반면, 최저임금을 약간 넘는 연봉 2700만~3000만원인 노동자의 경우 겨우 8만원만 감소한다. 이에 대해 경제부총리는 세금이 줄어드는 금액으로는 고소득층이 크지만 저소득층은 이미 소득세를 적게 내기 때문에 세금이 줄어드는 금액은 작지만 비율은 더 크다고 해명한다.

가. 세제개편안·복지선 저소득층 외면

하지만 가장 큰 혜택을 받는 고소득층 비율은 약 10%에 불과한 반면, 비과세 식대 범위 10만원 확대의 혜택조차도 전혀 받지 못하는 약 37%의 면세점 이하 근로자를 생각하면 설득력 없는 꼼수 해명에 불과하다. 매년 감소하는 세수가 수조원에 이르고 재정 지출에도 영향을 미치는 세제개편안에서 세금을 적게 내거나 전혀 내지 않는다는 이유로 저소득층은 외면해도 괜찮은가.

두 차례 장관 후보자 낙마로 보건복지부 장관 대신 기획재정부 출신 1차관이 주재한 중앙생활보장위원회 회의에서는 결국 2023년 기준중위소득을 결정하지 못했다. 이번에 진행된 분과위원회 논의에서도 기재부는 2020년 합의된 원칙에 의해 산출된 5.47%가 아니라 경제의 불확실성과 재정악화 등을 이유로 4.19%를 제시했다. 또한 25일 개최된 중앙생활보장위원회에서는 2023년 최저임금 인상률 5%보다 낮아야 한다는 새 논리를 제시했다.

기재부는 다양한 근거로 예외적 상황을 주장하며 그동안 기준중위소득 결정에 영향을 미쳤다.코로나19 상황인 2020년에는 경제성장률이 마이너스로 전망된다며 원칙이 마련된 첫해부터 인상률을 조정해야 한다는 기재부의 주장이 반영됐다. 2021년엔 당시 1%대였던 소비자물가상승률을 기본증가율에 반영할 것을 주장하여 또다시 원칙이 지켜지지 않았다. 올해는 치솟는 물가상승률을 추가 반영해서 상향 조정해야 할 상황임에도 불구하고, 기재부는 작년과 정반대로 물가상승률은 거의 언급하지 않고 경제여건과 재정상황을 강조하며 전년 증가율보다 낮은

4.19%를 주장했다. 그동안의 과정을 보면, 결국 원칙에 따른 인상률(5.47%)을 적용할 경우 2023년에 추가될 약 6000억원을 줄이는 것이 재정당국의 속셈이었던 것이다.

나. 기준 중위소득 현실화가 급선무

지난달 29일 다시 개최된 중앙생활보장위원회에서 당초 합의된 원칙대로 산출된 인상률(5.47%)이 최종 결정되어 2023년 기준중위소득이 약 540만원(4인 가구)으로 높아지는 것은 그나마 다행이다. 그렇지만 저소득층의 삶을 외면하고 재정부담을 줄이기 위해 애쓰던 기재부의 속셈을 숨기고 2015년 개편 이후 가장 높은 인상률로 약 6000억원의 재정 부담이 추가되지만 고물가 등 경제상황을 고려해 원칙을 지킨 것이라고 의미를 부여하는 재정당국의 해명을 들으니 마음이 불편하다. 게다가 기재부의 억지 주장으로 합의된 원칙조차 지키지 못하고 전체 가구 소득증가율에 미치지 못한 2~3%의 낮은 인상률로 인해 OECD 상대빈곤 기준에 따른 통계청 중위소득과의 격차가 줄어들지 않고 생계급여 등 저소득층 지원수준이 충분하지 못하다. 특히 저소득층의 70% 이상을 차지하는 1인 가구의 기준중위소득이 2023년에는 최저임금과 비슷한 수준인 약 207만원으로 인상되지만 통계청 중위소득 기준으로는 2020년에 이미 250만원을 넘어 큰 격차가 존재한다. 게다가 경제부총리가 '역대급' 감세를 위한 세제개편안을 직접 해명하는 상황을 교차시켜 보니 저소득층을 외면한 재정당국의 이중적 태도에 분노하지 않을 수 없다.

2023년은 3년 주기의 제3차 기초생활보장 종합계획이 수립되는 시점이다. 매년 합의된 인상률 준수를 넘어, 통계청 중위소득과의 격차를 줄여 OECD 상대빈곤 기준과 동일하게 만들기 위해 새로운 개편안을 마련하고 재산의 소득환산율(월 1.04%)을 임대차법상 월세전환율(연 2.5%) 수준으로 낮출 것을 정부에 요구해야 한다.

특히 처음 지켜진 인상률을 역대 최고 수준이라 포장하는 재정당국에 의해 더불어민수당은 지난번 추경에 이어 또다시 의문의 1패를 당했다. 민주당은 저소득층이 국민의힘을 지지한다고 탓하기보다 소득주도성장 전략을 내세우고도 실천하지 못한 기준중위소득 현실화를 우선 추진할 것을 제안한다. 재정지출을 통한 정부의 역할을 다하기 위해서는 최저임금보다 기준중위소득의 인상이 더 중요하다. 야당은 세제개편안 마련과 기준중위소득 결정 과정에 저소득층을 외면한 재정당국의 꼼수에 의문의 1패를 당하고도 그냥 있을 셈인가.[202]

130. 제대로 된 재정준칙을 바라며

트로이 전쟁을 마친 오디세우스는 귀향길에 세이렌의 노래가 울려 퍼지는 해협을 통과하면서, 자신의 몸을 배의 기둥에 묶어버렸다. 그렇지 않으면 노래의 유혹을 못 이겨 바닷속으로 뛰어들 것을 알았기 때문이다. 오디세우스는 의지박약한 인물일까 아니면 현명한 사람일까. 그는 아킬레스와 함께 무력으로 이름 높은 용장이자, 트로이 목마라는 계략을 제시해 전쟁을 승리로 이끈 지장이다. 그래서 제약을 가하지 않으면 자신을 파멸로 이끌 선택을 할 것을 알았기에 미리 자신을 구속한 것이다.

재정준칙이라는 제도가 있다. 정부 재정 운용에 미리 제약을 가하는 것이다. 가령 국가채무 비율은 60%를 넘기지 못한다, 매년의 재정수지 적자는 3%를 넘지 못한다는 식으로 못 박아 두는 것이다. 경제학은 선택지 많을 때가 적을 때보다, 제약 없을 때가 있을 때보다 효용을 높인다고 가르친다. 그런데 왜 정부 재정 운용에는 미리 제약을 가해서 선택지를 줄일까. 경기 상황에 따라 세금이 많이 걷히는 해도 있고 적게 걷히는 해도 있다. 하지만 국방, 치안, 교육, 복지 등 정부지출은 안정적으로 이뤄져야 한다. 세금 적게 걷혔다고 경찰관을 줄일 수는 없고 세금 많이 걷혔다고 난데없이 보도블록을 교체하는 것도 곤란하다.

현명한 정부라면, 호경기 때 많이 거둔 세금을 비축했다가 불경기 때 풀 것이다. 그때그때는 재정수지 진폭이 크더라도 중장기적으로는 안정적인 재정이 이뤄지도록 할 것이다. 그런데 왜 미리 제약을 가해서 신축적인 운용을 억제할까? 정부는 그다지 현명하지 않기 때문이다. 그간의 정부 재정 운용 경험을 보자면, 불경기 때는 대규모 적자를 통해 대량의 돈을 푼다. 하지만 호경기 때 여유분을 비축하는 경우는 드물다. 많이 들어온 만큼 많이 쓴다. 이러니 늘 적자이고 국가채무는 늘어날 수밖에 없다.

가. 국가채무 증가 가속… '고삐' 필요

왜 정부는 중장기적인 재정 안정성은 외면하고, 호시탐탐 돈을 쓰려고만 할까. 정치의 본성이 그렇기 때문이다. 당신이 임기 5년의 정부 운영을 맡았다고 하자. 혹은 임기 4년의 국회의원이 되었다고 하자. 내게 중요한 것은 임기 중 국민한테 인기 얻고 유권자에게 지지받는 것이다. 누구나 혜택 보는 것은 좋아하지만 부담지는 것은 싫어한다. 재정위기가 오지 않는 한, 구태여 내 임기 중에 깐깐하게 굴 이유가 뭐 있겠는가. 어차피 내 돈도 아닌데 인심 팍팍 쓰고 생색 잔뜩 내는 게 시쳇말로 윈윈 아닌가. 정치인의 관심은 본인 임기 내로 한정되기 마련인데 이를 두고 정치인의 근시안적 속성이라고 한다. 이로 인해 재량에 맡기면 으레 적자를 내고 후세대에 부담을 떠넘기게 된다. 그래서 미리 제약을 가해서 낭비를 차단하고 견실한 재정 운용을 유도하는 것이다.

재정준칙이 널리 퍼지게 된 계기는 1992년의 유럽연합(EU) 창설이다. 유럽연합을 창설하면서 가입국들은 다양한 협약을 맺었는데 그중 하나로 GDP 대비 국가채무 비율 60% 이하, 재정적자 비율 3% 이하를 유지한다는 규정을 두었다. 가입국들은 연합을 맺었더라도 엄연히 개별 국가로 존재한다. 그래서 화폐는 유로라는 공통화폐를 사용하지만, 재정지출은 각국이 알아서 한다. 화폐는 공용인데 재정지출은 각국 맘대로 하면 혼란이 생긴다. 그래서 공통적인 제약을 두고 그 한계 내에서 재정 운용을 하도록 만든 것이다. 이후 재정준칙은 유럽연합 이외 국가들에도 널리 퍼지게 되었다. 많은 나라가 정부지출과 국가채무 증가로 어려움을 겪었는데, 재정준칙이 그에 대한 효과적인 처방이 되리라 여겼기 때문이다.

이제 재정준칙은 100여개 국가에서 시행 중이다. 하지만 우리는 아니다. OECD 국가 중 재정준칙 없는 나라는 우리와 튀르키예(터키)밖에 없다. 우리의 윗세대

정치인들이 남달리 장기적인 시각을 지녔기 때문은 아니겠고, 한국 경제사회구조의 특수성으로 인해 우리의 정부지출 규모는 그다지 크지 않았다. 그래서 과거에는 굳이 재정준칙이 필요치 않았다. 하지만 사정이 바뀌었다. 복지국가 진입과 급속한 고령화가 맞물리면서 2000년대 이후 정부지출은 빠르게 늘었다. 2010년대 후반부터 국가채무도 급격히 늘었다. 정부지출과 국가채무 규모 자체만 본다면 아직도 다른 국가와 비교해 큰 편은 아니다. 그러나 증가속도가 매우 빠르다. 이대로 놔두면 우리 재정도 지속 가능성을 고민해야 할 지경이 되었다. 고삐가 필요해졌고 그래서 재정준칙을 도입해야 한다는 목소리가 커졌다.

나. 경기변동 대응·투자장려 장치 장착

기획재정부는 지난 정부 때 재정준칙을 내놓았다. 그런데 이런저런 사정을 고려한 탓에 이도 저도 아닌 애매한 모양새가 되었다. 소위 '한국형'이라고 강변했지만 제대로 된 고삐는 아니었다. 그 탓에 보수와 진보 양쪽에서 비판을 받았다. 기재부는 곧 새로운 재정준칙을 내놓는다고 한다. 확정되지는 않았으나 시안을 보면 고삐의 잡아채는 역할은 제법 충실해질 것 같다. 그래서 보수 쪽의 비판은 면할 것 같다. 하지만 진보 쪽의 비판은 더 커질 것만 같다.

재정준칙을 진보 측이 반대하는 이유는 재정 건전성에 치중하느라 필요한 지출을 막을 것이라는 데 있다. 우리의 복지수준은 서구와 비교하면 여전히 낮다. 코로나19로 인한 경제적 타격은 아직 회복되지 않았다. 첨단기술 개발과 탄소중립 실현도 시급하다. 돈 쓸 곳은 많은데 건전성만 앞세우면 재정 운용이 왜곡된다는 우려 때문이다.

타당한 지적이다. 그런데 한 번 생각해 보자. 재정준칙이 써야 할 곳에 못 쓰게 하고 왜곡된 재정 운용을 초래한다면 그렇게 많은 나라가 이를 시행할 리가 있겠는가. 초기의 재정준칙은 확실히 재정 건전성에 치중했다. 하지만 지금은 아니다. 2세대 재정준칙은 경기변동에 대응하고 인적·물적 투자를 장려하는 장치를 장착했다. 그로 인해 복잡해지기는 했으나 재정 운용은 한층 바람직해졌고 재정성과는 더욱 높아졌다.

우리의 재정준칙도 이런 역할을 제대로 구현하는 모습이 되었으면 좋겠다. 명심하자. 고삐의 역할은 말을 꼼짝 못하게 하는 것이 아니라, 주인이 원하는 대로 움직이게 하는 것이다. 아울러 복지국가의 대명사로 불리는 스웨덴은 세계에서 가장 강력한 재정준칙을 가지고 있다는 것도 참고하자.[203]

131. 감시자는 누가 감시할 것인가

다니던 회사를 그만두고 책을 쓸 준비를 하던 시절, 교육방송의 '장학퀴즈'용 문제를 만드는 알바를 했다. 경제와 환경에 대한 문제들을 주로 냈다. 그러다 영화 <퀴즈쇼>를 보게 되었다. 영화는 NBC 방송국에서 1958년 발생한 퀴즈 스캔들을 다루고 있다. 연승을 하던 젊은 컬럼비아 대학의 찰스 반 도렌은 사실 방송국으로부터 질문을 미리 받았다. 이 사건을 파헤쳐서 결국 부정을 저지른 방송국과 출연진을 잡아낸 조사관인 리처드 굿윈은 나중에 케네디의 연설 담당관이 된다. 미국을 뒤흔든 이 스캔들을 찾아내는 과정에서 내가 놀랐던 것은 그게 감사원이나 정보기관이 아니라 미국 국회 소속 조사관이었다는 사실이었다. 국회가? 미국에서는 감사원, 정확히는 회계감사원이 국회 소속이라는 것을 영화를 보고 나서야 처음 알았다. 국가별로 감사원의 법률적 위상이 조금씩 다른데, 영국・미국이 국회 소속이고, 프랑스는 별도의 독립 기관이다. 한국은 헌법상 대통령 산하로 감사원이 설치되어 있다.

가. 감사원, 정권 교체 후 보복자 역할

민주당이 야당이었고, 당대표가 문재인이던 시절, 민주연구원 부원장을 하면서 온갖 종류의 개혁안에 관여하게 되었다. 그때 감사원 개혁 문제도 다루었는데, 이때 많은 사람들이 그건 손대지 말라고 나에게 조언을 해주었다. 민주연구원이나 여의도연구원 같은 정당 싱크탱크들도 국고보조금을 받고 있어서 언제든 감사원에서 자금 집행 같은 것을 챙겨보자면 챙겨볼 수 있다. 한국의 정당 역시 자금 운영과 관련된 오래된 관행과 편법 같은 게 있어서 완전히 투명하다고 하기는 어렵다. 평소에는 바른 소리 잘하던 정부 연구원에 소속된 연구진도 감사원 문제는 자신들이 얘기하기 어렵다고 했다. 오죽하면 감사한다고 하니까 경제 연구소 중의 경제 연구소인 KDI 원장이 결국 사직서를 제출했겠는가? 감사원을 두려워하는 것은 교수들도 마찬가지다. 학회장을 몇 번씩이나 한 어느 원로 교수가 "몇 년 전에 먹은 점심값 영수증까지 다 챙겨오라고 한다니까, 그건 그냥 접으시게", 나에게 이렇게 조언해주었다. 무서운 게 아니라 귀찮은 건지도 모르겠다. 감사원도 일단 떴다고 하면, 자기들도 명분이 필요하니까 뭐라도 뒤져낸다. 검사 개혁과 비교하면 감사원 개혁에 대한 논의가 별로 없는 건, 전문가들조차 검사보다 감사원이 더 무서워서 그런 것 아닐까? 헌법과 법률이 잘 지켜진다면 감사원은 행정부에 있어도 되고, 입법부에 있어도 된다. 잘 운영되고 모두가 만족하면, 그걸로 된 것이다. 그렇지만 지금 한국의 상황은 그렇지가 않다. 행정부가 제대로 운영되는지 감시하라는 '감시자'가 정권이 바뀌면 전 정권의 정책을 보복 감사하는 '보복자'의 모습에 더욱 가깝다. 이쯤에서 오래된 "감시자는 누가 감시하는가"? 이 사회과학 질문을 다시 생각해보게 된다. 정권이 바뀔 때마다 늘 감사원이 문제가 되니까, 미국처럼 소속 기관을 국회로 바꾸는 게 한국적 대통령제에서는 정답이다. 그렇지만 이건 개헌 상황이라서 당장 시행할 수가 없다. 그렇다고 언제까지 정책 감시자의 정치적 폭주를 그냥 방관하는 것도 좀 그렇다. 헌법은 그대로 두고 감사원법의 일부를 개정하는 방법을 생각해볼 수밖에 없다.

나. 미국처럼 국회 소속되는 게 맞아

우선은 시민들이 감사원 운영에 좀 더 관여하는 방법이 있을 수 있다. 폐쇄적 행정 기관의 운영을 투명하게 하기 위해서 종종 사용되는 '옴부즈맨'을 도입하는 것이 가장 손쉽다. 모두에게 과정을 공개하지는 않더라도 선출된 시민들에게 감시자의 감시 역할을 맡기는 것은 이제 우리에게도 상당히 익숙한 제도가 되었다. 감사원장과 감사위원회의 의사 결정 과정에 시민이 참여하는 것은 우선적으로 검토할 사안이다.

여기에 더하여 국회의 감시를 좀 더 체계적이고 전문적으로 만들 방안도 생각해볼 수 있다. 지금도 법제사법위원회가 감사원 업무를 다루기는 한다. 그렇지만 너무 피상적이고, 제한적이다. 이걸 좀 더 키워서 국회에서 감사위원회 운영을 별도로 다루는 기구를 만들고, 여기에 최소 분기에 한 번 감사업무 보고서를 제출하도록 할 수도 있다. 여야 합의로 이런 기구 인원을 구성하면, 좀 더 전문적으로 감사의 적절성과 타당성 혹은 효율성 같은 성과평가를 할 수 있다.

장기적으로 한국의 감사원은 미국처럼 국회 소속으로 가는 게 맞다고 생각한다. 그렇지만 그 이전이라도 감사원법을 통해서 '감시자의 감시자'를 제도화시킬 수 있다. 행정과 독립적으로 작동해야 할 감사원이 지금처럼 감시자가 아니라 '보복자'의 역할을 하는 것은 파행적이다. 그건 누가 집권해도 마찬가지다. 해야 할 감사는 잘 모른다고 안 하고, 하지 않아도 될 감사를 보복 차원에서 우선적으로 추진하는 지금의 감사원을 그냥 방치하면 안 된다.[204]

132. 금리 인상의 후폭풍

멀리는 닷컴버블, 가까이는 금융위기 이후 세계는 저금리 시대를 살았다. 경기 부양을 위해 금리를 내렸고 이도 모자라 국채를 사들이는 방식(양적완화)으로 시중에 돈을 풀었다. 그래도 경기가 살아나지 않자 마이너스 금리까지 출현했다. 통화량이 늘면 물가가 오른다는 경제상식이 통하지 않았다. 저금리 트렌드가 굳어지는 것처럼 보인 시기였다.

그러나 코로나19 팬데믹을 거치면서 새로운 국면을 맞고 있다. 물가가 천정부지로 치솟고 있는 것이다. 주요 선진국의 소비자물가지수(CPI) 상승률은 10%를 넘나들고 있다. 미국은 지난 6월 9.1%를 기록했다. 41년 만에 최고다. 유로존은 9.1%(8월), 영국은 10.1%(7월)에 달했다. 신흥국가들 중에는 물가가 수십% 오른 나라도 많다. 하루가 다르게 오르는 물가는 국가경제를 위협할 수준에 이르렀다. 저물가가 아닌 고물가가 고민거리로 떠오른 것이다.

물가 급등의 주범은 그동안 시장에 과도하게 풀린 돈이다. 금융위기 이후 공급된 유동성에다 코로나19 경기침체를 막기 위해 천문학적인 돈을 찍어낸 결과다. 여기에 우크라이나 전쟁으로 인한 석유·천연가스·곡물 공급난과 코로나19 확산을 방지하기 위한 봉쇄조치 등은 불에 기름을 부은 격이 됐다.

한국 경제는 세계적인 인플레이션의 파고에서 안전할까. 세계화로 인해 세계는 톱니바퀴처럼 맞물려 있다. 국제 경제의 변화는 한국에 직접적인 영향을 미친다. 특히 수출 중심 경제인 한국은 외부요인에 크게 영향을 받는다. 한국 경제를 진단하기 위해 세계 경제를 주도하는 미국 경제의 움직임을 주시하지 않을 수 없다.

미국은 인플레이션을 제어하는 선제적인 대응에 실패했다. 지난해 초 미국에서는 인플레이션 경고가 이어졌다. 그러나 미 연방준비제도(Fed·연준)는 안이하게 대처했다. 제롬 파월 연준 의장은 위험 경고를 "코로나19 봉쇄에 따른 일시적 물가불안"이라며 무시했다. 그 결과 인플레이션은 고삐 풀린 망아지처럼 다루기 힘든 상황이 됐다.

인플레이션의 불을 끄는 최선책은 금리 인상이다. 금리를 올려 인플레이션 기대심리를 꺾어야 한다. 그런데 연준은 올해 중반이 되어서야 불끄기에 나섰다. 상황이 심각해지자 0.25%포인트에서 0.5%포인트, 0.75%포인트로 인상폭을 확대했다.

이달 초 발표된 8월 소비자물가지수 상승률이 예상보다 높자 이른바 울트라스텝(한번에 1.0%포인트 인상)에 나설 것이라는 말도 나온다. 21일 열리는 연방공개시장위원회(FOMC)에서는 최소한 0.75%포인트 인상이 확정적이다.

미국의 급속한 금리 인상은 세계 경제에 파장을 일으키고 있다. 안전자산으로 수요가 몰리고 있는 데다 금리까지 오르면서 달러화 가치가 급등하고 있다. 각국 통화 가운데 가장 비싼 '킹 달러'가 됐다. 이례적인 강달러는 유럽과 신흥국에 인플레이션과 금융위기를, 미국에는 해외투자 이익 감소를 부르고 있다. 한국도 무풍지대는 아니다. 올 들어 원·달러 환율이 급등했다. 연초 1193원에서 출발해 1400원을 넘보고 있다. 외환보유액은 연초 4615억달러에서 4364억달러(8월 기준)로 감소했다. 달러화 유출을 막으려면 한국도 금리를 올려야 한다.

그러나 여기에 딜레마가 있다. 현재 미국 중앙은행의 기준금리는 연 2.5%다. 한국과 동일하다. 미국은 연말까지 금리를 최고 4.5%까지 올릴 것으로 예상된다. 달러 유출을 막기 위해 미국 수준까지 금리를 인상해야 한다. 그러나 한국의 가계부채는 1869조4000억원에 달한다. 국내총생산(GDP) 대비 가계부채는 세계 최고 수준이다. 금리 인상은 가계경제에 폭탄을 투하하는 것과 같다. 한국은행은 금리를 올릴 수도 안 올릴 수도 없는 고민에 빠졌다.

금리를 인상해도 문제는 남는다. 금리 인상은 경기침체로 이어진다. 소비와 투자를 위축시키기 때문이다. 모든 정부는 경기침체 없는 금리 인상을 하겠다고 말한다. 그러나 그러한 노력은 대부분 실패했다. 1980년 당시 폴 볼커 연준 의장은 오일쇼크 이후 물가 상승을 막기 위해 금리 인상을 단행했다. 10% 수준이던 금리를 22%까지 올렸다. 볼커 전 의장은 인플레이션을 잠재웠다. 그러나 침체로 이어지며 경기마저 잠들게 했다.

코로나19로 인한 고통의 시간을 견디고 있다. 내일은 오늘보다 나아질 것을 기대한다. 그건 헛된 꿈일 수 있다. 한국 경제는 정점을 지나 내리막길로 접어들고 있다. 그 길 끝에는 고난의 터널이 기다리고 있다.[205]

133. 정부 재정준칙에 반대한다

재정준칙(財政準則)은 국가채무를 적정 수준으로 유지하며 채무상환 능력이 있는 재정 상태인 재건건전성 지표가 일정 수준을 넘지 않도록 관리하는 규범이다. 전 세계 90여 개국이 재정준칙을 두고 있는데 한국은 그동안 재정준칙을 두고 있지 않다가 2020년 10월 5일 정부가 한국형 재정준칙 도입 방안을 발표했다.

한국형 재정준칙 도입 방안의 골자는 2025년부터 GDP 대비 국가채무 비율은 60%, 통합재정수지 비율은 -3% 이내로 관리하며, 이를 넘길 경우 건전화 대책을 의무적으로 마련해야 한다는 내용이다. 두 가지 기준 중 하나가 기준치를 넘어도 다른 하나가 그에 해당하는 만큼 기준을 밑돌면 재정준칙 규제를 적용받지 않도록 설계됐다.

다만 전쟁이나 대규모 재해, 글로벌 경제위기나 경기둔화 시에는 적용 예외를 인정한다. 위기 때에는 국가채무 비율이 늘어나도 그해 적용하지 않고 이후 4년간 국가채무 비율 증가분을 해마다 균등하게 나눠 반영한다.

한국형 재정준칙은 코로나19로 취약계층이 위기에 빠지고 유연한 재정 운영이 필요한 시점에서 시기상조가 아니냐는 지적이 있었다. 또한 재정준칙에 강제성이 없어 지켜지지 않을 가능성이 높고 시행 시점을 2025년으로 미룬 것도 차기 정부에 재정건전성 관리를 떠넘기는 것이란 비판이 나왔다.[206]

세계경제가 벼랑 끝 위기에 내몰리고 있다. 물가상승 압력과 미국 연방준비제도의 금리 인상 폭주 탓이다. 불과 얼마 전만 해도 각국 중앙은행은 코로나19로 짓눌린 경제를 구하고 물가하락 압력에 대응한다며 금리를 역사상 최저 수준에서 유지해 왔으니 놀라운 변화가 아닐 수 없다. 당시 이른바 '장기 침체'가 초래한 저성장, 저물가, 저금리는 재정적자를 마다 않고 확장적 재정정책으로 경제회복을 이끌어내기에 유리한 조건이 되었다. 그런데 지금은 그때와는 사뭇 달라 보인다. 혹시 기존의 장기 침체 추세가 멈춘 것일까? 코로나19와 글로벌 인플레이션 다음에는 또 무엇이 우리를 기다리고 있을까?

지난 4월 미국의 경제정책연구소(EPI)에서는 인플레이션이 해소되고 나면 세계경제는 다시 장기 침체 상태로 돌아갈 것이라는 전망을 제시했다. 장기 침체의 구조적 요인은 변함없이 작동하고 있으며 인플레이션 요인이 사라져도 영향 받지 않는다는 결론이었다. 장기 침체의 재림은 피터슨국제경제연구소(PIIE)나 경제학자라구람 라잔에 의해서도 언급되었다. 머지않은 미래에 재정정책이 다시 무대 전면에 나서게 될 것이라는 진단이 이어진다. 포스트 코로나 국면의 재정 규율 회복 시도는 이와 같은 예측을 염두에 둘 일이다.

기실 저성장과 고물가를 배경으로 당분간은 실질금리(물가의 영향이 제거된 이자율)는 낮고 명목금리(실질금리에 물가상승률을 더한 것)는 높은 상황이 이어지기 쉽다. 그 경우 경제회복 속도가 빠를수록 국채를 활용한 적자지출의 이점이 커진다. 실제로 한국경제는 작년부터 경제성장률이 국채의 세후 실질금리를 3%포인트 이상 추세적으로 상회하는 중이다. 일각에서는 50%에도 못 미치는 현재의 국가채무비율이 높다고 아우성이지만, 경제논리만 따지면 한국은 나라가 빚을 더 내는 것이 여전히 합리적이다. 다만 물가상승 압력과 세입-세출 간 괴리를 고려하면 적자지출보다는 누진 증세로 무게중심을 옮겨가는 접근법이 나을 수 있다.

실상이 이럴진대 며칠 전 발표된 윤석열 정부 재정준칙은 문제가 너무 많다. 핵심은 관리수지 적자의 GDP 대비 비율을 3%까지 허용하되 국가채무비율이 60%를 넘어서면 동 비율을 2%로 낮춘다는 것이다. 그런데 이 준칙은 우선 재정수지 정상화를 위한 증세 계획을 포함하지 않는 점부터 잘못 되었다. 강화된 준칙이 7월 세제 개편안의 부자 감세와 결합되면 결국 사회지출부터 축소될 것이라는 우려를 거두기 어렵다. 게다가 준칙은 재정운영 기조에 대한 사회적 합의에서 출발한 것이 아니어서 첫 단추부터 잘못 끼워진 셈이다.

어디 그뿐인가. 준칙은 코로나19 후유증 극복, 불평등과 양극화 완화, 인구구조 변화 대응, 기후위기 대응, 산업 전환, 제조업 혁신 등 한국경제가 직면한 다양한 전환기적 과제에 대한 어떤 고민도 담고 있지 않다. 최소한 재정구조가 불안정한 전환기의 재정운영 틀은 장기적인 재정운영 틀과는 서로 다른 것이 되어야 할 텐데 준칙에는 그런 인식조차 없다. 따지고 보면 관리수지 기준으로 준칙을 정의한 것도 잘못이다. 현행 관리수지는 사회보험 가운데 적자 상태인 공무원연금과 군인연금만 포함하고 있어 편제가 자의적이고 긴축 편향이 두드러진다. 관리수지 적자 3% 혹은 2%는 통합수지로는 균형 혹은 소폭 흑자에 가깝다. 실은 기계적인 균형재정을 강제하는 것이다.

더욱이 이번 준칙은 2020년 국가재정법 개정안과 마찬가지로 이미 역사적 실패가 확인된 고릿적 유럽연합 재정준칙의 변형인 점에서도 한계가 뚜렷하다. 특히 재정준칙을 둘러싼 최근 연구 성과가 전혀 반영되지 않은 것은 심각한 문제다. 경제학자 올리비에 블랑샤의 대안적 논의에서는 고정된 숫자를 못 박는 기왕의 준칙은 이제 버리고 재정의 지속 가능성을 위한 포괄적인 규범으로 대체하는 편이 좋겠다는 것과 미래 재정여건을 지속적으로 예상하고 점검하는 과정의 의의가 강조된다.

적어도 바람직한 재정준칙이라면 정부가 경제사정이 악화될 때 지출을 재량적으로 충분히 늘릴 수 있는 신축성을 보장해야 한다. 이를 위해서는 실업수당이나 고용유지지원금처럼 경기변동에 따라 자동적으로 규모가 조절되는 항목들에 대해서는 준칙을 적용하지 않는 편이 나을 수 있다. 준칙은 또한 미래를 위한 전략적 공공투자를 방해해서도 안 된다. 공공투자는 수혜자인 미래 세대가 비용을 분담하는 '응익원칙'의 황금률에 따라 국가채무를 활용하는 방식이 제한되어서는 안 된다. 그러나 윤석열 정부가 제안한 내용은 이 중 어떤 요건도 충족시키지 않는다. 오늘 필자가 정부 재정준칙에 반대하는 이유다.[207]

정부여당은 관리재정수지를 3% 이내로 관리하고 부채비율이 60% 이상일 때는 적자폭을 2% 이내로 제한하는 내용의 재정준칙을 지난해부터 법제화하려 하고 있다. 국회 기획재정위원회 경제재정소위원회가 해당 안을 오늘 심사한다. 야당인 더불어민주당도 재정준칙에 우려하는 목소리를 높여 왔으나 지난해의 법인세, 종부세 등 감세안과 올해 반도체법처럼 기재부 안으로 결론 지어질 것으로 전문가들은 보고 있다.

기재부는 재정준칙이 글로벌 스탠다드이며 유럽 등에서 재정건전화에 기여하고 있고, 복지지출이 제약될 수 있다는 것은 기우라는 의견을 내고 있다. 그러나 일부 시민단체들은 부자감세 의지가 확고한 윤석열 정부에서 재정준칙은 지출삭감으로 이어질 수밖에 없다는 점. 올해 거대한 세수결손이 예상되는 상황에서 균형재정의 전제부터 충족될 수 없다는 점. 대한민국 국가채무비율은 선진국 평균(약 120%)에 비해 매우 양호한 수준 (약 50%)이며 속도에 대한 우려도 과장되어 있다는 점에서 정부여당의 재정준칙은 재정건전성에 기여한다기보다는 긴축의 수단으로 활용될 수 있다는 입장이다.[208]

134. 총체적 난국, 길 잃은 한국경제

코로나19 팬데믹의 경제위기 속에서도 전 세계의 이목을 끌 정도로 한국경제는 견실히 버텼다. 그러나 팬데믹 위기를 벗어나고 작년 하반기부터 나빠지기 시작하더니, 작년 경제성장률도 경제협력개발기구(OECD) 회원국 평균에 못 미치는 이례적인 국면에 접어들었다. 이 추세는 올 1분기까지 지속돼 국제통화기금(IMF)과 OECD가 한국의 성장률 전망치를 하향 조정했고 최근 한국은행도 1.6%에서 1.4%로 낮춰 많은 우려를 자아냈다. 성장률 전망이 낮은 것만으로 경제가 나빠졌다고 단정할 수 없다. 그러나 지금의 침체국면에는 엄중한 문제들의 어두운 그림자가 보인다. 한국경제의 근간을 위협하는 내부적·외부적 요인들의 원인이자 결과다.

우선, 무역수지 적자 문제다. 작년 3월부터 시작된 월별 무역수지 적자가 지난 5월까지 15개월 지속되고 있다. 수출도 8개월 연속 감소 중이다. 특히 대중국 수출의 경우 중국의 전면적 재개방 이후인데도 12개월 연속 감소하고 있다. 흑자만 기록하던 대중국 무역수지도 작년 5월부터 적자를 보이기 시작했다. 무역수지 악화를 개선하려면 급감한 대중국 수출을 회복하려는 정부 대책이 필요하지만 잘 보이지 않는다. 한편으론 미국에 떠밀려, 또 한편으론 자발적으로 한국 정부가, 미국(일본) 중심주의의 행동대장을 자처했다. 그러나 군사와 외교 그리고 반도체 산업의 한·미·일 협력 강화에 앞장서며 중국과의 신뢰관계를 회복하려는 정부 노력은 보이지 않는다. 아세안국가들과의 무역도 마찬가지다. 선진국 중 무역의존도가 최상위권인 나라의 정부가 무역수지 악화와 수출 급감에도 손 놓고 구경만 하는 것 같다.

한·미·일 공조와 협력을 강화한다고 대일, 대미 수출과 무역수지가 개선되는 것도 아니다. 협력의 파트너가 된 일본과의 무역수지는 더 나빠지고 있다. 앞으로도 대일본 무역수지 적자는 오히려 더 커질 것으로 전망된다. 2019년 일본 아베 정부의 대한국 수출규제로 촉발된 한·일 경제전쟁으로 소부장(소재·부품·장비) 산업의 일본 수입의존도를 낮추고 '일본제품 불매운동'이 확산되며 대일 무역수지 적자폭이 크게 하락했다. 그러나 최근 다시 이전 수준으로 복귀했다.

소부장산업에서 일본과의 협력을 강조하는 정부정책은 일본기업을 추격해야 할 국내 소부장기업의 경쟁력 강화에 반한다. 정부가 일본 소부장산업과의 협력을 강조할수록 국내 소부장기업의 입지는 약해지고 경쟁력을 키울 기회는 축소될 것이라는 예상이 합리적이다. 결과적으로 소부장산업 대일 의존도를 다시 높일 것이다. 한·일 경제전쟁으로 손해를 본 것은 한국경제가 아니라 일본경제다. 일본 정부와의 갈등 때문에 한국경제가 발목 잡혔다고 말하는 것은 궤변이다. 지금 정부가 맹목적으로 추구하는 일본과의 전방위적 관계개선은 경제적으로 봐도 국익과 관련 없어 보인다. 이웃나라와 사이좋게 지내는 것은 좋은 일이다. 그러나 그 이웃의 행패까지 무조건 덮겠다는 식의 태도는 국민이 부여한 본분과 책임을 거역하는 것이다.

정부 재정 상황이 빠르게 악화되고 있는 것도 문제다. 작년 정부의 부자감세로 국세수입 감소는 어느 정도 예견됐지만 경기침체와 수출실적 부진까지 겹쳐 더 빠르게 진행됐다. 1분기 국세수입이 작년 같은 기간에 비해 24조원이나 감소했고 정부지출 감축에도 관리재정수지 적자가 54조원을 기록했다. 3개월 만에 기획재정부가 올해 목표치로 설정한 규모에 가까운 적자가 난 것이다. 정부의 건전재정 기조를 무색하게 할 지경이다. 더 큰 문제는 이 기조로 가면 재정지출을 크게 줄여 불평등과 양극화가 심화되는 결과가 이어진다는 점이다. 저성장과 불평등의 악순환을 피하려면 위기에 취약한 경제적 약자를 적극적으로 보호하는 한편 부자증세와 횡재세 도입 등 세수확충에도 노력해야 한다. 난국을 극복하려면 잘못된 정책 기조를 철회하고 전면적인 조세재정정책의 전환이 필요하다.

가장 심각한 문제는 경제의 근간을 해치는 검찰 공안 통치의 국가 지배구조와 그 속에서 방향을 잃은 각종 개혁이다. 그 나침반의 방향은 검찰통치가 결정한다. 노동자와 노조에 검찰의 칼이 향할 때 노조탄압, 집회결사의 자유 제한, 노란봉투법 결사반대가 노동개혁이 된다. 검찰의 칼이 지난 정부 인사와 정책을 향하면 개혁은 지난 개혁의 반동이 된다. 그래서 노동시간은 늘리고, 원전은 확대하고, 재생에너지 확대에는 별 관심 없는 기괴한 개혁이 탄생한다. '간첩 조작 사건'으로 내부징계까지 받은 검사가 대통령실 고위 공직자로 복귀하고 또 다른 증거조작 혐의가 있는 검사가 국가보훈부 장관이 되는 경천동지할 일도 보란 듯 벌어지고 이런 광란의 칼이 한국경제의 방향이 된다.[209][210]

135. 가치와 이익의 균형을 추구해야 산다

6월은 한국전쟁과 6·10민주항쟁을 함께 기억하게 한다. 최근에는 중국과의 외교 마찰이 심해지면서 외교·안보 불안이 부각되고 있다. 여기에 성장이나 무역 지표까지 감안하면 '비상시국'을 걱정할 때다. 이 와중에 벌어지고 있는 '가치' 외교 논쟁은 상황을 극도로 악화시킬 수 있다는 우려를 낳는다. 하루하루 '현실'에 부대끼는 많은 국민들 입장에서는 한·미·일 협력을 사대외교로만 규정하는 것도, 한국이 자유의 전사로 중국·러시아와 맞서야 한다는 것도, 공허한 말잔치일 뿐이다.

가치 외교를 주장하는 이들은 중국과 러시아가 자유롭고 개방된 국제질서를 뒤흔들고 있다고 본다. 그래서 한국이 미국·일본·유럽과 힘을 합쳐 중·러에 맞서야 한다는 것이다. 그런데 경제학자들은 행위 주체가 도덕적 가치보다는 현실의 자기 이익에 기초한 행동을 한다고 보는 편이다. 냉전 시기에는 양 진영 간 분리 속에서 분업이 추진되었으며, 사회주의권 붕괴 이후에는 미·중 간 교환체제 속에서 달러본위제를 운영했다. 현재는 중국의 산업구조 고도화로 분업구조의 변경이 이루어지고 있는 시기다. 미국으로서는 중국의 추월을 용인하기 어려운 상황이고, 자국의 이익을 지키기 위해 중국을 견제할 수밖에 없다.

한국은 그간 중국과의 분업체제에서 많은 이익을 거두었으나, 이제 산업 간 경쟁구도가 강화되고 있다. 이제 중국 이외의 지역과의 분업체제를 좀 더 강화할 시기인 것은 분명하다. 그러나 미국이 한국과 군사동맹을 맺은 것과 한국의 경제적 이익은 별개의 문제다. 미국이 자신들의 경제적 이익을 챙기는 것은 당연한 일이다. 한국은 국제적으로 당당하게 스스로의 이익을 추구하고, 국내적으로는 자유시민 모두의 권리를 공화적으로 증진하도록 노력하면 된다.

현재 미·중 갈등에는 구조적 요인이 작동하고 있다. 그러나 많은 전문가들은 미·중 갈등이 달러 체제 안에서 '협조적 적대'의 형태로 이루어질 것으로 본다. 첨단기술 분야를 제외하면 미·중 협조와 분업은 더 심화될 수도 있다. 한국은 전환의 방향과 속도를 신중히 관찰하면서 자신의 위상에 걸맞은 새로운 가치를 정립하고 현실의 이익을 추구해야 한다.

정부는 좀 더 신중하게 메시지를 관리할 필요가 있다. 외교관들은 '말 폭탄'을 주고받는 상황을 자제하고, 최후까지 협상을 관리하는 책무를 지켜야 한다. 역사 해석이 외교 및 경제 문제로 번지면, 수습하는 데 많은 힘이 들어간다. 한·일, 한·중 관계 모두에서 정부가 역사 해석에 나서는 것은 경계할 일이다.

윤석열 대통령은 지난 4월 미국 의회에서 '장진호 전투'를 언급한 바 있다. 이는 한국전쟁에서 주요 전투인 것은 맞지만, 미국과 중국 모두에 '빛나는 승리'는 아니다. 미군은 38도선을 돌파하면서 중국의 참전을 예상하지 못한 채 매복과 기습에 걸렸다. 미 7사단 31연대전투단은 장진호 인근에서 거의 전멸하고 말았다. 중국 입장에서도 당시 동부 전선에 투입된 최정예 부대 15만 병력 중 4만명을 잃었다. 잊고 싶은 고통스러운 기억일 수 있다.

기업 입장에서는 중국 내수시장에서 큰 어려움을 겪고 있다. 그런데 장진호 전투에 대한 언급은 한국기업들과 국가 이미지에 타격을 입히는 요인이 되었다. 중국에서는 마침 2021년 <장진호>라는 블록버스터 영화가 엄청난 흥행을 거둔 바 있다. 이 시기에 중국 대중들이 다시 장진호를 떠올리면, 한국기업들의 입지는 더욱 어려워진다.

정부 안에서는 통상교섭본부가 비교적 균형 잡힌 행보를 보이고 있는 것 같다. 안덕근 본부장은 윤 대통령의 미국 방문 성과를 "첨단산업 공급망 협력 강화와 첨단기술동맹 구축, 첨단기업들의 투자 확대"로 설명한 바 있다. 한·미 정상이 반도체와 전기차 분야에서 한국기업의 부담과 불확실성을 최소화한다는 명확한 합의를 했다고 밝혔다. 신흥국과의 경제동반자협정, 무역투자촉진 협의체 추진 등도 중요한 과제로 언급했다. 향후 성과를 지켜볼 일이다. 안 본부장은 중국도 가장 중요한 교역상대국이자 협력 파트너이며, 실무차원에서 접촉을 이어가고 있다고 언급했다. 현실적인 태도이다.

중국을 글로벌 공급망에서 완전히 배제하는 것은 불가능하다. 그래서 중국 견제를 위해 모인 주요 7개국(G7) 정상들도 디커플링 대신 디리스킹을 말했다. 우리도 경제 안정을 위해 중국과의 공급망 협력체계를 촘촘하게 점검해야 한다. 격변의 방향을 가늠하기 어려울 때 정부가 섣불리 앞장 서는 것은 위험하다. 실수와 충격이 겹치면 회복이 어려울 수 있다. 신중하게 가치와 이익의 균형을 잡아야 한다. 정부의 현명한 대처를 기대해본다.[211]

136. 주가로 보는 경제, 소수만 흥하고 다수는 어렵다

주식시장은 당대의 경제 상황을 반영한다. 한국 증시를 대표하는 코스피가 처음 1000선에 올라선 때는 1989년 3월이었다. '3저 호황'을 등에 업고 한국 경제가 단군 이래 최대 호황을 누린 시기에 코스피지수는 사상 처음 네 자릿수에 올랐다.

코스피가 2000선에 도달한 시기는 2007년 7월로 1000선 도달 후 18년이라는 시간이 필요했다. 중국 경제 고성장의 수혜를 누리면서 당시 코스피는 레벨업됐다. 이후 코스피는 코로나 팬데믹 직후의 초저금리를 동력으로 2021년 1월 3000선에 올라섰지만 이후 조정 국면이 이어지면서 2000선으로 내려앉았다.

가. 한국경제 고민이 녹아든 장기 정체

2000선에 도달한 2007년 이후 16년이라는 시간이 지났지만 코스피는 2600선에 머물러 있다. 2007년 7월 이후의 코스피 등락률은 30.0%, 연평균으로는 1.6% 상승에 불과하다. 중국 특수의 소멸 이후 새로운 성장동력을 찾지 못하고 있는 한국경제의 고민이 주가지수의 장기 정체에 녹아들어 있다.

2007년 이후 장기 정체는 주가 양극화라는 외피를 쓰고 나타났다. 코스피는 20개 세부 업종지수로 구성돼 있는데, 코스피보다 성과가 나았던 업종은 5개에 불과했다. 전기전자(2007년 7월 이후 307%)·비금속광물(181%)·의약품(178%)·화학(69%)·서비스(34%) 등 5개 업종만이 코스피 대비 초과수익을 기록했다. 반도체와 바이오·배터리 등의 성장에 대한 기대가 투영될 수 있는 일부 업종들만 좋은 성과를 기록한 셈이다. 반면 건설(-82%)·전기가스(-56%)·기계(-41%)·유통(-35%) 등 10개 업종지수의 2007년 7월 이후 등락률은 마이너스를 기록했고, 이들을 포함해 총 15개 업종이 코스피 수익률을 밑도는 부진한 성과를 나타냈다. 대부분 중국에 대한 노출도가 크거나 내수 관련 업종들이다.

코스피가 처음 2000선에 올라선 2007년 7월25일(2004)을 기준점으로 수익률이 좋았던 5개 업종에 속하는 종목들로 지수를 산출해 보면 지난 9일 기준 5758에 달하는 반면, 수익률이 부진했던 15개 업종에 속하는 종목군으로 생성한 지수는 1486에 불과하다.

개별 종목들의 주가 흐름을 살펴봐도 투자자들이 2007년 이후 힘든 시간을 보내왔음을 알 수 있다. 2007년 7월의 2000선 도달 이후 총 482개 종목이 코스피 대비 초과수익을 기록했지만, 707개 종목은 코스피 수익률을 밑돌았다. 특히 코스피 수익률을 하회한 707개 종목 중 592개는 16년 동안의 절대 수익률이 마이너스였다.

한편 2007년 7월 이후 부도 발생 등의 사유로 상장이 폐지된 종목도 446개에 달한다. 상장 폐지 종목들을 포함할 경우 최근 16년 동안 수익률이 마이너스인 종목은 1038개나 된다. 같은 기간 LG화학(580%)·삼성전자(431%)·현대차(135%) 등 한국 경제를 대표하는 일부 대기업들의 주가 움직임이 양호했기 때문에 코스피가 그나마 완만한 강세를 나타냈다. 다수 종목들은 투자자에게 지뢰밭에 다름 아니었다.

지금까지는 특정 기간의 주가 등락을 살펴봤는데, 주가지수의 절대 수준을 살펴보는 것에서도 시사점을 얻을 수 있다. 코스피의 업종지수들은 1980년 1월4일

100을 기준점으로, 이후의 주가 등락을 반영해 산정되고 있다. 한국 증시의 종합적 성적표인 코스피는 8월9일 현재 2605이니 43년여 동안 26배 상승한 셈이다.

개별 업종지수들의 편차는 매우 큰데, 역시 8월9일 기준 코스피 제조업지수는 7067인 데 비해, 금융업지수는 360에 불과하다. 금융업 주가의 장기 부진이 한국 증시의 발목을 잡아 왔던 셈인데, 1980년 이후 금융업지수의 연평균 등락률은 3%에 불과하다.

나. 건설업 주가 장기 부진은 엽기적

은행과 증권, 보험사 등이 주축인 금융사들이 돈을 못 벌어 주가가 부진한 것은 아니다. 최근 금융지주회사들은 사상 최고 수준의 순이익을 올리고 있다. 그럼에도 불구하고 금융업 주가가 장기간 부진한 이유는 규제 리스크에서 찾아야 할 것이다. 금융업은 주주들의 출자금보다는 고객들이 맡긴 예탁금을 활용해 영업을 하기 때문에 태생적으로 금융당국의 규제를 받을 수밖에 없다.

특히 한국은 개발연대 시기에 관치금융이 극심했는데, 제조업 부실이 금융으로 전가된 후 국민 세금으로 이를 메꾸고 다시 관료들의 입김이 강화되는 패턴이 반복돼 왔다. 규제산업이라는 특성을 금융이 떨쳐버리기는 어렵겠지만, 주식시장에서 거래되는 상장사로서 주주가치가 장기간 파괴돼 왔다는 점에 대한 고려는 필요해 보인다.

이 밖에 유통(382)・통신(355)・섬유의복(320)・건설(71) 등도 업종지수 절대치가 낮다. 내수경기의 장기 부진과 규제 리스크가 주가에 투영된 결과인데, 건설업 주가의 장기 부진은 엽기적이란 생각이 들 정도다. 주가가 43년 동안 조금이라도 오르기는커녕 29% 하락했기 때문이다.

건설주의 장기 부진은 기저효과에 기인하는 측면이 크다. 앞서 코스피의 세부 업종지수는 1980년 1월 초를 기산점으로 산정된다고 했는데, 건설업종의 경우 1970년대 후반의 주가가 기록적으로 높았다. 당시의 건설업은 당대 최고 성장산업이었다. 중동 건설 붐을 등에 업고 오일머니를 빨아들이고 있었기 때문이다.

당시 경향신문은 '긴 낮잠 증권가에 건설주만 불사조' (1977년 7월26일), '건설주 폭등, 과열 막기 위한 대책 검토' (1978년 4월24일) 등의 기사를 실었다. 1970년대 후반 건설업지수는 50배 가까이 급등했다.

어떤 자산이건 성장에 탐닉해 너무 비싸게 사게 되면, 장기간 보유해도 손실을 만회하기 힘들다는 점을 보여주는 사례가 아닐 수 없다.[212]

137. ‘반쪽짜리’ 보고서와 ‘연금정치’ 실상

지난주 국민연금재정계산위원회(위원회) 공청회 이후 ‘반쪽짜리’ 보고서가 몰매를 맞고 있다. 보고서에 국민연금의 명목 소득대체율 인상 내용이 없기 때문이다. 무엇이 문제였을까? 위원회 일원인 나는 ‘반쪽짜리’ 보고서 논란에서 한국 ‘연금정치’의 실상을 본다. 입장 대립 수준을 넘어선 과도한 ‘연금정치’, 국민연금 명목 소득대체율에 갇힌 협소한 ‘연금정치’가 바로 그것이다.

우선 ‘반쪽짜리’ 보고서의 과정을 살펴보자. 소득대체율 인상이 빠진 경위와 소득대체율 인상을 주장하는 두 위원이 사퇴한 이유가 평가 대목이다. 왜 보고서에 소득대체율 인상 내용이 없는가? 두 위원이 공청회를 앞두고 위원회에 대한 항의의 표시로 이를 보고서에서 아예 뺄 것을 강력하게 요구한 결과이다. 다른 위원들은 입장을 떠나 보고서는 소득대체율 유지와 인상의 각 취지, 재정 영향 등의 정보를 시민들에게 전달해야 한다고 역설했다. 만약 인상론을 집필한 두 위원이 자신의 원고를 삭제하겠다면 대신 간사역을 맡은 국민연금 연구원이 초안을 작성해서라도 소득대체율 인상이 담겨야 한다고 제안했으나 결국 소득대체율 항목 자체가 빠지게 됐다. 보고서가 다소 엉성해지더라도 위원 모두와 함께 위원회를 마무리하자는 고육지책이었다.

하지만 공청회 전날 두 위원은 사퇴를 발표했고, 이번에는 공청회 보고서를 “소득대체율 인상안이 빠진 반쪽짜리 보고서”라고 비판했으며, 두 위원을 지지하는 노동·사회단체들도 규탄 목소리를 높였다. 결과적으로 위원회는 ‘반쪽짜리’ 보고서라는 수렁에 빠진 꼴이다. 격동의 한국 연금정치 무대에서 안이했다.

두 위원이 사퇴 이유로 삼는 ‘다수·소수’ 표기는 보고서 구성에 대한 상호 이해가 달라 발생했다. 소득대체율 유지론에서 보면, 인상론이 추가 재원방안 설명이 필요하다면서 많은 분량을 서술함으로써, 보고서가 소득대체율 인상에 무게를 두는 것으로 읽힐 수 있었다. 이에 위원들의 입장 분포를 있는 그대로 보고하자는 취지로 ‘다수 의견, 소수 의견’을 명시했고, 막후 조정에서 이 문구가 문제라면 위원 실명을 적자고 제안했으나 거부됐다. 이후에라도 위원회가 상세한 설명자료를 제시하기 바라며, 객관적인 평가가 이어졌으면 한다.

내용에 있어 반쪽짜리’ 보고서는 재정안정화만 담기고, 보장성이 빠져 있다는 비판을 받고 있다. 정말 그런가? ‘노후소득 보장 방안’ 제목의 4장 전체가 급여와 가입제도 개선 항목으로 모두 보장성을 확대하는 방안이다. 구체적으로, 유족연금과 장애연금을 개선하고, 출산·군 복무 연금크레딧을 강화하며, 특수고용 노동자 가입도 확대하고, 지금까지 본인이 전액 부담해온 저소득 지역가입자의 보험료를 지원하자고 제시한다. 의무가입 연령 조정도 현재 만 59세를 단계적으로 만 64세까지 높이면 명목 소득대체율 5% 인상 효과가 있다.

그런데도 일부 가입자 단체와 언론이 보고서에 '보장성 제외' 딱지를 붙이는 건 보장성을 국민연금의 명목 소득대체율로만 재단하는 한국 연금정치의 오랜 관성이다. 국민연금의 급여는 명목 소득대체율에 가입 기간을 곱해 산정된다. 경제협력개발기구(OECD) 연금산식 기준에서 한국 공적연금 소득대체율이 낮게 산정(여기서는 명목 소득대체율, 의무 가입기간, 기초연금을 종합한 수치)된 것은, 국민연금에서 명목 소득대체율이 낮아서가 아니라 의무 가입기간이 짧아서이고 국민연금의 실질 연금액이 적은 원인 중 하나도 연금크레딧, 보험료 지원 등 불안정 취업자들을 위한 가입지원 제도가 빈약해서이다. 이에 추가 보험료율 인상을 수반하는 명목 소득대체율 인상 대신 가입기간을 늘리는 실질 보장성 조치들이 중요하고, 국가재정도 이 가입기간 확대를 위해 사용되는 게 적절하다.

보장성의 시야도 국민연금을 넘어 기초연금·퇴직연금을 포함한 이른바 '연금 3총사'로 넓혀야 한다. 2022년 기초연금은 지출액이 20조원으로 국민연금(34조원)에 비해 그리 적지 않으며 퇴직연금은 보험료 수입이 57조원으로 국민연금(56조원)보다 많고 더 앞지를 것으로 전망된다. 이미 법정 제도로 연금 3총사가 있음에도 국민연금만으로 보장성을 논의하는 건, 퇴직연금을 시행하고 기초연금(당시 기초노령연금)도 도입한 노무현 정부의 연금개혁에서 국민연금 명목 소득대체율 인하만을 기억하는 한국 연금정치의 편향이다.

이번 공청회는 위원회가 시민, 전문가 의견을 수렴하는 자리였다. 최종 보고서를 완성하는 자리가 있을 때는 소득대체율 인상 내용도 담아 연금개혁 논의 자료로 활용되도록 하고, 노후소득 보장 목표도 구체적으로 제시하고 연금 3총사의 역할도 강조되기 바란다. 아울러 한국 연금정치의 새 모습을 보고 싶다.[213][214]

138. 합리적인 '연금정치'를 기대하며

내가만드는복지국가 정책위원장 오건호 박사는 경향신문 9월7일자 '정동칼럼'에서 국민연금 재정계산위원회(위원회) 공청회 보고서에 대해 '반쪽짜리 보고서'라고 문제제기한 측이 국민연금 명목소득 대체율에 갇힌 협소한 '연금정치'를 한다고 비판했다. 하지만 그 글은 저간의 사정부터 오류가 많다. 이번 위원회는 위원 구성부터 재정안정론 측으로 기울어진 운동장이었다.

그럼에도 위원회에 참여한 필자 등 보장성강화론 측이 국민연금의 목적 달성에 기여하는 소득대체율 인상안을 아무런 이유 없이 삭제해달라고 요구하고 위원 사퇴까지 했겠는가?

이번 위원회 보고서는 통상과 달리 양쪽 입장의 시나리오를 보고서의 서로 다른 지면에서 보여주고, 최종 선택은 국민들의 판단에 맡기기로 했다. 그래서 재정안정론 시나리오는 보고서 3장에, 소득대체율 인상론 시나리오(인상안)는 4장 1절에 서술키로 했다. 이것도 처음에는 인상안을 4장 2절 가항에 서술키로 됐는데, 인상론 측의 요구로 4장 1절로 옮겨 한 절을 배정한 것이다. 그런데 이때부터 재정안정론 측의 무리한 요구가 시작됐다. 인상안을 보여주는 4장 1절 맨 앞에 대체율을 올리면 안 된다는 대체율 유지안(유지안)이 서술되어야 하고 나아가 유지안은 다수안, 인상안은 소수안이라는 문구까지 명기해야 한다는 것이었다. 게다가 인상안의 분량도 3장의 재정안정론의 분량이 아니라 4장 1절 맨 앞에 쓰겠다는 1쪽짜리 유지안에 맞추라는 요구도 했다. 이는 보고서의 원래 취지에 어긋남을 넘어 상대방의 입장을 인정하지 않으려는 독선이다.

논란 와중에 '다수/소수' 표기 대신 위원 실명표기안이 나왔으나 유지안을 3장에 쓰자는 제안을 무시하고, 4장 1절 맨 앞에 그대로 두겠다고 해 그 안이 무산됐다. 이런 요구를 가장 앞장서서 한 오 박사는 위원회 회의에서 인상안을 연금연구원이 쓰면 된다고 했고, 칼럼에서도 그 주장을 반복했는데 이는 위원회의 존재 자체를 부정하는 발언이다. 그렇게 할 것이면 재정안정론도 재정계산의 전문기구인 연금연구원이 쓰면 되지 위원회가 써야 할 이유가 있는가?

오 박사는 국민연금 소득대체율을 인상하자는 주장을 소득대체율에 갇힌 협소한 연금정치라고 하고, 국민연금 소득대체율이 낮은 것은 짧은 가입기간 탓이니 가입기간을 늘려 실질대체율을 올리면 된다고 말한다. 그런데 이 주장에는 큰 모순이 있다. 경제협력개발기구(OECD)가 공식 발표한 소득대체율이 OECD 평균은 42.2%이지만 국민연금은 31.2%에 불과한데 31.2%는 국민연금 가입기간을 38년으로 가정했을 때 이야기다. OECD는 회원국의 소득대체율 계산 때 22세 첫 가입자가 각국이 법률로 정한 최대 가입기간을 가입했다고 가정한다. 우리는 59세까지 가입하므로 22세 첫 가입 때 최대 38년 가입이 가능하다. 즉 OECD가 계산한 국민연금 소득대체율 31.2%는 최대 가입했을 때의 이야기이고, 이것이 OECD 평균보다 턱없이 낮다는 것이다.

그런데 문제는 오 박사가 말하는 크레딧과 보험료 지원 강화는 아무리 해도 최대 가입기간을 넘지 못한다는 데 있다. 이른바 실질대체율은 이미 최대 가입기간을 가정해 계산된 31.2%를 넘지 못한다. 게다가 그런 실질대체율이라도 그것을 위한 크레딧과 보험료 지원 강화를 오 박사가 위원회 내에서 적극적으로 주장한 장면이 필자의 기억에는 없다. 가입연령 상향은 최대 가입기간을 늘리는 것이지만 이것이 위원회에서 실효성이 없는 조치로 권고되어도 그에 대해 오 박사가 적극적으로 문제제기한 장면은 기억에 없다. 오 박사는 법정대체율을 낮추려는 목적으로만 실질대체율을 말하는 것이 아닌지 의심스럽다.

오 박사는 '연금 3총사' 운운하지만 퇴직연금을 연금 형태로 받아가는 비중은 계좌 기준 3%가량에 불과해 노후보장 기능을 하지 못하고 있다. 또 기초연금이 중요하지만 위원회가 이에 대해서도 뚜렷한 방안을 마련하지 못했다. 국민연금 소득대체율을 낮추려는 방안에만 갇혀 실질대체율은 법정대체율을 대신할 수 없다는 사실을 가린 채 실질대체율을 주장하고 상대방을 인정하지 않는 요구를 주도했으면서 새로운 연금정치를 거론하는 것은 어떤 연금정치인가?[215) 216)]

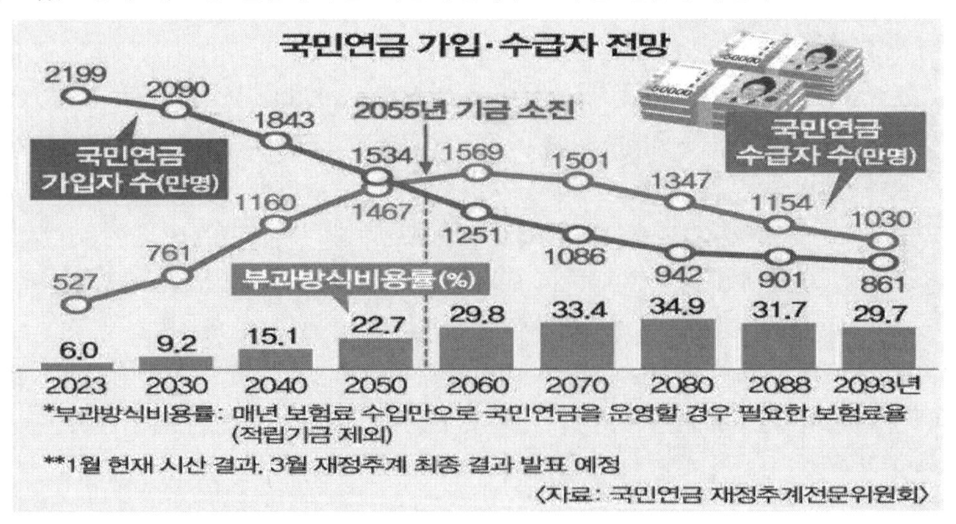

139. 경제가 어려울 때 정부의 역할

'곳간에서 인심 난다' 는 옛말이 있다. 먹고살 만해야 이웃이나 사회를 살필 여유가 있다는 뜻이다. 미국 하버드대 경제학과 학과장을 지낸 벤저민 프리드먼 교수는 여러 나라의 경제성장과 사회·정치·도덕적 발전의 관계를 연구해 이 속담을 실증적으로 살펴봤다(<경제성장의 미래>). 연구의 결론은 경제가 성장하는 사회는 관용과 다양성, 사회적 유동성, 공정성 및 민주주의가 개선된다는 것이다. 반면 경제성장이 정체되거나 하락하는 사회는 이런 요소들이 퇴보한다.

미국의 예를 보자. 제2차 세계대전이 끝난 다음해인 1946년부터 오일쇼크가 닥친 1973년까지 미국 경제는 강한 성장세를 이어갔다. 이 시기 미국에서는 인종차별에 대한 법적·제도적 근절 장치가 마련됐고, 폐쇄적인 이민정책이 완화돼 라틴아메리카와 아시아 출신 이민이 급증했다. 노인과 빈곤층에 대한 건강보험 제공 등 각종 복지제도가 본격화됐고 언론의 자유가 신장됐으며, 유색인종이나 여성의 대학 진학과 사회 진출도 급증했다. 그러나 1970년대 중반 이후 미국 경제가 침체되면서 유색인종의 대학 입학 특례조치가 축소되고 불법 이민자에 대한 탄압과 혐오가 거세지고, 최저임금은 정체됐으며 빈곤층 지원 복지프로그램에 대한 반대도 커져갔다.

경제가 성장해 소득이 늘어나면 사람들은 더 나은 사회를 만들기 위한 비용을 기꺼이 감수할 수 있다. 하지만 경제가 정체되면 사람들 사이에 좌절감이 생기고 이는 편협함과 옹졸함, 개방성에 대한 반감을 양산한다. 특히 성공적인 민주주의를 위한 핵심 조건인 서로를 신뢰하는 의지를 손상시킨다는 것이 프리드먼 교수의 분석이다.

시장경제 체제는 성장 없이는 작동할 수 없다. 성장에 대한 기대가 없으면 금융기관이나 기업, 개인은 투자를 하지 않을 것이고 투자가 없으면 경제는 멈춘다. 흔히들 진보는 분배를, 보수는 성장을 우선시한다고 하지만 역사적으로 어느 진보 정부도 성장을 무시한 적은 없다. 중도진보로 분류되는 미국의 클린턴·오바마 행정부는 물론 현 바이든 대통령도 성장에 주력해 왔고, 한국에서도 어느 정권이든 성장을 추구했다. 어떻게 성장을 이룰 것인지에 대한 방법론에서 구별될 뿐이다. 성장 없이는 분배도, 복지도 없기 때문일 것이다.

한국 경제는 지금 '성장의 위기' 에 빠져 있다. 올해 우리 경제는 1%대 저성장이 확실시된다. 더 심각한 것은 성장률 전망치가 점점 하향조정되고 있다는 점이다. 국제통화기금(IMF)은 지난 7월 발표한 세계경제전망에서 한국의 올해 성장률 전망치를 종전 1.5%에서 1.4%로 낮췄다. 미국과 일본, 유럽 등은 상향조정한 것과 대조된다. 내년 전망도 어둡다. 한은은 지난달 내놓은 수정 경제전망에서 내년도 성장률 전망치를 기존 2.3%에서 2.2%로 내렸다. 해외 주요 투자은행(IB) 상당수는 1%대 전망도 내놓고 있다. 2년 연속 1%대 성장에 그친다면 관련 통계가 작성되기 시작한 1954년 이후 처음 있는 일이다.

한국 경제의 어두운 전망이 확산되는 것은 핵심 성장동력인 수출이 악화되고 있는 상황에서 투자와 소비도 부진하기 때문이다. 여기에 더해 많은 국내외 기관들이 성장률 저하의 원인으로 지목하는 것이 정부 재정지출 감소다. 이런 와중에 정부가 내년도 예산안을 20년 만에 가장 낮은 증가율로 편성하면서 미래 성장동력의 핵심인 연구·개발(R&D) 예산을 16.6%나 줄인 것은 성장에 대한 정부의 역할을 포기한 것 아닌가 하는 생각까지 들게 한다. 정부는 국가채무 증가를 최소화하는 건전재정을 위해서라고 하지만, 이 같은 긴축의 원인 중 하나는 지난해부터 시행한 대규모 감세정책이다. 감세와 건전재정은 양립하기가 어렵다. 2000년대 초반 조지 W 부시 미국 대통령은 경제를 살리겠다면서 대규모 감세를 밀어붙였다. 그러나 감세로 인한 경기부양 효과는 나타나지 않고 '테러와의 전쟁'에 막대한 예산이 들어가면서 미국 정부의 재정적자는 사상 최대 수준으로 늘어났다.

프리드먼 교수는 "시장의 힘만으로는 대체로 너무 적은 성장을 낳게 될 것이다. 경제성장을 촉진하는 것이 바로 정부 정책의 역할"이라는 조언도 덧붙였다. 도그마화된 이념의 시대는 끝났다. 이제는 감세냐 증세냐, 지출 확대냐 건전재정이냐 등의 정책적 선택은 정권이 진보냐 보수냐가 아니라 당시 경제상황이 무엇을 필요로 하는지에 따라 결정하는 것이 세계적인 조류다. 한국 경제가 장기 저성장의 늪으로 빠져들 위험에 처한 지금 감세와 긴축재정은 올바른 선택지가 아닌 듯하다.[217][218]

140. 경제학자의 반성문

한국은행의 경제지표 예측과 날씨 예보 중 어떤 게 더 정확한지를 놓고 농담을 주고받던 시절이 있었다. 둘 다 틀릴 확률이 그만큼 높다는 뜻이다. 정확성이 떨어져 기상청이 '구라청'으로 불릴 때의 얘기였다. 이후 기상청은 슈퍼컴퓨터 도입과 글로벌 협력 등을 통해 예측의 정확도를 높였다. 반면 갈수록 변수가 더 많아지는 경제 예측은 여전히 오보를 양산한다.

OPINION

PAUL KRUGMAN

I Was Wrong About Inflation

July 21, 2022

폴 크루그먼 뉴욕시립대 교수가 20일(현지시간) 뉴욕타임스에 쓴 칼럼(뉴욕타임스 홈페이지 캡처)

노벨 경제학상 수상자인 폴 크루그먼 뉴욕시립대 교수가 20일(현지시간) 뉴욕타임스에 '나는 인플레이션에 대해 틀렸다(I Was Wrong About Inflation)'는 제목의 칼럼을 기고했다. 미국이 지난해 초 코로나19 대응을 위해 1조9000억달러(약 2498조원) 규모 부양책을 내놓자 경제학자들 사이에 인플레 논쟁이 벌어졌다. 당시 크루그먼 교수는 물가에 별다른 영향이 없을 것이라고 예측했다. 그러나 지난달 미국 소비자물가 상승률이 41년 만에 최고인 9.1%로 치솟자 일종의 반성문을 쓴 셈이다. 크루그먼 교수는 "코로나19가 세상을 변화시켰다는 점을 고려한다면 안전한 예측은 아니었다"고 썼다. 과거 모델을 적용함으로써 인플레를 제대로 예측하지 못했다고 시인한 것이다.

백악관 경제자문위원회·연방준비제도(Fed) 의장에 이어 재무장관까지 올라 미국 경제정책 수장 '트리플 크라운'을 달성한 재닛 옐런 장관도 경제 예측 실패를 피하지 못했다. "인플레를 낮추려면 팬데믹 대응이 가장 중요하다"며 부양책을 지지했던 옐런 장관은 최근 인터뷰에서 "판단이 틀렸다고 생각한다. 당시에는 완전히 이해하지 못했다" 고 말했다. 파이낸셜타임스(FT)는 "고위 관료가 실수를 인정하는 드문 사례" 라고 표현했다.

정부가 대기업에 큰 혜택이 돌아가는 세제개편안을 내놨다. 대기업 이익이 늘어나면 중소기업도 잘 돌아가는 낙수효과를 기대한다고 한다. 과거 정부에서 실패했던 정책이라는 비판에도 아랑곳하지 않는다. 전 정부는 소득주도성장을 밀어붙이다 실패했으니, 이제는 민간주도성장으로 경제를 활성화시키겠다며 기세가 등등하다. 세제개편안을 마련한 기획재정부의 예측 능력은 기대 이하다. 지난해와 올해 연거푸 대규모 세수오차를 내 "송구하다" 고 사과했다. 예측보다 더 위험한 것은 정책 실패다.[219]

M이코노미뉴스(2022. 08. 29, 윤영무)

141. 인플레이션, 임금인가 이윤인가

인플레이션이 걱정거리로 부상하자 아니나 다를까 임금 인상 자제의 목소리가 터져나오기 시작한다. 여러 경제신문에서 학자, 언론인 가릴 것 없이 동일한 이야기를 반복하고 있으며, 심지어 추경호 경제부총리 또한 한 달 전 그러한 발언을 하였다. 일반인들 중에도 같은 생각을 가진 이들이 적지 않다. 시장조사기관인 IPSOS는 지난 6월 주요 산업국가들의 국민을 대상으로 임금 인상 요구가 물가 상승을 초래한다고 믿는 이들의 비율을 조사하여 순위를 발표하였거니와, 여기에서 한국은 67%의 숫자를 기록하여 인도(70%), 남아프리카공화국(70%)의 뒤를 이어 3위를 차지하였다. 그런데 의문이 생긴다. 이 수치는 전 세계 평균인 45%보다 훨씬 높은 수치이며, 잘 발달된 자본주의 선진국이라 할 일본(25%), 독일(33%), 프랑스(37%) 등은 그 평균보다 한참 아래에 있기 때문이다. "인플레이션 악화의 주범은 임금 인상"이라는 생각은 당연한 상식이 아니며, "글로벌 스탠더드"는 더더욱 아니라는 말인가?

결론부터 말하자면, 이는 개연성일 뿐 필연성을 가진 명제는 아니며, 노동에만 적용되는 명제도 아니다. 인플레를 예상한 노동자들이 실질임금 저하를 막기 위해 명목임금 인상을 요구하고 또 이것이 관철된다면 이들이 예상했던 인플레는 그대로 현실이 되므로 이에 임금 인상과 인플레이션의 악순환이 이루어질 수 있다. 또한 이것이 임금격차 확대로 이어질 가능성도 크다. 조직적인 힘이나 법률·제도적 뒷받침으로 잘 보호된 안정적인 고임금 정규직은 임금 인상을 계속적으로 얻어낼 수 있지만, 그런 처지에 있지 못한 다수의 저임금 노동자들은 임금의 정체 심지어 하락까지 겪는 일이 벌어질 수 있기 때문이다.

하지만 이윤에 대해서도 똑같이 말할 수 있다. 인플레이션 상황이 오게 되면 기업들은 이 틈을 타서 가격을 한껏 올려 자기들의 이윤을 불리려고 든다. 여기에서 무자비한 이윤격차의 확대가 벌어진다. 독점 및 각종 사회적 권력 등을 갖추고 이를 배경으로 강한 가격 결정력을 행사하는 세력들은 인플레가 심해질수록 더욱 높은 속도로 가격을 밀어올린다. 그리고 이러한 행태로 인해 인플레의 가능성이 현실로 나타나고 이에 이윤 확대와 인플레이션 사이에 악순환 고리가 만들어진다. 그리고 가격 결정력이 떨어지는 중소규모의 힘없는 기업들은 노동자들처럼 수동적으로 대처하기에 급급할 뿐이며, 심지어 가격을 내려야 하는 경우까지 생긴다.

이렇게 임금 인상이 물가 상승의 주범이라는 논리는 거울의 역상처럼 자본의 이윤 확대가 물가 상승의 주범이라는 논리로 고스란히 바뀔 수 있다. 이 두 가지 모두 논리적으로는 똑같은 개연성을 갖는 것이다. 그렇다면 현실로 이어지는 것은 어느 쪽일까? 이는 현실에서의 권력관계로 결정된다. 그렇기 때문에 오늘날 벌어지고 있는 인플레이션은 노동 측의 임금 인상이 아니라 오히려 자본 측의 이윤 확대에 의해 주도되고 있다는 혐의가 짙어진다.

가. 호주연구소, '이윤이 주범' 확인

1970년대는 노동조합의 힘이 아주 강하고 단순한 산업구조로 인해 노동의 동질성도 컸던 시대였고, 단체협상을 통해 전반적인 임금 인상을 지속적으로 얻어내기도 쉬었다. 그래서 70년대의 스태그플레이션을 임금 인상이 주도했다고 분석하기도 한다. 하지만 그 후 반세기 동안 세계적으로 노동과 자본의 힘 관계는 결정적으로 역전되었다. 임금의 결정은 오롯이 노동시장에 맡겨야 한다는 '노동시장 개혁'이 진행되었다. 산업구조의 변화로 노동의 동질성은 깨어지고 임금격차가 심하게 벌어졌다. 노조는 조직률 저하와 법·제도 변화로 무력화된 상태이다. 1970년대와 같은 대규모의 장기적인 노사쟁의와 파업은 어림도 없는 이야기가 되었다. 반면 자본의 권력은 제도적으로나 현실적으로나 엄청나게 강해졌다. 기업의 이윤 추구야말로 최대의 사회공헌이라고 찬양되며 또 이를 가능케 하는 '비즈니스 프렌들리'야말로 국가와 사회를 운영하는 나침반이라고 여겨지게 되었다. '자유기업'의 정신 아래에 기업이 스스로 마음껏 가격과 이윤을 정하는 것은 누구도 건드려서는 안 될 신성불가침의 권리로 굳어졌다. 이러한 상황에서 경제학 교과서에 나오는 70년대 이야기를 무슨 경제법칙이나 되는 양 읊는 것은 시대착오를 넘어 언어도단일 뿐이다. 오늘날 상품 가격의 결정에 있어서 더 큰 힘을 갖는 것이 노동의 임금 인상 요구인가 기업과 자본의 이윤 확대의 추구인가? 상식적인 사람이라면 후자의 개연성이 훨씬 크다는 것을 부인하지 못할 것이다.

이러한 혐의를 확인해주는 주목할 만한 연구가 최근 발표되었다. 호주의 유수한 민간 싱크탱크인 호주연구소(Australia Institute)가 호주에서 현재 진행되는 인플레이션은 임금 인상이 아닌 기업 이윤 확대로 인해 빚어진 사태임을 밝혀낸 것이다. 호주연구소는 호주 국민계정에 나타난 소득의 흐름을 분석하여 2019, 2020, 2021 회계연도 기간 동안 임금 인상은 물가 상승에 기여한 바가 없으며, 2022 회계연도에 나타난 물가 상승에서도 그 기여분은 15%에 미치지 못한다는 것을 밝혀냈다. 반면 같은 자료와 방법을 통해 분석한 결과 자본의 이윤 확대로 인해 나타난 물가 상승의 기여분은 무려 60%에 달한다는 것 또한 밝혀냈다. 이를 토대로 연구소의 수석경제학자 리처드 데니스는 현재의 인플레이션이 임금이 아닌 기업의 이윤 주도로 벌어지고 있는 현상이며, 힘 있는 기업들이 압도적인 이익을 취하고 있는 불평등한 상황임을 강조하였다. 또한 그는 동일한 현상이 유럽에서 또 전 세계적으로 벌어지고 있음을 지적한 유럽중앙은행의 보고서를 인용하면서 그 심각성을 부각하였다.

나. 각료들 기업 두둔하며 노동자 압박

인플레이션의 원인이 될 수 있다는 점에서 임금 인상과 이윤 확대는 아무런 차이가 없다. 우리나라의 경우에도 지금 벌어지고 있는 사태의 원인이 노동의 임금과 자본의 이윤 어느 쪽에 더 있는지를 구체적으로 분석하고 조사할 필요가 있다. 그런데 이러한 작업을 지시하고 주도해야 할 정부의 경제 수반인 추경호 부총리는 자본 측의 입장을 앵무새처럼 되풀이하는 발언으로 무수한 노동자들에게 불안과 고통을 안기고 말았다. 더욱 두려운 것은, 이번 대우조선 하청노동자들의 쟁의에서 나타난 것처럼 이러한 정부의 입장이 물리력을 동반하여 다수의 저임금 노동자들에게까지 관철되는 사태이다.

이윤을 목적으로 삼는 자본에는 임금이라는 것이 수단이요, 비용일 뿐이다. 그리고 17세기 말 윌리엄 페티가 정치경제학을 시작한 이후로 "자본가의 회계장부를 국민 경제 전체의 회계장부와 혼동하는"(슘페터) 편향은 현대 경제학까지 이어졌을 뿐만 아니라 갈수록 더 커져왔다. 그래서 이제는 정부의 경제 각료들 또한 임금을 생산 비용으로 보는 시각에 깊게 물들어 있는 것 같다. 그래서 가뜩이나 식량, 원자재, 에너지 등의 비용 요소로 인해 인플레이션이 벌어지는 상황이니 임금이라는 비용 요소라도 묶어야 한다는 생각이 나왔을 것이다. 하지만 자본가의 장부를 떠나 사회 전체의 입장에서 본다면 임금이나 이윤이나 사회적 생산을 조직하기 위해 노동자들과 자본가들을 설득하기 위한 비용이라는 점에서 아무 차이가 없다. 나아가 사회 성원 전체의 '좋은 삶' 을 목표로 한다는 관점에서 본다면 이 '비용' 은 곧 노동자들과 자본가들의 '소득' 의 다른 얼굴에 불과하다는 것도 분명하다. 여기에 '최대 다수의 최대 행복' 이라는 경제학의 해묵은 공리주의 원칙을 적용한다면 다수에게 돌아가는 적은 소득과 소수에게 돌아가는 큰 소득 사이에 어느 쪽을 우선적으로 제어하는 것이 옳은지도 분명하다. 큰 권력을 가진 대기업이 초과 이윤을 따먹지 못한다고 망하는 것은 아니지만, 한계선상에 있는 무수한 기업들은 이 상태로는 파산이 머지않다. 고액 연봉자들에게는 물가 상승이 피곤함과 불편함으로 끝나겠지만, 무수한 저임금 노동자들은 실질임금이 여기서 조금이라도 위협당하면 곧바로 빈곤선으로 떨어지거나 아예 기아선상을 헤매게 된다.

인플레이션은 무수한 이들에게 또 사회 전체에 큰 고통과 상처를 남기는 두려운 상황이다. 실증적인 분석 없이 진부한 사변적 논리만 되풀이하는 게으름은 용납될 수 없다. 또 노동으로든 자본으로든 어느 한쪽의 계급적 입장에 서는 이념적 편견도 용납되어서는 안 된다. 최소한 민주정부의 각료들이라면, 학문적 양심을 가진 학자들이라면 그래야 한다. 따져보지도 않았고 책임질 수도 없으면서 "임금 인상이 물가 상승의 주범" 이라고 함부로 말하지 말아야 한다. 그리고 그렇게 함부로 말하는 행동을 이제 더 이상 용납해서도 안 된다.[220][221]

142. 가계부채 위기와 위험천만한 역주행

경제상황이 심상치 않다. 7월 들어 달러 환율은 1300원을 넘어 고공행진 중이고 코스피 지수는 한때 2300 밑으로 떨어졌다. 6%대 물가상승률에 상반기 무역적자 103억달러. 그러나 수출 전망은 하반기에 더 어둡고 급기야 내년 상반기는 마이너스 성장 가능성까지 거론된다. 최근 발표된 OECD의 한국 경기선행지수는 눈앞에 닥친 리세션(침체)의 위험을 6개월째 예고하고 있다. 외환위기를 경험한 우리로서는 미국 연방준비제도이사회의 긴축 선회 이후 세계 곳곳에서 전해져오는 신흥국 금융불안 소식도 불편하다. 그러나 최악의 시나리오는 따로 있다. 가계부채와 주택가격이 역대 최고 수준까지 부풀어 오른 상태에서 진행되는 한국은행의 속도 조절 없는 기준금리 인상과 8%를 향해 뜀박질하는 시중 담보대출금리가 가져올지도 모를 파급효과가 그것이다. 지금 한국경제는 가계부채 위기와 마주하고 있다.

지난달 금융위원회는 가계대출 관리방안을 발표했다. 그런데 막상 내용을 들여다보면 주로 현행 대출규제가 과도해 향후 단계적으로 완화하겠다는 '빨간색 청개구리' 같은 이야기다. 총부채원리금상환비율(DSR)을 계산할 때 더 많은 예외를 허용하고 이미 집이 있는 사람한테도 담보인정비율(LTV)을 올려 대출을 더 많이 받을 수 있게 해준다고 한다. 이런 위험천만한 역주행이 없다. 사실 이렇게 '빚내서 집 사라' 는 정책이 처음은 아니다. 한국사회는 국가가 제공하는 공적 복지가 미약해 시민들이 복지 욕구를 각자도생의 '내 집 마련' 실현으로 충족시켜야 했다. 부동산은 사적 복지의 기반이었다. 역대 정부는 재정을 아끼면서 중산층을 육성하는 가장 손쉬운 길로 집값 부양에 나섰다. 금융적 수단이 단골손님처럼 등장했다. 이명박 정부의 전세자금대출 활성화나 박근혜 정부의 노골적인 대출 확대가 그랬다. 그 귀결은 천정부지로 치솟은 주택가격과 그만큼 늘어난 가계부채였다.

기실 가계부채 누증은 한국경제의 가장 취약한 단면을 드러내는 현상이다. 저성장과 양극화의 그늘은 960조원 넘게 급증한 자영업 대출에 고스란히 흔적을 남기고 있다. 필수적 지출을 대출에 의존해야 하는 저소득층의 고단한 삶에도, 닫힌 기회의 창을 '영끌' 과 '빚투' 로 열어보려는 청년세대의 상실감에도 같은 그늘이 깃들어 있다. 위험은 아래로 흘러들고 약탈적 대출이 그들을 노린다. 당장 9

월 이후 만기연장이 안 되고 대출금리가 오르면 저소득 자영업자들을 중심으로 연쇄부도가 덮쳐올지 모른다. 위험은 다시 취약계층에 120조원을 빌려준 저축은행과 여신전문금융회사로, 그리고 부동산 PF 관련 유동화증권 차환 물량의 인수로 보증채무가 늘어난 증권회사들로 향한다. 재벌 대기업과 건물주들이 모든 경제적 가치를 빨아들이면서 좋은 일자리가 너무나 귀해진 이 나라의 현실이 이렇다. 결국 가계부채 위기의 양상도 한국경제의 가장 취약한 부문에 의해 결정될 것이다.

해법은 근본적이어야 하고 멀리 내다보는 것이어야 한다. 궁극적으로는 노동소득과 자산가치의 격차가 문제다. 양질의 일자리를 늘려 가계소득 기반을 튼튼히 하고 공적 복지의 확충으로 '자산기반 복지'를 대체할 수 있어야 제대로 된 가계부채 대책이다. 하지만 시급히 해야 할 일도 있다. 한계차주의 이자부담 완화라는 당면과제를 위해 한시적으로나마 대출금리에 상한을 두고 변동금리 대출의 고정금리 대출로의 전환을 유도하는 방안부터 강구할 필요가 있다. LH공사 등을 통해 한계차주의 주택을 매입한 다음 재매입 옵션과 함께 임대해 주거권을 보장하는 방안에 대해서도, 그리고 기존의 거치 후 만기 일시상환 방식을 분할상환 방식으로 바꾸는 대출관행상의 개선에 대해서도 논의가 필요하다.

전세자금대출을 활용하는 갭 투자를 효과적으로 통제하지 못한다면 가계부채 증가세를 꺾기 어려울 수 있다. 따라서 차제에 전세자금대출 제도를 개편하고 예외조항과 풍선효과를 최소화하는 방향으로 DSR 규제를 강화하는 것이 필수적이다. 더 늦기 전에 가계부문 경기대응 완충자본 제도를 도입해 가계대출로의 편중 위험도 통제할 수 있어야 한다. 개별 금융기관의 건전성 관리를 위해 대손충당금 최저 적립비율을 상향 조정하는 것도 바람직할 수 있다. 주택가격이 담보대출 금액을 하회하게 되면 차주와 은행이 손실을 분담하는 채무재조정 원칙도 검토가 필요하다. 별제권의 범위를 제한하는 개인도산제도 정비도 미리 서두르는 편이 좋을 것이다. 취약차주의 부실화는 장차 경제회복 과정에서 걸림돌이 되기 쉽다. 사회적 합의를 도출해낼 수 있는 정치 역량이 중요하다. 머뭇거릴 시간이 없다.[222]

143. 고상한 자본주의, 미몽으로 끝나는가

이기적 동기와 결과로서의 높은 효율은 자본주의의 미덕으로 칭송돼 왔다. 애덤 스미스가 〈국부론〉에 쓴 그 유명한 문장처럼 말이다. '우리가 매일 식사를 할 수 있는 것은 푸줏간 주인과 양조장 주인, 빵집 주인의 자비심 때문이 아니라, 그들 자신의 이익을 위한 그들의 계산 때문이다.'

지난 수년간 기업 활동과 금융시장에서 나타났던 중요한 흐름인 환경·사회·지배구조(ESG) 경영은 이와는 결이 다른 가치를 지향하고 있다. 결과로서의 효율뿐만 아니라 결과를 만드는 행동도 규범적으로 혹은 아름답게 하자는 취지가 그것이다. 아름답게 행동하면 결과가 더 좋았다는 주장도 있지만 보편성을 가진 공리로 보기는 어렵다. 무엇보다도 ESG를 준거의 틀로 삼았던 행동과 결과의 경험치가 충분히 쌓여 있지 않아 판단을 내릴 만한 근거가 부족하다.

필자는 새로운 활로를 찾기 위한 자본주의의 새로운 프로젝트로 ESG를 이해하고 있다. 2008년 글로벌 금융위기 이후 진행되고 있는 뚜렷한 경향은 정부의 역할 증대이다. 정부가 어느 정도까지 경제에 개입해야 하는가는 경제적 보수주의자와 진보주의자의 오래된 논쟁거리지만, 금융위기 이후 정부와 중앙은행 등 공적 플레이어의 역할이 커졌다는 점은 부인하기 힘들다.

대부분의 선진 자본주의 국가들은 민간 영역의 성장 둔화를 중앙은행 통화정책의 엄호를 받은 정부의 재정지출로 메워나가고 있다. 독일과 일본 등 주요 국가들의 국내총생산(GDP) 대비 정부지출 비율은 기조적으로 높아지고 있다. 정부부채 증가는 재정지출 확대의 그림자이다. 한국도 비슷한데, 2015년부터 재정의 성장 기여도가 높아지고 있다. 미국만 GDP 대비 정부지출 비율이 하락하고 있다. 미국의 성장은 민간 주도로 이뤄지고 있는데, 이는 소위 4차 산업혁명의 헤게모니를 미국의 빅테크 기업들이 잡고 있기에 가능하다. 그렇지만 미국 성장률의 절대치가 높은 것은 아니다. 글로벌 금융위기 이후 미국의 GDP 성장률(2008~2021년)은 연평균 1.6%에 불과하다. 유로존(0.6%)과 일본(0.2%)보다는 훨씬 높지만, 미국의 과거 시기와 비교해 보면 대공황 이후 가장 낮은 수준이다.

이는 4차 산업혁명의 파급력이 과거의 기술 혁신보다 훨씬 약하다는 데 기인하고 있다. 4차 산업혁명은 특정한 발명품이 존재하지 않는다. 1차 산업혁명은 동력을 발명했고, 2차 산업혁명과 3차 산업혁명도 각각 전기와 PC·인터넷이라는 새로운 혁신의 매개체를 만들어냈다. 4차 산업혁명은 기존 기술의 융합이다. 4차 산업혁명이 인류의 삶을 효율적으로 바꾼 것은 사실이지만, 새로운 파이를 만들어내지는 못했다.

사정이 이렇다보니 4차 산업혁명에서 파생된 혁신은 기존의 비효율을 대체하면서 부각됐다. 빅데이터로 무장한 아마존의 성장은 기존 오프라인 유통업체들의 몰락과 함께 나타났고, 한국의 혁신적 운송서비스였던 '타다'의 출현은 기존 택시 사업자들과의 마찰로 귀결됐다. 4차 산업혁명은 새로운 파이의 창출이 아니라 기존 파이의 새로운 배분에 그치고 있다. 빅테크 기업들의 영향력은 커지고 있지만, 경제 전반의 성장을 확대하지는 못하고 있는 것이다.

가. 새 프로젝트 ESG에 부는 역풍

민간에서 만들어내는 파이가 작으니 정부라도 나서야 하는데, 우리 시대 자본주의의 딜레마는 마땅히 정부가 할 수 있는 일이 없다는 데 있다. 대부분의 선진 자본주의 국가에서는 도시화가 충분히 진행돼 인프라 투자를 늘리기 어렵다. 논란의 주제인 기본소득은 4차 산업혁명 기술의 낮은 확장성과 마땅히 투자할 곳을 찾기 힘든 공공지출의 한계가 함께 작용하면서 사회적 의제로 부각됐다고 볼 수 있다. 기술 진보와 공공사업 모두 마땅한 일자리를 만들기 어려우니 개별 경제주체에 대한 직접 지원이라는 아이디어가 대두된 것이다.

정부는 사적 이윤을 추구하는 플레이어가 아니다. 정부의 경제활동에는 명분이 필요하다. ESG는 누군가에겐 도덕적 각성의 결과일 수도 있지만 민간의 활력 저하와 정부의 영향력 확대의 부산물이기도 하다. ESG는 금융시장에서 기업을 평가하는 잣대로 활용되기도 하는데, 이런 흐름을 주도하는 것은 각국의 공적 연기금들이다.

다만 최근에는 ESG에 대한 역풍이 감지되고 있다. 두 가지 점에서 그렇다. 우크라이나 전쟁으로 상징되는 '분열된 세계'는 ESG에 부정적인 영향을 줄 수 있다. ESG의 첫머리인 환경(Environment) 분야는 지정학적 갈등이 양 날의 칼로 작용할 것이다. 지정학적 긴장에 따른 화석연료 가격 상승과 자원의 무기화는 친환경 에너지에 대한 투자를 늘리는 계기로 작용할 수도 있지만, 당장의 위기를 극복하기 위한 화석연료 사용 확대로 나타날 수도 있다. 유럽의 친환경 흐름을 주도했던 독일에서의 석탄 사용 확대, 미국의 셰일오일 증산 움직임이 나타나고 있다. 에너지난이 현실화되는 상황에서 탄소중립은 사치로 받아들여질 수도 있다.

다른 한편의 음험한 상상으로는 지정학적 긴장과 글로벌 밸류체인 재편이 새로운 성장의 동력이 될 수도 있겠다는 생각을 하게 된다. 역사적으로 보면 전쟁은 누군가에겐 큰 기회였다. 대공황의 극복은 뉴딜이 아니라 2차 세계대전으로 가능했다. 또한 미국은 2차 세계대전을 통해 패권국으로 등극했고, 달러는 기축통화로 자리 잡았다. 한국전쟁은 일본에 경제적 도약과 함께 전범국가에서 미국의 반공 파트너로 바뀌는 신분세탁의 기회가 됐고, 베트남전 참전은 한국 경제에 큰 도움이 됐다. 자기 땅에서 충돌이 일어나지 않는다면, 파괴는 누군가에겐 기회가 될 수 있다.

나. ESG 확산에 제동 걸릴 가능성

주식시장의 전반적인 약세 속에서도 미국의 방위산업 기업인 제너럴 다이내믹스와 노스룩 그루만의 주가는 약진하고 있다. 정치적 요인에 의해 나타나고 있는 생산망 재편도 글로벌 경제 전반적으로는 비효율을 조래하겠지만, 새로운 투자를 불러오는 요인이기도 하다.

어쩌면 자본주의는 ESG라는 규범보다는 기존 질서의 파괴를 통해 활로를 찾게 될지도 모르겠다. 격렬한 갈등이 나타나고 있는 요즘과 같은 상황에서 고상한 자본주의가 설 자리는 좁아질 수밖에 없다. ESG에 부는 역풍이 미풍일지, 태풍일지는 알 수 없지만 일단 ESG의 확산에는 제동이 걸릴 가능성이 높다.[223]

144. 경제 위기는 가깝고 정치는 멀다

주위의 넘쳐나는 성공담에 혹해서 휴대전화에 일찌감치 깔아 둔 주식 앱을 활성화한 것이 지난해 1월. 모두가 돈을 버는 기회를 혼자서만 놓치고 있는 것은 아닌가 하는 불안함, 억울함, 열등감 그 어디쯤에서 갑자기 용기가 생겼던 것 같다. 그렇지, 주식이라면 삼성전자지. '십만 전자' 를 꿈꾸며 8만4천원에 매수 버튼을 클릭. 그렇게 주린이가 되어 동학 개미의 대열에 합류했다. 아줌마들이 주식을 시작할 때면 손 털고 나와야 할 시점이라고 했던가. '십만 전자' 를 간다던 삼전은 '오만 전자' 로 떨어졌고, '물타기' 라는 전문 기술을 동원해도 손실은 점점 커졌다. 지금은 주식 앱을 지워버릴까 말까 고민 중이다. 물려줄 재산도 없는데 주식이라도 물려주면 좋지. 설마 삼성전자가 망하기야 하겠어. 되지도 않는 위로를 스스로 해보지만, 남의 속도 모르고 주가는 연일 바닥 없는 폭락세다.

쌈짓돈 긁어모아 투자했다가 손해 좀 봤다고 앓는 소리 하려는 것이 아니다. 주위를 둘러보면 곳곳에서 못 살겠다는 아우성이다. 고환율 · 고금리 · 고물가의 삼중고가 만들어 낸 기록적인 경제 위기 때문이다.

최근 환율은 달러당 1,440원대까지 치솟았고 1,500원을 넘을 수도 있다는 전망까지 슬슬 나온다. 주택담보대출 금리는 13년 만에 7%대를 찍었다. 소비자물가 상승률도 6% 안팎을 기록 중이다. 늦어도 10월에는 소비자물가가 정점을 찍을 것이라는 정부 예측도 빗나갈 가능성이 크다. 물가 상승률이 둔화하는 속도가 더디면 지금의 고물가 대응책도 무용지물이다. 무역수지는 6개월 연속 적자로, 1997년 외환위기 이후 25년 만에 최악의 성적표를 받았다.

외식 물가는 30년 만에 최고로 올라 당장 1만원 한 장으로 밥 한 그릇 사 먹기도 쉽지 않고, '미친 집값' 이 만들어낸 가계 부채 1천870조원의 이자가 하루아침에 두 배로 늘었는데 "한국에서 경제 위기가 재현될 가능성은 '매우 매우' 낮다는 게 외부의 시각" (추경호 부총리)이라는 말이 귀에나 들어오겠는가. "정부와 정치권 등이 위기를 위기로 인식하지 않고 있는 게 바로 위기 요인" (윤증현 전 기획재정부 장관), "이번 위기는 경제 위기이자, 정치 위기" (박승 전 한국은행 총재)라는 지적이 나오는 까닭이다.

정권을 교체하고 새 대통령이 취임한 지 5개월. 대통령실 이전, 체리 따봉 문자 파동, 김건희 여사 논문 표절, 비속어 논란 등 돌아보면 하루도 조용한 날이 없었다. 문재인 전 정부의 실정을 들춰내고 발목 잡는 야당에 탓을 미루는 것도 한두 번이다. 이전 정부가 못했으니 정권이 교체된 것이고, 명분과 실력으로 야당을 설득해 내는 것이 여당의 당연한 책무인 것을 모르지는 않을 터. 더 크고 무겁게 책임을 지는 자리가 여당이고 '모든 책임의 끝' 은 대통령이 아니던가. 그런데도 본분을 망각한 여당은 당내 권력 싸움에 도낏자루 썩는 줄 모르고, 모든 책임을 마땅히 져야 할 대통령은 정작 자신이 저지른 잘못조차 모르쇠다.

지난 4일부터 윤석열 정부의 첫 국정감사가 시작됐다. 경제 위기를 넘어설 전략과 정책을 모색하는 민생 국감을 기대했지만, 정쟁에만 혈안이니 국감장은 말 그대로 난장판이다. 민생은 뒷전이고 '이 ××' '바이든(날리면)' 과 '윤석열차' 를 놓고 명분도 소득도 없는 싸움에만 열심이다. 국민의 관심은 '바이든' 도 '날리면' 도 아닌 택시 요금, 집값, 배춧값, 전기요금, 대출이자에 있다. 지금 우리에게 경제 위기는 가깝고 정치는 멀다.[224)]

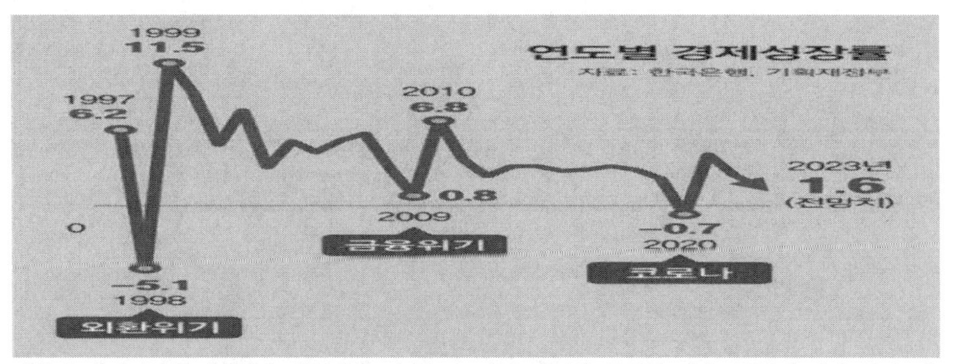

정부가 내년 1%대 저성장을 공식화한 이유는 그만큼 미국의 급격한 긴축, 중국의 경기 둔화, 우크라이나 전쟁과 에너지 대란 등 한국 경제가 처한 상황이 매우 심각하다고 판단했기 때문이다. 수출은 올해보다 4.5% 감소하지만 수입은 그보다 더 큰 폭으로 줄어 경상수지는 '불황형 흑자' 를 보일 것으로 전망된다. 사상 초유의 경기 침체가 불가피한 만큼 당장 눈앞의 위기 극복과 생존이 시급해졌다는 지적이 나오고 있다.[225)]

145. 미국의 독주가 불안하다

지난주에 미국 뉴욕 출장을 다녀왔다. 식당을 이용할 때 냈던 팁이 인상적이었는데, 점심은 식사값의 최소 15%, 저녁은 20% 안팎 팁을 줘야 했다. 달러 대비 약해진 원화 가치까지 더해지면서 뉴욕의 체감물가는 너무 높았다. 인플레이션을 제대로 경험했던 셈이다.

인플레이션은 궁극적으로 사람의 '몸값'에 다름 아니다. 생활비가 높아지며 임금이 따라 상승하고 물가가 다시 올라가는 '나선 구조'가 만들어지면서 인플레이션은 고착화된다.

최근 미국 노동자들의 임금 인상 요구도 인플레이션에 대응하기 위한 자구책인 셈이다. GM과 포드 등이 속한 전미자동차노조(UAW)는 40%대의 임금 인상을 요구하면서 파업에 들어갔다. 월마트에 이어 미국에서 두 번째로 많은 노동자를 고용하고 있는 아마존도 창고관리와 운송 노동자의 평균 임금을 인상한 데 이어, 일부 직원에 대해서는 특별 보너스 지급을 계획하고 있다고 밝혔다.

기업 입장에서 임금은 매우 경직적인 비용이다. 한 번 올려주면 줄이기가 어렵기 때문이다. 당연히 제품 가격을 올려서 마진을 유지하려고 하는데, 이 과정에서 앞서 언급한 임금과 물가 상승의 순환 구조가 만들어진다. 임금 경직성을 감안하면 궁극적으로 물가 상승분을 임금 인상으로 만회하기 힘든 경우가 대부분이라, 결국은 지출을 줄일 수밖에 없고 경기는 둔화되곤 한다. 대부분은 경기 침체라는 대가를 지불해야 인플레이션을 잡을 수 있다. 비슷한 맥락에서 중앙은행의 기준 금리 인상 역시 수요를 희생해 인플레이션 억제를 도모하는 행위다.

가. 미국과 다른 국가 불균형의 딜레마

요즘 글로벌 경제가 직면하고 있는 딜레마는 탄탄한 미국 경제와 미국을 못 따라가는 다른 국가들 사이 불균형이다. 이번주 열린 연방공개시장위원회(FOMC)에서는 미국 경제가 여전히 탄탄하다고 평가했다. 미국의 경제활동에 대해 지난 7월 FOMC 성명에선 '온건하다(moderate)' 고 진단했지만, 이번에는 '견조하다(solid)' 는 표현으로 바뀌었다. 어찌 보면 놀라운 일이다. 연방준비제도(Fed · 연준)가 미국 기준금리를 지난해 3월 이후 0~0.25%에서 5.25~5.5%까지 높였지만, 경제 성장이 꺾이지 않고 있기 때문이다. 지난해 미국의 국내총생산(GDP) 성장률은 2.1%에 달했고, 올해 전망치는 2.0%이다. 1.8% 안팎으로 추정되는 잠재 성장률을 웃도는 성적이다.

미국과 미국 이외 지역의 불균형이 문제인 것은 다른 대부분 국가는 미국만큼 성장하지 못하는 상황에서 긴축적 금융환경이 만들어지고 있기 때문이다. 당장 우리나라가 그렇다. 한국의 올해 GDP 성장률 전망치는 시장 컨센서스 기준 1.2%이다.

정부 추정치는 1.4%이지만 부진한 성장률이라는 해석이 바뀌지는 않는다. 잠재 성장률 추정치 2.0%를 크게 밑도는 것은 물론 1%대 성장은 1960년대 경제개발 본격화 이후 역대 다섯 번째로 낮은 성장률이기 때문이다. 경기만 고려한다면 한국은행은 기준금리 인하도 고려해봄 직하지만 미국보다 금리가 많이 낮은 요즘과 같은 상황에서 선제적으로 금융완화 정책을 쓰기는 어렵다.

공격적인 긴축에도 미국 경제 성장세가 꺾이지 않다 보니 미국 시장금리가 빠르게 상승하고 있다. 미국 국채 10년물과 2년물 금리는 이번주 2007년 이후 최고치까지 높아졌고, 달러 가치도 강해지고 있다. 미국 금리 상승과 강달러는 글로벌 금융환경을 긴축적으로 만들어, 미국만큼 경기가 좋지 못한 국가에 더 큰 부담을 주게 된다.

미국 경기가 둔화되면 그로부터 걱정거리가 또 생기겠지만, 글로벌 경제 전반의 균형이라는 관점에서는 미국 경기의 완만한 둔화가 가져올 긍정적 효과가 더 큰 게 아닌가 싶다. 미국 금리가 상승하고 달러가 더 강해지면 취약한 미국 밖의 국가들에서 큰 위기가 발생할 수 있다. 1980년대 초 미국의 긴축 이후 라틴아메리카 국가들에서 도미노처럼 나타났던 채무불이행(디폴트) 사태와 1994년 긴축 이후 태국과 한국을 거쳐 러시아까지 확대됐던 외환위기 등 사례처럼 말이다.

나. 바이든 정부 과욕이 불균형 키워

조 바이든 행정부의 과욕이 불균형을 키우고 있는 것으로 보인다. 최근 1년 미국의 재정수지 적자는 2조1000억달러에 달한다. 2022년 명목 GDP의 7.8%에 이르는 막대한 규모다. 2020년 코로나19 팬데믹 직후와 2008년 글로벌 금융위기 국면 다음으로 높은 재정적자 비율이다. 경기가 나쁘면 정부의 재정지출 확대가 용인될 수 있지만, 지난 1년 미국 경제는 이와 거리가 멀었다. 실업률은 완전고용 수준까지 하락했고 민간투자도 활기를 띠고 있었다. 민간 경제활동이 활발히 이뤄지고 있는 가운데 나타난 미국 정부의 과도한 재정지출은 타오르는 불에 기름을 부은 격이었고, 연준의 금리 인상 효과를 결정적으로 반감시키기도 했다. 재정지출 확대에 따른 수요 증가가 금리 인상 효과를 상쇄해 인플레이션을 충분히 억제하지 못했던 것이다.

미국 정부의 재정 폭주가 진정되지 않으면 인플레이션 압력은 높게 나타날 것이다. 물론 연준은 추가적인 금리 인상에는 매우 신중한 태도를 보일 것이다. 고금리 부작용이 지방은행 위기와 부동산 경기 둔화 등으로 이미 가시화되고 있기 때문이다. 미국 기준금리 인상은 지난 7월을 마지막으로 이미 끝났거나, 추가 1회 정도에 그칠 가능성이 높다. 다만 높은 인플레이션 압력이 지속되는 한 금리를 쉽게 인하하지는 못할 것으로 보인다.

금리가 현 수준에서 유지되는 것만으로도 취약한 경제 주체들에게는 큰 부담으로 작용할 것이다. 과거 심각한 금융위기는 금리 인상 국면보다 긴축 사이클이 종결된 이후 불거지곤 했다. 리먼브러더스 파산으로 대표되는 2008년 글로벌 금융위기가 그랬다.

2004년 6월에 시작됐던 연준의 금리 인상은 2006년 6월에 끝났지만, 서브프라임 모기지(비우량 주택담보대출) 사태가 이슈로 등장한 시기는 2007년 8월부터였다. 미국의 과도한 재정지출과 여기서 비롯되는 고금리, 강달러는 글로벌 경제의 불안정성을 높일 것으로 보인다.[226]

146. 국민은 계속 피곤해질 것이다

경제학에 '주인-대리인' 이론이 있다. 주인이 직접 자신의 일을 하는 게 아니라 대리인에게 맡겨 놓는 경우 대리인의 사익추구·도덕적 해이 등이 나타날 수 있다. 주인이 대리인을 완벽하게 감시·통제할 수 없기 때문이다. 정치라는 것도 광의의 주인-대리인 문제이다. 주권자인 국민이 대리인인 대통령에게 통치를 맡겨 놓는데 이 와중에 여러 문제가 발생한다. 국민이 정권에게 통치를 온전히 위임할 수 있으면 사실 가장 좋다. 내 일에만 집중하면 되기 때문이다. 그러나 온전히 통치를 맡길 수 없으면 국민이 피곤해진다. 지난 강서구청장 보궐선거 이후 윤석열 대통령은 "국민은 언제나 옳다"고 반성하지만 앞으로 국민은 계속 피곤할 것이다. 이유는 세가지이다.

첫째, 국민이 대통령에게 온전히 통치를 위임하는 경우는 대통령으로서의 능력이 뛰어나야 하는데 이 조건을 만족하지 못한다. 윤 대통령의 정치적 능력은 지난 대선에서 '어퍼컷' 날리던 것이 전부였음이 이미 드러났다. 이제 다음 문제는 경제인데, 이 능력치도 비관적이다. 얼마 전 국제통화기금(IMF)의 경제전망에서도 보이듯이 세계경제의 회복속도가 생각보다 느린데 이게 한국경제의 수출 전망을 어둡게 한다. 그렇다고 소비 등 내수가 좋은 것도 아니다. 그래서 중앙은행인 한국은행은 경기 걱정에 금리를 올리지도 못하지만 물가·부동산·가계부채 걱정에 금리를 내리지도 못하고 있다.

이런 고민은 당연한 거다. 상대방을 때려눕히는 제로섬 게임이 아니라 승자와 패자를 모두 살피는 예술이 경제정책이기 때문이다. 그런데 정작 노심초사해야 할 윤 대통령은 매번 외국에 나가 '1호 영업사원'만 외치고 있고, 그사이 국내 금리와 물가의 뇌관인 한국전력 전기료 문제에 산업통상자원부 장관과 한전 사장은 엇박자를 내고 있다. 윤 대통령은 국가 운영과 기업 운영을 구분하지 못하고 있다.

둘째, 국민은 국가 운영에 있어 대통령만 바라보지 않는다. 대통령이 슈퍼맨이 아니라는 것을 알기 때문이고 그래서 인사청문회에 민감하게 반응하는 것이다. 결국 통치의 위임이라는 것은 대통령·참모·장관을 '원팀'으로 보고 이루어지는 것이다. 대통령의 능력이 부족해도 참모와 장관이 이를 보완해주면 국민은 피곤하지 않다. 그런데 윤 대통령 주변에 책임감 있는 참모가 없다. 윤석열 정부의 시리즈물로 나오는 정체 모를 카르텔 정책의 컨트롤 타워는 누구인가? 윤석열 정부는 정책 운영에 있어서도 경쟁의 원칙을 도입해 각 부처 장관의 각자도생을 유도한다. 장관은 '영끌' 해서 정책을 던지겠지만 정작 관료들은 열심히 일할 이유가 없다. 정권이 바뀌면 검찰·감사원 등을 동원해 전 정권을 탈탈 터는 보복정치를 강화시켰는데, 관료들 입장에서 열심히 일하는 것은 직권남용으로 교도소 담장을 걷는 것과 다를 바 없기 때문이다.

셋째, 온전히 권한을 위임하려면 대통령에 대한 신뢰가 강해야 한다. 무슨 일을 해도 맹목적 신뢰를 보내는 콘크리트 지지층을 제외한 국민들은 대통령을 신뢰하고 있을까? 신뢰는 다양한 이유로 만들어지지만 주인-대리인 관계를 볼 때 대리인인 대통령이 주인인 국민에게 정확하고 다양한 정보를 제공해야 한다. 지금 국민들의 대통령에 대한 가장 큰 질문은 "도대체 왜? 누가?" 이다. 왜 윤 대통령은 이념 전사와 실용을 넘나들며 '김행랑' 같은 인사는 누구에 의해 이뤄진 것일까 궁금하다. 그런데 윤 대통령은 국민과의 소통을 끊은 지 오래이며 비판 언론에는 재갈을 물리려 한다.

주의해야 할 것은 윤석열 정권에 유리한 정보만 시장과 사회에 나간다고 정권의 신뢰가 올라가지 않는다는 것이다. 연구결과에 따르면 기업에 불리한 정보를 차단할 경우 주가 붕괴 가능성만 커진다. 이 문제는 경제정책에 있어 특히 심각하다. 추경호 경제부총리는 '상저하고' 라는, 경제가 상반기는 나쁘지만 하반기는 좋아질 거라는 프레임을 만들어 정권의 발목을 잡아버렸다. 경제정책수장으로서 경제주체의 '기대조정(expectation control)' 에 실패하고 신뢰를 상실한 것이다. 결국 가계 부채와 부동산 가격의 불안정성에 대해 이창용 한국은행 총재가 "1%대 금리 기대 말라" 며 경고하는 등 홀로 기대조정에 고군분투하는 형국이 돼 버렸다.

'주인-대리인 이론' 에서 대리인에게 온전히 위임할 수 없으면 나오는 처방은 견제와 균형의 지배구조를 강화하는 것이다. 국가의 관점에서 내부 지배구조는 선거·국회·사법부이고 정치제도 밖의 외부 지배구조는 언론·시민사회·시장 등이다. 대리인이 문제를 일으키면 주인이 어떻게든 방법을 찾는다. 강서구청장 보궐선거로 경고장은 이미 날렸다.[227]

147. 자본주의의 운명

미국·중국의 충돌 분위기가 좀 잦아들었다. 지난 3월 말 유럽연합(EU)은 '디커플링' 대신 '디리스킹'을 언급했다. 중국을 적대시하지 않고 과도한 의존을 줄인다는 것이다. 지난 6월 초 제이크 설리번 국가안보보좌관이 이에 동조했다. 이후 토니 블링컨, 재닛 옐런 장관이 중국을 찾았다. 옐런 재무장관은 "디커플링을 추진하지 않는다. 이는 양국에 재앙이 될 것"이라고 말했다. 미·중 양국 모두 경제가 불안정한 상황이다. 미국으로서는 내년 대선을 앞두고 '신냉전' 분위기로 경제 불안을 심화시키기 어려운 측면이 있다. 다른 한편 미·중 대충돌은 현재의 자본주의 체제를 뿌리째 뒤흔들 수 있는 위험 요소다. 미국과 중국이 자본주의 세계체제에 함께 묶여 있는 현실이 '신냉전'으로의 질주를 제약하기도 한다.

최근 유재건 교수는 전환적 시대상황을 독해하기 위해 마르크스와 월러스틴의 자본주의 개념을 다시 논의한 바 있다('창작과비평' 200호). 그에 의하면, 자본주의의 개념, 탄생, 종말에 대해 정통 마르크스주의자들과 세계체제론자들 사이에는 공통점과 함께 차이점이 있다. 이로부터 미루어 생각하면, 미·중 갈등에 대해서도 마르크스주의자들과 세계체제론자들은 서로 다르게 볼 수 있다.

정통 마르크스주의자들은 자본주의의 본질을 일국 단위에서 형성되는 임노동체제로 본다. 순수한 좌파·우파는 모두 중국의 임노동체제가 미국·일본·한국의 그것과는 다르다고 볼 가능성이 높다. 중국의 체제가 여타 자본주의 국가들과 확연히 구별되는 것이라고 보면, 미·중 갈등은 이념·가치의 충돌이라고 주장할 수 있다. 가치를 기준으로 진영을 갈라야 한다는 것은, 이념적 좌파와 이념적 우파가 공유하는 주장이다. 이에 비해 월러스틴은 시장과 임노동은 자본주의보다 오래전부터 존재했고, 시장은 자본주의보다 더 오래도록 존속할 것이라고 본다. 그가 생각하는 자본주의는 독점적이고 반시장적인 것이다. 19세기 말~20세기 초, 20세기 말~21세기 초의 글로벌화와 기술진보 흐름을 보면 100년 이상의 시간을 더 관찰할 수 있었던 월러스틴이 자본주의의 양상을 더 현실에 가깝게 파악한 것 같다. 그는 자본축적이 세계적 차원의 복합적 사회관계를 매개로 이루어지며, 세계경제 안에 여러 개의 정치체제가 존재한다고 보았다.

세계체제론에서 보면, 세계시장 속에서 미국과 중국의 체제가 매개되어 있다.

세계의 금융 중심 미국은 세계의 공장 중국과 세계체제 속의 '샴쌍둥이' 같은 존재다. 미국이나 중국 모두 분리·자립을 의도하거나 시도할 수는 있다. 샴쌍둥이를 분리하려면, 몸을 반으로 잘라내고 봉합하는 수술을 해야 한다. 분리 수술은 어린 나이, 결합 부위가 좁은 경우에는 성공을 기대해볼 수 있다. 그러나 성인이 된 이후 결합 부위가 넓은 경우에는 수술로 인한 출혈의 위험이 너무 크다고 한다.

경제인·현실주의자·자유주의자들에게 '디커플링'은 황당한 개념이다. 21세기의 세계체제는 해밀턴이나 리스트가 보호주의를 주창하던 18~19세기와는 복잡성의 차원이 다르다. 미국과 중국의 전면 충돌은 국가와 국가의 충돌에 그치는 것이 아니라 현존하는 세계 자본주의 체제의 붕괴를 의미한다. 과거 냉전시대에는 서방 진영과 구소련 진영이 경제적으로 확연한 디커플링 상태에 있었다. 그러나 20세기 후반 진전된 글로벌화와 기술진보는 디커플링의 비용을 극도로 높여 놓았다.

2차 세계대전 이후 핵무기의 등장으로 인해 전쟁의 개념이 바뀌었다. 미국과 중국(또는 러시아)이 핵전쟁을 벌이면 지구는 멸망한다. 글로벌화와 기술진보 역시 세계를 바꾸었다. 한정된 영역을 넘어선 대규모 디커플링은 미국과 중국을 모두 위험에 빠뜨리게 된다. 경쟁이든 협력이든 미·중관계가 질서를 잡지 못하고 충돌하면, 자본주의 세계체제는 불바다에 빠지고 종말을 고하게 될 것이다.

마르크스는 자본주의 붕괴와 사회주의로의 이행에 대해 낙관했다. 현실은 마르크스의 낙관과는 다른 방향으로 흘러갔다. 월러스틴은 마르크스가 논의했던 이행의 실패에서부터 다시 시작한다. 그 역시 현재의 자본주의는 지속되기 어렵다고 하지만, 자본주의 이후 어떤 세상이 올지는 확정되어 있지 않다고 본다.

세계체제 속에서 미국과 중국은 어떤 길을 갈까? 1970년대 이후는 중국이 세계 자본주의에 편입되는 시간이었다. 중국이 세계체제 안에서 의외의 급성장을 지속하자, 2010년대 들어서는 미·중 양쪽에서 국가 간 경쟁 관점이 떠올랐다. 그런데 충돌이 선을 넘고 질서가 무너지면 세계자본주의는 붕괴한다. 제국의 경험과 꿈을 지닌 그들이 일국적 이념의 몽상을 따라 멸망의 길로 갈 것인가?[228]

148. 출렁이는 외환시장, 언제 잠잠해지나

최근 외환시장을 보면 과거에는 보기 어려웠던 흐름들이 자주 나타나곤 한다. 장중 한때 900원을 밑돌면서 2015년 이후 가장 낮은 수준을 보이는 원·엔 환율, 달러당 7.2위안을 훌쩍 넘어선 채 상당기간 이어지고 있는 위안화의 약세 등이 대표적이다. 엔화와 위안화 이상으로 종잡을 수 없는 것이 원·달러 환율인데 뚜렷한 방향성을 잡지 못하고 양쪽 방향으로 수시로 흔들리는 이른바 '변동성 높은' 국면이 이어지고 있는 것이다.

지난해 11월 달러당 1440원을 기록한 이후 올해 초 1220원을 밑돌았던 원·달러 환율은 올해 4월에는 달러당 1340원 수준을 노크하다가 재차 1270원으로 하락하는 등 1300원 수준에서 등락을 거듭하고 있는 상황이다. 뚜렷한 방향성을 나타내지 못하고 흔들린다는 것은 환율의 상승과 하락 요인이 함께 작용하고 있음을 의미하는데 상승과 하락 요인을 하나씩 살펴보자.

원·달러 환율의 상승, 즉 달러 강세(원화 약세)를 요인 중 가장 대표적인 것이 미국의 금리 인상과 차별적인 성장이라고 할 수 있다. 지난해 미국 연방준비제도(Fed·연준)는 빠른 속도로 기준금리를 인상했다. 기준금리 인상에도 미국 경제는 신흥국을 포함한 다른 국가들보다는 양호한 성장세를 나타냈다. 높은 금리와 상대적으로 안정적 성장세를 보이는 미국 달러에 대한 수요가 크게 늘어나면 달러는 초강세를 보인다. 지난해 10~11월 달러당 1440원까지 환율이 상승한 이유이기도 하다. 그렇지만 올해 초 미국 금리 인상은 거의 막바지에 도달했으며, 미국 경제도 높은 금리와 물가로 인해 소비 둔화를 겪으며 경기침체를 겪을 가능성이 크다는 전망이 힘을 얻고 있다. 미국의 경제성장과 금리 인상 기조가 흔들리면 원·달러 환율은 큰 폭으로 하락하는데 올해 초 원·달러 환율은 1220원을 밑돌았다.

이런 흐름은 지난 5~6월을 기점으로 크게 바뀌었다. 예상보다 높은 자산 가격에 힘입어 꾸준히 유지되는 미국의 소비 성장으로 인해 '노랜딩(No Landing)' 얘기가 나오기도 했다. 미국 경제의 성장세가 여전히 탄탄하게 유지되고 있고, 소비가 줄지 않는 만큼 물가 상승세 역시 쉽사리 잡히지 않아 연준은 2차례의 추가 기준금리 인상을 예고하고 있다. 둔화될 것이라던 성장세가 탄탄한 흐름을 보이고, 막바지라고 했던 기준금리 인상이 추가로 이어질 것이라는 소식은 재차 달러 강세를 자극하고 있다. 이는 최근 1300원 수준으로 반등한 원·달러 환율의 흐름이 말해준다.

환율 상승을 자극하는 또 다른 요인으로는 위안화와 엔화 약세를 꼽을 수 있다. 중국·일본은 한국과의 무역에 있어 상당한 경합을 보이는 국가들이다. 이들 국가의 통화가 이례적으로 약세를 보이고 원화가 강세를 이어가게 되면 한국의 수출 경쟁력이 약화될 가능성이 있다. 달러 대비 약세를 보이는 위안화·엔화는 원화의 강세를 제어하는 요인이 될 수 있는 것이다.

반면 16개월 만에 흑자 전환에 성공한 한국의 무역수지는 원화 강세, 즉 원·달러 환율 하락 요인으로 볼 수 있다. 2008년 글로벌 금융위기 이후 한국 경제는 안정적인 에너지 가격 흐름 속에서 중국의 경제성장과 반도체 산업의 호황으로 이른바 '구조적인 무역 흑자국'이라는 평가를 받기도 했다.

그러나 지난해 초부터 러시아·우크라이나 전쟁으로 국제유가가 급등하고, 코로나19 팬데믹에 대비하기 위한 중국 봉쇄, 한국의 주력 수출산업인 반도체 업황 부진 등이 겹치면서 15개월 연속 무역수지 적자를 기록하게 됐다. 지난해 배럴당 140달러까지 치솟았던 국제유가는 현재 70~80달러 수준으로 하락하며 에너지 수입에 대한 부담을 크게 줄였고, 반도체 업황도 조금씩 나아지며 한국 수출에 힘을 실어주고 있다.

중국의 리오프닝(경제활동 재개) 이후 다소 실망스럽기는 하지만 대중 수출 부진 역시 일정 수준 개선되면서 한국의 무역수지는 16개월 만에 흑자 전환에 성공했다. 당분간 과거보다는 약하지만 무역 흑자 기조가 이어질 것으로 보이는데, 이는 달러의 국내 유입을 확대시키며 원·달러 환율의 하락 요인으로 작용한다. 미국의 기준금리 추가 인상과 노랜딩 시나리오, 위안화·엔화의 약세 등으로 대변되는 환율 상승 요인, 에너지 가격 안정과 수출 개선에 힘입은 무역 흑자라는 환율 하락 요인이 팽팽하게 맞서 있어 환율은 뚜렷한 방향성을 나타내기보다는 하루하루 뉴스에 민감하게 반응하며 상승과 하락을 거듭하고 있는 상황이다. 이로 인해 미국의 기준금리 추가 인상 사이클의 종료 시점까지는 외환시장의 변동성이 이어질 것으로 예상된다.[229]

149. 불평등 방치한 국가의 책임과 재정건전성

재정건전성(財政健全性)은 정부의 채무가 전체 경제 규모 대비 어느 정도 수준인지를 나타내는 지표다. 국가 채무(중앙 정부와 지방 정부 채무의 합)가 국내총생산(GDP) 대비 몇 %인지 살펴보는 것이다. 그러나 정부 보증 채무, 공기업이나 공공 기관의 부채, 공적 연금의 지급액 부족 등은 국가 채무로 직접 잡히지 않는다. 반대로 국가 채무 비율이 높더라도 정부가 성장을 높이는 사업에 투자하거나 재정 지출을 늘린다면 장기적으로 재정 건전성을 높일 수 있다.

'계층 간 갈등을 심화시켜 심각한 사회문제로 번질 수 있다.' 양극화나 불평등에 관한 경제 기사에 자주 등장하는 표현이다. 최근 사회불만 범죄가 끊이지 않는 걸 보면 경제면에서 접했던 내용이 현실화하고 있다. 성남 서현역과 서울 신림동 흉기난동뿐 아니라 며칠 전에는 7층 건물 옥상에서 아래로 벽돌과 나무토막을 던지는 사건도 발생했다. 정도의 차이는 있어도 사회에 대한 불만이 쌓여 범행을 저질렀다는 공통점이 있다.

2021년 선진국 그룹에 편입된 한국은 세계에서 가장 빠른 속도로 경제성장을 이룬 나라다. 유엔무역개발회의(UNCTAD) 설립 이래 57년간 개도국에서 선진국으로 변경된 사례는 한국이 처음이었다. 한국이 선진국 반열에 오른 그해 미국 여론조사업체 퓨 리서치센터가 17개 선진국 성인 1만9000명을 상대로 '무엇이 인생을 의미 있게 하는가'를 조사했다. 한국은 '물질적 풍요'를 1순위로 꼽았고, 2위는 '건강', 3위는 '가족'이었다. '가족'이 1순위였던 14개국 사람들과는 달랐다. '건강'(스페인)과 '사회'(대만)를 꼽은 나라도 있었다. 매경이코노미가 지난해 13~18세 청소년에게 '인생에서 가장 중요한 것'에 대해 물었다. '돈(물질적 풍요)'이라고 답한 청소년이 30.1%(복수응답 기준)로 가장 많았다.

조사 결과만 보면 한국 사회가 돈을 중요한 가치로 여기는 물질만능주의에 젖어 있음을 확인할 수 있다. 과거 '지도층'이라고 불렸던 이들일수록 돈의 가치를 중요하게 여긴다. 국회의원이나 고위공직 후보자의 재산 내역을 보면 대부분 '투기'에 가까운 '투자'로 부를 불렸다. 세금을 덜 내기 위해 온갖 치졸한 편법을 동원한 사례도 흔하다. 지도층이 아니라 '천박한 졸부'일 뿐이다. 문명 이전 사회에서 지위를 얻는 방법은 물건을 포기하는 것이었으나, 지금은 반대가 됐다.

삶의 질은 따지지 않은 채 급속한 경제성장에 매달린 결과인 것 같아 부끄럽다. 인구가 5000만명을 넘고, 1인당 국민소득이 3만달러를 넘어서는 등 규모는 커졌지만 삶의 질 지표는 바닥권이다. 중대재해처벌법이 시행됐음에도 지난해 산업재해 사망자는 2223명으로 전년보다 7%가량 늘었다. 경제협력개발기구(OECD) 36개국 중 중남미 3개국을 제외하고는 노동시간이 가장 길다. 자살률은 최고 수준이고, 행복도는 바닥권이다.

6·25전쟁 직후 한국은 아프리카 국가들보다 더 가난한 나라였다. 누구나 열심히 일하면 부자가 될 수 있다는 희망이 있었고, 실제 그렇게 자수성가한 부자도 있었다. 하지만 경제성장에 속도가 붙으면서 빈부 격차가 벌어지기 시작했다. 부는 대물림돼 불평등이 고착화하고 있다. 부에 따라 서열을 매기는 사실상 계급사회가 됐다. 가난한 사람에게는 상대적 박탈감이 확산됐다.

통계청 가계금융복지조사 결과를 보면 지난해 소득 5분위(상위 20%) 가구의 순자산은 10억273만원으로 1분위(하위 20%) 가구(1억5472만원)에 비해 6.5배 많았다. 2006년 4.5배였던 것에 견주면 격차가 확대됐다. 자본주의의 특징이기는 하지만 부자일수록 부를 늘릴 가능성이 큰 사회가 됐다.

경제 불평등과 양극화가 심해진 사회는 갈등이 심해질 수밖에 없다. 영국 옥스퍼드대에서 발간한 '유럽 공중보건 저널'은 33개국의 불평등과 강력범죄 사이의 연관성을 조사한 결과, 불평등은 사회적 신뢰를 무너뜨리고 살인·폭력 등 범죄를 유발한다고 밝혔다. 반면 부자와 가난한 사람의 격차가 작은 사회는 건강 수준이 높고, 폭력도 적게 발생한다.

한국 사회는 '불만' '분노' '적대감' 따위의 격한 감정이 갈수록 고조되고 있다. 격한 감정을 누그러뜨리거나 해소할 방법이 없으니 사회불만 범죄로 표출되는 것이다. 일부에서는 처벌을 강화하면 범죄를 줄일 수 있다고 주장한다. 하지만 그보다는 범죄의 원인을 찾아내고, 근본적인 예방책을 세우는 것이 더 중요하다.

불평등을 해소해 사회적 신뢰를 회복하는 게 시급하다. 공정한 경쟁 시스템을 만들고, 경쟁에서 탈락하더라도 다시 도전할 수 있다는 믿음을 줘야 한다. 국가는 어떤 경우에도 시민의 기본 생존권을 보장해야 한다. 사회안전망을 제대로 갖춰야 한다는 뜻이다. 한국의 공공사회지출은 2022년 말 기준 국내총생산(GDP) 대비 14.8%로 OECD 국가 평균보다 6.3%포인트 낮았다. 정부가 내년 보건·복지·고용 예산을 올해보다 7.5% 늘리기로 한 것은 환영하지만 여전히 부족하다. 재정건전성보다 훨씬 더 중요한 게 있다. 불평등 해소를 위한 장기적 안목의 정책이다.[230]

150. 정부 예산안, 이래도 좋은가

현대 국가는 시민의 경제생활과 다양하고 복합적인 관계를 형성하는 방향으로 진화해왔다. 현대 국가가 그와 같은 기능의 수행을 위해 재원을 쓰고 거두는 내역이 곧 정부예산이다. 회계연도 내 정부 정책 목표는 그렇게 예산에 반영된다. 그런데 정책 목표를 구현하기 위한 '프로그램(하나의 정책 목표에 대응하는 여러 정책 사업들의 집합)' 마다, 그리고 프로그램을 구성하는 개별 사업마다 지출 비중은 달리 배정되기 마련이다. 정부가 어떤 정책 목표를 공표하든 예산과 관련한 권한이 기획재정부에 주어진 실정에서는 거꾸로 예산이 길을 터주지 않으면 해당 정책 목표의 실제 구현이 불가능한 이유다. 그렇게 프로그램별 예산 비중의 변화는 정부의 정책 의도를 드러낸다. 지난 1일 국회에 제출된 2024년도 정부예산안에 관심을 갖게 되는 배경이다.

정부는 이번 예산안에 대해 총지출 증가율을 2005년 이후 최저수준으로 묶으면서도 지출구조조정을 통해 재정 건전화를 실현할 수 있었다고 자평한다. 그러나 양심 있는 경제학자라면 총지출이 18조2000억원 늘어나는 반면 총수입은 13조6000억원 줄어들어 재정적자 폭이 커지는 현상을 두고 재정 건전화라고 평할 수는 없다. 도대체 누가 이 수치들을 놓고 재정 건전화라고 우길 수 있단 말인가.

툭하면 외치는 '글로벌 스탠더드' 와는 정반대로 세계에서 유독 우리 정부만 기준으로 쓰는 관리재정수지의 국내총생산(GDP) 대비 비율만 봐도 그 점을 알 수 있다. 윤석열 정부가 '재정중독' 이라고 탓하는 직전 정부에서는 그 비율이 2018~2019년에는 평균 1.7% 적자였고, 코로나19 위기로 통상적인 재정운영이 불가능했던 2020~2021년에는 평균 5.1% 적자였다. 그런데 코로나19가 진정된 지난해에는 윤석열 정부의 추가경정예산으로 적자가 5.4%까지 늘었다. 올해는 세수 결손이 역대 최대인 59조원에 달한다니 연말까지 적자가 얼마나 더 늘어날지 두고 볼 일이다. 한마디로 재정총량 관점에서 윤석열 정부의 여태까지의 행보는 재정 건전화와는 거리가 멀다.

정부·여당이 관리재정수지를 3% 적자 이내로 제한하는 재정준칙의 도입에 그토록 목매왔음에도 불구하고 당장 내년 예산안부터 도 기준치를 초과해 3.9% 적자를 책정할 수밖에 없는 현실에 주의할 필요가 있다. 정부가 아무리 올해 경제 전망을 '상저하고' 로 나 홀로 외친들 부자 감세로 향후 세수가 줄어드는 상황까지는 어쩔 수 없을 터이다. 부자 감세로도 세수가 줄지 않는다는 '무당 경제학' 의 거짓말을 수없이 설파해도, '어퍼컷' 을 수없이 날려도 소용없다.

그런데 그런 사정이 2025년이나 그 후라고 달라지겠는가. 정부·여당이 부자 감세를 지금처럼 정책 기조로 유지하는 한, 재정준칙은 결국 스스로 물 건너보낼 수밖에 다른 도리가 없을 것이다. 정부는 최소한의 일관성이라도 갖추려면 부자 감세와 재정준칙, 적어도 둘 중 하나는 버려야 한다. 둘 다 버리는 편이 최선이고, 그것이 진보의 길이다. 그 점에서는 "증세는 비현실적" 이라고 못 박고, 틈만 나면 재정준칙에 동의해주려고 눈치 보는 제1야당도 희망 없기는 매한가지다.

정부의 이번 예산안은 재정총량뿐만 아니라 분야별 재원 배분 측면에서도 문제가 많다. 가장 먼저 눈에 띄는 사실은 지방재정조정제도에 의한 지방 이전 재원이 15조원 이상 줄어든다는 점이다. 이는 부자 감세 때문에 내년 세수가 올해보다도 더 줄어든다는 전망의 결과다. 그렇게 되면 교육청과 지방자치단체의 일반재원이 감소하는데 그것은 다시 교육 및 지방행정과 관련된 현대 국가의 기능 공백으로 고스란히 이어질 공산이 크다. 혹시 전국을 '졸라맨' 으로 쥐어짜서라도 수도권 일부 부자 동네 표밭의 배부터 불리고 보자는 속셈은 아닌지 의심하게 되는 것이다.

내년도 예산안에서는 연구·개발(R&D) 지원을 과도하게 줄이면서 보건의료 관련 R&D 및 중소기업 기술개발 예산이 상당 부분 삭감되었으며, 특히 과학기술 분야에서 탄소중립 기반 구축 프로그램이 대폭 감액된 사실도 주목된다. 재생에너지 관련 사업과 지난 정부에서 중시했던 한국형 실업부조 관련 예산도 크게 줄었다. 반면 증액된 예산 중에는 공적연금 급여처럼 고령인구 증가에 따라 자동적으로 늘어난 의무 지출이 많아 보인다. 그마저도 연금 '개혁' 을 빙자한 소득대체율 인하로 지출 축소가 추진되고 있지만 말이다.

2024년도 예산안에 드러난 정부의 이 같은 정책 방향이 과연 옳은지 의문이다. 기후변화 대응, 첨단기술을 둘러싼 세계적 경쟁, 그리고 불평등 완화처럼 어려운 시대적 과제에 직면한 대전환의 시기에 말이다.231)

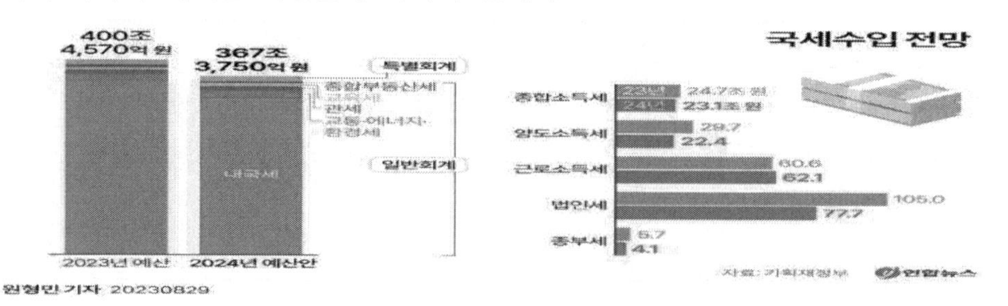

151. '감세 집착증'에 대한 의문

갈수록 자산계급은 부의 증대를 누리고, 산업 경제는 침체돼 부의 양극화가 심화될 것이다

그런데 이러한 모순을 바로잡을 최후의 보루인 정부는 누적되는 정부 부채로 갈수록 손발이 묶이게 될 것이다

그래서 묻지 않을 수가 없다. 어째서 윤석열 정부는 '감세 정책'에 그토록 집착하는가

정부에서는 정부 지출을 큰 폭으로 줄여 '균형 재정'으로 가고 있음을 강조했다. 어폐가 있다. 정부의 감세정책으로 지출보다 훨씬 큰 폭으로 세수가 줄어 실제로는 '균형 재정'이 아닌 '적자 재정'으로 치닫고 있다. 법인세를 비롯해 크고 작은 부분에서의 전면적인 감세정책으로 인해 올해 7월까지도 세수 진도율은 53%에 머물고 있으며, 연말이 되면 50조원 이상의 세수 결손이 날 것이 거의 확실하다. 올해로 끝나지 않는다. 정부의 감세 기조가 본격적으로 효과를 발휘할 내년이 더 걱정이다. 이미 정부가 내놓은 내년 예산안의 세수 계획을 보게 되면 내국세만 10% 정도를 줄여 놓았다. 월 400만원으로 생활을 꾸려가는 가정에서 내년 수입이 40% 줄어든다고 생각해보라. 허리띠를 졸라매야 한다. 우리나라의 재정정책 기조는 폭발적인 감세정책으로 '균형 재정'이 아니라 '적자 재정'이라고 보아야 한다.

여기에서부터 의문과 혼란이 이어진다. 어째서 불현듯 '적자 재정'인가? 그것도 국가가 적극적 역할을 떠맡으면서 지출이 확장돼 벌어지는 적자 재정도 아니고, 큰 폭의 감세를 통한 적자 재정이라니? 선례가 없지 않다. 1980년대 초 많은 경제학자들을 당혹하게 했던 미국 로널드 레이건 대통령의 이른바 '레이거노믹스'가 비슷한 예라고 생각할 수도 있다. 당시에도 레이건 대통령은 이른바 '래퍼 곡선'을 앞세워 민간 경제 활성화와 투자 촉진을 위해서는 정부의 감세정책이 필요하다고 주장하면서 1930년대 뉴딜 이후 내려온 미국의 세금 제도를 파격적인 감세 기조로 손본 바 있으니까.

하지만 여기 또 중요한 차이점이 있다. 당시 공산권과의 본격적인 군비경쟁을 꾀하고 이른바 '제2의 냉전'을 시작하면서 레이건 정권은 군사비를 중심으로 한 정부 지출은 또 파격적으로 늘린 바 있다. 그 결과 적자 재정이 나타난 것은

지금 우리와 비슷하지만, 그 내용을 보면 감세 기조만이 아니라 오히려 큰 폭의 지출 증가가 나타난 바 있다. 이 점에서 레이거노믹스의 재판이라는 식으로 현재의 재정정책의 기조를 설명하기도 힘들다.

다른 점은 또 하나 있다. 거시경제에 미치는 재정정책의 효과를 음미하기 위해서는 항상 금융정책과의 조합을 살펴야 한다. 레이건 정부 시절 특히 임기 전반기의 금융정책은 철저한 긴축이었다. 1970년대까지의 고질적인 (하이퍼)인플레이션을 잡기 위해 엄청난 고금리 정책과 긴축적인 금융정책 운용으로 실업률이 치솟고 경기가 죽는 상황이 벌어진 바 있다.

가. 레이거노믹스와 닮은 듯 너무 다른

하지만 윤석열 정부의 금융정책은 아무리 보아도 긴축적인 기조를 지향하고 있는 것 같지는 않다. 물론 기준금리는 지난해부터 계속 올라갔지만, 이는 전 세계 인플레이션과 특히 미국의 금리 상승에 따른 어쩔 수 없는 수동적인 대응의 성격이 더욱 강하다. 반면 정부는 경기 침체와 민간의 자금 수요를 명분으로 은행권 등에 대해 계속적인 금리 인하 압박을 가했고, 주택담보대출 금리 등은 세계적인 금리 인상의 시기 이전보다 크게 올랐다고 보기는 힘들며, 가계부채는 계속 늘어가고 있다.

실제로 9월 들어 보름 사이에만 가계대출은 무려 8000억원이 폭증했다. 모두 다 알고 있다. 정부는 시한폭탄처럼 된 부동산 프로젝트 파이낸싱(PF)의 문제가 터지는 것을 막기 위해 규제와 금융 모두에서 여러 조치를 취하고 있으며, 이것 때문에 '집값이 바닥을 쳤다'는 인식이 확산되고 있음을. 부동산 프로젝트 파이낸싱과 연루된 새마을금고의 건전성 문제가 나오자 한국은행이 40조원 규모의 지원을 약속하는 과정 또한 금융정책의 기조가 적어도 긴축이라고 말하기는 힘들다는 생각을 더 크게 만든다.

레이건 정부의 경제정책 또한 기묘한 정책 조합이라고 당시에도 논란이 많았으며 그 효과에 대해서도 논쟁이 끊이지 않는다. 감세를 하면서 지출은 늘리고, 정부 재정은 적자 기조를 달리면서 금융정책은 긴축이라니. 그런데 지금 우리의 상황은 '감세'라는 것 하나만 공통점이 보일 뿐, 정부 지출을 늘리는 것은 아니면서 금융정책은 긴축이라고 보기 힘들다. 이러한 조합은 도대체 어떻게 보아야 할까? 사실 내가 아는 바로 정부에서 이렇다할 만한 이론적·체계적 경제정책의 기조를 포괄적으로 밝힌 바가 없으므로, '감세를 통해 투자를 유발한다'는 것 하나 말고는 별다른 계획 없이 상황에 수동적으로 대응하는 무원칙의 기조(그것도 기조라면)라는 의구심을 떨칠 수 없다. 하지만 2020년대의 한국 경제상황에서 이것이 적실성을 갖는 정책 '기조'인지는 심히 의심스럽다. 첫째, 미국 바이든 정권의 '인플레이션 감축 법안'은 향후 10년간의 명확한 '증세' 기조를 밝히고 있다. 지난해 영국에서 단명했던 보수당의 트러스 총리 내각은 파격적인 '감세' 기조를 내걸었다가 국제 금융시장의 공격과 심지어 국제통화기금(IMF)의 비난까지 뒤집어쓰면서 결국 물러났고, 내각도 무너지고 말았다.

둘째, 지금은 기후위기와 산업 패러다임 전환이 겹친 대규모 전환기이며 이에 각국은 국내·국제적 경제구조와 체질을 바꾸기 위해 각종 보조금과 정부 프로젝트 등 대규모의 지출을 계획하고 있다. 방금 언급한 미국의 '인플레이션 감축법'뿐만 아니라 유럽연합(EU)에서도 이를 거의 그대로 모방해 반도체 등의 전략적 산업 등에 대한 대규모 정부 보조금과 연구 지출을 공언하고 있다. '국가 자본주의'인 중국의 대규모 정부 지출의 산업 정책은 말할 것도 없다. 이러한 구조적 변환기에서 자원의 조달을 오로지 그 효과도 심히 의심스러운 '낙수 효과' 하나에 맡겨 세금과 정부 지출을 모두 깎는다는 것은 무슨 현실성을 갖는 것일까?

나. 효과 의문 '낙수효과'에 기댄 정부

틀리기를 바라는 마음으로, 언짢은 예후를 그려본다면 이렇다. 벌써 공공부문과의 관계가 깊은 여러 부문에서는 내년 예산안의 정부 지출 감축으로 인해 크나큰 고통과 비명소리가 나오고 있다. 여기서의 구매력 감소를 금융 부문에서의 '대출'로 메꾸면 되지 않느냐고? 천만의 말씀이다. 정부 지출은 직접적으로 구매력을 자극하고 '유발효과'까지 가져올 수 있지만, 금융 부문에서의 대출에는 이자가 붙어 있다.

따라서 더 큰 수익을 벌어들일 수 있다고 생각하는 자산시장 투자자들이거나 이자를 감수하고라도 대출을 받아야 하는 생활형 대출자들이거나 둘 중 하나이다. 전자는 자산시장의 거품을 키울 것이며, 후자는 그나마 위축된 소비를 더욱 졸라매는 결과를 가져온다.

이렇게 되면 자산시장은 갈수록 뜨거워지면서 실제 산업은 이자 부담과 정부 지출 축소가 겹쳐지며 생겨나는 소비 위축으로 인해 침체가 되는, '아랫목은 펄펄, 윗목은 냉골'이라는 경제 이분화 현상을 부추기게 된다. 시간이 지날수록 자산계급은 자산시장의 지속적인 가격 상승으로 명목적 부의 증대를 누리게 될 것이며, 다수의 사람들이 근로소득과 영업소득을 벌어들이는 산업경제는 침체를 면치 못하면서 부의 양극화가 심화될 것이다.

그런데 이러한 모순과 문제를 최종적으로 바로잡도록 기대할 수밖에 없는 최후의 보루인 정부는 누적되는 정부 부채로 인해 갈수록 손발이 묶이게 될 것이다. 지금 정부의 재정정책 기조가 '흑자 재정'으로 여력을 비축해두기는커녕 '적자 재정'으로 일관하고 있기 때문이다. 정부가 공언한 '낙수효과'가 발동돼 감세 정책이 투자 확대와 경제 성장 및 세수 확충으로 이어질 그날이 오기 전에는, 정부의 세수는 졸아들 수밖에 없기 때문이다. 그때는 언제일까? 그때까지 누적될 정부의 부채는 얼마나 될까?

그래서 묻지 않을 수가 없다. 어째서 '감세'에 그토록 집착하는지. 윤석열 정부의 감세에 대한 집착은 법인세 등 굵직한 사안에 국한되지 않는다. 얼마 전에는 결혼하는 자녀들에 대한 부모의 증여세 면제 한도를 현재의 5000만원에서 1억5000만원까지 늘리겠다는 발표까지 나왔다. 결혼과 출산 장려라는 게 명분이다. 결혼하는 자녀에게 1억5000만원을 해줄 수 있는 이들이 인구의 몇 퍼센트나 될 것이며, 그들이 과연 이런 혜택이 없다고 할 결혼을 하지 않을 이들인가? 별 효과도 없고 사람들에게 박탈감만 안기는 이런 '깨알 같은' 정책까지 남발하는 '감세정책에 대한 집착'은 대체 왜 나타난 것일까? 정책 엘리트들의 깊은 속을 알지도, 또 들어볼 수도 없는 백면서생과 서민들은 그저 답답할 뿐이다.[232)233)]

152. 연준이 풀어야 하는 고차방정식

연준(FRB; Federal Reserve Board, 聯邦準備制度, 聯準)은 1913년 미국에서 연방준비법에 의해 설립된 연방준비제도(Federal Reserve System)의 한 기구로 미국의 통화정책을 총괄한다. 흔히 페드(Fed)로 불리며 기구는 의장을 포함해 7명으로 구성되는데, 가맹은행의 예금지불준비를 관리하고 재할인율을 결정하며 공개시장을 조작한다.

최근 "금리가 이렇게 높아졌으니 상당한 부작용이 있지 않을까요?" 와 같은 질문을 종종 받게 된다. 금리가 높아지게 되면 이자부담이 높아지면서 소비를 할 수 있는 여력이 줄어들게 되기 때문에 경제 주체들에게는 충격을 줄 수 있다. 특히 최근처럼 금리가 급격하게, 그리고 예상하지 못한 레벨까지 오르게 된 경우 더욱 그러하다. 그러나 금리가 올라서 이자 비용이 늘어나더라도 경제의 성장이 강하다면, 그리고 경제 주체들이 더욱 많은 소득을 만들어내고 있다면 높은 금리 레벨도 견뎌낼 수 있는 내성이 생겨나게 된다. 금리가 오르더라도 전혀 다른 결과를 만날 수 있는 것이다. 고금리의 영향을 판단할 때 단순히 금리만을 봐서는 안 된다. 성장을 함께 고려해야 한다. 금리가 오르더라도 성장이 더욱 강하다면 경제 주체들이 일정 수준의 금리 상승을 견뎌낼 수 있다. 대표적으로 미국 경제는 지난 3분기 연율 4.9%의 놀라운 성장세를 보인 바 있다. 이런 수준의 성장세가 이어진다면 강한 성장에 힘입어 높은 금리도 잘 견뎌낼 수 있다.

그렇지만 만약 그렇게 강했던 성장세가 둔화된다면 어떨까? 만약 금리가 높아진 상황에서 성장이 과거 대비 약해진다면 실물 경제는 타격을 받게 될 것이다. 그러나 과거와 다른 점이 하나 있다. 당장은 금리가 높아도 향후 금리가 내려갈 것이라는 경제 주체들의 확신이 있다면 지금의 높은 금리에도 불구, 견뎌낼 수 있는 심리적 내성이 생기는 것이다. 2022년 말 글로벌 경제는 고물가와 높아진 금리로 인한 경기 침체 우려에 직면했던 바 있다. 그러나 금융위기 이후의 패턴을 관찰해보면 실물 경기가 둔화될 것으로 보이거나, 혹은 주식 시장 등 자산 시장에 충격이 찾아올 것으로 예상되면 미국 중앙은행인 연준이 아낌없이 유동성을 공급하며 금융 시장을 적극 지원해왔다. 일반적으로 성장이 둔화되는 상황에서 금리가 높다면 충격을 받겠지만 머지않아 연준의 적극적 지원으로 금리가 내려갈 것이라는 확신을 가진다면, 금융시장 참가자들은 미래에 대한 기대감을 반영하며 강하게 견뎌내는 모습을 보여줄 수 있다. 금융위기 이후 이어져왔던 연준을 비롯한 각국 중앙은행의 통화 부양책이 만들어낸 시장의 기대가 과거와는 사뭇 다른 양상의 시장 흐름을 만든 것이다.

예상보다 강한 미국 경제로 인해, 그리고 향후 금리가 내려갈 것이라는 기대로 고금리임에도 미국 실물 경제와 자산 시장은 탄탄한 모습을 이어가고 있다. 그러나 우리는 성장을 보다 다각도로 짚어볼 필요가 있다. 고금리를 견뎌낼 정도의 성장을 볼 때 여기서의 성장은 국가별로 다르게 나타날 수 있다. 미국 경제는 강한 성장세를 나타내지만 다른 국가들은 미국만큼 강한 흐름을 보이지 못할 수 있다. 아이러니한 것은 금리인데, 한국의 금리는 미국을 비롯한 선진국에 큰 영향을 주지 못하지만 반대로 미국의 금리는 한국뿐 아니라 전 세계 경제에 영향을 줄 수 있기 때문이다. 성장은 국가별로 다양한 모습을 보이지만, 금리의 경우 전 세계가 미국 금리의 영향권하에 있다.

미국 금리가 높은 수준을 유지할 때 미국의 성장이 탄탄하다면 미국 경제는 안정적 흐름을 보일 수 있다. 그러나 미국 이외의 신흥국 중에 성장세가 미국보다 상당히 부진하다면 어떻게 될까? 앞서 언급했던 고금리의 파고를 견뎌낼 수 있을까? 이렇게 되면 미국의 고금리에 미국 경제는 예상보다 적은 충격을 받을 수 있지만, 다른 신흥국들은 큰 충격에 휩싸일 수 있다. 전 세계 신흥국의 통화 가치가 하락하고, 미국을 제외한 다른 국가들의 금융 시장이 부진한 흐름을 이어가는 최근의 상황을 이렇게 해석할 수 있는 것이다.

그렇다면 미국만의 나홀로 성장과 독주가 이어질 수 있을까? 과거와 달리 글로벌화로 인해 전 세계 경제와 산업이 모두 복잡하게 얽혀 있다. 신흥국들이 충격을 크게 받게 되면서 성장 둔화가 뚜렷해지면 해당 국가에 투자했던 미국의 투자 손실이 커질 수 있다. 해당 신흥국과 미국이 교역을 하고 있다면 이들의 충격이 미국으로 전이될 가능성도 높다. 아무리 미국 경제가 강하다고 해도 글로벌 국가들의 부진이 장기화된다면 미국 경제 성장에도 역풍(headwind)으로 작용할 수 있는 것이다.

미국 경제의 상황만을 보면 금리의 추가 인상, 혹은 현재 상태의 높은 금리를 유지하는 것이 맞을 수 있다. 그러나 다른 국가들의 성장을 함께 감안한다면 미국 경제 상황에만 초점을 맞춘 고금리가 주는 부작용이 더욱 두드러질 수 있다. 그리고 여전히 높은 미국의 인플레이션 역시 미국 연준의 통화 정책 결정에는 또 하나의 고려 사항이 될 것이다. 연준의 향후 통화 정책이 풀기 힘든 고차방정식이 될 수밖에 없는 이유이다.[234]

153. 피케티의 계급투쟁

최근 번역 출간된 <돌봄과 연대의 경제학>에는 저자가 재직 중인 대학을 방문한 토마 피케티의 에피소드가 등장한다. 한 대학원생이 피케티에게 왜 계급투쟁보다 조세제도를 강조하는지 묻자 그는 조세가 바로 계급투쟁의 한 형태라고 대답했다는 것이다. 아마도 꽤나 급진적인 학생의 도발적 질문에 현대 자본주의의 본질적 측면 중의 하나를 정확하게 지적함으로써 응수한 셈이다.

피케티가 누구인가? 베스트셀러 <21세기 자본>을 통해 공개한 불평등에 관한 연구로 학계는 물론 대중적으로도 스타가 된 프랑스 경제학자. 그 인기에 힘입어 2014년 한국을 방문하여 특급호텔에 모인 수백명의 청중 앞에서 강연했던 인물이다. 영어를 제외하면 번역본이 가장 먼저 나올 정도로 선진국 따라잡기 능력을 유감없이 발휘한 한국에서, 피케티를 초청한 주체는 경제철학에 있어서는 대척점에 놓인 언론사였다. 해당 매체에서는 피케티에게 유도신문에 가까운 질의를 통해 한국에서는 부자증세 못지않게 성장이 소득격차 해소를 위한 방법이라는 엉뚱한 답변을 끌어내 보도하기도 했다. 여러 가지 의미에서 한국적 열광의 대상이었던 피케티의 새로운 에피소드를 읽으며 다시금 한국으로 눈을 돌려본다.

언론보도에 따르면 올해 종합부동산세 규모는 2005년 제도 도입 이래 가장 큰 폭으로 줄어 세수로는 2조원 이상, 과세대상자로는 지난해의 130만명가량에서 최소 30만명 이상 감소할 것이라고 한다. 어림잡아 국내총생산의 약 0.1%가 줄어든 셈이며, 자산에서 부동산이 차지하는 비중이 압도적인 한국 상황을 감안하면 자산보유 순으로 최상위 100만명 남짓에 속하는 이들에게 이익이 돌아가는 감세 조치가 이루어진 셈이다. 보고 들은 것이 적은 탓인지 모르겠으나, 세금 감면의 효과가 사회 전체의 형평성은 제쳐놓더라도 경제에 미치는 기술적 영향, 심지어는 성장이나 효율성에 어떤 영향을 미치는지에 관해서조차 상세한 분석이나 논쟁이 이루어진 것 같지는 않다. 연전의 소득주도성장 논쟁에서 그 입장의 옳고 그름과 무관하게 최저임금 인상의 효과를 둘러싼 수많은 경제학자들의 비판이 어지러이 날아들던 것을 상기한다면 신기할 지경이다.

과연 수많은 경제학자들과 경제학회들은 이른바 부자감세에 대해 철저하게 객관적인 경제이론 혹은 자유시장경제적 신념에 근거하여 동의하기 때문에 조용한 것일까? 아니면 그저 언론지형이 한쪽으로 기울어져 있기 때문에, 이른바 좌파적

정책에 대한 반응과는 달리 명시적·암묵적인 동의만 보도되는 것일까? 그런데 정작 기울어진 운동장에서 유리한 위치에 있는 것으로 추정되었던 이들이 오히려 언론 환경을 "평평하게" 만드는 기동전을 수행하고 있는 것은 또 왜일까?

정치가 경제를 잡아 삼키고 정치보도가 경제보도를 빨아들이는 시대, 어쩌면 한편에서 피케티가 말하는 계급투쟁이 조용히 진행되는 동안, 다른 한편에서는 그것으로부터 관심을 돌리기 위한 홍보와 이데올로기 전쟁만 난무하고 있는 것일지도 모른다. 자유주의와 밀턴 프리드먼을 운위하던 정부에서 자행되는 국가주의적 경제운영, 어김없이 몇십조원이라는 믿거나 말거나 식의 계산이 따라붙는 엑스포의 경제적 효과 계산, 이코노미석을 타는 경제권력의 소탈한 모습이나 정치권력의 "세일즈"를 위한 강행군으로 보도되는 화면 뒤편에서 일어나는 일은 무엇일까?

말보다 행동이 더 크게 말한다는 격언은 이 경우에도 타당하다. 북한의 도발에 대한 철저한 보복이나 파멸 예고로 응수하는 고위 국방권력자들이 국회에 출석하였을 때나 심지어는 미사일이 날아든 날 주식거래를 했다는 혐의를 받는 희극적 현실은 적어도 미사일보다는 금융자산거래의 손익계산이 더 중요하다는 것을 말이 아니라 행동으로 입증해 준다. 내년 봄의 총선, 그리고 다시 그 후에 펼쳐질 대선 준비에 이르기까지, 무협지 같은 정치인들의 권력 다툼이 우리의 눈을 가리는 사이에 기득 권익의 확장은 그렇게 조용히 이루어지리라 예고하는 것이기도 하다.

피케티는 전작보다 훨씬 더 직설적이고 과격(?)해진 〈자본과 이데올로기〉에서 불평등을 자연스러운 것으로 받아들이도록 만드는 이데올로기의 역할을 강조한다. 그렇지만 역시나 이데올로기가 힘을 가질 수 있는 것은 그것이 누군가의 물질적 이익을 확보하고 유지해줄 수 있기 때문이다. 그러므로 다시 〈21세기 자본〉의 마지막 구절로 돌아가야 한다. "돈이 많은 사람들은 자신의 이익을 지키는 데 결코 실패하지 않는다. 숫자를 다루기를 거부하는 것이 가난한 이들의 이익에 도움이 되는 경우는 거의 없다." [235]

154. 청년에게 불평등만 물려줄 순 없다

만 19~34세만 가입할 수 있는 청년도약계좌가 인기를 끌고 있다. 신청 접수 사흘간 신청자가 24만명을 넘어섰다. 해당 연령대 경제활동인구 가운데 10%가량이 가입을 신청한 것으로 추산됐다. 매달 70만원씩 5년간 적금하면 정부 기여금과 비과세 혜택을 더해 최대 5000만원을 마련할 수 있다고 한다. 지금은 출생연도에 따라 5부제로 신청할 수 있는데, 22일부터 제한이 없어져 가입 신청이 더 늘어날 것으로 보인다. 투기성 높은 가상자산(코인)에만 열을 올리는 게 아니라 착실하게 자금을 모으겠다는 청년도 적지 않다.

언젠가부터 한국 청년에게는 '부모보다 못사는 첫 세대'가 될 거라는 우울한 전망이 꼬리표처럼 붙고 있다. 기성세대는 취업과 결혼, 출산, 내집 마련, 육아 등의 과정을 비교적 무난하게 거쳐왔다. 열심히 일하면 물질적으로 더욱 풍요롭게 살 수 있을 것이라는 기대는 현실이 됐다. 그러나 현재 청년들은 희망을 품기 어려운 현실에 처했다. 기성세대가 당연한 것처럼 여겼던 과정이 청년에게는 포기해야 할 것들이 되고 말았다.

청년이 상대적으로 가난해질 것이라는 전망은 최근 급격하게 벌어진 자산 격차 탓이 크다. KB국민은행 통계를 보면 올해 1분기 서울의 소득 대비 주택가격(PIR)은 14.5이다. 집값(7억2250만원)이 연소득(5309만원)의 14.5배라는 뜻이다. 2018년까지 PIR은 8 안팎이었으나 이후 급등했다. 통계는 아파트담보대출을 받은 사람이 대상이고, 사회 초년생의 실제 소득은 통계보다 훨씬 적다. 물려받은 게 없는 청년이라면 서울에서 집 사기가 거의 불가능하다.

최근의 부동산 가격 폭등은 경제적 불평등을 고착화했고, 청년의 희망 사다리마저 걷어찼다. 한 푼 두 푼 모아서는 내집은 고사하고 전셋집도 마련하기 어렵다. 빚까지 내가며 주식이나 가상통화 투자 열풍에 뛰어드는 청년이 부지기수인 이유다. 이런 상황에서 목돈을 만들 수 있는 정책 금융상품이 나왔으니 인기를 끌 만하다. 꾸준히 납입할 수만 있다면 자산 형성에 큰 디딤돌이 될 수 있다.

청년도약계좌는 윤석열 대통령의 핵심 청년 공약이다. 윤 대통령은 지난 4월 국무회의에서 '미래세대'를 7차례 언급하며 국정의 주안점을 미래세대에 두고 있음을 강조했다. 최근에는 전 정부에서 급증한 국가채무와 관련해 미래세대에 대한 '착취' '약탈' 등의 단어를 동원하며 강력하게 비판하기도 했다.

보호하고 키워야 할 미래세대를 착취와 약탈의 대상으로 전락시킨 건 기성세대이다. 그들에게는 노력하면 기회가 주어졌고 열심히 일해 가난에서 벗어날 수 있었다. 외환위기와 글로벌 금융위기 등 고난의 시기가 있었지만, 성장에 편승해 과실을 나눠 먹었다. 노벨 경제학상을 받은 조지프 스티글리츠 미국 컬럼비아대 교수는 〈불평등의 대가〉에서 "불평등을 옹호하는 사람들은 상위 계층에게 더 많은 돈을 몰아주면 성장이 가속화되므로 모두가 그 혜택을 받게 될 거라는 반론을 펼친다. 이것이 이른바 낙수경제 이론"이라고 밝혔다. 실제로 성장 과정에서 일부 낙수효과가 나타나기도 했다.

맨 앞에서 성장을 이끄는 1%는 성장할수록 더 많은 성장을 요구했다. 1%의 탐욕은 미래에 써야 할 자원마저 고갈시키며 부를 급격히 불리고 있다. 스티글리츠 교수는 "부자가 되는 비결은 두 가지다. 하나는 부를 창출하는 것이고 다른 하나는 다른 사람들로부터 부를 빼앗아 가지는 것이다. 앞의 방법은 사회의 부를 늘리지만, 뒤의 방법은 대개 사회의 부를 감소시킨다. 부를 빼앗는 과정에서 부가 파괴되기 때문"이라고 주장했다. 다른 사람의 부를 빼앗는 착취로 낙수효과는 사라졌고, 성장 기반도 무너져가고 있다. 세계에서 가장 빠르게 성장했다는 한국은 출생률이 가장 낮고 스스로 목숨을 끊는 청년이 가장 많은 나라가 됐다.

이대로 간다면 청년과 미래세대에게 물려줄 것은 경제적 불평등과 사회적 갈등, 파헤쳐진 지구뿐이다. 1%의 탐욕과 거기에 기생한 기성세대가 미래를 내다보지 않고 성장에 매진한 탓이다. 인류의 미래가 파국으로 치달을 수 있다는 국제사회의 경고가 나온 지 50년이 넘었다. 자원 고갈과 환경 파괴에 따른 성장의 한계를 예고했지만 변한 것은 거의 없다. 정부가 청년과 미래세대에 정책을 집중하기로 한 것은 바람직하다. 청년도약계좌와 같은 미시적 정책뿐 아니라 미래를 내다보고 큰 그림을 그려야 한다. 기후변화와 같은 위기는 먼 미래가 아니라 바로 눈앞이다. 청년에게 암울한 미래를 물려줄 수는 없다.[236]

155. 쿠팡 '클렌징'은 사회적 합의 부정이다

2020년 3월부터 만 2년 동안 10명의 노동자가 목숨을 잃었던 쿠팡 물류센터에서는 올해도 죽음의 행렬이 이어진다. 야간 택배 분류작업을 수행하던 노동자가 화장실에서 심정지 상태로 발견된 것이 올해 1월이었다. 2월에는 화물 노동자가 트럭에서 떨어져 유명을 달리했다. 퇴근길 셔틀버스를 기다리다 심장마비로 숨진 사례도 있었다. 3월에는 2020년 10월 산재로 사망한 장덕준의 유족들이 회사 측으로부터 사과와 보상 지원을 끝내 약속받지 못한 채 동부지법에 소송을 제기했다. 회사가 택배 사업을 확장하면서 배송 인력을 자회사로 재배치하는 가운데 일어난 사건들이다. 그런 와중에 최근에는 물류센터가 아니라 택배 자회사에서 문제가 불거졌다. 대리점한테서 위탁구역을 회수하는 '클렌징' 제도를 둘러싼 갈등이 그것이다.

택배기사 과로방지 대책을 놓고 정부와 택배회사, 노동조합 간에 사회적 합의가 도출된 것이 재작년 이맘때였다. 그때 합의된 약속 중 하나는 택배노동자의 업무 범위에서 분류 작업을 배제하는 것이었다. 그러나 언론 보도에 따르면 국토교통부 현장점검 결과 지난해 1~8월 점검 대상 97곳 중 실제로 분류 작업 배제가 이루어진 곳은 28%에 그쳤다. 9~12월 점검 대상은 13곳으로 대폭 줄었는데 그중 8곳에서 택배노동자가 여전히 분류 작업에 참여하고 있었다. 이번에도 사측은 약속을 지키지 않았다. 현장점검에서 적발해도 개선 명령을 안 내리는 걸 보면 이번에도 정부는 그들과 한통속이다. 그나마 노동조합이 있는 사업장은 나아졌다고 하니 현장의 조직된 힘으로만 합의 이행을 강제할 수 있는 셈이다.

쿠팡의 택배 자회사는 당시 사업자 등록 이전이었기에 사회적 합의의 주체는 아니었다. 하지만 업계 2위 사업자가 합의 결과로부터 자유로울 수는 없다. 그런 점에서 택배노동자과로사대책위원회의 의뢰로 한국노동사회연구소에서 실시한 쿠팡 퀵플렉스 노동자 대상 4월 실태조사 결과는 충격적이다. 회사가 사회적 합의를 거의 지키고 있지 않아서다.

노동자들은 아직도 평균 2시간 넘게 매일 분류 작업을 수행 중이다. 주 60시간을 넘는 노동을 금지했음에도 노동자 31.4%는 그보다 긴 시간 일한다. 이 회사에 특히 많은 야간노동을 고용노동부가 고시한 '과로사 기준'으로 할증해서 따지면 그 비율은 31.4%를 크게 웃돌 법하다. 게다가 국토부 조사로도 노동자 40%는 표준계약서를 쓰지 못하고 있다. 회사는 원청이 부담하기로 합의했던 고용보험료와 산재보험료조차 부담하지 않는다.

그중에서도 클렌징은 심각한 문제다. 사회적 합의의 결과로 제정된 생활물류서비스발전법(생물법) 제2조와 국토부의 택배사업자 표준계약서 제3조는 대리점마다 위탁구역을 지정하도록 명시하고 있다. 다른 택배회사들도 대리점에 책임 배송지역을 할당한다. 그런데 유독 쿠팡은 위탁구역을 지정하지 않거나 지역 범위를 넓혀 복수의 대리점 간 경합을 유도한다. 그런 다음 부속합의서를 통해 강제된 서비스 수행기준을 준수하지 못하면 위탁구역을 회수하는 클렌징을 단행한다. 대리점에 구역이 지워지면 대리점과 계약한 노동자들도 구역을 잃게 된다. 언제든 그런 일이 일어난다. 사실상 상시해고나 다름없는 것이다. 클렌징은 그렇게 노동조합 활동을 억압하는 수단으로도 악용되고 있다.

재작년 사회적 합의에서 위탁구역 할당 의무를 원청 택배회사에 부과했던 취지는 구역의 안정적 유지 여부가 노동자의 소득과 노동조건에 결정적이기 때문이었다. 분류 작업 배제도, 주 60시간 규정도, 표준계약서도, 원청의 사회보험 부담도 같은 취지였다. 그런데 그와 같은 의무에서 쿠팡만 예외가 인정되고 있다. 이런 식으로는 다른 택배회사들의 이탈 압력만 키울 수밖에 없다.

특히 쿠팡의 클렌징은 우리 사회가 어렵게 도달한 사회적 합의 전체를 무너뜨린다. 그것은 끝 모를 바닥을 향한 경주처럼 노동조건을 악화시킨다. 클렌징은 편법이나 꼼수일 뿐 '혁신'이 아니다. 혁신의 올바른 경제학적 정의에는 생산성 개선이 노동자나 하청 공급 기업의 일방적 희생의 산물이면 안 된다는 조건이 붙어 있기 때문이다.

쿠팡이 사회적 책임을 회피하지 않는 기업이라면 당장 사회적 합의의 틀 안에 들어와야 하고, 생물법 적용을 받아야 마땅하다. 합의 이행을 보증해야 할 국토부도 지금처럼 뒷짐만 지고 있을 일이 아니다. 정권은 바뀌었지만 사회적 합의는 유효하다. 택배노동자 수십명이 과로로 숨져간 '죽음의 과거'로 되돌아갈 수는 없다. 택배노조 조합원들에게 지지와 동지적 연대가 절실한 이유다.[237]

156. 이제 탈성장과 지속 가능한 세상을 애기할 때다

많은 선진국들이 1~2%대 경제성장률을 기록하는 시대에 접어들었다. 공급망 위기와 높은 인플레이션율, 기후위기, 불평등 심화가 겹쳐 삶이 더 어렵다. 한국은 낮은 출생률과 높은 자살률도 안고 있다. 보다 많은 사람들이 행복한 사회로 가려면 어떻게 해야 할까. 경향신문이 28일 세계 석학들을 초청해 개최한 경향포럼이 대안적 관점을 제시해줄 수 있다. '성장을 넘어-모두의 번영을 위한 새로운 모색' 을 주제로 한 이번 포럼의 핵심어는 '탈성장' 이다.

반다나 시바 환경・사회 운동가가 28일 서울 중구 롯데호텔에서 열린 <2023 경향포럼>에서 기조강연을 하고 있다. 조태형 기자

탈성장은 경제성장에 집착하지 않고 국내총생산(GDP)에 잡히지 않는 삶의 문제를 들여다보자는 취지다. 성장은 더이상 가능하지 않을뿐만 아니라 바람직하지도 않다는 인식이 늘어났다. 주류 경제학자인 누리엘 루비니 미국 뉴욕대 명예교수는 탈냉전 후 30년간 이어진 세계 경제의 안정기는 2008년 금융위기로 끝났다고 했다. 그러면서 0에 접근하는 각국의 잠재성장률을 보면 탈성장이 현실이 되고 있다고 진단했다. 그는 세계 경제가 스태그플레이션이 지속되는 가운데 탈세계화로 나아갈 가능성이 높다며 예전 같은 성장률 회복은 어려운 것으로 전망했다. 다만 그는 여전히 많은 세계 인구가 극빈층에 속한 현실에서 모든 나라가 성장을 포기할 순 없고, 기술의 도움과 진보적인 사회정책이 필요하다고 했다.

일본의 생태사회주의자 사이토 고헤이 도쿄대 교수는 패러다임 자체를 바꿔야 한다고 했다. 그는 지난 50년 GDP와 탄소배출량이 연동돼 움직인 경향을 제시하며 '녹색성장' 은 지속 가능하지 않다고 했다. 전기차에 투자하기만 하면 기후

위기를 막으면서 성장도 하고 불평등도 해결할 수 있다는 환상에서 벗어나야 한다고 했다. 그는 부유층에 중과세하고 대신 대중교통, 돌봄 등 공유재에 재원을 더 배분해야 한다고 했다. 인도의 생태여성주의 활동가 반다나 시바 박사는 성장해야 할 것은 GDP가 아니라 산림, 강, 토양, 생물 다양성, 아이들, 공동체라고 말했다. 우리는 지구의 일부이고 주인이 아니라는 자각이 필요하다고 했다. 특히 그는 상위 1%가 세상을 좌우하는 구조가 가장 큰 문제라며 급진적 직접민주주의 실험, 소농에 의한 농업을 더 장려해야 한다고 했다.

많은 사람들이 지금보다 경제를 축소해야 더 행복해질 수 있다는 제안을 흔쾌히 받아들이기는 쉽지 않을 것이다. 그럼에도 기후위기의 시급성, 갈수록 심화하는 불평등, 풍요 속에서도 커져가는 불행함을 고려한다면 멈춰 생각해볼 필요가 있다. “2년마다 아이폰을, 5년마다 자동차를 바꾸는 삶의 양식”을 계속 유지하면서 지구가, 인간이 온전히 남아 있기를 바라는 생각 자체가 유토피아에 가깝지 않을까.[238]

147. 슈퍼빌런의 경제학

경제학에 슈퍼스타 이론이라는 것이 있다. 소위 말하는 셀럽들 사이에서 소수의 최상위가 엄청난 소득을 올리는 것을 설명하는 이론인데 어느 분야든 최상위의 능력은 뛰어나지만 그것만으로 엄청난 소득의 독식을 설명하기 어렵다. 벌어지는 소득 차이만큼 최상위의 능력이 차상위에 비해 좋아졌다고 말할 근거는 없기 때문이다.

슈퍼스타들이 탄생하는 데에는 기술의 발전이 한몫한다. BTS는 남미, 아프리카 등 세계 시장을 어렵지 않게 커버하는데 그게 인터넷일 수도 있고 유튜브일 수도 있다. BTS가 세계적 슈퍼스타가 된 데에는 그들의 능력을 증폭시켜주는 IT기술의 기여가 상당하다는 것이다.

그런데 이런 기술의 발전이 좋은 방향으로만 작동하는 것 같지는 않다. 슈퍼스타들이 조금만 흑화되어도 부정적 영향 또한 쉽게 전파될 것이기 때문이다. 많이 흑화될 필요도 없다. 상위 0.1%와 1%의 능력 차이가 몹시 커서 소득 차이가 매우 커지는 것이 아니라 작은 능력 차이가 기술과 결합돼 승자독식을 가져오는 것에 정확히 반대의 현상이 나타날 수 있다는 것이다. 우리의 기술은 작은 '삘짓' 도 크게 증폭시킬 준비가 되어 있다.

최근 언론에서 화제가 되고 있는 것은 테슬라와 메타의 최고경영자인 일론 머스크와 마크 저커버그의 진짜 싸움 성사 여부이다. 트위터에서 농담처럼 시작된 것이 일파만파로 커져 이제는 아주 가관이다.

세계 최고 종합격투기 단체인 미국 UFC 회장은 언론 인터뷰에서 둘의 경기는 역대급 빅 파이트가 될 것이라고 끼어들었고, 미국 매사추세츠 공과대학(MIT) 연구원이자 인공지능의 권위자라고 알려진 사람은 트위터에 일론 머스크가 주짓수 훈련을 하는 사진까지 공개했다. 또, 둘의 격투를 가상에서 즐길 수 있는 웹게임까지 벌써 나왔단다.

잘 모르겠다. 누구는 그냥 웃고 넘어가면 되지라고 말할 수 있겠으나 미국, 더 나아가 전 세계 젊은 세대들의 롤모델이라는 두 사람이 서로를 때려눕히겠다며 진정한 능력자란 이런 것이다라고 관종질하는 것이 나는 좀 불편하다. 두 사람은 이미 슈퍼스타다. 1970년대 이래 대부분의 자산버블은 평균 5년 동안 500% 정도 상승하고 꺼졌는데, 테슬라의 10년 주가수익률은 2756%이고 메타는 985%이다. 근래 자산버블의 역사에서 거의 나타난 적이 없는, 10년이 넘는 상승과 1000% 이상의 수익률을 기록하고 있는 파괴적 혁신기업(Disruptors)의 두 주역이다.

이 둘이 새로운 세계를 열어젖혔다고 찬양하기도 하지만 뭔가 불안하다. 이 기간 동안 아이러니하게도 세계경제는 생산성의 정체라는 역설을 겪고 있기도 하다. 난 혁신기업들의 기술을 평가할 능력은 없다. 다만 이 놀라운 기업가치 상승에는 많은 퍼즐들이 있을 것이고 적어도 이 파이터들에게 무조건 엎어지는 대열에 동참할 마음은 없다.

슈퍼스타는 쉽게 슈퍼빌런이 될 수 있다. 왜? 일단 자기 선택이다. 우리는 경험적으로나 실증적으로 최고의 자리에 오르는 사람이 매우 독특할 수 있다는 것을 알고 있다. 그리고 이런 내재적 성향은 조건만 갖추어지면 언제든지 밖으로 나타날 수 있다. 두 번째, 슈퍼스타는 통제하기 어렵기 때문이다. 엄청난 영향력을 가진 사람에게 면전에서 노(No)라고 말할 수 있는 사람은 드물다. 이번 머스크와 저커버그의 싸움에 언론과 지지자들이 열광(?)하고 있을 때 유일하게 싸움을 부추기지 말라고 제동을 건 사람은 머스크의 어머니이다.

얼마 전 해외 언론에서 재미있는 비교를 보았다. 슈퍼스타 이론이 잘 작동한다고 알려진 뮤지션 시장에서 최근 미국 팝스타 테일러 스위프트는 콘서트당 1200만달러를 버는데, 170년 전인 1850년대에 영화 <위대한 쇼맨>에 나왔던 스웨덴 오페라 가수 제니 린드는 450만달러를 벌었다. 2020년대의 테일러 스위프트가 1850년대의 제니 린드보다 2.7배 더 버는 데 그친 것이다.

음향기술의 비약적 발전으로 지금은 대규모 군중이 들어갈 수 있는 스타디움에서 콘서트를 즐길 수 있다. 콘서트 장소의 크기 차이를 감안하면 콘서트 표의 가치는 제니 린드가 높았을 것이다. 여러 이유가 있을 수 있지만 제니 린드가 테일러 스위프트보다 대체 불가능한 가치가 있었다는 주장이 있다.

우리는 슈퍼빌런들에게 경고를 날릴 수 있어야 한다. 당신이 기술을 발전시켰지만 그 기술이 당신의 능력을 과대평가하고 있다고 말이다. 그리고 상대방을 힘으로 굴복시키는 것으로 그 능력을 과시하고 싶다면 당신은 마피아 두목과 다를 바 없다는 것도 알려야 한다.[239)]

158. 시장 개입과 정부의 역할에 대한 논쟁들

지난달 열린 '2003년 국가재정전략회의'에서 정부는 '재정 건전성'을 다시 강조했다. 재정지출은 늘 뜨거운 감자이다. 정부가 재정지출을 늘리면 '세금을 낭비하면서 눈 먼 돈이 풀린다'는 우려가, 재정 건전성을 강조하면 '정부의 공적 역할을 방기한다'는 비판이 나오곤 한다. 옳고 그름을 떠나 우리 정부의 재정 건전성 강조는 보수주의자의 정체성에 부합하는 정책 방향이다.

시장을 바라보는 관점의 차이는 경제적 진보주의와 보수주의를 나눈다. 경제적 진보주의자는 정부가 개입해 시장의 불완전성을 보완해야 한다는 철학을 가지고 있고, 보수주의자는 정부가 끼어들어 자원 배분을 왜곡하기보다는 가능하면 시장에 맡겨두는 것이 좋은 결과를 가져온다는 철학을 가지고 있다. 양자의 대립은 오랜 역사를 가지고 있다.

1930년대부터 1960년대까지는 진보주의의 시대였다. 산업혁명 이후 최악의 위기였던 대공황을 극복해 나가는 과정에서 진보주의 경제학이 권위를 얻었다. 시장이 창출하지 못하는 유효 수요를 정부가 만들어야 한다는 경제학자 케인스의 아이디어는 미국 민주당 프랭클린 루스벨트 정권의 뉴딜 정책을 통해 발현됐다. 2차 세계대전 발발이 초래한 국가 주도 전시경제 체제 또한 막대한 관제 수요를 만들어냈다. 경제에 대한 국가의 광범위한 개입이 나타나면서 미국의 극보수주의자들은 루스벨트 대통령을 '사회주의자'라고 공격했지만, 그는 4선 대통령이라는 전무후무한 역사를 남겼다.

진보주의의 득세는 1960년대까지 이어졌다. 정부가 큰 역할을 해야 했기에 세금을 많이 걷었다. 1960년대 미국의 최고 소득세율은 90%대에 달했다. '요람에서 무덤까지' 정부가 책임지는 요즘의 북유럽 복지국가 모델이 당시 서구 자본주의 국가들의 일반적인 지향점이었다. 존 F 케네디 사후 대통령에 취임한 민주당 린든 존슨 대통령의 '위대한 사회(great society)'는 진보주의자들의 로망이 집결된 슬로건이었다.

1970년대 스태그플레이션은 진보주의자들의 이론적 토대였던 케인스 경제학의 권위에 치명타를 가했다. 진보주의자들의 과도한 재정지출과 베트남 전쟁이 인플레이션의 불쏘시개로 작용했다. 뉴딜과 2차 세계대전으로 흥했던 진보주의 경제학은 위대한 사회 구현을 위한 과도한 지출과 베트남 전쟁을 거치면서 쇠했다.

1980년대부터 보수주의의 시대가 열렸다. 공화당 로널드 레이건 대통령은 '정부는 문제에 대한 해결책이 아니다. 정부 그 자체가 문제이다' 라는 취임사로 1980년대를 열었다. 감세와 규제완화, 민영화가 1980년대 이후의 시대정신이었고, 이런 흐름은 2008년 글로벌 금융위기 때까지 이어졌다.

보수주의와 진보주의의 대립은 엎치락뒤치락하면서 오늘날까지 이어지고 있다. 얼마 전 큰 이슈가 됐던 미국 연방정부 부채 한도 협상이 대표적 사례이다. 미국의 국가부채 한도는 시간이 지나면서 쭉 증가해왔는데, 민주당 정부에서 부채 한도 증액을 요청할 때 야당인 공화당이 이를 견제하는 과정에서 분란이 일어나곤 했다. 특히 정부 부채가 단기간 내 급증한 직후 부채 한도를 증액할 때 논란이 치열했다. 글로벌 금융위기를 수습하기 위해 재정지출이 급증한 직후 민주당 오바마 행정부에서 벌어진 2011년 협상, 코로나 팬데믹으로 막대한 재정이 집행된 직후 민주당 바이든 정부에서 벌어진 올해 협상이 그랬다.

올해 부채 한도 협상 과정에서는 바이든 행정부가 비판받을 수 있는 여지가 많았다. 코로나 팬데믹으로 국민들에게 현금 지원 형태의 막대한 보조금이 지급됐고, 연방준비제도의 양적완화로 엄청난 유동성이 풀려 있는 상황에서 바이든 행정부가 재정지출을 늘려 인플레이션을 가속화시키는 역할을 했기 때문이다.

한국도 코로나 팬데믹으로 재정지출이 급증했기 때문에 보수 정부하에서 재정

건전성을 강조하는 스탠스를 취하는 것은 자연스러운 현상으로 이해할 만하다. 다만 장기적으로는 한국 경제의 재정 의존도가 줄어들기보다 늘어날 가능성이 크다. 민간의 활력 저하를 재정지출로 완충시키는 일은 서구 선진국과 일본 등에서 보편적으로 관찰되는 현상이다.

흥미로운 사실은 한국 경제의 재정 의존도가 본격적으로 높아지기 시작한 시기가 2015년부터였다는 점이다. 보수 정부였던 박근혜 정권 후반부였다. '줄푸세'로 대표되는 보수주의 철학을 가진 정부에서 재정의 성장 기여도가 높아지기 시작했다는 점은 매우 상징적이다.

과거 정부 중 가장 급진적인 부동산 규제 정책을 내놓은 것은 어느 정권이었을까? 노무현 정권과 문재인 정권을 떠올리시는 분들이 많겠지만, 나는 노태우 정권이라고 본다. 정책 자체로 보면 그렇다. 노태우 정권에서는 토지 공개념, 토지초과이득세 등이 부동산 과열을 억제하기 위한 대책으로 거론됐다. 결국 실행되지 않은 공약으로 끝났지만, 토지 공개념은 '사유재산에 대한 부정'이라는 비판을 받았고, 토지초과이득세는 '미실현 이익에 대한 과세'라는 점에서 문제 제기를 하는 이들이 많았다. 보수적인 성향의 정부에서 급진적인 부동산 대책이 고려됐다는 사실은 시사하는 바가 크다. 정권 구성원들이 가지고 있는 철학과는 무관하게 급진적인 대책을 고려하지 않으면 안 될 정도로 부동산 투기에서 비롯되는 폐해가 너무도 심각했기 때문이다.

한국 경제는 평균의 함정에 빠져 있다. 올 하반기에는 반도체 경기가 회복될 가능성이 높다고 보는데, 이럴 경우 수출을 매개로 성장률은 개선될 가능성이 높다. 그렇지만 평균적인 성장률이 개선되더라도 그 과실이 자영업을 비롯한 내수로 이어지는 연결고리는 많이 느슨해졌다. 또한 시장에서의 자유로운 경쟁이라는 세계화 시대의 미덕도 크게 퇴색했다.

내셔널리즘이 득세하면서 자국 산업을 부흥시키기 위한 산업 정책의 시대가 도래하고 있다. 특정 산업에 인센티브를 주는 일은 그 자체가 직접적인 재정지출은 아닐지라도 경제적 자원 배분에 정부가 개입하는 행위이다.

정부의 곳간이 무한정 채워질 수 있다는 생각으로 흥청망청 쓰는 일은 맹목이지만, 시장에서 이뤄지는 자원 배분이 최고의 선이라는 생각 또한 공허하지 않을 수 없다.[240]

159. 압축성장 뒤에 드리운 그늘

압축성장이란 짧은 기간 동안 이룬 급격한 경제성장을 일컫는다. 주로 정부 주도로 이뤄지는데, 우리나라는 전 세계에서 유일하게 초고속 압축성장으로 서방 강국들을 단기간에 따라잡은 국가이다. 하지만 모든 생명체나 조직이 튼튼하게 성장하기 위해서는 기초를 다지는 것이 중요하다. 작가 김진경은 "한국은 1960년대 이래 30년 동안 서구의 300년을 압축해 따라갔다. 무서운 속도의 서구 흉내내기 속에서 자신을 돌아본다는 것은 가능하지도 않았고 필요한 일로도 간주되지 않았다" 고 했다.

하지만 이제는 초고속 성장하면서 소홀했던 것과 잃어버린 것은 없는지 돌아보는 성찰이 필요하다. 행복지수·저출생 등은 세계 최하위권에서 맴돌고 있고, 자살률·노인 빈곤율 등은 최고 수준을 보이고 있다. 부끄러운 대한민국의 자화상이다.

우리는 경제가 성장한 만큼 행복할 것이라고 믿는다. 그러나 스웨덴 생태환경 운동가 헬레나 노르베리 호지는 <행복의 경제학>에서 "경제성장이 곧 행복을 가져오는 것은 아니다" 라고 했다. 한국은 세계 10위권 경제대국이다. 한국형 위성 발사체 누리호를 자체 기술로 쏘아 올린 과학기술력이 있고, K팝이나 영화, 드라마, 뷰티 등 문화력까지 세계가 주목하는 나라가 됐다.

그런데 유엔이 발표한 '세계행복 보고서 2023' 에 따르면 한국인의 행복지수는 137개국 중 57위, 경제협력개발기구(OECD) 38개국 중에선 35위로 최하위권이다. 글로벌 리서치 업체 입소스(IPSOS)가 공개한 '세계행복 2023' 보고서에도 '모든 상황을 종합했을 때 행복한가' 라는 질문에 "그렇다" 고 응답한 한국인은 57%로 조사 대상 32개국 중 31위다. 한국방정환재단에 따르면 어린이·청소년의 주관적 행복지수 역시 OECD 22개국 중 최하위다.

선진국만큼 경제성장을 이루었다고 해서, 그들이 수백 년간 쌓아올린 '성숙과 숙고' 의 경지까지 올라갈 수는 없다. 성숙사회가 되려면 숙고하는 국민이 다수가 돼야 한다. 성숙은 모방이 아니라 사색과 성찰에서 나온다. 성장한 만큼 성숙하지 못해 빚어지는 온갖 사회적 문제는 '압축성장의 그늘' 이라고 할 수밖에 없다.

1980년대만 해도 연평균 9%에 달했던 우리나라 잠재성장률은 최근 들어 갈수록 내리막길을 걷고 있고, 장기적으로는 역성장할 수 있다는 분석도 나온다. 한국개발연구원(KDI)은 2022년 보고서에서 2023~2027년 2% 수준인 잠재성장률이 현재 생산성 수준이 유지되면 2050년에는 0%까지 낮아질 것으로 추정했다. OECD는 2021년 보고서에서 한국은 2025년에 1%대 성장에 진입한 이후 2033년 0%대 성장, 2047년부터는 마이너스 성장을 기록할 수 있다는 전망을 내놨다.

압축성장 뒤에는 그늘이 생기고 부작용이 따르기 마련이다. 느리더라도 내실을 다지는 것이 견실한 성장의 밑거름이 된다. 그늘을 지우고 겉보다는 속을 알차게 채워야 할 때이다. [241)]

160. '새로운 패러다임을 찾아서'

우리나라의 지하자원은 '광물의 표본실' 이라 할 만큼 종류가 다양한 데 비하면 양과 질은 빈약하다. 실제로 채굴되는 광물은 약 30여 종뿐이다.

300여 종의 광물이 매장되어 있으며, 유용광물이 140여 종이나 된다. 지하자원의 매장은 고생대 이전의 화강편마암계에 주로 매장되어 있다. 무연탄, 규사, 고령토, 석회석, 텅스텐, 흑연, 금, 은, 철 등은 풍부하나 염기성 광물인 역청탄, 암염, 유황 등의 매장은 전혀 없다. 구리, 우라늄 등도 양과 질이 빈약하다. 그러나 공업 성장으로 자원의 수요가 증대되어 해외의존도는 해마다 증가하고 있다. 특히 최근에 와서 폐광지역이 발생되어 이곳에 관광지 개발 경향이 높아지고 있다. 철광석은 고생대 이전의 지층에 많이 분포한다. 우리나라는 삼한시대부터 철을 이용해 왔으나, 근대적 개발의 역사는 짧다.

주요 철광의 매장은 관서지방, 관북지방, 태백산지역에 많이 분포되어 있다. 주요 철광산지로는 은율, 재령, 하성, 송림을 중심으로 하는 관서철광지대, 무산, 회령, 북청, 이원을 중심으로 하는 관북철광지대와 양양, 홍천, 충주 등을 중심으로 하는 태백산철광지대 등이 있다.

텅스텐은 특수강 제조의 합금 원료로 세계적인 광물자원이다. 분포지역은 황해도 백년, 강원도의 상동이 중심지이다. 남한의 매장량은 3, 140만 톤이며, 70% 정도가 상동광산에 매장되어 있다.

구리는 전선, 전기기계, 청동기류 등에 쓰여 은 광물이다. 전력산업의 발달과 전자제품의 개발로 수요가 급증하고 있다. 매장지역은 영남지방이 주산지이나, 태백산지구에도 분포되어 있고, 연간 생산량은 838만 들 정도이다. 동광은 금, 은, 납, 아연광과 함께 산출되는 것이 보통이다. 남한에서는 장항 · 온산제련소에서 정련된다. 근래에는 수요량이 급증하고 있어 수출이 금지되고 있는 금수품이다. 납과 아연은 축전지, 연관, 활자 등의 제조에 많이 쓰인다. 납과 아연은 평안북도의 강계, 초산과 남한의 시흥이 주산지이고, 토상흑연은 문경, 상주, 영월 등지가 주산지이다. 현재 생산량은 7만 톤인데 1/2을 수출하고 있다.

전세계 모든 나라와 우리나라 경제는 '눈이 보이지 않는 손' 에 의하여 원활하게 돌아가고 있다. 그러나 경제행위자의 불법행위가 우리사회에서는 수없이 발생하고 있다. 독과점 생리대 회사가 너무 터무니 없이 생리대 가격을 올려 가난한 학생의 경우 거의 생리대도 사지 못하는 일도 생기게 되었다. 그리고 소주포함 음료수 업체의 똑 같은 가격인상으로 인하여 소비자들의 경제적 피해는 계속 발생되고 있다. 또한 농업용 면세유를 개인용으로 사용하여 터무니 없이 싼가격에 공급하여 부당이득을 취하기도 하며, 몇 년전에 두 개 항공사가 가격차이가 거의 없을 정도로 항공료를 똑같이 올린 경우나 광산물 쓰레기 유찰대가로 인한 유찰된 업체에서 대가 지불등 수없이 불공정행위가 일어나고 있다. 이런 문제가 있을 경우에는 정확히 감시하고 처벌도 하여야 경제질서가 바로잡히게 된다,

그 역할을 담당하고 있는 것이 공정거래위원회라고 볼 수 있다. 공정거래위원회에서는 공정거래제도가 있어 거래를 활성화 시키고 있다. 공정거래제도는 시장경제체제의 기본원리인 '기업간의 공정하고 자유로운 경쟁' 을 보장하기 위한 경제활동의 기본질서를 확립하기 위한 것이다. 공정거래법(제1조)은 사업자의 시장지배적지위의 남용과 과도한 경제력의 집중을 방지하고, 부당한 공동행위 및 불공정거래행위를 규제하여 공정하고 자유로운 경쟁을 촉진함으로써 창의적인 기업활동을 조장하고 소비자를 보호함과 아울러 국민경제의 균형있는 발전을 도모함을 목적으로 하고 있다.

필자의 경우 극장, 놀이공원, 식당이용, 핸드폰 사용시 가격차별이 있는 것을 평시 느낄 수 있었다. 미시경제학에서는 가격차별(Price Discrimination)의 한 부분으로 독점기업이 이익을 남겨 매출을 증대시키기 위한 수단으로 활용하고 있다. 이러한 불공정행위에 대하여 시정조치하고 사회에 올바른 가격형성을 통한 잘못된 행위를 시정? 조치하는 것이 공정위라고 할 수 있다. 따라서 공정위 역할은 갈수록 중요하다고 볼 수 있다. 이 장에서는 산업구조와 경쟁3공통 최근 3년(2016-2018년) 동안 우리나라 공정거래위원회에 적발된 불공정거래행위 중 3가지 사례를 선택하여 위반행위 내용과 조치내용을 설명하기로 하자.[242]

『성경』의 창세기에는 에덴(Eden)이 나옵니다. 에덴이 어디에 있는지 알 길이 없지만 위치는 대체로 현재 이라크(Iraq) 인근으로 추정됩니다. 에덴은 '기쁨(pleasure)' 그 자체로 그 곳에는 고통도 싸움도 없고, 아담과 이브에게는 항상 보기에 아름답고 먹기에 좋은 나무가 넘쳐나 마음대로 과일을 따 먹을 수 있는 곳이었다고 합니다. 하나님은 이곳에 아담과 이브를 만들어 영원히 행복하게 살기를 바랐습니다.

그러나 아담과 이브는 선악을 알게 하는 나무의 열매를 따 먹지 말라는 하나님의 단 한 가지 명령을 어겼습니다. 교활한 뱀의 유혹을 받아 그들은 그 열매를 먹었던 것이죠. 그 징벌로 그들은 아무 걱정 없이 벌거벗은 채로 살았던 낙원에

서 쫓겨났고 에덴의 문은 불칼을 든 천사가 막고 있어 다시 돌아갈 수 없었습니다.

서양에서 말하는 인류의 최초의 세계인 이 에덴은 처절한 삶의 투쟁도 없고 아름다움과 풍성한 과일로 넘쳐나는 정말 신나는 곳이라고 합니다. 어쩌면 우리 모두가 꿈꾸는 세상이겠지요. 그러나 제가 보기엔 설령 그런 곳이 우리에게 주어진다 해도 우리의 욕망을 그대로 두고서는 유지가 될 것 같지 않습니다.

최근에 토드 부크홀츠(Todd G. Buchholz)의 『러쉬(Rush)』가 한국에 출판되었습니다.[243] 이 책에서 저자는 "에덴은 어디에도 없다 … 태초부터 경쟁이 있었을 뿐." 라고 강변합니다. 그래서 일반적으로 말하는 "무한경쟁 멈춰야 행복해질 수 있다." 는 식의 달콤한 위로는 신기루라고 말합니다.

에덴주의자들은 '미친 무한경쟁을 중단하고 자연으로 돌아가라.' 고 하면서, 현대인을 '쾌락의 러닝머신' 위에서 끝없이 질주하는 신세라 동정하고, 경쟁이야말로 우리 영혼을 갉아먹는 암적 존재라 질타합니다.

그러나 저자는 이들 에덴주의자의 생각들이 모두 낭만적인 허구이며 그 동안의 연구들을 보면, 야생은 비참했고 인류는 처절한 땅에서 인정사정없는 포식자들로부터 살아남기 위해 투쟁해왔다고 합니다. 자연의 출발점은 가난이었고 경쟁은 삶의 숙명이자 조건이었다고 강변합니다. 에덴주의자들은 경쟁이 불평등을 낳았다고 하지만 경쟁 시대 이후에야 생필품 값은 사상 최저로 내려갔고 평균 수명은 지난 150년 사이 2배 이상 늘었다고 합니다.

저자에 따르면, 오히려 팽팽한 경쟁과 긴장감이 우리를 행복하게 하는데, 사랑과 새로운 지식, 부 등을 맹렬히 추구할 때 도파민(dopamine, 쾌락신경전달물질)이 분비된다고 합니다. 새로운 일에 대한 야심이 없으면 뇌세포도 시들해진다고 합니다.

그렇다면 이 창세기의 이야기는 어떤 상징일 수가 있겠지요. 아담과 이브가 먹은 '선악과(善惡果)' 는 과연 무엇이었을까요?

이것을 알기 위해서는 아담과 이브가 그 선악과를 먹기 전후의 사정들을 알아봐야겠죠. 이들이 선악과를 먹은 후에 나타난 드라마틱한 변화를 살펴봅시다.

아담과 이브는 무엇보다도 부끄러움을 알게 됩니다. 이브는 잉태하는 고통을 느끼게 되고 엄청난 고통 속에서 자식을 낳아야 하고, 자신이 남편의 종이 된 것을 알게 됩니다. 아담은 땅의 저주를 받고 가시덤불과 엉겅퀴가 가득한 땅을 종신토록 힘들게 경작하여야 먹고살 수 있다는 것을 깨닫게 됩니다.

아마도 이전에는 이보다 더 힘든 삶을 살았을지도 모릅니다. 지금도 소나 돼지,

닭 등도 사람이라면 도저히 살 수 없는 환경이어도 잘도 살아가지 않습니까? 만약 그들이 현재의 상황을 직시하여 스스로 단결하고 집단으로 자살을 감행하거나 인간을 공격하기 시작하는 날이 오면 그야말로 세상의 종말이 올 지도 모릅니다. 그런데 다행히도 이들은 그러지를 못합니다. 바로 자아관념(自我觀念, the sense of self)이 없기 때문이죠. 자기 자신을 철저히 하나의 객체(客體) 또는 대상(對象)으로 인식하지 못한다는 말입니다.

그래서 에덴에서 추방된 것은 인간이 자아관념을 가지게 된 것을 상징적으로 표현한 것으로 보입니다. 인간은 자아의식이 있기 때문에 자살(suicide)을 할 수 있습니다. 그러니까 자아의식의 유무를 판단하는 가장 쉬운 척도는 본능이 아닌 '자신의 의지(will)에 따라 자살할 수 있는가' 에 달려있을 수도 있습니다.

문제는 이 자아관념(自我觀念)을 왜 기독교에서는 죄(罪)라고 하는가 하는 점입니다. 기독교에서 말하는 요지는 이 자아관념이 이기심과 욕망을 극대화하기 때문에 강력히 규제하지 않으면 안 된다는 것입니다. 물론 타당한 말이기도 합니다. 종교는 개인적인 삶을 도덕적으로 영위하게 하는데 큰 역할을 합니다. 그래서 이슬람 국가인 어느 나라에서는 "남자가 40이 넘었는데도 종교가 없으면 위험한 사람이니 가까이 하지 말라" 고도 한답니다. 남자가 40이면 돈도 많을 것이고 온갖 쾌락도 알만한 나이이니, 규제받지 않으면 그만큼 타락하기가 쉽다는 말이겠지요. 그러나 만약 인간이 가진 이 자아의식이 지나치게 규제된다면, 중세의 유럽과 같이 오히려 더 심각한 문제가 생길 수도 있습니다. 이래도 탈 저래도 탈이지요.

(1) 대변혁

자본주의를 이해하기 위해서는 공산주의의 많은 이론가들을 이야기해야 하지만 그 사상들은 이미 1980년대에 한국에서도 충분히 거론되었고 사회주의 국가군도 몰락했기 때문에 이제는 보다 자유로운 통찰력을 가진 저술가들의 견해를 중심으로 살펴보도록 합시다.

먼저 자본주의(capitalism)라는 말의 기원을 간단히 살펴보고 넘어갑시다. 자본(capital)이라는 말은 현대에서는 종자돈 즉 '돈놀이를 해서 돈을 벌게 해주는 돈(money making money)' 이라는 의미로 사용되지만, 원래는 라틴어의 카피탈레(capitale)라는 말에서 나왔다고 합니다. 이 말의 원래 의미는 머리(head)를 뜻하는 프로토 인도유럽어(proto-Indo-European)인 카풑(caput)에서 나온 것이라고 합니다. 우리가 말하는 가축(cattle)이나 들고 다닐 수 있는 소유물(chattel) 등의 말도 이

말에서 나온 것이라고 합니다. 재미있는 것은 원래 소나 가축 또는 노예 등을 의미하는 말이 현대에 와서는 오로지 돈(money)의 의미만으로 사용되고 있다는 점입니다. 13세기 이후부터 자본(capital)이라는 말이 많이 사용되었고, 17세기에는 자본가(capitalist)라는 말이 등장하였지만, 자본주의(capitalism)라는 말 자체가 씌여진 최초의 책은 영국의 대문호 새커리(William Makepeace Thackeray)가 쓴 『뉴컴 일가(The Newcomes, 1854)』로 알려져 있습니다. 이 시기는 『공산당 선언』이 출간된 바로 직후이기 때문에 1850년대를 기점으로 자본주의라는 말이 크게 확산이 되었다고 보면 무리가 없겠습니다.

폴라니(Karl Polany,1886~1964)는 자신의 주저인 『대변혁(The Great Transformation)』에서 자본주의를 '시장(market)'과 '사회(society)'라는 독특한 개념으로 분석합니다.

폴라니는 자본주의 경제가 국민국가에서 요구되는 사회복지(social welfare)와는 근본적으로 함께 하기 어려운 속성을 가졌다고 합니다. 폴라니는 자유주의적 자본주의의 절대명제인 '시장의 마술(the magic of the market)'은 근본적으로 잘못된 것이고 인간의 역사에서 완전히 자유방임적인 자본주의는 역사에서 흔히 나타나는 보편적인 것이 아니라 오히려 특수한 경우(historically unique)라고 지적하였습니다. 그리고 자기조절이 안 되는 자본주의란 결국 파시즘(Fascism)으로 갈 수밖에 없다고 주장했습니다. 그러니까 자본주의가 전혀 통제되지 않으면 파시즘으로 가게 된다는 말입니다.

마치 『공산당 선언』에 보이는 "현대의 부르조아 사회는 자기가 주문으로 불러낸 지옥의 세계의 힘을 더 이상 통제할 수가 없는 마법사와 같다(Modern bourgeoisie society is like the sorcerer who is no longer able to control the power of the nether world whom he has called up by his spell.)."라는 문장을 적극적으로 해석한 것도 같습니다.

폴라니 이론은 매우 어렵지만 간단하게 그의 이론을 요약해봅시다.

우리가 일반적인 자본주의의 특성으로 치부하는 시장(market)은 원래 '사회(society)' 조직의 일부에 불과한 것이었습니다. 그러나 자본주의(capitalism)가 등장하면서 시장이 사회로부터 분리해 나오더니 사회와 대립하며 결국 사회를 집어삼켜서 사회를 시장의 일부로 편입시키고 말았습니다. 즉 사회의 조직의 일부로서 기능을 해야 할 시장이 사회조직으로부터 떨어져 나와 오히려 사회를 지배하는 현상이 바로 자본주의라는 것입니다.

폴라니의 말은 결국 시장이 사회를 지배하게 되는 과정에서 자기조절의 기능을 상실하여 제국주의(imperialism)가 나타나고 이것은 세계대전(World War)로 귀결되었다는 말입니다. 자본주의 - 제국주의에 이르는 '시장사회(market society)' 는 의회 민주주의에 대한 중대하고 심각한 도전이라는 말입니다.

폴라니는 시장이 항시 자기 조절적 기능을 다 하고 있다는 생각 자체가 착각이라는 것입니다. 그 상태는 오히려 역사적으로 특수한 것이라고 합니다. 이 말은 자본주의 경제학 전체를 뒤흔드는 생각입니다. 왜냐하면 자본주의의 우아함이 바로 아담 스미스의 '보이지 않는 손(invisible hand)' 에 있기 때문입니다. 결국 폴라니는 사회 내부의 조직으로 존재하던 시장(the existence of markets in society)이 사회에서 떨어져 나와서 오히려 사회를 지배하는 시장사회(the existence of market society)가 되어버린 것이 자본주의 패러다임의 근본적인 문제임을 지적하였습니다.

폴라니의 생각은 자본주의의 이데올로그(ideologue)인 아담 스미스와도 다르고 반자본주의 패러다임의 기수인 마르크스와도 다른 독특하고 대담한 이론이었습니다. 마르크스주의자들이나 소위 근대경제학자들은 모두 외면했지만 폴라니의 견해는 앞으로 자본주의의 향방을 알게 하는 주요한 암시들을 하고 있습니다.

폴라니는 마르크스주의자들과는 달리 세계시장의 붕괴가 제국주의, 파시즘, 세계대전을 초래하는 데서 보듯이 '시장사회' 가 초래할 수 있는 '재앙' 이 경제적 착취보다도 더 위험한 것이라고 지적하였습니다. 폴라니는 전통적인 마르크스주의의 개념인 '생산력' 과 '생산관계' 를 거부하고 경제(economy)를 사회적 관계(social relationship)에 굴복시키는 인간의 역사적 능력을 중시하였습니다. 즉 인간이 지향하는 바람직한 사회라는 것은 자유방임의 시장 논리보다는 사회의 전체적 구조 하에서 경제가 제 구실을 해야 한다는 말로 해석됩니다.

그러나 현대에 있어서 국가나 사회가 시장을 통제하기에는 역부족입니다. 설령 한국이 시장을 사회라는 큰 조직 안에 둔다고 해도 다른 나라에서 시장이 독립적으로 활개를 치면 국제화된 환경 속에서 한국의 시장을 운영하는 주체(기업)들이 외국의 기업들을 이기기가 힘든 상황이 됩니다. 이것이 현대 자본주의의 대표적인 딜레마(dilemma)이기도 합니다. 대표적인 예가 포(르)노 그라피 산업들입니다. 국내에서 아무리 규제를 해도 국경이 의미가 없는 인터넷에서는 무용지물입니다. 그러면서 자동차나 선박 반도체, IT 제품들을 수출해서 포(르)노 그라피 시장에 들이붓고 말게 되기도 합니다. 특히 섹스산업 자체가 원천적으로 금지된 이슬람 국가들은 한국보다 훨씬 열악합니다. 인터넷은 종교를 가리지 않죠.

통제력을 상실한 자본주의가 가는 길은 너무 뻔한 일입니다. 가장 문제가 되는 것은 자원의 낭비입니다. 우리가 가끔씩 보는 밤의 위성사진에는 미국이나 일본, 한국, 유럽 등이 불야성(不夜城)을 이루고 있는데 그 만큼 지구의 에너지를 낭비하고 있는 것이죠. 그것이 걸프전(Gulf War)이나 미국의 이라크 침공과도 깊은 관련이 있는 것이지요.

(2) 위대한 사람들이 만든 타락한 국가

마하트마 간디(M. K. Gandhi)는 "자기가 제일 좋아하는 국민은 영국인이고, 가장 싫어하는 국가는 영국" 이라고 했다고 합니다.

하긴 영국은 좀 특이한 나라이기도 합니다. 영국은 전통적으로 마을마다 토론문화가 발달해있었고 이것이 의회주의의 기반이 된 나라라고 합니다. 재미있는 것은 종교적 자유와 경제적 향상을 위해 영국을 떠나 미국으로 온 청교도 순례자들(pilgrim fathers, 미국인의 선조 아버지들)도 영국의 위대함에 대해서는 조금도 의심하지 않았다는 것이죠. 그들은 "하나님은 너무나 영국인 같아 ! (God is so much English !)" [244]라고 생각했습니다. 미국의 독립전쟁(Revolutionary War)이라는 것은 그들 스스로의 지적과 같이 '보다 올바른 영국' 을 만들기 위한 것이었습니다. 예컨대 비렉(Peter Viereck)이나 로시터(Rossiter) 등의 유명학자들의 견해를 종합하여,[245] 팝콕(Popcock)은 미국 독립을 위한 전쟁(revolutionary war)은 "과거를 변화시키려는 것이 아니라 과거 (영국의) 원래의 원칙으로 돌아가기 위한 전쟁" 이라는 것입니다.[246]

지금도 마찬가지입니다. 빛나는 의회민주주의(Parliamentary Democracy)의 전통을 가진 영국과 그 사촌(cousin)인 미국인들은 세계 최초의 공화정(Republic)을 만들어 대통령을 중심으로 하는 민주주의 체제의 굳건한 기초를 닦았습니다. 미국의 건국은 로크(John Locke)의 『시민 정부론(Two Treatises of Government)』과 루소(Jean Jacques Rousseau)의 『사회계약론(Du Contrat social)』에 입각한 것이었고, 인간의 합리적 이성(reason)에 의해 구성된 자유민주주의의 이론들을 기초로 정치체제를 구축한 최초의 나라였습니다.

나아가 최초의 근대 경제학 원론인 아담스미스의 『국부론』이 출간되던 바로 그 해 7월 미국은 건국됩니다. 이런 점에서 미국은 역사상 최초의 자본주의 국가입니다(우리는 미국을 역사도 200여년 밖에 안 된 신생국처럼 생각하는 경우가 많은데 그것은 아니죠. 적어도 자유 민주주의 정치나 자본주의와 관련해서 보면, 미국은 가장 오래된 나라입니다. 그래서 오히려 현대에 맞지 않는 낡은 제도들도 많이 고수하고 있습니다.) 당시 미국은 그리 대단한 나라는 아니었지만 세계를 제패하겠다는 원대한 야심을 가졌습니다. 그 당시에도 물론이고 지금도 미국은 노골적으로 말하진 않지만, 위대한 로마 제국의 전통을 이은 국가라는 의식을 매우 강하게 가지고 있습니다. 미국 의회는 마치 로마 제국의 원로원 건물처럼 보입니다. 그래서 상원의원도 로마시대의 원로원(元老院, senate)의 호칭을 그대로 쓰고 있습니다.

이런 위대한 민족의 나라들이 아편전쟁(Opium War, 1840)을 일으키고, "인류의 양심을 시험하는 전쟁" 인 베트남전쟁(Vietnam War)을 일으켰습니다.

아편전쟁은 있어서는 안 될 전쟁이었습니다. 중국과의 무역 적자가 생기자 마약을 팔아서 무역수지를 개선하려고 했고 중국이 마약을 금지하자 전쟁을 일으킨다? 이것이 국가의 이름으로 자행된다니 오늘날 라틴 아메리카의 마약 갱들보다도 더 흉악한 일입니다. 베블렌(Veblen)이 말하는 영업정치(Business politics)의 극치를 보여줍니다.

당시 영국의 글래드스턴(William Ewart Gladstone, 1809~1898) 의원은 다음과 같이 연설했습니다.

"그 기원을 놓고 볼 때 이 전쟁만큼 부정한 전쟁, 이것만큼 영국을 불명예로 빠뜨리게 할 전쟁을 나는 이제껏 보지 못했습니다(A war more unjust in its origin, a war more calculated to cover this country with permanent disgrace, I do not know.) … (중략) … 우리 국기가 부끄러운 아편 밀무역을 보호하기 위하여 중국 연안에 나부끼고 있습니다. 자랑스런 우리 국기를 볼 때마다 느꼈던 벅찬 감동을 앞으로 다시 느낄 수 없게 될 것을 생각하면 고통스러울 뿐입니다."

이런 반대에도 불구하고 영국 의회에서 9표 차로 전쟁이 결정되었습니다. 이 전쟁은 동양사회에 유럽 전체에 대한 부정적인 인식이 고착화되는 결정적인 사건이 되고 말았습니다. 서양인들은 자기에게 이익만 되면 어떤 짓이든 할 수 있는 야만인들이었든 것이죠.

당시에 세계를 주도하던 패권 국가가 동양을 무분별하게 도발한 것은 자본주의 자체가 가진 불안정한 성격을 보여주기도 합니다. 적어도 2차 세계 대전 이전까지 서유럽과 미국의 자본주의는 생존을 위해서는 그 어떤 행위도 용납이 되는 구조였습니다. 마치 바퀴벌레가 생존의 위기가 오면 서로 잡아먹으면서 버텨내듯이 말입니다. 이런 종류의 야만적 사고방식을 대의와 명분을 중시하는 동양사회가 도대체 어떻게 이해할 수 있었겠습니까?

이 점에 있어서, 우리는 블락(Fred Block)의 견해에 주목할 필요가 있습니다. 블락은 자신의 주저인 『국제 경제 무질서의 기원(The origin of international economic disorder)』에서 세계를 주도하는 국가, 미국은 서유럽 사회에 만연한 국민 자본주의(national capitalism)를 통제하는 것이야말로 미국 외교정책의 핵심이라고 지적하였습니다.

세계를 주도하는 국가는 물리력이나 경제력이 상대적으로 매우 강하므로 보다 국제화된 환경만이 자국의 경쟁력을 강화할 수 있는 것입니다. 즉 사자나 호랑이의 입장에서 보면 우리에 갇힌 것보다는 풀어주면 훨씬 더 힘이 강하게 되는 것과 같은 이치입니다. 그러니 세계의 경찰 미국은 세계 자본주의 수호 차원에서 자본주의 국가들 간의 협력을 강조한 것입니다. 그런데 이 일이 만만한 일이 아니었습니다.

그런데 블락은 냉전(Cold War) 시대에 미국이 소비에트러시아(Soviet Russia : 소련)을 비롯한 사회주의 국가들의 위협보다는 오히려 서유럽의 자국 중심의 국민 자본주의의 난동(亂動)들을 더욱 고심했다고 지적하고 있습니다.

이 지적은 대단히 중요합니다. 어떤 의미에서 소련을 비롯한 사회주의 국가는 미국의 세계적인 패권의 장악에 오히려 도움이 된다는 말이 됩니다. 미국은 세계 체제, 궁극적으로는 서유럽과 일본의 자본주의 체제를 보호하기 위해 막대한 자원과 인력을 동원하고 있는데, 서유럽과 일본은 자국의 이익 실현에만 혈안이 되어 오히려 자본주의 체제 자체가 위험해질 수도 있는 상황으로 간다는 것이죠. 왜 속담에도 있지 않습니까? 장사를 하다보면, '친구나 친척이 더 도둑놈' 이라고 말입니다.

극단적으로 말하면 미국은 난동을 부리는 이들 형제 자본주의 국가들을 통제하기 위해 소련(소비에트 러시아)이나 중국(공산주의 중국)을 이용했다는 것이죠. 다시 말해서 미국은 실제로는 별로 대단하지도 않은 공산주의의 위협을 과장하여 서유럽과 많은 자본주의 국가를 미국의 깃발 아래 단결시키고 많은 제 3세계의 국가들을 손쉽게 장악할 수 있는 명분을 가지게 되었다는 말이지요.

사실 1970년대나 1980년대에도 소련은 "ICBM(대륙간 미사일)을 가진 제3세계" 라는 말이 지식인들 사이에는 공공연한 비밀이기도 했습니다. 특이한 일이지만, 한국만 제외하고 말입니다.

세계 최초의 사회주의 국가 탄생 70주년이었던 1987년 후반기를 기준으로 보면, 미국과 겨루는 세계 최강의 사회주의 대국 소련의 전화보급률은 13%(당시 한국은 16%, 미국은 77%)에 불과했고, 경제성장률은 13.1%(1958) → 9.1%(1959~1965) → 8.6%(1966~1970) → 7.4%(1971~1975) → 4.5%(1976~1980) → 3.7%(1981

~1985)로 곤두박질하고 있었으며, 고르바초프(Mikhail Gorbachev)의 신경제정책 이전에도 이미 10만 명이 넘는 나레보(사익을 추구하는 불법 노동자)가 있었고 소련의 대외 수출품 가운데서 공산품이 차지하는 비율은 2%에 지나지 않았습니다. 반면에 원유, 천연가스 등 1차 산품의 수출은 70% 이상이었습니다.[247] 당시 소련은 만성적인 생산성 저하와 당시의 한국이나 대만(Taiwan)에도 미치지 못하는 낮은 생활 수준의 상태였습니다. 소련의 기업들에게 제품의 질은 전혀 중요한 것이 아니었고 고스플란(Gosplan, 국가계획 위원회)이 매년 정해주는 할당량만 채우면 그뿐이었습니다. 사회전역에는 무기력과 알코올 중독이 만연하였습니다.

2000년대 초반을 기준으로 보면 과거에 소련이 한 역할을 아프간, 이라크 등을 거쳐 중국이나 북한(DPRK)이 하고 있습니다. 중국은 중화패권주의를 노골적으로 행사하려하고 있고, 한국인으로서 수치스러운 일이지만, 북한은 극심한 인권탄압으로 그 빌미를 주고 있습니다. 분명한 것은 이 나라들이 세계인들에게 그런 빌미를 제공하는 명분을 미국에게 주고 있다는 것입니다. 마치 늑대나 하이에나가 있음으로써 라이언 킹(Lion King)이 나라를 잘 이끌어 갈 수 있는 명분을 가지는 것과 같은 이치입니다.

(3) 분해되는 자본주의 - 미네르바의 올빼미는 황혼이면 비상한다. -

일반적으로 자본주의는 노동자와 자본가의 대립과정을 통해서 계급투쟁이 일어나고 그 변혁의 힘으로 사회의 생산력이 해방되고 사회도 진보하는 것으로 알고 있습니다. 그러나 가만히 들여다보면, 회사 조직이나 구성도 다양해서 자본가도 개념이 모호하고 노동자도 개념이 모호합니다. 사회운동도 정치운동에 국한된 것이 아니라 다양한 형태들이 나타납니다. 각종 서비스업이 크게 늘어나서 노동자 개념 자체도 모호해지고 취업이 힘들어지면서 노동자 자체가 되기 어려운 상황이 되고 있습니다.

한국에서는 무주택자들에 대한 혜택이 많아지자 돈이 있어도 일부러 임대하여 살면서 각종 혜택을 누리려는 사람들도 늘고 있습니다. 한국의 강남에는 10억 원 전세에 살면서 무주택자의 혜택을 누리는 얌체족들이 있는가 하면, 7천만 원 이하의 빌라에 살면서도 각종 세금을 물고 혜택도 없이 살아가는 사람들도 많습니다. 그리고 이른바 하우스 푸어(house poor)도 헤아릴 수도 없이 많은 것이 현실입니다.[248] 이와 같이 누가 플로레타리아(proletariat)인지 분간하기 힘들어 지고 있는 수많은 사례들이 있습니다. 또 플로레타리아가 되고 싶어도 못되는 것이 현실입니다. 모자동차 회사의 노조와 같이 귀족 플로레타리아도 많습니다. 그래서 플로레타리아들의 이해도 이에 만만치 않게 복잡합니다. 마찬가지로 지배계층이라고 하는 사람들의 이해는 더 복잡합니다.

1980년대 후반 래쉬와 우라이(Scott Lash &John Urry)는 주저인 『조직화된 자본주의의 종말(The end of organized capitalism, 1987)』에서 자본주의 패러다임의 심각한 균열현상을 지적합니다.[249] 사회에 만연한 포스트모더니즘(Post modernism)의 상황이 해체되고 있는 자본주의의 또 다른 모습(a reflection of phase of disorganized capitalism)이라고 지적합니다.

포스트모더니즘의 특징들은 ① 견고하고 절대적인 이데올로기의 해체, ② 개인(individuality)의 중요성 강조, ③ 논리의 다양성, ④ 여성운동, 민족운동, 소수민족(minority)에 대한 관심 등으로 나타납니다. 마치 우리가 알던 모든 것을 일단 벗어나서 발가벗은 몸으로 존재에 다시 접근해보려는 시도라고 할 수 있습니다. 미래에서 과거도 가보고 필연적인 관념에서도 벗어나보라는 것이죠.

래쉬와 우라이는 포스트모더니즘의 문화들 가운데 ① 예술과 일상이 잘 구별되지 않는 점(refusal of the distinction between art and life), ② 새로운 계급갈등(New class fraction)의 등장, ③ 정체성(正體性)의 다극화(decentering of identity) 현상 등을 지적하면서 이것은 조직화된 자본주의가 해체되고 있는 것을 보여주는 것이라고 합니다.

상품들은 단순히 그 효용성(utility) 때문이 아니라 개별적인 차이점을 견고히 구축하기 위한 그 상징적인 힘(symbolic power to establish individual distinction)을 위해 소비하게 된다고 합니다. 사회의 지배층들도 중심이 무너지고 다극화된 양상을 띠게 된다는 것입니다. 그러니까 지배층 내부의 이해관계도 복잡화된다는 말이지요. 이것을 피에르 부르디외(Pierre Bourdieu, 1930~2002)는 새로운 쁘디부르조아(petit bourgeoisie)라고 하기도 합니다.[250]

지배 계급이나 피지배계급의 내부에서 나타나는 이런 형태의 내분(內分)은 새로운 패러다임에 대한 매우 중요한 암시를 하고 있습니다. 정체성의 혼란과 이를 기반으로 내부의 분열이 극심해지면서 새로운 패러다임이 서서히 태동하기 때문이죠. 어떤 의미에서 래쉬나 우라이의 말처럼, 우리들 인생이란 불연속한 사건들의 연속인 상태(the succession of discontinuous event)에 돌입했는지도 모르겠습니다.

지배층의 분열은 변화의 가장 큰 전조(前兆)입니다. 미네르바의 올빼미가 황혼이면 비상하듯이 말이죠. 이것을 『공산당 선언』에서는 다음과 같이 말합니다.

"결국 계급투쟁이 결정적인 시기가 임박해지면, 지배계급 내부에서 지배계층의 작은 부분들이 스스로 이탈하여 표류하게 되고 이것이 혁명계급 즉 미래가 그들에게 달려있는 계급과의 제휴하는 격렬하고 찬연한 성격을 띠게 된다."

그런데 래쉬와 우라이는 이것이 단순히 지배계층만의 문제가 아니라는 것이죠. 피지배 계층 사이에서도 광범위하게 분열이 일어나고 있다는 것입니다. 래쉬와 우라이는 개별국민 사회들은 '위로부터' 다양한 세계화의 과정을 밟게 되고 다극화되는 과정에서 '아래로부터도' 국민사회를 침식하는 다양한 현상이 나타남을 지적합니다. 즉 국민국가에 대한 정체성 의식이 전반에 걸쳐서 약화된다는 것이지요(물론 이 분석은 미국, 영국, 프랑스, 스웨덴, 독일 등을 분석한 것이기는 합니다).

이 과정에서 인구와 산업들이 다극화(decentralization)되고 거대조직(mass organization)이 쇠퇴하면서 분파적인 이익(sectional interests)을 추구하는 경향이 농후하게 되어 계급의 특이성(the salient of class)이 약화된다고 합니다. 또 이 과정에서 사회 내부에 서비스 계급(service class)의 규모와 영향력이 크게 성장한다고 합니다. 각 계급들에 나타나는 집단갈등(Group struggle)도 각 계급들의 계급적 관례들이 유리하게 발휘되도록 하는데 집중을 하고 소비생활 또한 '생산물(products)' 에 의한 것이 아니라 우리와 다른 사회계층을 구분하는 상징(symbols)들에 의해 이루어진다고 합니다.

래쉬와 우라이는 서유럽사회를 기반으로 하는 자본주의는 ① 자유방임형 자본주의(liberal capitalism) - ② 조직화된 자본주의(organized capitalism) - ③ 조직이 해체된 자본주의(disorganized capitalism) 등의 형태로 나아가고 있다고 합니다. 래쉬와 우라이는 결론적으로 "사회란 위에서, 아래에서 또 내부에서 변형되고 있다. 조직화된 자본주의, 계급, 산업, 도시들, 국가, 민족, 모든 견고한 것들이, 세계조차도 공중으로 분해되고 있다(Society are being transformed above, from below, from within. All that is solid about organized capitalism, class, industry, cities, collectivity, nation state, even the world, melt into the air)." 라고 말합니다.

앞으로의 패러다임을 새롭게 구축함에 있어서 래쉬와 우라이의 견해는 매우 중요한 시사점들을 제시하고 있습니다. 래쉬와 우라이는 자본주의의 중추 산업이 중화학공업으로부터 서비스(service) 산업과 정보(ICT) 산업으로 전이되는 과정에서 이전의 모든 계급이론들이 적용되지 못하는 사회가 대두하게 되었다는 것입니다. 즉 자본이 효과적으로 분산된 상태(effective decentralization of capital)에서 화이트칼라(white-collar)와 서비스 계급(service class)의 증대로 인하여 정당의 계급적 성격이 쇠퇴하여 잘 '조직화된 자본주의(Organized Capitalism)' 가 더 이상 생존하기 곤란한 상태가 되었음을 웅변하는 것이지요. 여기에 고정된 문화의 틀에서부터 새로운 문화의 형태가 등장함에 따라 주어진 구조적 틀(structural pattern) 아래에서 잘 조직되고 정비된 형태의 자본주의(Organized capitalism)는 종언을 고한다는 것입니다.

이상의 분석들을 통해서 보면 현대 자본주의는 매우 다이내믹(dynamic)하고 복합적으로 움직이지만 적어도 우리는 두 가지를 분명히 알 수 있습니다.

하나는 수많은 이론가들이 자본의 논리로만 움직이는 자본주의는 통제 불능의 괴물이 될 수밖에 없다고 지적하고 있는 점, 다른 하나는 우리가 알고 있던 자본주의는 지속적으로 변모하여 기존의 강력한 표현 양식들을 무너뜨리고 있다는 점이 그것입니다. 따라서 미래의 패러다임이라는 것은 이 두 가지를 모두 고려하여 구성하지 않으면 안 된다는 것입니다.

그러므로 경제학도 현재의 자본주의 경제학처럼 현상 분석에 머물러서는 안 된다는 것입니다. 오히려 동양의 경제 이론가들이 일관되게 지적하는 경세제민(經世濟民)의 정신으로 돌아가 패러다임을 다시 구성해야합니다. 그것만이 미래의 파국을 막는 길입니다.[251]

미네르바의 올빼미(제프리 에이브럼슨 지음, 김대근 옮김, 이숲)=미국 텍사스대 법·행정학 교수인 저자가 고대 그리스 정치사상과 근대 정치이론이 어떻게 발전되어 왔는지를 보여준다. 소크라테스에서 시작해 마키아벨리, 홉스, 로크, 루소, 칸트, 그리고 존 스튜어트 밀을 거쳐 헤겔과 마르크스까지 주요 철학자들의 문제의식을 살펴볼 수 있다.[252]

Ⅱ. 나가는 글

경제(經濟)는 인간의 공동생활을 위한 물적 기초가 되는 재화와 용역을 생산·분배·소비하는 활동과 그것을 통해 형성되는 사회관계의 총체를 가리키는 경제용어이다. 생산에서는 생산력이 핵심 요소인데, 생산수단의 질에 의해 좌우된다. 분배에서는 생산물을 누가 소유하느냐가 핵심 요소로, 보통 생산수단의 소유자가 생산물의 소유자가 되며 이에 따라 생산관계가 결정된다. 사회관계의 총체는 생산력과 생산관계의 형태에 따라 변화하는데 이 두 요소가 결합된 방식을 생산양식이라 한다. 생산양식에 따라 생산·분배·소비하는 활동의 양상이 달라지며 경제생활의 방식도 달라지게 된다.

경제는 재화와 서비스를 생산, 분배, 소비하는 인간 사회의 활동에서 시작한다. 이러한 활동을 효율적으로 시도하기 위해 세 가지 전략이 필요하며, 그것이 곧 "어떻게 생산할 것인가?", "어떻게 분배(거래)할 것인가?", "어떻게(어디에) 소비할 것인가?" 하는 물음이다. 사람은 무언가 갖고싶고, 하고싶어하는 "욕구" 가 있는데, 이러한 "욕구" 를 만족하려면 재화와 서비스가 필요하다. 하지만 이런 욕구를 만족시키기위한 재화와 서비스는 무한하지 않다. 이렇게 재화와 서비스가 인간의 욕구에 비해 상대적으로 부족한 현상을 자원의 희소성이라 하는데, 이로 인해 사람은 한정된 자원을 가장 효과적으로 쓸 수 있는 방법을 생각한다. 자원의 희소성은 시대나 장소 등에 따라 달라지므로 절대적이 아닌 상대적이다. 예를 들면 옛날에는 깨끗한 물을 마음껏 마실 수 있어서 물이 희소하지 않았지만, 요즘은 물을 사서 마시는 등 물이 희소성을 띄게 되었다. 여기서 합리적인 선택을 위해 기회비용을 최소화하고 선택의 편익을 최대화하는데, 현대의 복잡한 경제속에서 이를 반대로 행하는 경우도 있다. 기회비용은 선택으로 인해서 포기하게 되는 것의 가치까지 포함한다.

한 국가의 경제는 대체로 순환곡선을 그리는데, 생산성 성장 선, 장기 부채 사이클, 단기 부채 사이클의 3가지 선으로 그려진다. 생산성 성장 선은 "생산성이 증가함에 따른 경제규모의 증가" 로 1차함수 직선을 그리며, 이 직선을 감싼 큰 규모의 장기 부채 사이클이 50~60년간의 사인함수 곡선을 그리며, 이 장기 부채 사이클 사이에서 단기 부채 사이클이 1~2년간의 사인함수 그래프를 만든다. 부채는 미래의 돈을 신용을 통해 끌어옴으로서 단기적으로 현금을 창출해내 경기 부양을 돋구지만, 미래에 언젠가 갚아야할 것을 땡겨 가져온것인 것이기 때문에 미래의 경기 침체를 동반하기에 이런 사이클이 구성된다. 일반적으로 경기 부양시에는 인플레이션이, 경기 침체시에는 디플레이션이 발생하지만, 경기 침체시에 인플레이션이 동시에 발생하는 스태그플레이션 또한 있다.

경제는 기본적으로 정부, 기업, 가계로 이루어진 경제주체간의 거래로 이루어진다. 가계는 기업에 토지, 노동, 자본을 제공하는 대가로 임금, 지대, 이자를 받으며, 정부에는 세금을 납부하는 대가로 공공재를 취득한다. 기업 또한 정부에 세금을 납부하는 대가로 공공재를 취득한다. 이렇게 경제주체들의 상호작용을 통해 경제는 순환하고 있다.

함께 가자 우리 이 길을

김남주

함께 가자 우리 이 길을
셋이라면 더욱 좋고 둘이라도 함께 가자.
앞서 가며 나중에 오란 말일랑 하지 말자.
뒤에 남아 먼저 가란 말일랑 하지 말자.
둘이면 둘 셋이면 셋 어깨동무하고 가자.
투쟁 속에 동지 모아 손을 맞잡고 가자.
열이면 열 천이면 천 생사를 같이 하자.
둘이라도 떨어져서 가지 말자.
가로질러 들판 산이라면 어기여차 넘어 주고,
사나운 파도 바다라면 어기여차 건너 주자.
고개 너머 마을에서 목마르면 쉬었다 가자.
서산 낙일 해 떨어진다 어서 가자 이 길을
해 떨어져 어두운 길
네가 넘어지면 내가 가서 일으켜 주고,
내가 넘어지면 네가 와서 일으켜 주고,
산 넘고 물 건너 언젠가는 가야 할 길 시련의 길 하얀 길
가로질러 들판 누군가는 이르러야 할 길
해방의 길 통일의 길 가시밭길 하얀 길
가다 못 가면 쉬었다 가자.
아픈 다리 서로 기대며.

https://blog.daum.net/sang7981/4892?category=3987(2019. 8. 14)

참고문헌

곽삼근.《착한 선진화 교육의 방안》, 한국선진화포럼, 2015.10.
곽수근.《경제 양극화 해소를 위한 동반성장정책의 역할》, 동반성장위원회, 2014.
경제사회발전노사정위원회.《하르츠 박사 초청 강연 (독일의 노동개혁)》, 2015.
김낙년. "한국의 소득 불평등, 1963-2010: 근로소득을 중심으로", 〈경제발전연구〉, 제18권 제2호, 2012.
김세중.《한국기업 CSR 활동의 공유적 성과에 관한 연구》, 고려대학교 박사학위논문, 2012. 8.
김용하.《정신적 풍요와 함께 하는 착한 선진화: 실천방안》, 한국선진화포럼, 2016.
김윤형.《다함께 가는 '착한' 선진화, 어떻게 할 것인가?》, 한국선진화포럼, 2015.
대한상공회의소.《정년 60세 시대의 기업대응실태》, 2016.
동반성장위원회.《2015 동반성장백서》, 2015.
동아일보.〈이재용 '뉴 삼성', 투명경영과 고용확대 책임 막중하다〉, 2015.7.18.
박기성.《노동개혁, 핵심은 빠졌다》, 자유경제원, 2015.
박준.《한국의 사회갈등과 경제적 비용》, 삼성경제연구소, 2009.
박우희 · 이어령.《한국의 新자본주의 정신》, 박영사, 2005.
부즈앤드앨런.《21세기를 향한 한국경제의 재도약》, 1997.
서울사회경제연구소.《노동시장 취약계층의 현실과 정책 과제》, 한울아카데미, 2012.
아나톨 칼레츠키.《자본주의 4.0》, 컬쳐앤스토릭, 2011.
안충영.《한국경제의 위기- 동반성장이 해답이다》, 2015, 인간개발연구원.
양병무.《한국기업의 인적자원개발과 관리》, 미래경영개발연구원, 2006.
양병무.《행복한 논어읽기》, 21세기북스, 2009.
여성가족부.《가족이 행복한 즐거운 일터》, 여성가족부, 2016.
원종학 · 이형민 · 홍성열.《주요국의 상속 · 증여세제 현황 및 최근동향》, 한국조세연구원, 2012.
유장희.《이타주의(利他主義: Altruism)와 한국적 자본주의》, 학술원논문집(인문•사회과학편) 제52집1호, 2013.

이장원 · 전명숙 · 조강윤. 《격차축소를 위한 임금정책 : 노사정 연대임금정책 국제 비교》, 한국노동연구원, 2014.
전국경제인연합회(전경련). 《2014년 주요 기업 · 기업재단 사회공헌백서》, 2014.
장하성, 《 한국 자본주의 》, 헤이북스, 2014.
정영호 · 고숙자. 《사회갈등지수 국제비교 및 경제성장에 미치는 영향》, 한국보건사회연구원, 2015.
정옥자 외. 《시대가 선비를 부른다》, 효형출판, 1998.
조동성. 《 공유가치창조(CSV) 》, 인간개발연구원, 2014.
조동철 외 8명. 《우리 경제의 역동성: 일본과의 비교를 중심으로》, 한국개발연구원, 2014.
조준모. 《 9.15 노사정 대타협과 향후 과제 》, 경제사회발전노사정위원회, 2015.
최광. 《 국가 번영을 위한 근본적 세제개혁 방안 》, 한국경제연구원, 2008.
호사카 유지. 《조선 선비와 일본 사무라이》, 김영사, 2007.
Lee-Jay Cho, Yoon Hyung Kim. 《 Korea's Political Economy 》, 1996.
Anatole Kaletsky. 《 Capitalism 4.0: The Birth of a New Economy in the Aftermath of Crisis 》, 2011.
Era Dabla-Norris, Kalpana Kochhar, Nujin Suphaphiphat, Frantisek Ricka, Evridiki Tsounta. 《Causes and Consequences of Income Inequality : A Global Perspective》, IMF, 2015.
Umair Haque. 《 The New Capitalist Manifesto: Building a Disruptively Better Business 》, Harvard Business, 2011.
OECD. 《 Divide We stand : Why Inequality Keeps Rising 》, 2011.
Michael E. Porter and Mark R. Kramer. 《 Created Shared Value 》, Harvard Business Review, Jan, 2011.

〔주석〕

---

1) 김현빈.「힘 받은 윤석열 정부, 경제 살리기·규제 개혁에 드라이브 나선다」,『한국일보』, 2022년 6월 2일.
2) 이경숙.「2024년 한국 경제 전망」,『월간 CEO&』, 2023년 11월 14일.
3) 이유영.「세계경제에 드리운 스태그플레이션 공포」,『경향신문』, 2022년 6월 9일.
4) 박근종.「목전의 급박한 '경제위기 태풍', 전방위적 총력 대응을」,『중앙뉴스』, 2022년 6월 10일.
5) 이경숙.「2024년 한국 경제 전망」,『월간 CEO』, 2023년 11월 14일.
6) 김영은, 장현경.「경상수지 적자 (PG)」,『연합뉴스』, 2022년 6월 10일.
7) 크리스틴 라가르드. 「회견하는 크리스틴 라가르드 ECB 총재」,『연합뉴스』, 2022년 6월 10일.
8) 연합뉴스.「경상수지 추이-한국은행 경제통계시스템 제공-, 2022년 6월 10일.
9) 이지헌, 곽민서, 김다혜.「세계 경제 격랑 속 25년만에 재정·경상수지 '쌍둥이 적자' 우려」,『연합뉴스』, 2022년 6월 10일.
10) 박희창, 홍수영, 박민우, 홍석호.「물가 5%선도 뚫렸다… 尹 "경제위기 태풍권"」,『동아일보』, 2022년 6월 4일.
11) 임성택.「애덤 스미스, 인류를 윤택하게…자유시장 경제학의 시초」,『매일경제』, 2020년 9월 27일.
12) 나무위키.「경제학」, 다음, 2023년 11월 1일.
13) 윤정선.「한국경제 도전과 과제」,『문화일보』, 2016년 11월 1일.
14) 이상덕, 이기창, 정기택.「대한민국 행복을 묻는다」,『매일경제』, 2012년 4월 5일. 본 기사는 매일경제 Luxmen 제13호(2011년 10월) 기사입니다.
15) 경향잡지.「경제와 생태의 충돌과 그 해법. 한국인의 살림살이 지혜」, 『경향잡지』, 2012년 3월호에 실린 칼럼을 수정 보완하였습니다.
16) 변태섭.「2% 성장세 지속... 저성장 '경고등' 켜진 한국 경제」,『한국일보』, 2023년11월 19일.
17) Daum 백과.「경제」, 2023년 11월 2일.
18) 국민일보.「박세환 빚 늘고 수출은 줄고… 비틀대는 한국경제」, 2023년 4월 17일.
19) 권오인.「겉 다르고 속 다른 공정경제 3법」,『경제정의실천시민연합』, 2020년 11월 9일.
20) 선대인.「세금혁명당 페이스북 페이지」,『오마이뉴스』, 2011년 4월 8일.
21) 김광수.「이명박 정부가 저금리-고물가-고환율 유지하는 이유」, 『경제연구소의 '경제시평' 47화』, 2011년 4월 8일.
22) 선대인. 「프랑스보다 더 '불량국가' 인 한국, 우리도 분노하자. 빚쟁이 대통령 MB가 망쳐놓는 한국...20-40대 깨어나야」,『오마이뉴스』, 2011년 3월 11일.
23) 김광수. 선대인 트위터(http://twitter.com/kennedian3).『경제연구소포럼』, 덧붙이는 글: 건전하고 지속가능한 경제구조를 만들기 위한 더 깊이 있는 토론과 정보를 원하시는 분들은 김광수경제연구소포럼(http://cafe.daum.net/kseriforum)을 방문해 주십시오.
24) Daum 백과.「팬데믹」, 2023년 11월 3일.
25) Daum 백과.「사회계약」, 2023년 11월 3일.
26) 정중호.「팬데믹과 사회계약의 복원」,『경향신문』, 2020년 12월 17일.
27) 양승훈.「추격의 시대 넘어 전환의 시대, 새 발상이 필요하다」,『경향신문』, 2020년 12월 21일.
28) 오관철.「신축년 한국 경제, 대통령의 덕목」,『경향신문』, 2021년 1월 1일.
29) Daum 백과.「보유세, 거래세」, 2023년 11월 4일.
30) 경향신문.「보유세·거래세 모두를 강화한 정부의 선택, 효과 거둘까」, 2021년 1월 4일.
31) 채효정.「조용한 학살」,『경향신문』, 2021년 1월 11일.
32) 임재우.「응급실서 확인한 '조용한 학살' ..20대 여성 자살 시도 34% 늘었다」,『한겨레』, 2021년 5월 4일.
33) 정중호.「가계부채 적극 대응 등 거시건전성 관리 시급」,『경향신문』, 2021년 1월 14일.
34) 이승구 기자,「경제계, '공정경제3법' 국회 통과에 "유감"…보완장치 마련 촉구」,『청년일

보』, 2020년 12월 10일.
35) 권오인.「겉 다르고 속 다른 공정경제 3법」,『경향신문』, 2020년 11월 9일.
36) 신세돈.「공정하지 않은 '공정경제 3법'」,『세계일보』, 2020년 9월 24일.
37) 정중호.「코로나19 이후 금융안정」,『경향신문』, 2020년 11월 19일.
38) 이세미.「금융위 "가계부채 어느 때보다 안정적…금융위기 가능성 미미"」,『데일리안』, 2023년 11월 8일.
39) 김학균.「일본은 왜?-'민족주의'라는 퇴행적 유령의 출현-」,『연합뉴스』, 2019년 8월 31일.
40) 김학균.「일본은 왜?」,『연합뉴스』, 2019년 8월 31일.
41) 박지영.「자본주의와 민주주의, 상생의 정치경제학을 위하여」,『NSP통신』, 2018년 8월 30일.
42) Daum.「행복지수」, 2023년 11월 4일
43) 류순열.「GDP는 삶의 질을 말해주지 않는다」,『세계일보』 2015년 1월 28일, A3면.
44) 나무위키.「뉴딜」, Daum, 2023년 11월 5일.
45) 정원준.「4차 산업혁명 주도할 한국판 뉴딜」,『아시아경제』, 2020년 10월 13일.
46) 주병기.「불확정성의 자본주의와 경제민주화」,『경향신문』, 2020년 10월 14일.
47) 김도형.「韓日 무역전쟁-겉 다르고 속 다른 양국의 국가 주도 과잉개입-」,『데일리팝』, 2019년 8월 26일.
48) 이 기사는 본지의 공식입장이 아닌, 필자의 견해임을 밝힙니다.
49) 김도형.「겉 다르고 속 다른 양국의 국가 주도 과잉개입」,『데일리팝』, 2019년 8월 27일.
50) 김도형.「겉 다르고 속 다른 양국의 국가 주도 과잉개입」,『데일리팝』, 2019년 8월 27일.
51) 정중호.「가계부채의 경제학」,『경향신문』, 2020년 10월 22일.
52) 강명구.「경제가 재정보다 우선이다」,『경향신문』, 2020년 10월 30일.
53) Daum 백과.「이익공유제」 Daum, 2023년 11월 6일.
54) 최이서.「이낙연, '이익공유제' 올인···게임 체인저 될까?,여성」,『경제신문』, 2021년 1월 15일.
55) 구재이.「이익공유제와 사회연대세」,『경향신문』, 2021년 1월 21일.
56) 홍기빈.「고용보장제에 주목하라」,『경향신문』, 2021년 1월 30일.
57) 정중호.「위대한 리셋의 시대 기업의 사회적 책임」,『경향신문』, 2021년 2월 11일.
58) 임종인.「AI 국가 컨트롤타워 서두르자」,『중앙일보』, 2023년 11월 20일.
59) 송기호.「세계여, 미국에 관여하라」,『경향신문』, 2021년 2월 17일.
60) 구재이.「사회연대소득」,『경향신문』, 2021년 2월 18일.
61) 김동석.「경제가 살아야 저출산도 해결」,『경향신문』, 2021년 2월 22일.
62) 이중근.「100년 전 칼 폴라니의 월급 사용법」,『경향신문』, 2020년 10월 21일.
63) 이우진.「누구를 위한 재정준칙인가?」,『경향신문』, 2020년 10월 21일.
64) 최민영.「무섭게 오르는 비트코인」,『경향신문』, 2021년 2월 22일.
65) 김동원.「쿠팡의 美 상장과 노동 규제」,『서울경제』, 2021년 2월 21일.
66) 박정훈.「쿠팡의 위험요소」,『경향신문』, 2021년 2월 23일.
67) 박신원.「美상장 앞둔 쿠팡, 투자위험 요소로 '공정거래법' 명시」,『서울경제』, 2021년 3월 2일.
68) Daum 백과.「정책」, Daum, 2023년 11월 6일.
69) 이일영.「정책은 왜 널뛰기하나」,『경향신문』, 2021년 2월 25일.
70) Daum 백과.「밀크티 동맹(Milk tea Alliance)」, Daum, 2023년 11월 7일.
71) 조찬제.「밀크티 동맹」,『경향신문』, 2021년 3월 1일.
72) 박정호.「'사회적 선망 편향성' 발생 '저출산 설문' 방법 바꿔야」,『경향신문』, 2021년 3월 4일.
73) Daum 백과.「기본소득(basic income, 基本所得)」, Daum, 2023년 11월 7일.
74) 오건호.「소액기본소득의 효용성 의문,『경향신문』, 2021년 3월 4일.
75) 홍기빈.「'참여소득제'에 주목하자」,『경향신문』, 2021년 3월 6일.
76) 정중호.「'인간 친화적 기술혁신' 코로나 위기서 더 중요」,『경향신문』, 2021년 3월 11일.
77) Acemoglu, Daron; Robinson, James. "Why Nations Fail - Why Nations Fail". 《whynationsfail.com》. 2020년 11월 22일.
78) 김학균.「미국 경기 좋아질 때, 미국 밖 금융시장은 사달이 난다」,『경향신문』, 2021년 3월 15일.
79) 구재이.「투기의 추억」,『경향신문』, 2021년 3월 18일.
80) 오관철.「말로만 "불로소득 척결"을 외쳐온 결과」,『경향신문』, 2021년 3월 19일.
81) 전성인.「3월 11일 즈음에」,『경향신문』, 2021년 3월 22일.
82) 우석훈.「LH와 정권, 어느 것을 지킬 것인가」,『경향신문』, 2021년 3월 29일.
83) 박정호.「다수결 투표의 결과가 마음에 들지 않는 이유」,『경향신문』, 2021년 4월 1일.

84) 박동흠.「손익계산서·현금흐름표 잘 살폈다면…투자 기업 '상장폐지' 걱정 '끝'」,『경향신문』, 2021년 4월 4일.
85) 최민영.「코딜리아의 입바른 소리」,『경향신문』, 2021년 4월 5일.
86) 정중호.「정부부채와 신용등급」,『경향신문』, 2021년 4월 8일.
87) 서용찬.「한·일해저터널 미적거리면 국가 위기 부른다(?)」,『프레시안』, 2021년 2월 17일.
88) 전병역, 안병민.「"한·일해저터널 경제성 없지만…동북아 경제권 차원서 장기 검토해야"」,『경향신문』, 2021년 4월 6일.
89) 김학균.「불평등과 큰 정부의 시대…'증세'가 다가오고 있다」,『경향신문』, 2021년 4월 12일.
90) 송기호.「부동산 내전을 끝낼 용기」,『경향신문』, 2021년 4월 14일.
91) 구재이.「'세금폭탄'과 '내로남불'」,『경향신문』, 2021년 4월 15일.
92) 이일영.「2022년 체제를 위하여」,『경향신문』, 2021년 4월 22일.
93) 박정호.「한때 대도시의 자동차는 '말똥 지옥'의 구세주였다」,『경향신문』, 2021년 4월 29일.
94) 나무위키.「가계부채」, Daum, 2023년 11월 8일.
95) 정중호, 박정호.「주목할 가계부채 대응책 경기대응완충자본 제도」,『경향신문』, 2021년 5월 6일.
96) 송의영.「기본소득의 비용」,『경향신문』, 2021년 5월 19일.
97) 이일영.「미·중 갈등 시대의 한·일」,『경향신문』, 2021년 5월 20일.
98) 김학균.「진짜 인플레이션은 임금이 오를 때 온다」,『경향신문』, 2021년 6월 6일.
99) 송의영.「인플레보다 거품」,『경향신문』, 2021년 6월 16일.
100) 이우진.「기본소득과 조삼모사 윤형중씨에게 반론한다」,『경향신문』, 2021년 6월 17일.
101) 나무위키.「부동산」, Daum, 2023년 11월 9일.
102) 박정호.「내 맘대로 못하는 사유재산 '부동산'」,『경향신문』, 2021년 6월 24일.
103) 이일영.「LH 개혁, 미루지 말라」,『경향신문』, 2021년 7월 15일.
104) 정중호.「'빅테크' 반독점 규제」,『경향신문』, 2021년 7월 29일.
105) 송의영.「형평과 효율」,『경향신문』, 2021년 8월 11일.
106) 윤창현.「형평·효율 추구하는 경제정책을 기대하며」,『서울경제』, 2017년 9월 11일.
107) 홍기빈.「'전환'과 일자리 보장제」,『경향신문』, 2021년 8월 21일.
108) 정중호.「'발등의 불' 가계부채」,『경향신문』, 2021년 8월 26일.
109) 김학균.「매의 탈을 쓴 비둘기」,『경향신문』, 2021년 8월 30일.
110) 송의영.「신뉴딜과 한국 경제의 길」,『한국경제』, 2021년 9월 8일.
111) 정세은.「탄소중립 가로막는 전기요금 정책」,『경향신문』, 2021년 9월 13일.
112) Daum 백과,「탄소 중립(carbon neutrality, 炭素中立)」, Daum, 2023년 11월 10일.
113) 서명국.「인간은 합리적인가?」,『경인일보』, 2021년 6월 10일, 18면.
114) Daum 백과,「합리적」, Daum, 2023년 11월 10일.
115) 정중호.「플랫폼과 경쟁시장」,『경향신문』, 2021년 9월 23일.
116) 안호기,나원준.「"균형재정은 틀렸다…경제위기에선 정부지출 과감하게 늘려야"」,『경향신문』, 2021년 9월 29일.
117) 권용복.「공유경제 위협하는 청소년 무면허 운전」,『경향신문』, 2021년 10월 1일.
118) 박현주.「무면허 10대 난폭운전 '과잉단속' 논란에..이준석 "경찰이 잘한 것"」,『아시아경제』, 2022년 5월 24일.
119) 경향신문.「커지는 대출난민 우려, 서민 실수요자 부담 줄일 방안 찾아야」, 2021년 10월 4일.
120) 박종성.「자영업자에게 폐업이란 것」,『경향신문』, 2021년 10월 13일.
121) 하남현,「자영업자 저리 융자에 4조…좀비 자영업자 양산, 부실 심화 우려」,『중앙일보』, 2023년 11월 9일.
122) 강남훈.「기본소득 논쟁, 노벨 경제학상 수상자들로부터 배워야 할 것」,『프레시안』, 2021년 7월 5일.
123) 강남훈 한신대 경제학과 교수는 기본소득한국네트워크 이사장을 맡고 있습니다.
124) 주병기.「구조적 담합과 부패」,『경향신문』, 2021년 10월 20일.
125) 박정민.「〈'防産부패'에 무너지는 安保〉'금품비리 브로커'로 전락한 예비역 장교들」,『문화일보』, 2015년 1월 14일.
126) 이윤주.「단군 이래 최대규모 가계부채…충격 없는 브레이크 가능할까」,『경향신문』, 2021년 10월 20일.
127) Daum 백과.「빅테크(big tech)」, Daum, 2023년 11월 14일.
128) 정중호.「국제결제은행이 본 빅테크」,『경향신문』, 2021년 10월 21일.
129) Daum 백과.「상속세」, Daum, 2023년 11월 15일.
130) 민중의 소리.「홍남기 부총리, 상속세를 뭘 어떻게 고치겠다는 것인가」,『민중의소리』, 2021년 10월 11일.

131) 경향신문.「규제 강화된 가계부채 대책, 서민 실수요자 보호책 더 내놔야」, 2021년 10월 26일.
132) 박초롱.「이창용 "가계부채 대책, 먼저 규제정책 조이고 이후 금리인상 고려" 」,『CBS노컷뉴스』, 2023년 10월 23일.
133) 조희연.「더 세지는 가계부채 대책.. "총량관리・DSR 강화"」,『세계일보』, 2021년 10월 20일.
134) 김한호.「꿈틀거리는 메가 FTA, 휘청거리는 농업」,『경향신문』, 2021년 11월 4일.
135) 유진우.「'무설탕 지나가고 탕후루 왔는데' ... 치솟은 설탕가격, 밥상물가 휘청」,『조선비즈』, 2023년 9월 12일.
136) 우석훈.「실물 경제의 시대가 돌아오는가」,『경향신문』, 2021년 11월 15일.
137) 홍기빈.「주 4일제와 정규직 중심주의」,『경향신문』, 2021년 11월 16일.
138) 홍기빈은 정치경제학자. 대안적 사회의 정치경제 질서를 설계하고 구축하는 데에 도움이 될 수 있는 연구와 활동을 병행해 왔다. (재)글로벌정치경제연구소 소장을 지냈으며, 국제칼폴라니 연구협회의 자문위원을 맡고 있다. 저서로는 <위기 이후의 경제학> <비그포르스, 잠정적 유토피아와 복지국가>가 있으며, 역서로는 <도넛 경제학> <21세기 기본소득> <균형재정은 틀렸다: 현대화폐이론 입문> 등이 있다.
139) 나무위키.「토지공개념」, Daum, 2023년 11월 17일.
140) 주병기.「토지 공개념과 개발이익 공공환원」,『경향신문』, 2021년 11월 17일.
141) 김진욱.「요소수 넘어 에너지 위기 대비해야」,『경향신문』, 2021년 11월 18일.
142) 정인교.「제2의 요소수 사태 막으려면」,『세계일보』, 2021년 11월 16일.
143) 오관철.「기재부가 자초한 '기재부 해체론' 」,『경향신문』, 2021년 11월 25일.
144) 강재상.「메타버스 세상이 곧바로 열릴까?」,『패션포스트』, 매드해터 CMO, 2023년 7월 10일.
145) 김학균.「다 같은 메타버스가 아니다」,『경향신문』, 2021년 11월 30일.
146) Daum.「종합부동산세」, Daum, 2023년 11월 18일.
147) 이일영.「종부세에 대한 몇 갈래 질문」,『경향신문』, 2021년 12월 2일.
148) 송의영.「토지세를 위하여」,『경향신문』, 2021년 12월 8일.
149) 성경륭.「한국과 세계, 보편주의의 길」,『국민일보』, 2021년 12월 2일.
150) 우석훈.「복고풍 신자유주의, 윤석열」,『경향신문』, 2021년 12월 13일.
151) Daum 백과.「국부(國富)」, Daum, 2023년 11월 18일.
152) 정중호.「국부와 자산가격」,『경향신문』, 2021년 12월 16일.
153) 문창석.「한국, 국부 대비 대기업 자산 비중 17%..주요국 중 최하위」,『뉴스1』, 2021년 5월 20일.
154) 이우진.「100. 국민들이 그렇게 우습게 보이나」,『경향신문』, 2021년 12월 22일.
155) Daum 백과,「포퓰리즘(대중주의, populism)」, Daum, 2023년 11월 19일.
156) 나원준.「재정정책, 이젠 달라져야 한다」,『경향신문』, 2022년 1월 5일.
157) 조미덥.「쪼개기 상장' 도 제재 받을까」,『경향신문』, 2021년 12월 28일.
158) 김지영.「여전한 '쪼개기 상장' , 실효성 없는 정책에 투자자만 피해」,『아이뉴스24』, 2023년 11월 16일.
159) 이일영.「'건강 인프라' 의 시대적 과제」,『경향신문』, 2021년 12월 30일.
160) 우석훈.「16세 임미경씨가 행복한 나라」,『경향신문』, 2022년 1월 10일.
161) 세계일보.「"내 귀는 행복한 나라 만드는 좋은 귀" 」, 2009년 11월 20일.
162) 권오인.「경제민주화 공약 조속히 제시하시라」,『경향신문』, 2022년 1월 10일.
163) Daum 백과,「경제민주화(經濟民主化)」, Daum, 2023년 11월 20일.
164) 김세완.「대세가 된 빌려서 쓰기」,『매일경제』, 2022년 1월 8일.
165) 이부형.「반가운 소식은 좀처럼 오지 않는다」,『대구일보』, 2022년 2월 2일.
166) 나원준.「노동 전환기, 일자리는 국가 책임」,『경향신문』, 2022년 2월 9일.
167) 한겨레.「'평화기업가 정신' 을 통한 사회경제적 문제의 해결이 가능할까?」, 2023년 10월 18일.
168) 오관철.「이재명・윤석열의 '경제교사' 가 궁금하다」,『경향신문』, 2022년 2월 11일.
169) 백지수.「文대통령 경제교사 김현철 보좌관의 주식 포트폴리오 살펴보니..」,『머니투데이』, 2017년 9월 22일.
170) 박수용.「소 잃고 외양간 고칠 때가 지금이다」,『서울경제』, 2021년 10월 26일, A33.
171) 이옥진.「 "10위권 경제대국이 방재는 후진국… 언제까지 소 잃고 외양간 고칠 건가" 」,『조선일보』, 2022년 12월 17일.
172) 김학균.「코리아 디스카운트와 지배구조」,『경향신문』, 2022년 3월 4일.
173) 송지연.「양파 값과 집값」,『부산일보』, 2022년 3월 3일.
174) 지영한.「설 대목 양파・들깨・꽁치 수입산 값 상승」,『CBS노컷뉴스』, 2021년 2월 9일.
175) 나원준.「연금개혁, 어느 길로 갈 것인가」,『경향신문』, 2022년 3월 9일.
176) 정중호.「암호화폐와 리스크」,『경향신문』, 2022년 3월 10일.
177) 김현, 정윤미.「바이든, 암호화폐 연구 행정명령 서명…디지털화폐 도입 검토 주목」,『뉴스1』,

2022년 3월 10일.
178) 김진범.「"암호화폐 리스크, 2008년 금융위기 때와 다르지 않아"」,『코인리더스』, 2022년 10월 29일.
179) 우석훈.「항산이야 항심이라」,『경향신문』,2022년 3월 14일.
180) 이병태.「 KAIST 경영대 교수 편견과 허구에 기반한 文 정부의 '공정 경제'」,『조선일보』, 2018년 11월 14일.
181) 권오인.「공정경제 공약 보완해야」,『경향신문』, 2022년 3월 14일.
182) 사회 각급의 지도자들을 모아서 멘토링을 실시하며, 서울시에서 진행하는 동행 프로젝트와 엇비슷한 개념의 활동을 한다. 단, 소정의 활동비를 지급한다.
183) 나원준.「한국장학재단 이사장께 호소드린다」,『경향신문』, 2022년 4월 6일.
184) 이창민.「한국 보수는 창피함을 모른다」,『경향신문』, 2022년 4월 13일.
185) 송경재.「포털뉴스 개정 법안, 이대로는 안 된다」,『경향신문』, 2022년 5월 2일.
186) 나원준.「볼커의 신화, 혹은 착각」,『경향신문』, 2022년 5월 4일.
187) 정중호.「데이터경제와 마이데이터」,『경향신문』, 2022년 5월 5일.
188) 오재현, 이예은.「마이데이터 선점 '불꽃 경쟁'..은행·핀테크·카드 박터지네」,『매일경제』, 2022년 1월 24일.
189) 강태수.「인플레이션 불평등」,『세계일보』, 2022년 5월 2일.
190) 오태동.「금융시장의 진짜 바닥은 언제일까?」,『경기일보』, 2022년 5월 15일.
191) 이동훈, 김현수.「高금리 장기화 공포, 글로벌 금융시장 강타」,『동아일보』, 2023년 10월 5일.
192) 임정빈.「'농특위' 위상 끌어올려 농업 챙겨주길」,『경향신문』, 2022년5월 16일.
193) 이은용.「윤석열 정부에서 농특위 역할과 과제는」,『농축유통신문』, 2023년 2월 23일.
194) 이일영.「그런데, 어떤 '자유 시민?'」,『경향신문』, 2022년 5월 18일.
195) 함운경.「국가에 의존해 사는 사람은 자유시민 아닌 노예」,『신동아』, 2023년 11월 9일.
196) 경향신문.「인플레로 출렁이는 금융시장, 자산가치 폭락 등 대비해」, 2022년 5월 19일.
197) 연합뉴스.「美中갈등에 금융시장 '검은 목요일'..주식·원화가치 급락」, 2019년 5월 9일.
198) 박종성.「언제나 거품은 고통으로 끝난다」,『경향신문』, 2022년 6월 1일.
199) Daum 백과.「빚투, 영끌, Daum, 2023년 11월 20일.
200) Daum 백과.「가상통화(virtual currency), Daum, 2023년 11월 20일.
201) 신재연.「가상통화 시장, 금지·허용 행위 분명하게 해야」,『경향신문』, 2022년 6월 13일.
202) 최현수.「취약계층 저버린 재정당국의 꼼수」,『경향신문』, 2022년 8월 5일.
203) 김태일.「제대로 된 재정준칙을 바라며」,『경향신문』, 2022년 8월 12일.
204) 우석훈.「감시자는 누가 감시할 것인가」,『경향신문』, 2022년 8월 29일.
205) 박종성.「금리 인상의 후폭풍」,『경향신문』, 2022년 9월 21일.
206) Daum.「재정준칙(財政準則), Daum, 2023년 11월 22일.
207) 나원준. 133.「정부 재정준칙에 반대한다」,『경향신문』, 2022년 9월 21일.
208) 진선미.「"부자감세 올인과 재정준칙 도입은 최악조합"」,『뉴스엔뷰』, 2023년 5월 16일.
209) 주병기.「총체적 난국, 길 잃은 한국경제」,『경향신문』, 2023년 6월 6일.
210) 한정연.「저성장 딱지 붙은 한국 경제, 고통의 연장」,『더스쿠프』, 2023년 11월 20일.
211) 이일영.「가치와 이익의 균형을 추구해야 산다」,『경향신문』, 2023년 6월 14일.
212) 김학균.「주가로 보는 경제, 소수만 흥하고 다수는 어렵다」, 경향신문』, 2023년 8월 10일.
213) 오건호.「'반쪽짜리' 보고서와 '연금정치' 실상」,『경향신문』, 2023년 9월 7일.
214) 강한들.「내년도 연구·개발 예산 삭감 문제점, 다양한 시각에서 지적」,『경향신문』, 2023년 10월 12일.
215) 남찬섭.「합리적인 '연금정치'를 기대하며」,『경향신문』, 2023년 9월 13일.
216) 권혜숙, 오건호.「 "연금개혁은 연금정치… 경제적 득실로만 따지면 해법 없어"」,『국민일보』, 2023년 2월 13일.
217) 김준기.「경제가 어려울 때 정부의 역할」,『경향신문』, 2023년 9월 14일.
218) 정영현, 이낙연.「"경제 걱정한다면 어려울 땐 정부에 힘 모아 줘야"」,『서울경제』, 2019년 6월 18일.
219) 안호기.「경제학자의 반성문」,『경향신문』, 2022년 7월 22일.
220) 홍기빈.「인플레이션, 임금인가 이윤인가」,『경향신문』, 2022년 7월 26일.
221) 홍기빈은 정치경제학자. 대안적 사회의 정치경제 질서를 설계하고 구축하는 데에 도움이 될 수 있는 연구와 활동을 병행해 왔다. (재)글로벌정치경제연구소 소장을 지냈으며, 국제칼폴라니 연구협회의 자문위원을 맡고 있다. 저서로는 〈위기 이후의 경제학〉 〈비그포르스, 잠정적 유토피아와 복지국가〉가 있으며, 역서로는 〈도넛 경제학〉 〈21세기 기본소득〉 〈균형재정은 틀렸다: 현대화폐이론 입문〉 등이 있다.
222) 나원준.「가계부채 위기와 위험천만한 역주행」,『경향신문』, 2022년 7월 27일.

223) 김학균.「고상한 자본주의, 미몽으로 끝나는가」,『경향신문』, 2022년 8월 26일.
224) 이은경.「경제 위기는 가깝고 정치는 멀다」,『영남일보』, 2022년 10월 6일, 26면.
225) 박희창.「정부, 내년 '1%대 저성장' 공식화… 대형 경제위기때 빼곤 최저」,『동아일보』, 2022년 12월 22일.
226) 김학균.「미국의 독주가 불안하다」, 『경향신문』, 2023년 9월 21일.
227) 이창민.「국민은 계속 피곤해질 것이다」,『경향신문』, 2023년 10월 24일.
228) 이일영.「자본주의의 운명」,『경향신문』, 2023년 7월 12일.
229) 오건영.「출렁이는 외환시장, 언제 잠잠해지나」,『경향신문』, 2023년 7월 15일.
230) 안호기.「불평등 방치한 국가의 책임과 재정건전성」,『경향신문』, 2023년 9월 19일.
231) 나원준.「정부 예산안, 이래도 좋은가」, 『경향신문』, 2023년 9월 19일.
232) 홍기빈.「'감세 집착증' 에 대한 의문」,『경향신문』, 2023년 9월 25일.
233) 홍기빈은 정치경제학자. 대안적 사회의 정치경제 질서를 설계하고 구축하는 데에 도움이 될 수 있는 연구와 활동을 병행해 왔다. (재)글로벌정치경제연구소 소장을 지냈으며, 국제칼폴라니 연구협회의 자문위원을 맡고 있다. 저서로는 〈위기 이후의 경제학〉 〈비그포르스, 잠정적 유토피아와 복지국가〉가 있으며, 역서로는 〈도넛 경제학〉 〈21세기 기본소득〉 〈균형재정은 틀렸다: 현대화폐이론 입문〉 등이 있다.
234) 오건영.「연준이 풀어야 하는 고차방정식」,『경향신문』, 2023년 11월 10일.
235) 류동민.「피케티의 계급투쟁」,『경향신문』, 2023년 11월 26일.
236) 안호기.「청년에게 불평등만 물려줄 순 없다」,『경향신문』, 2023년 6월 21일.
237) 나원준.「쿠팡 '클렌징' 은 사회적 합의 부정이다」,『경향신문』, 2023년 6월 28일.
238) 경향신문.「이제 탈성장과 지속 가능한 세상을 얘기할 때다」, 2023년 6월 28일.
239) 이창민.「슈퍼빌런의 경제학」,『경향신문』, 2023년 7월 5일.
240) 김학균.「시장 개입과 정부의 역할에 대한 논쟁들」,『경향신문』, 2023년 7월 7일.
241) 정종민.「압축성장 뒤에 드리운 그늘」,『경향신문』, 2023년 7월 11일.
242) 김윤희 동양대 교수.「공중분해 되는 자본주의」,『프레시안』, 2012년 9월 12일.
243) 토드 부크홀츠 지음(장석훈 옮김).『러쉬』, 청림출판, 2012.
244) Luedtke, Luther,S., Making America, (Forum Series U.S. Information Agency, 1987) p.185.
245) Viereck, Peter, Conservatism: From John Adams to Churchill, (Princeton University Press, 1956). Rossiter,Clinton, The Seed time of the Republic: The Origin of the American Tradition of Political Liberty, (NY Harcourt Brace &World, 1953).
246) Popcock, "Virtue and Commerce in the Eighteenth Century", Journal of Interdisciplinary History, 3-1, sum.1972. pp.120~121.
247) 동아일보. 1987년 11월 2일.
248) 하우스 푸어(House Poor)는 워킹 푸어(working poor, 근로빈곤층 : 일을 해도 소득이 적어 가난에 허덕이는 사람)에서부터 파생된 말로 집을 가지고 있어도 무리한 대출로 인한 이자 부담 때문에 빈곤하게 사는 사람들을 가리키는 말이다. 주택 가격이 계속 상승할 것이라는 기대감 때문에 무리하게 은행이나 각종 금융기관에서 대출을 받아 집을 장만했지만 금리 인상, 주택 가격 하락, 주택 거래 감소 등으로 인하여 하우스 푸어가 된 경우가 많다. 특히 한국 사회에서는 부동산을 가장 가치 있는 재테크 수단으로 생각하여 자산의 대부분을 부동산에 쏟아 붓는 관습 때문에 하우스 푸어가 양산되고 있다. 한국 가계의 부동산 자산 비중은 전체 자산의 약 80%로, 미국 37%, 일본 40%에 비하여 두 배 이상 높은 것으로 알려져 있다.
249) Scott Lash &John Urry, The End of Organized Capitalism (Cambridge: Polity Books, 5th 1998).
250) 피에르 부르디외는 프랑스의 사회학자이자 지식인으로 '부르디외 학파' 를 형성할 정도로 큰 영향력을 행사했다. 그는 사회학을 '구조와 기능의 차원에서 분석하는 학문' 으로 보고 신자유주의자를 비판하면서 범세계적인 지식인 연대의 필요성을 주장하기도 했다.
251) 김윤희.「공중분해 되는 자본주의」,『프레시안』, 2012년 9월 12일.
252) 중앙SUNDAY.「미네르바의 올빼미 外」, 2023년 10월 21일.